#사회는매일매일
#하루6쪽20일완성
#수능준비스타트
#사회기초하루시리즈

하루
수능

Chunjae Makes Chunjae

편집개발	편집부
디자인총괄	김희정
표지디자인	윤순미, 김지현
내지디자인	박희춘, 조유정
제작	황성진, 조규영

발행일	2021년 3월 1일 초판 2021년 3월 1일 1쇄
발행인	(주)천재교육
주소	서울시 금천구 가산로9길 54
신고번호	제2001-000018호
고객센터	1577-0902
교재 내용문의	(02)3282-1791

※ 정답 분실 시에는 천재교육 홈페이지에서 내려받으세요.

시 작 은

하루 수능

사 탐 영 역

한국지리 기초

이 책의 구성과 특징

처음으로 수능 한국지리와 만날 준비를 하고 있나요?

그렇다면 〈시작은 하루 수능 한국지리〉가 수능에 다가가는 친절한 안내서가 되어 줄게요.
수능에 꼭 나오는 빈출 키워드를 중심으로 차근차근 수능 한국지리를 준비해 보아요.

1 1주에는 무엇을 공부할까? ❶, ❷

❶에서는 만화를 통해 한 주 동안 공부할 내용을 알아보고, ❷에서는 한 주 동안 공부할 한국지리 빈출 키워드를 정리해 봅니다.

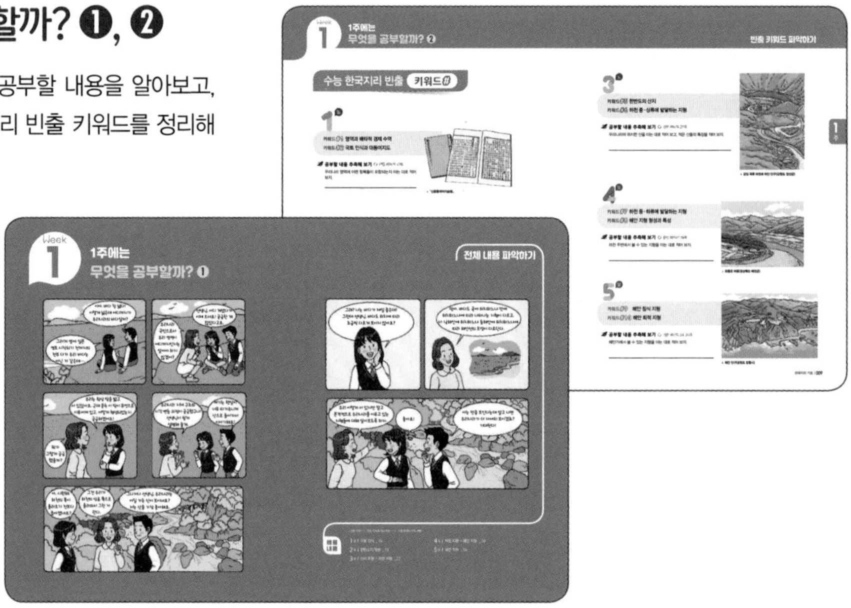
1주에는 무엇을 공부할까? ❷
빈출 키워드 파악하기
수능 한국지리 빈출 키워드
1주에는 무엇을 공부할까? ❶
전체 내용 파악하기

2 개념 확인

하루에 2개의 빈출 키워드를 공부합니다. 삽화와 내용 정리를 통해 빈출 키워드의 핵심 개념을 파악한 후, 개념 확인 문제를 풀며 공부한 내용을 점검합니다.

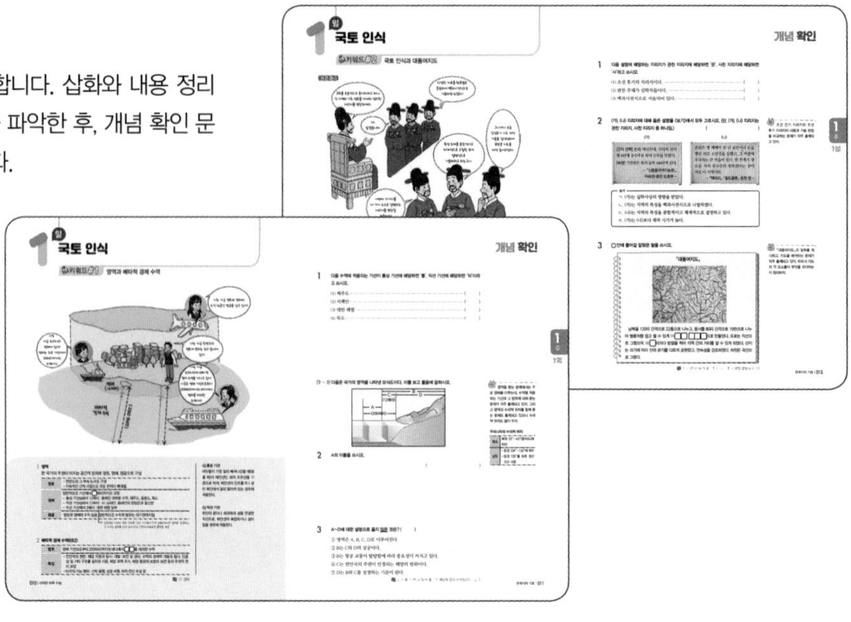
국토 인식
개념 확인
국토 인식
개념 확인

3 기초 유형 연습

수능, 평가원, 교육청 기출 문제 중 꼭 나오는 기초 문제들로 구성하였습니다. 문제를 풀며 수능 실전 감각을 익혀 보세요.

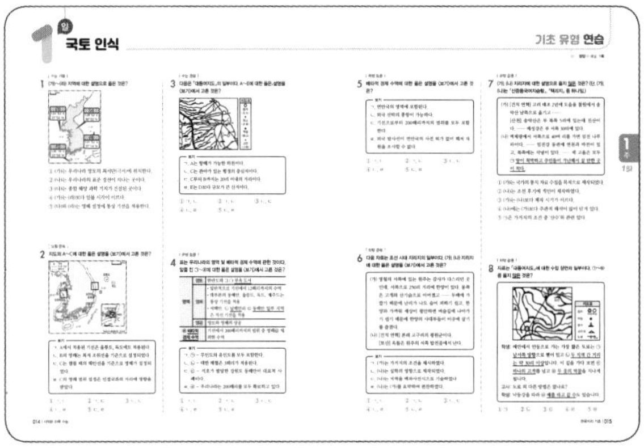

4 누구나 100점 테스트

한 주 동안 공부한 내용을 다시 한 번 점검하는 문제입니다. 꾸준히 공부했다면 충분히 풀 수 있으니 100점에 도전해 보세요.

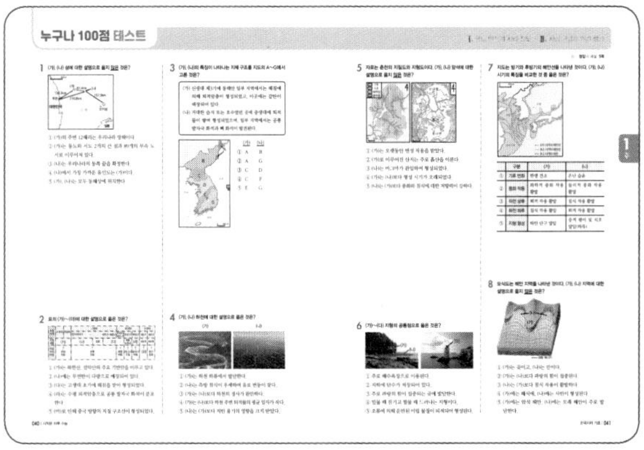

5 창의 · 융합 · 코딩

한 주 동안 공부한 내용을 그림으로 한눈에 정리해 보고, 기출 문제에 자주 나오는 자료들만 모아 꼼꼼히 분석해 봅니다.

이 책의 차례

<시작은 하루 수능 한국지리>의 차례를 확인하세요!

Week 1

[관련 단원] Ⅰ. 국토 인식과 지리 정보 ~ Ⅱ. 지형 환경과 인간 생활

1일 국토 인식 ········ 010
2일 한반도의 형성 ········ 016
3일 산지 지형 ~ 하천 지형 ········ 022
4일 하천 지형 ~ 해안 지형 ········ 028
5일 해안 지형 ········ 034
누구나 100점 테스트 ········ 040
창의·융합·코딩 ········ 042

Week 2

[관련 단원] Ⅱ. 지형 환경과 인간 생활 ~ Ⅳ. 거주 공간의 변화와 지역 개발

1일 화산 지형 ~ 카르스트 지형 ········ 052
2일 우리나라 기후 특성 ❶ ········ 058
3일 우리나라 기후 특성 ❷ ········ 064
4일 촌락의 변화와 도시 발달 ········ 070
5일 도시 구조와 대도시권 ········ 076
누구나 100점 테스트 ········ 082
창의·융합·코딩 ········ 084

Contents

Week 3

[관련 단원] Ⅳ. 거주 공간의 변화와 지역 개발 ~ Ⅴ. 생산과 소비의 공간

1일 도시 계획과 재개발 ······ 094

2일 자원의 의미와 자원 문제 ······ 100

3일 농업의 변화와 농촌 문제 ~ 공업의 발달과 지역 변화 ······ 106

4일 서비스업 변화와 교통·통신 발달 ❶ ······ 112

5일 서비스업 변화와 교통·통신 발달 ❷ ······ 118

누구나 100점 테스트 ······ 124

창의·융합·코딩 ······ 126

Week 4

[관련 단원] Ⅵ. 인구 변화와 다문화 공간 ~ Ⅶ. 우리나라의 지역 이해

1일 인구 분포와 인구 구조의 변화 ······ 136

2일 북한 지역의 특성 ······ 142

3일 수도권과 강원 지방 ······ 148

4일 충청 지방과 호남 지방 ······ 154

5일 영남 지방과 제주도 ······ 160

누구나 100점 테스트 ······ 166

창의·융합·코딩 ······ 168

Week 1

1주에는 무엇을 공부할까? ①

이야. 바다 참 넓다! 이렇게 넓은데 어디까지가 우리나라의 바다일까?
그러게 옆에 일본 영토 시작되기 전까지의 전부 다가 우리 바다는 아닌 거 같은데….
선생님, 어디 계셨다가 이제 오세요! 궁금한 게 많았다고요.
우리나라 국민으로서 우리 영역이 어디까지인지는 알아야 하지 않겠어?
뭐가 그렇게 궁금했을까?
우리는 항상 땅을 밟고 서 있잖아요. 근데 문득 이 땅이 무엇으로 이루어져 있고, 어떻게 형성되었는지 궁금해졌어요!
우리나라 지체 구조와 지각 변동 과정이 궁금했구나! 선생님이 쉽게 설명해 줄게.
여기는 햇살이 너무 따가우니까 산으로 들어가서 이야기해요!
아, 시원해. 하천의 폭이 올라오기 전보다 좁아졌네요?
그건 우리가 하천의 상류 쪽으로 올라와서 그런 거란다.
그나저나 선생님, 우리나라는 어딜 가든 산이 보이네요? 저는 산을 가장 좋아해요.

전체 내용 파악하기

그래? 나는 바다가 제일 좋은데! 그런데 선생님, 바다도 위치에 따라 조금씩 다르게 보이지 않아요?
맞아. 바다도 곶에 위치하느냐 만에 위치하느냐에 따라 나타나는 지형이 다르고, 서·남해안에 위치하느냐 동해안에 위치하느냐에 따라 해안선의 모양이 다르단다.
우리 이렇게 서 있지만 말고 본격적으로 우리나라를 이루고 있는 지형들에 대해 알아보도록 하자.
좋아요!
아는 만큼 보인다는데 알고 나면 우리나라가 더 자세히 보이겠죠? 기대된다!

[관련 단원] Ⅰ. 국토 인식과 지리 정보 ~ Ⅱ. 지형 환경과 인간 생활

배울 내용

1일 | 국토 인식 _10
2일 | 한반도의 형성 _16
3일 | 산지 지형 ~ 하천 지형 _22
4일 | 하천 지형 ~ 해안 지형 _28
5일 | 해안 지형 _34

Week 1

1주에는 무엇을 공부할까? ②

수능 한국지리 빈출 키워드#

1일

키워드#1 영역과 배타적 경제 수역

키워드#2 국토 인식과 대동여지도

공부할 내용 추측해 보기 관련 페이지 10쪽

우리나라 영역에 어떤 항목들이 포함되는지 아는 대로 적어 보자.

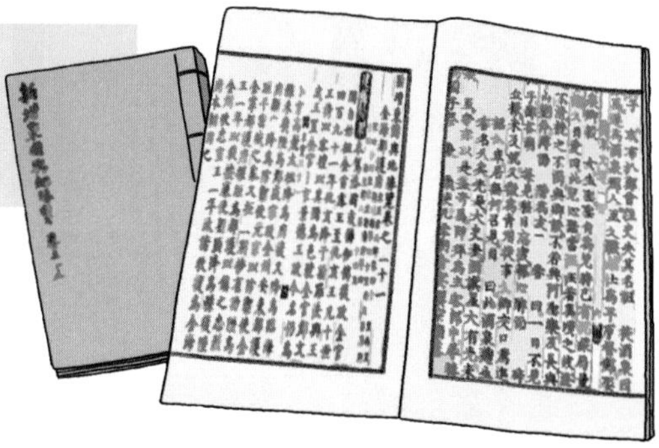

▲『신증동국여지승람』

2일

키워드#3 지체 구조

키워드#4 지각 변동과 지형 발달

공부할 내용 추측해 보기 관련 페이지 16쪽

오른쪽 그림과 같은 생물이 살았던 시기의 한반도 모습은 어떠했을지 적어 보자.

중생대 공룡
고생대 삼엽충

3일

키워드#5 한반도의 산지

키워드#6 하천 중·상류에 발달하는 지형

공부할 내용 추측해 보기 관련 페이지 22쪽

우리나라에 위치한 산을 아는 대로 적어 보고, 적은 산들의 특징을 적어 보자.

▲ 감입 곡류 하천과 하안 단구(강원도 정선군)

4일

키워드#7 하천 중·하류에 발달하는 지형

키워드#8 해안 지형 형성과 특성

공부할 내용 추측해 보기 관련 페이지 28쪽

하천 주변에서 볼 수 있는 지형을 아는 대로 적어 보자.

▲ 회룡포 마을(경상북도 예천군)

5일

키워드#9 해안 침식 지형

키워드#10 해안 퇴적 지형

공부할 내용 추측해 보기 관련 페이지 34, 36쪽

해안가에서 볼 수 있는 지형을 아는 대로 적어 보자.

▲ 해안 단구(강원도 강릉시)

1일 국토 인식

키워드 #1 영역과 배타적 경제 수역

나는 지금 영토와 영해의 수직 상공인 영공을 날고 있어!
나는 지금 우리나라 영해에 있어! 영해는 주로 기선에서 12해리까지의 수역이지.
나는 지금 한반도의 영토에 속하는 우리 동네에 있어.
나는 지금 우리나라의 배타적 경제 수역을 지나고 있어. 이곳은 영해 기선으로부터 200해리까지의 바다에서 영해를 제외한 수역이야!
영해 (12해리)
배타적 경제 수역
(200 해리)

1 영역

한 국가의 주권이 미치는 공간적 범위로 영토, 영해, 영공으로 구성

영토	• 한반도와 그 부속 도서로 구성 • 지속적인 간척 사업으로 국토 면적이 확대됨.
영해	일반적으로 기선에서 ☐해리까지로 규정 – 통상 기선❶에서 12해리: 동해안 대부분 수역, 제주도, 울릉도, 독도 – 직선 기선❷에서 12해리: 서·남해안, 동해안의 영일만과 울산만 – 직선 기선에서 3해리: 대한 해협 일부
영공	영토와 영해의 수직 상공, 일반적으로 수직적 범위는 대기권까지임.

일본과의 거리가 매우 가까워 직선 기선에서 각각 3해리까지만 영해로 설정하고, 그 사이는 공해로 남겨 두어 외국 선박의 자유로운 통행을 보장

2 배타적 경제 수역(EEZ)

범위	영해 기선으로부터 200해리까지의 바다에서 ☐☐를 제외한 수역
특징	• 연안국의 권한: 해양 자원의 탐사·개발·보전 및 관리, 수역의 경제적 개발과 탐사, 인공 섬 및 기타 구조물 설치와 사용, 해양 과학 조사, 해양 환경의 보호와 보전 등의 주권적 권리 보장 • 타국의 가능 행위: 선박 통행, 상공 비행, 해저 전선 부설 등

답 12, 영해

❶ 통상 기선
바닷물이 가장 멀리 빠져나갔을 때(썰물 때)의 해안선인 최저 조위선을 기준으로 하며, 해안선이 단조롭거나 섬이 해안에서 멀리 떨어져 있는 경우에 적용한다.

❷ 직선 기선
해안의 끝이나 최외곽의 섬을 연결한 직선으로, 해안선이 복잡하거나 섬이 많을 경우에 적용한다.

개념 확인

1 다음 수역에 적용되는 기선이 통상 기선에 해당하면 '통', 직선 기선에 해당하면 '직'이라고 쓰시오.

(1) 제주도 .... (　　　)
(2) 서해안 .... (　　　)
(3) 대한 해협 .... (　　　)
(4) 독도 .... (　　　)

[2 ~ 3] 다음은 국가의 영역을 나타낸 모식도이다. 이를 보고 물음에 답하시오.

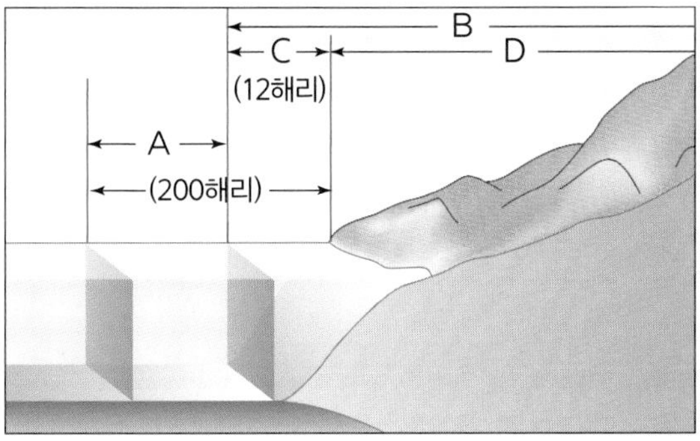
B
C
D
(12해리)
A
(200해리)

2 A의 이름을 쓰시오.

(　　　　　　　　　　)

영역을 묻는 문제에서는 주로 영해를 다루는데, 수역별 적용하는 기선과 그 범위에 대해 묻는 문제가 자주 출제되고 있어. 그리고 영역과 수리적 위치를 함께 묻는 문제도 출제되고 있으니 수리적 위치도 알아 두자.

우리나라의 수리적 위치

위도	북위 33°~43°(중위도)에 위치
경도	• 동경 124°~132°에 위치 • 동경 135°를 표준 경선으로 사용

3 A~D에 대한 설명으로 옳지 않은 것은? (　　　)

① 영역은 A, B, C, D로 이루어진다.
② B는 C와 D의 상공이다.
③ B는 항공 교통이 발달함에 따라 중요성이 커지고 있다.
④ C는 연안국의 주권이 인정되는 해양의 범위이다.
⑤ D는 B와 C를 설정하는 기준이 된다.

답 1. (1) 통 (2) 직 (3) 직 (4) 통　2. 배타적 경제 수역(EEZ)　3. ①

1일 국토 인식

키워드 #2 국토 인식과 대동여지도

조선 전기
국토를 효율적으로 통치하려고 하니, 각 지역의 기초 정보를 자세히 정리한 지리지를 편찬하여라.
네, 알겠습니다.
다양한 자료를 항목별로 분류하여 백과사전식으로 기술하면 되겠다!
그나저나 요즘 김정호가 지도 제작 기술을 집대성하여 목판본 지도를 제작 중이라던데.
특정 주제를 종합적이고 체계적으로 고찰한 후에 설명식으로 기술하려고 하는구나.
이번에 가거지를 네 가지 요소로 설명하는 지리지를 편찬할 계획이야!
조선 후기

1 조선 전기와 조선 후기의 지리지

구분	관찬 지리지	사찬 지리지
편찬 시기	조선 전기	조선 후기
편찬 주체	국가	개인(실학자들에 의해 제작)
편찬 배경	국가 통치의 기초 자료 확보	실학의 영향 → 국토에 대한 객관적 인식 확대
서술 방식	각 지역의 산천, 인구, 산업 등을 □□□□□으로 상세히 기술	특정 주제를 종합적이고 체계적으로 고찰하여 설명식으로 기술
대표 지리지	『세종실록지리지』, 『동국여지승람』, 『신증동국여지승람』 등	김정호의 『대동지지』, 이중환의 『택리지』❶ 등

2 「대동여지도」(1861년) — 조선 후기 김정호가 집대성하여 제작한 지도

① □□□ 제작: 대량 생산이 가능하여 지도의 대중화에 기여
② 분첩 절첩식: 휴대와 열람이 편리
③ 지도표❷ 사용: 기호를 사용하여 좁은 지면에 지리 정보를 효과적으로 수록
④ 10리마다 방점 표시: 두 지점 간 대략적인 거리 파악 가능
⑤ 하천 구분: 항해가 가능한 하천은 쌍선, 항해가 불가능한 하천은 단선으로 표현
⑥ 산세 표현: 산지의 크기에 따라 선의 굵기를 달리하여 표현 — 대략적인 높낮이는 알 수 있지만, 정확한 해발 고도는 알 수 없음.

❶ 『택리지』
『택리지』에서는 사람이 살 만한 땅인 '가거지'를 지리(풍수지리의 명당), 생리(경제적으로 유리한 곳), 인심(인심이 좋은 곳), 산수(경치가 좋은 곳)의 네 가지 요소로 설명하였다.

❷ 「대동여지도」의 지도표

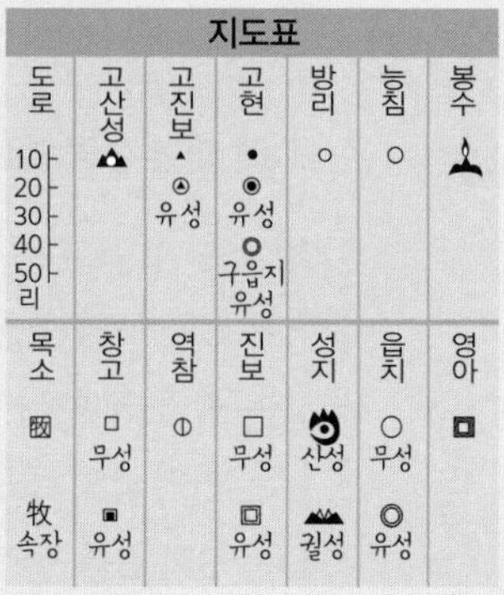

지도표
도로
10
20
30
40
50
리
고산성
고진보
유성
고현
유성
구읍지
유성
방리
능침
봉수
목소
牧
속장
창고
무성
유성
역참
진보
무성
유성
성지
산성
궐성
읍치
무성
유성
영아

답 백과사전식, 목판본

개념 확인

1 다음 설명에 해당하는 지리지가 관찬 지리지에 해당하면 '관', 사찬 지리지에 해당하면 '사'라고 쓰시오.

(1) 조선 후기의 지리지이다. ( )

(2) 편찬 주체가 실학자들이다. ( )

(3) 백과사전식으로 서술되어 있다. ( )

2 (가), (나) 지리지에 대해 옳은 설명을 〈보기〉에서 모두 고르시오. (단, (가), (나) 지리지는 관찬 지리지, 사찬 지리지 중 하나임.) ( )

(가)

[건치 연혁] 본래 맥국인데, 신라의 선덕왕 6년에 우수주로 하여 군주를 두었다.
[속현] 기린현은 부의 동족 140리에 있다.
- 『신증동국여지승람』, 제46권 춘천 도호부 -

(나)

춘천은 옛 예맥이 천 년 동안이나 도읍했던 터로 소양강을 임했고, 그 바깥에 우두라는 큰 마을이 있다. 한 무제가 팽오를 시켜 우수주와 통하였다는 곳이 바로 이 지역이다.
- 『택리지』「팔도총론」 춘천 편 -

보기

ㄱ. (가)는 실학사상의 영향을 받았다.
ㄴ. (가)는 지역의 특성을 백과사전식으로 나열하였다.
ㄷ. (나)는 지역의 특성을 종합적이고 체계적으로 설명하고 있다.
ㄹ. (가)는 (나)보다 제작 시기가 늦다.

조선 전기 지리지와 조선 후기 지리지의 내용과 기술 방법을 비교하는 문제가 자주 출제되고 있어.

3 □ 안에 들어갈 알맞은 말을 쓰시오.

「대동여지도」

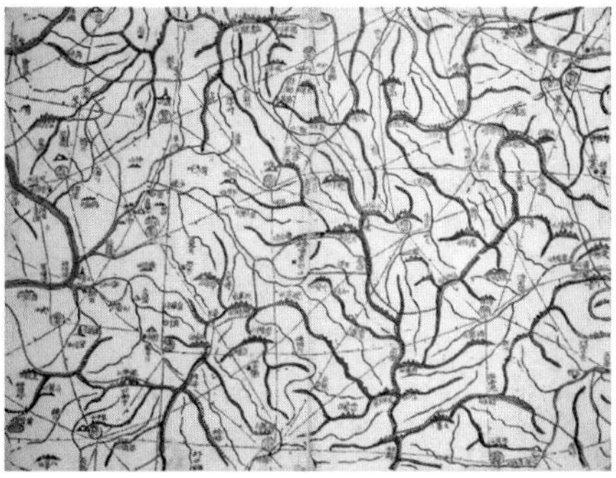

남북을 120리 간격으로 22층으로 나누고, 동서를 80리 간격으로 19판으로 나누어 병풍처럼 접고 펼 수 있게 (1)□□ □□□으로 만들었다. 도로는 직선으로 그렸으며, (2)□리마다 방점을 찍어 지역 간의 거리를 알 수 있게 하였다. 산지는 크기에 따라 선의 굵기를 다르게 표현했고, 연속성을 강조하였다. 하천은 곡선으로 그렸다.

「대동여지도」의 일부를 제시하고, 지도를 해석하는 문제가 자주 출제되고 있어. 따라서 지도의 각 요소들이 무엇을 의미하는지 정리하자.

답 1. (1) 사 (2) 사 (3) 관 2. ㄴ, ㄷ 3. (1) 분첩 절첩식 (2) 10

1일 국토 인식

| 수능 기출 |

1 (가)~(라) 지역에 대한 설명으로 옳은 것은?

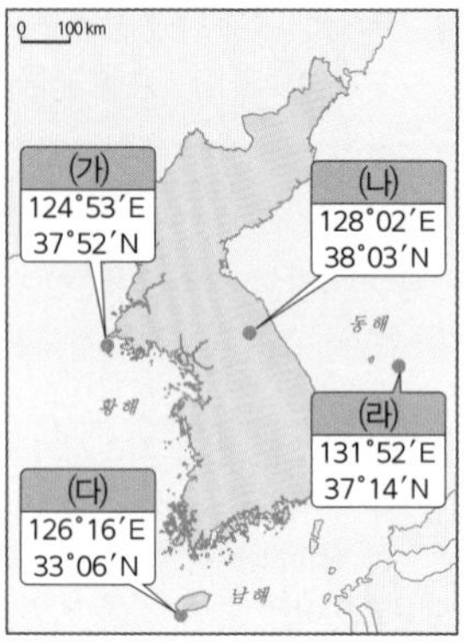

0 100 km
(가)
124°53′E
37°52′N
(나)
128°02′E
38°03′N
동해
황해
(라)
131°52′E
37°14′N
(다)
126°16′E
33°06′N
남해

① (가)는 우리나라 영토의 최서단(극서)에 위치한다.
② (나)는 우리나라의 표준 경선이 지나는 곳이다.
③ (다)는 종합 해양 과학 기지가 건설된 곳이다.
④ (가)는 (라)보다 일몰 시각이 이르다.
⑤ (다)와 (라)는 영해 설정에 통상 기선을 적용한다.

| 모평 응용 |

2 지도의 A~C에 대한 옳은 설명을 〈보기〉에서 고른 것은?

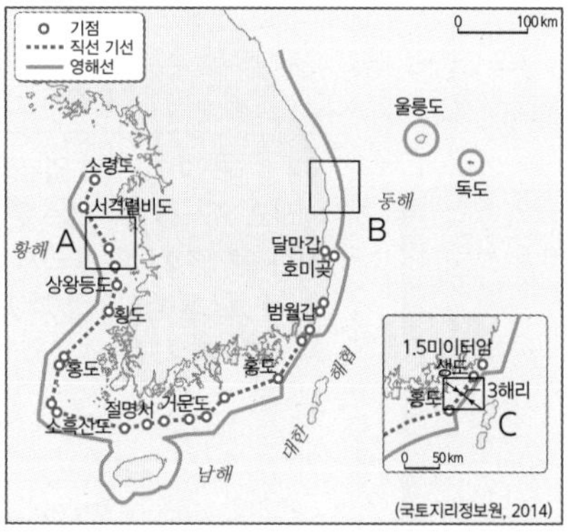

기점
직선 기선
영해선
0 100 km
울릉도
독도
소령도
서격렬비도
황해 A
상왕등도
횡도
홍도
소흑산도
절명서
거문도
B
동해
달만갑
호미곶
범월갑
생도
1.5미이터암
생도
홍도
3해리
C
0 50 km
대한 해협
남해
(국토지리정보원, 2014)

보기
ㄱ. A에서 적용된 기선은 울릉도, 독도에도 적용된다.
ㄴ. B의 영해는 최저 조위선을 기준으로 설정되었다.
ㄷ. C는 썰물 때의 해안선을 기준으로 영해가 설정되었다.
ㄹ. C의 영해 범위 설정은 인접국과의 거리에 영향을 받았다.

① ㄱ, ㄴ ② ㄱ, ㄷ ③ ㄴ, ㄷ
④ ㄴ, ㄹ ⑤ ㄷ, ㄹ

| 수능 응용 |

3 다음은 「대동여지도」의 일부이다. A~E에 대한 옳은 설명을 〈보기〉에서 고른 것은?

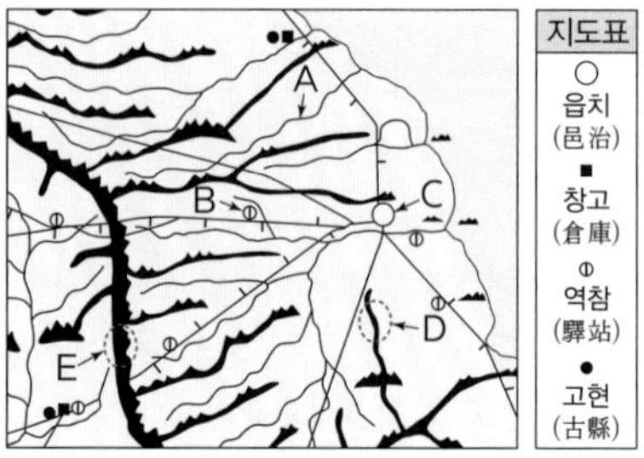

A
B
C
D
E
지도표
읍치 (邑治)
창고 (倉庫)
역참 (驛站)
고현 (古縣)

보기
ㄱ. A는 항해가 가능한 하천이다.
ㄴ. C는 관아가 있는 행정의 중심지이다.
ㄷ. C부터 B까지는 20리 이내의 거리이다.
ㄹ. E는 D보다 규모가 큰 산지이다.

① ㄱ, ㄴ ② ㄱ, ㄷ ③ ㄴ, ㄷ
④ ㄴ, ㄹ ⑤ ㄷ, ㄹ

| 모평 응용 |

4 표는 우리나라의 영역 및 배타적 경제 수역에 관한 것이다. 밑줄 친 ㉠~㉣에 대한 옳은 설명을 〈보기〉에서 고른 것은?

영역	영토	한반도와 그 ㉠ 부속 도서
	영해	• 일반적으로 기선에서 12해리까지의 수역 • 대부분의 동해안, 울릉도, 독도, 제주도는 통상 기선을 적용 • 서해안, ㉡ 남해안과 ㉢ 동해안 일부 지역은 직선 기선을 적용
	영공	영토와 영해의 상공
㉣ 배타적 경제 수역		기선에서 200해리까지의 범위 중 영해를 제외한 수역

보기
ㄱ. ㉠ – 무인도와 유인도를 모두 포함한다.
ㄴ. ㉡ – 대한 해협은 3해리가 적용된다.
ㄷ. ㉢ – 석호가 발달한 강원도 동해안이 대표적 사례이다.
ㄹ. ㉣ – 우리나라는 200해리를 모두 확보하고 있다.

① ㄱ, ㄴ ② ㄱ, ㄷ ③ ㄴ, ㄷ
④ ㄴ, ㄹ ⑤ ㄷ, ㄹ

| 학평 응용 |

5 배타적 경제 수역에 대한 옳은 설명을 〈보기〉에서 고른 것은?

보기
ㄱ. 연안국의 영역에 포함된다.
ㄴ. 외국 선박의 통항이 가능하다.
ㄷ. 기선으로부터 200해리까지의 범위를 모두 포함한다.
ㄹ. 외국 탐사선이 연안국의 사전 허가 없이 해저 자원을 조사할 수 없다.

① ㄱ, ㄴ　② ㄱ, ㄷ　③ ㄴ, ㄷ
④ ㄴ, ㄹ　⑤ ㄷ, ㄹ

| 학평 응용 |

6 다음 자료는 조선 시대 지리지의 일부이다. (가), (나) 지리지에 대한 옳은 설명을 〈보기〉에서 고른 것은?

(가) 영월의 서쪽에 있는 원주는 감사가 다스리던 곳인데, 서쪽으로 250리 거리에 한양이 있다. 동쪽은 고개와 산기슭으로 이어졌고 …… 두메에 가깝기 때문에 난리가 나도 숨어 피하기 쉽고, 한양과 가까워 세상이 평안하면 벼슬길에 나아가기 쉽기 때문에 한양의 사대부들이 이곳에 살기를 즐겼다.
(나) [건치 연혁] 본래 고구려의 평원군이다.
[토산] 옥돌은 원주의 서쪽 탑전골에서 난다.

보기
ㄱ. (가)는 가거지의 조건을 제시하였다.
ㄴ. (나)는 실학의 영향으로 제작되었다.
ㄷ. (나)는 지역을 백과사전식으로 기술하였다.
ㄹ. (나)는 (가)를 요약하여 편찬하였다.

① ㄱ, ㄴ　② ㄱ, ㄷ　③ ㄴ, ㄷ
④ ㄴ, ㄹ　⑤ ㄷ, ㄹ

| 모평 응용 |

7 (가), (나) 지리지에 대한 설명으로 옳지 않은 것은? (단, (가), (나)는 『신증동국여지승람』, 『택리지』 중 하나임.)

(가) [건치 연혁] 고려 태조 2년에 도읍을 철원에서 송악산 남쪽으로 옮기고 ……
[산천] 송악산은 부 북쪽 5리에 있는데 진산이다. …… 예성강은 부 서쪽 30리에 있다.
(나) 벽제령에서 서쪽으로 40여 리를 가면 임진 나루터이다. …… 임진강 동편에 연천과 마전이 있고, 북쪽에는 삭녕이 있다. …… 세 고을은 모두 ㉠ 땅이 척박하고 주민들이 가난해서 살 만한 곳이 적다.

① (가)는 국가의 통치 자료 수집을 목적으로 제작되었다.
② (나)는 조선 후기에 개인이 제작하였다.
③ (가)는 (나)보다 제작 시기가 이르다.
④ (나)에는 (가)보다 주관적 해석이 많이 담겨 있다.
⑤ ㉠은 가거지의 조건 중 '산수'와 관련 있다.

| 학평 응용 |

8 자료는 「대동여지도」에 대한 수업 장면의 일부이다. ㉠~㉤ 중 옳지 않은 것은?

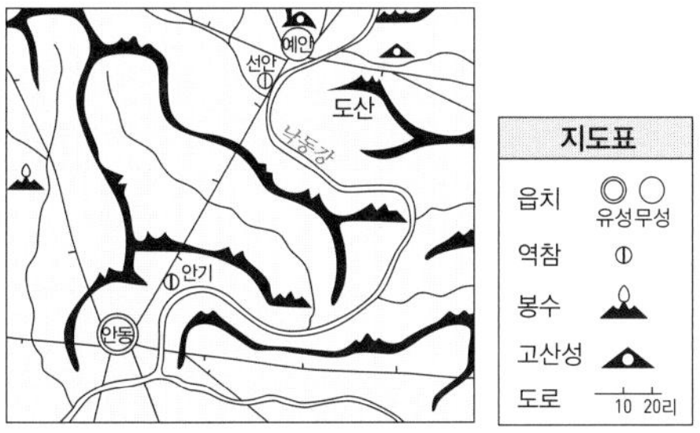
예안
선안
도산
낙동강
안기
안동
지도표
읍치
유성 무성
역참
봉수
고산성
도로
10 20리

학생: 예안에서 안동으로 가는 가장 짧은 도로는 ㉠ 남서쪽 방향으로 뻗어 있고 ㉡ 두 지역 간 거리는 약 30리 이상입니다. 이 길을 가다 보면 ㉢ 하나의 고개를 넘고 ㉣ 두 곳의 역참을 지나게 됩니다.
교사: 도로 외 다른 방법은 없나요?
학생: 낙동강을 따라 ㉤ 배를 타고 갈 수도 있습니다.

① ㉠　② ㉡　③ ㉢　④ ㉣　⑤ ㉤

2일 한반도의 형성

키워드 #3 지체 구조

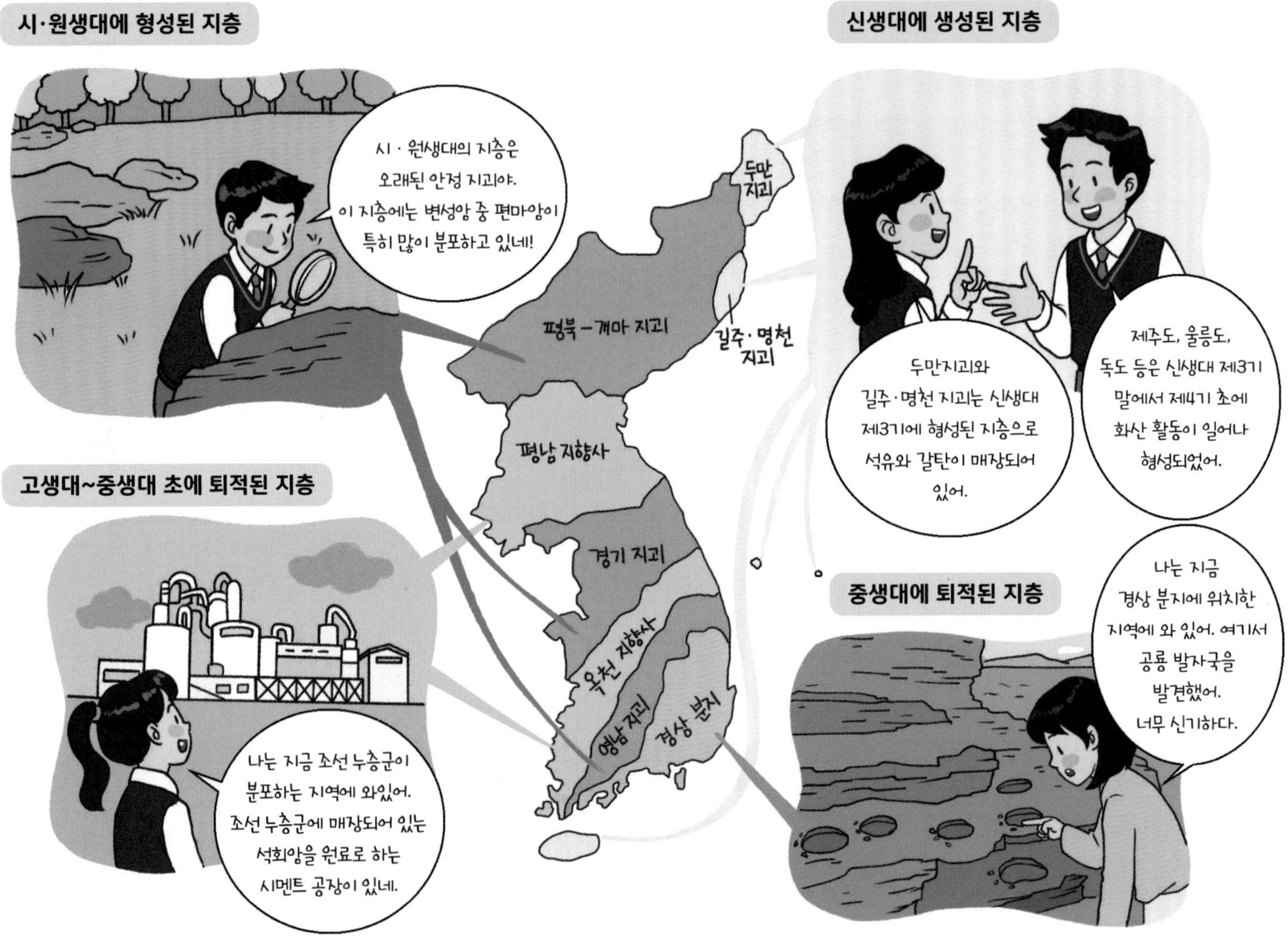

시·원생대에 형성된 지층
시·원생대의 지층은 오래된 안정 지괴야. 이 지층에는 변성암 중 편마암이 특히 많이 분포하고 있네!
신생대에 생성된 지층
두만 지괴
길주·명천 지괴
평북-개마 지괴
평남 지향사
경기 지괴
옥천 지향사
영남 지괴
경상 분지
두만지괴와 길주·명천 지괴는 신생대 제3기에 형성된 지층으로 석유와 갈탄이 매장되어 있어.
제주도, 울릉도, 독도 등은 신생대 제3기 말에서 제4기 초에 화산 활동이 일어나 형성되었어.
고생대~중생대 초에 퇴적된 지층
중생대에 퇴적된 지층
나는 지금 경상 분지에 위치한 지역에 와 있어. 여기서 공룡 발자국을 발견했어. 너무 신기하다.
나는 지금 조선 누층군이 분포하는 지역에 와있어. 조선 누층군에 매장되어 있는 석회암을 원료로 하는 시멘트 공장이 있네.

1 한반도의 지체 구조

지질 시대	지체 구조	특징
시·원생대	평북·개마 지괴❶, 경기 지괴, 소백산(영남) 지괴	• 오랜 시간 변성 작용을 받아 형성된 안정 지괴 • 변성암이 주로 분포 ─ 변성암 중 주로 편마암
고생대	옥천 습곡대(지향사❷), 평남 분지(지향사)	• 고생대 초: 해성층❸인 조선 누층군 형성 → □□□ 매장 • 고생대 말 ~ 중생대 초: 육성층인 평안 누층군 형성 → 무연탄 매장
중생대	경상 분지	거대한 호수였던 곳에 두꺼운 퇴적물이 쌓여 형성된 육성층 → 공룡 발자국, 뼈 화석 발견
신생대	두만 지괴, 길주·명천 지괴	• 한반도 일부가 바다에 잠겨 형성된 퇴적층 → 갈탄 매장 • 울릉도, □□□, 독도: 화산 활동으로 형성 → 화산암 분포

답 석회암, 제주도

❶ **지괴**
형성 시기와 특징이 유사하여 다른 지역과 구분이 가능한 지각의 한 덩어리로, 육괴라고도 한다.

❷ **지향사**
지질이 오랜 세월 퇴적된 후, 조산 운동으로 지반이 침강하여 습곡 산맥을 이룬 퇴적 분지이다.

❸ **해성층**
바다 밑에 퇴적되어 생긴 지층을 의미한다. 일반적으로 해양 생물의 유해를 함유하는 경우 해성층이라고 부른다.

1 해당 지질 시대의 지체 구조를 〈보기〉에서 찾아 빈칸 안에 쓰시오.

보기

경상 분지, 두만 지괴, 옥천 습곡대, 경기 지괴

지질 시대	지체 구조
(1) 시·원생대	( )
(2) 고생대	( )
(3) 중생대	( )
(4) 신생대	( )

한반도의 지체 구조는 크게 지괴, 습곡대, 퇴적 분지로 구분돼. 오랜 기간에 걸쳐 다양한 지형 형성 작용을 받아 지체 구조가 복잡한 특징이 있어.

1주 2일

2 다음은 한반도의 지체 구조를 지질 시대별로 정리한 자료이다. ▢ 안에 들어갈 알맞은 말을 쓰시오.

시·원생대

0 100 km
평북 · 개마 지괴
경기 지괴
소백산(영남) 지괴
황해
동해
남해
변성암류
상원계

한반도의 거의 절반 정도의 땅이 이 시기에 형성되었으며, 이 시기의 주요 암석은 (1)▢▢▢과 편암이다.

고생대

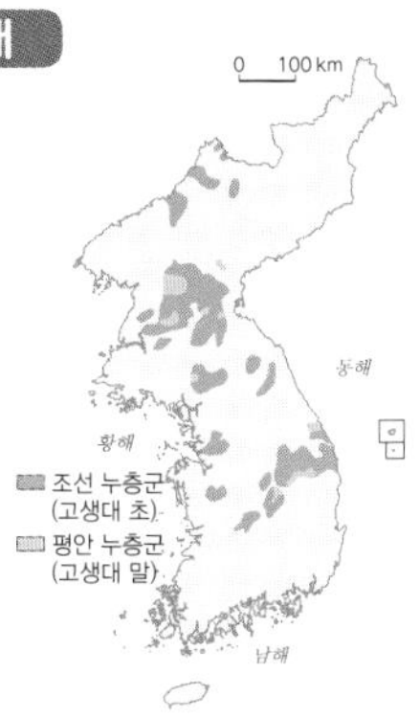
0 100 km
황해
동해
남해
조선 누층군 (고생대 초)
평안 누층군 (고생대 말)

침강과 융기의 반복으로 초기에는 해성층인 (2)▢▢ 누층군이 형성되었고, 말기에는 육성층인 평안 누층군이 형성되었다.

중생대

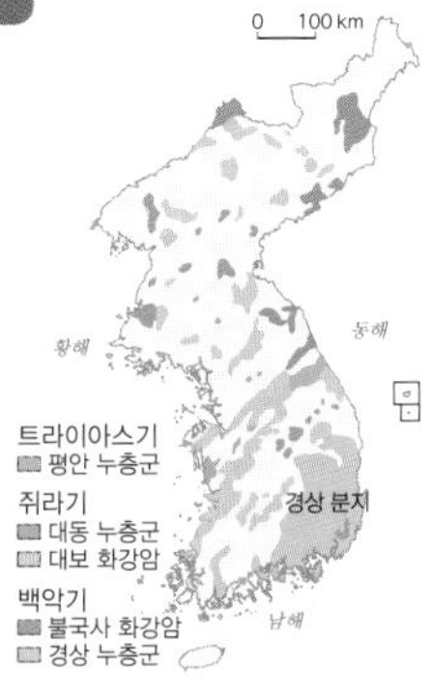
0 100 km
황해
동해
남해
경상 분지
트라이아스기
평안 누층군
쥐라기
대동 누층군
대보 화강암
백악기
불국사 화강암
경상 누층군

대보 조산 운동과 불국사 변동으로 인하여 화강암이 형성되었으며, 경상 분지에서는 (3)▢▢이 살았던 흔적을 확인할 수 있다.

신생대

0 100 km
백두산
명천
길주
울릉도
독도
황해
동해
남해
제3기층 (퇴적암)
제4기층 (현무암)

(한국지질자원연구원, 2017)

신생대 제3기 말에서 제4기에 걸쳐 다양한 (4)▢▢ 지형이 형성되었다.

한반도의 지체 구조 지도를 제시하고, 각 시기별 지체 구조의 위치와 지층에 매장되어 있는 암석을 연결시켜 물어보는 문제가 자주 출제되고 있어.

한반도의 지질 시대별 암석 구성

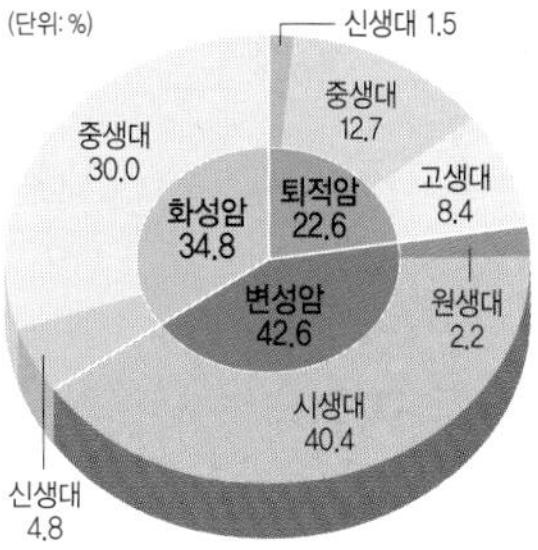
(단위: %)
신생대 1.5
중생대 12.7
고생대 8.4
원생대 2.2
시생대 40.4
신생대 4.8
중생대 30.0
화성암 34.8
퇴적암 22.6
변성암 42.6

답 1. (1) 경기 지괴 (2) 옥천 습곡대 (3) 경상 분지 (4) 두만 지괴 2. (1) 편마암 (2) 조선 (3) 공룡 (4) 화산

2일 한반도의 형성

키워드 #4 지각 변동과 지형 발달

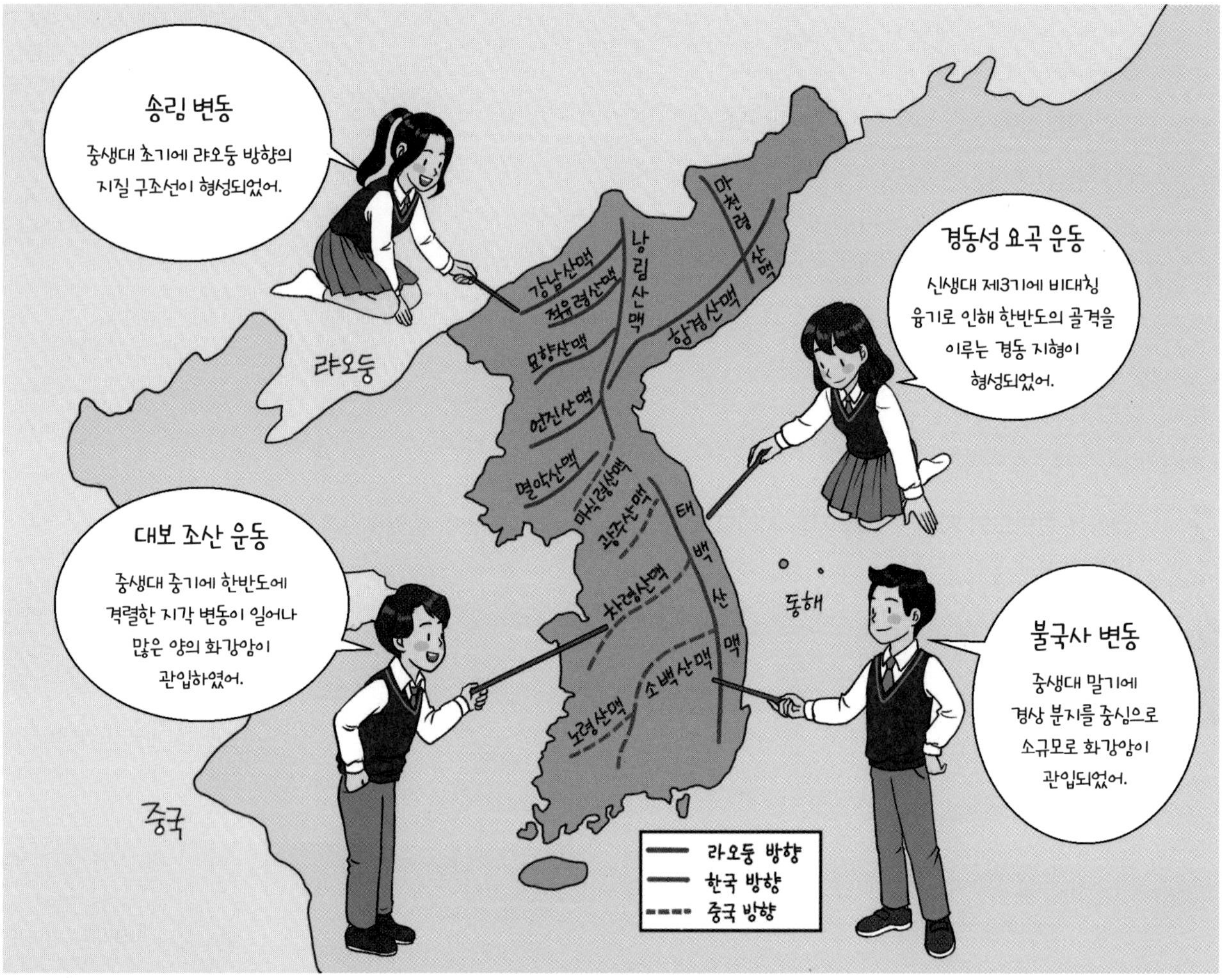
송림 변동
중생대 초기에 랴오둥 방향의 지질 구조선이 형성되었어.
경동성 요곡 운동
신생대 제3기에 비대칭 융기로 인해 한반도의 골격을 이루는 경동 지형이 형성되었어.
대보 조산 운동
중생대 중기에 한반도에 격렬한 지각 변동이 일어나 많은 양의 화강암이 관입하였어.
불국사 변동
중생대 말기에 경상 분지를 중심으로 소규모로 화강암이 관입되었어.
마천령 산맥
낭림산맥
강남산맥
적유령산맥
묘향산맥
함경산맥
언진산맥
멸악산맥
마식령산맥
광주산맥
태백산맥
차령산맥
소백산맥
노령산맥
랴오둥
동해
중국
랴오둥 방향
한국 방향
중국 방향

1 한반도의 지각 변동

구분	원인	시기	특징
중생대의 지각 변동	송림 변동	중생대 초기	• 한반도 북부 지방에 영향 (함경·강남·적유령·묘향·언진·멸악산맥 형성) • 랴오둥 방향(동북동–서남서)의 지질 구조선❶ 형성 • 평남 분지와 옥천 습곡대의 육지화
	대보 조산 운동	중생대 중기	• 한반도 중·남부 지방에 영향 (소백·노령·차령·광주산맥 등 형성) • 중국 방향(북동–남서)의 지질 구조선 형성 • 가장 격렬한 지각 변동, 한반도 전체에 많은 양의 화강암 관입 → 대보 화강암 형성
	불국사 변동	중생대 말기	□□ □□를 중심으로 소규모로 화강암 관입 → 불국사 화강암 형성
신생대의 지각 변동	경동성 요곡 운동❷	신생대 제3기	• 동해 지각 확장으로 한반도에 강한 횡압력 작용 • 동해안에 치우친 □□□ 융기 → 경동 지형 형성 (낭림·함경·태백·산맥 등 높은 산지 형성)
	화산 활동	신생대 제3기 말~제4기 초	• 화산 활동으로 화산, 용암 대지 등 화산 지형 형성 • 백두산, 철원·평강, 제주도, 울릉도, 독도 등 형성

2 기후 변화와 지형 발달

신생대 제4기에 기후 변화에 따른 빙하 범위와 해수면 변동 → 다양한 지형 형성에 영향

❶ 지질 구조선

지각 운동 때문에 형성되며, 지각에 벌어진 틈이 길게 연결되어 발달한다.

0 100 km
마천령산맥
낭림산맥
강남산맥
적유령산맥
묘향산맥
함경산맥
길주·명천 지구대
언진산맥
멸악산맥
마식령산맥
추가령 구조곡
광주산맥
태백산맥
차령산맥
소백산맥
노령산맥
형산강 지구대
동해
울릉도
독도
황해
남해
랴오둥 방향
중국 방향
한국 방향
지구대·구조곡

답 경상 분지, 비대칭

1 〈보기〉의 지각 변동을 시기에 맞게 순서대로 나열하시오.

보기
ㄱ. 대보 조산 운동　　ㄴ. 경동성 요곡 운동
ㄷ. 송림 변동　　ㄹ. 불국사 변동

(　　　→　　　→　　　→　　　)

2 □ 안에 들어갈 알맞은 말을 쓰시오.

5억 7,000만 년 전　　2억 4,500만 년 전　　6,500만 년 전

지질 시대	선캄브리아대		고생대						중생대			신생대	
	시생대	원생대	캄브리아기	오르도비스기	실루리아기	데본기	석탄기	페름기	트라이아스기	쥐라기	백악기	제3기	제4기
지층	변성암 복합체		조선 누층군			결층	평안 누층군			대동 누층군	경상 누층군	제3계	제4계
주요 지각 변동	변성 작용		조륙 운동						송림 변동	대보 조산 운동	불국사 변동	경동성 요곡 운동	화산 활동
지체 구조	평북·개마 지괴, 경기 지괴, 영남 지괴		평남 분지, 옥천 습곡대						경상 분지			두만 지괴, 길주·명천 지괴	
지하 자원	금, 은, 철, 텅스텐 등		무연탄, 석회석						무연탄			갈탄	

한반도는 고생대까지 큰 지각 변동 없이 안정된 상태를 유지하고 있었으며, 고생대에 진행된 조륙 운동 과정에서 다양한 퇴적층이 형성되었다. 오늘날과 같은 한반도 지체 구조의 골격은 중생대와 신생대의 지각 변동을 거치는 과정에서 만들어졌다. 중생대의 (1) □□ □□ 운동, 불국사 변동을 거치면서 (2) □□□이 관입되었고, 신생대 제3기에 (3) □□□ □□ 운동으로 비대칭 지형이 형성되었으며, 신생대 제3기 말~제4기 초에는 화산 활동이 일어났다.

경동성 요곡 운동의 결과로 고위 평탄면, 감입 곡류 하천, 하안 단구, 해안 단구 등의 지형이 발달하였어.

3 □ 안에 들어갈 알맞은 말을 쓰시오.

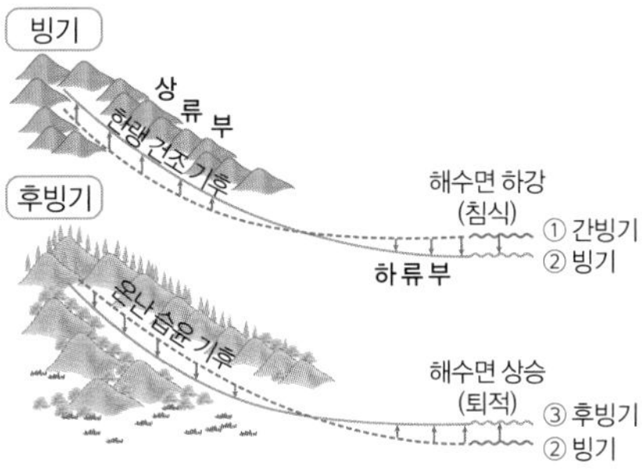
빙기
상류부
한랭 건조 기후
해수면 하강
(침식)
① 간빙기
② 빙기
하류부
후빙기
온난 습윤 기후
해수면 상승
(퇴적)
③ 후빙기
② 빙기

구분	(1) □□	(2) □□□
기후 변화	한랭 건조	온난 습윤
해수면 변동	하강	상승
하천 상류	퇴적 작용 활발	침식 작용 활발
하천 하류	침식 작용 활발	퇴적 작용 활발
풍화 작용	물리적 풍화 작용 우세	화학적 풍화 작용 우세
식생 변화	냉대림 확대	난대림 확대

빙기와 후빙기의 특징을 비교하여 묻는 문제가 자주 출제되고 있어.

답 1. ㄷ→ㄱ→ㄹ→ㄴ　2. (1) 대보 조산 (2) 화강암 (3) 경동성 요곡　3. (1) 빙기 (2) 후빙기

2일 한반도의 형성

| 학평 응용 |

1 (가), (나)의 분포를 지도의 A~D에서 고른 것은? (단, (가), (나)는 경상 누층군, 조선 누층군 중 하나임.)

> • ○○시 일대의 [(가)]에서는 고생대 대표적 해양 동물인 삼엽충 화석이 발견된다.
> • □□시의 [(나)]에서는 길이가 1cm에 불과한 공룡 발자국 화석이 발견되었다.

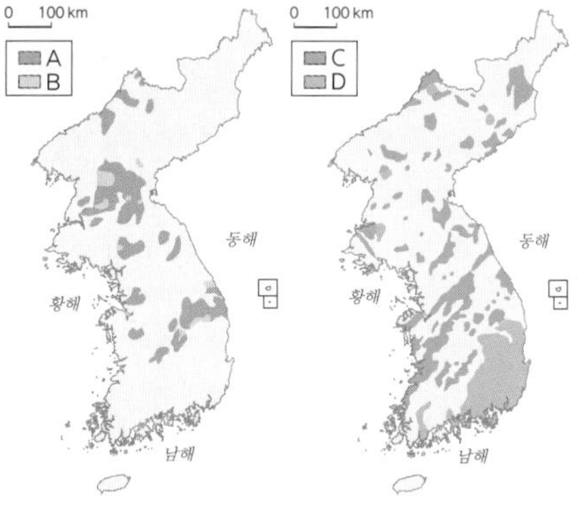

0 100 km
A
B
C
D
동해
황해
남해

	(가)	(나)
①	A	B
②	A	D
③	B	C
④	B	D
⑤	C	A

| 학평 기출 |

2 ㉠ 시기와 비교한 ㉡ 시기의 상대적 특성으로 옳은 설명을 <보기>에서 고른 것은?

〈시기별 해수면 변동〉

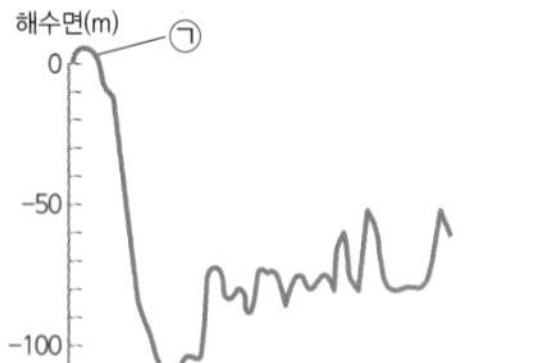

해수면(m)
㉠
0
-50
-100
㉡
현재
5만
7만 5천(년 전)

보기

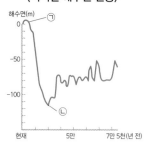

ㄱ. 평균 기온이 높다.
ㄴ. 식생의 밀도가 낮다.
ㄷ. 지리산의 해발 고도가 낮다.
ㄹ. 물리적 풍화 작용이 활발하다.

① ㄱ, ㄴ ② ㄱ, ㄷ ③ ㄴ, ㄷ
④ ㄴ, ㄹ ⑤ ㄷ, ㄹ

| 학평 응용 |

3 다음은 학생이 작성한 보고서의 일부이다. 밑줄 친 ㉠, ㉡에 주로 분포하는 암석을 그래프의 A~C에서 고른 것은?

> [미술 작품 속의 우리나라 산]
>
> 3학년 ○반 □□□
>
> 1. 정선의 「인왕제색도」
> 마그마가 땅 속에서 굳어 형성된 기반암이 오랜 풍화와 침식을 받아 노출된 ㉠ 인왕산을 표현함.
> 2. 이형상의 「탐라순력도」
> 소규모의 화산 활동과 화산 쇄설물의 퇴적으로 형성된 ㉡ 다랑쉬 오름을 표현함.

〈한반도 분포 암석의 면적 비율〉

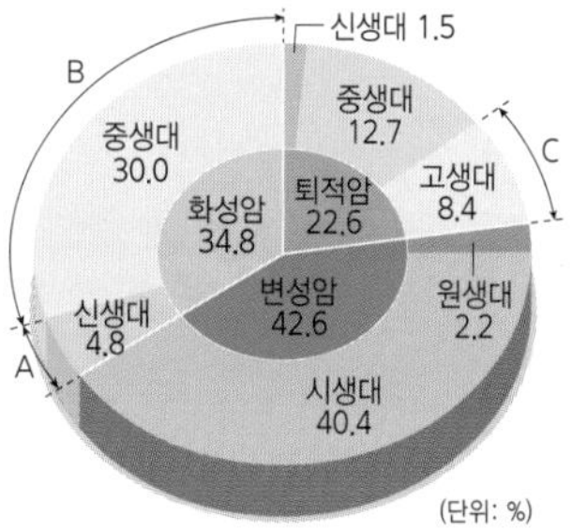

신생대 1.5
B
중생대 12.7
중생대 30.0
C
고생대 8.4
화성암 34.8
퇴적암 22.6
변성암 42.6
원생대 2.2
신생대 4.8
A
시생대 40.4
(단위: %)

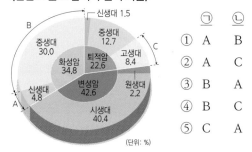

	㉠	㉡
①	A	B
②	A	C
③	B	A
④	B	C
⑤	C	A

| 수능 기출 |

4 다음 글의 ㉠~㉤에 대한 설명으로 옳은 것은?

> 한반도는 중생대에 여러 차례 지각 운동을 겪었다. 중생대 초 송림 변동에 이어 중생대 중엽에는 가장 격렬했던 ㉠ 대보 조산 운동이 일어나 구조선이 만들어졌다. 이 과정에서 마그마의 관입이 일어나 한반도의 ㉡ 화강암 분포에 영향을 주었다. ㉢ 관입된 암석과 주변 암석 간의 차별 침식은 특징적인 지형을 만들기도 하였다. 중생대 후기에는 ㉣ 불국사 변동으로 ㉤ 경상 분지 곳곳에 마그마가 관입되었다.

① ㉠의 영향으로 남북 방향의 1차 산맥이 형성되었다.
② ㉡이 산 정상부를 이루는 경우 주로 흙산으로 나타난다.
③ ㉢의 결과로 침식 분지가 형성되었다.
④ ㉣은 동고서저 지형 형성의 주요 원인이다.
⑤ ㉤에는 갈탄이 광범위하게 매장되어 있다.

정답과 해설 2쪽

| 모평 기출 |

5 다음 자료의 (가)~(마)에 대한 설명으로 옳지 않은 것은?

<table>
<tr><td rowspan="2">지질 시대</td><td rowspan="2">시생대</td><td rowspan="2">원생대</td><td colspan="3">고생대</td><td colspan="3">중생대</td><td colspan="2">신생대</td></tr>
<tr><td>캄브리아기</td><td>…</td><td>석탄기-페름기</td><td>트라이아스기</td><td>쥐라기</td><td>백악기</td><td>제3기</td><td>제4기</td></tr>
<tr><td>지질 계통</td><td colspan="2">(가)</td><td>(나)</td><td>결층</td><td colspan="2">(다)</td><td>대동 누층군</td><td>(라)</td><td>제3계</td><td>제4계</td></tr>
<tr><td>주요 지각 변동</td><td colspan="2">↑ 변성 작용</td><td colspan="3">↑ 조륙 운동</td><td>↑ 송림 변동</td><td>↑ 대보 조산 운동</td><td>↑ 불국사 변동</td><td>↑ (마)</td><td>↑ 화산 활동</td></tr>
</table>

① (가)-지리산, 덕유산 등의 기반암을 이루고 있다.
② (나)-바다에서 형성된 지층으로 주로 평남 분지와 옥천 습곡대에 분포한다.
③ (다)-습지였던 지층에 무연탄이 매장되어 있다.
④ (라)-수평 퇴적암층으로 경상 분지에 분포한다.
⑤ (마)-중국(북동-남서) 방향의 지질 구조선이 형성되었다.

| 학평 응용 |

6 다음 대화의 ㉠, ㉡에 대한 설명으로 옳은 것은? (단, ㉠, ㉡은 조선 누층군, 평안 누층군, 경상 누층군 중 하나임.)

㉠ ○○ 누층군은 호소에서 형성되었으며 공룡 발자국 화석이 있어요.
㉡ △△ 누층군은 바다에서 형성되었으며 석회암이 많이 분포해 있어요.
특징을 잘 설명했습니다.

① ㉠에는 무연탄이 많이 매장되어 있다.
② ㉠에는 용식 작용으로 형성된 동굴이 많다.
③ ㉡은 경상 분지에 주로 분포한다.
④ ㉡에는 주상 절리가 잘 발달해 있다.
⑤ ㉡은 ㉠보다 형성 시기가 이르다.

| 학평 응용 |

7 다음 글은 한반도의 지각 운동에 대한 것이다. ㉠~㉤에 대한 설명으로 옳지 않은 것은?

> 고생대까지 안정을 유지하던 한반도는 중생대에 이르러 세 차례의 지각 변동이 일어났다. 중생대 초기에 일어난 ㉠ 송림 변동은 한반도 북부 지방을 중심으로 영향을 미쳤다. 중기에 일어난 ㉡ 대보 조산 운동은 한반도 전체에 영향을 주었으며 대규모 마그마의 관입으로 ㉢ 화강암이 형성되었다. 후기에 경상 분지 지역에서는 불국사 변동이 일어났다. 신생대 제3기에는 ㉣ 경동성 요곡 운동이 일어나 ㉤ 동고서저의 지형이 형성되었다.

① ㉠은 낭림산맥과 같은 1차 산맥을 형성시켰다.
② ㉡은 중국 방향의 지질 구조선을 형성시켰다.
③ ㉢이 기반암인 산지에서는 돌산이 잘 나타난다.
④ ㉣은 고위 평탄면과 하안 단구 형성에 영향을 주었다.
⑤ ㉤의 영향으로 중부 지방의 대하천은 대부분 황해로 흐른다.

| 학평 응용 |

8 다음 글의 밑줄 친 ㉠~㉤에 대한 설명으로 옳은 것은?

> 중생대의 지층은 대부분 ㉠ 육성층으로 전기의 대동계층과 후기의 경상계층으로 구분되어 있다. 대동계층은 쥐라기의 퇴적층으로 충남 보령, 경기도 김포 등에 분포하며, ㉡ 경상계층은 백악기의 퇴적층으로 경상남·북도에 주로 분포한다. 중생대 초기 북부 지역을 중심으로 ㉢ 송림 운동이 있었고, 중생대 쥐라기에서 백악기에 걸쳐 일어난 ㉣ 대보 조산 운동은 한반도 전체에 영향을 주었다. 그 과정에서 대규모의 마그마가 관입되어 ㉤ 화강암이 형성되었다.

① ㉠에는 주로 석회석과 무연탄이 매장되어 있다.
② ㉡은 수평 누층으로 공룡 발자국 화석이 분포한다.
③ ㉢의 영향으로 동고서저의 경동 지형이 형성되었다.
④ ㉣의 영향으로 랴오둥(동북동-서남서) 방향의 지질 구조선이 형성되었다.
⑤ ㉤은 지리산 등 흙산의 기반암을 이루고 있다.

3일 산지 지형 ~ 하천 지형

키워드 #5 한반도의 산지

나는 오늘 지리산을 등산하고 있어.
이곳은 1차 산맥에 위치한 산이라
그런지 해발 고도가 꽤 높네!
그리고 흙산이라 식생이 풍부해.
너도 오늘 등산하는구나!
나는 오늘 월출산에 왔어. 이곳은 차별 풍화와
침식 작용을 받아 형성된 2차 산맥이라 그런지
생각보다 해발 고도가 낮네. 그리고 돌산이라
암석들이 지표 위로 드러나 있어.

1 한반도 산지의 형성

1차 산맥	구분	2차 산맥
신생대 제3기 이후 경동성 요곡 운동의 영향으로 형성	형성	중생대 지각 운동으로 형성된 지질 구조선을 따라 차별적인 풍화❶와 □□ 작용을 받아 형성
• 해발 고도가 □고, 산줄기의 연속성이 뚜렷 → 한반도의 골격 형성 • 랴오둥 방향의 함경산맥, 중국 방향의 소백산맥, 한국 방향의 낭림·태백·마천령산맥	특징	• 해발 고도가 낮고, 산줄기의 연속성이 미약 • 1차 산맥에서 뻗어 나간 남서 방향의 산맥 → 강남산맥, 묘향산맥 등

2 한반도 산지의 특징

(우리나라 남서부 평야 지역, 경상 분지 내 퇴적암 지역에 넓게 분포)

① 구릉성 산지❷: 국토 면적의 70%가 산지이지만 오랫동안 침식되어 해발 고도 200~500m의 구릉성 산지가 국토 면적의 40% 이상 차지

② 고위 평탄면❸: 오랜 기간 침식을 받아 낮고 평탄해진 땅이 경동성 요곡 운동 과정에서 습곡의 영향을 덜 받은 채 융기하여 형성됨. → 융기 이전 한반도가 평탄했음을 알려 주는 화석 지형

③ 돌산과 흙산

❶ 풍화
지표의 암석이 제자리에서 붕괴 또는 분해되는 현상으로, 물리적 풍화와 화학적 풍화로 분류된다.

❷ 구릉성 산지
해발 고도가 낮고 경사가 완만한 저산성 산지이다.

❸ 고위 평탄면
해발 고도가 높은 곳에 나타나는 기복이 작고 경사가 완만한 고원 지형이다. 대관령 일대, 진안고원 등에 위치하고, 여름철 서늘한 기후를 이용하여 감자, 배추 등을 재배하는 고랭지 농업이 활발하게 이루어진다.

답 높, 침식

개념 확인

1 **괄호 안의 내용 중 옳은 것에 ○표 하시오.**

(1) 1차 산맥 형성 후 중생대에 형성된 지질 구조선을 따라 (황해, 동해) 쪽으로 하곡 발달이 시작되었다.

(2) 1차 산맥은 2차 산맥보다 상대적으로 해발 고도가 (낮다, 높다).

(3) 2차 산맥은 하곡을 따라 (풍화, 차별 침식)이/가 발생하여 형성되었다.

1차 산맥과 2차 산맥의 형성 과정과 특징, 지질 구조선의 방향, 분포를 비교하여 묻는 문제가 자주 나와. 그리고 앞에서 학습한 지각 변동과 한반도 산지의 형성을 결부시킨 문제도 자주 출제되고 있어.

2 **□ 안에 들어갈 알맞은 말을 쓰시오.**

❶ 중생대 지각 변동 이후 오랜 기간 동안 침식되어 한반도가 다소 평탄해짐.

❷ 신생대 제3기 (1) □□□□□ 운동으로 동해안에 치우친 1차 산맥의 골격이 형성되었고, 이후 지질 구조선을 따라 황해 쪽으로 하곡 발달

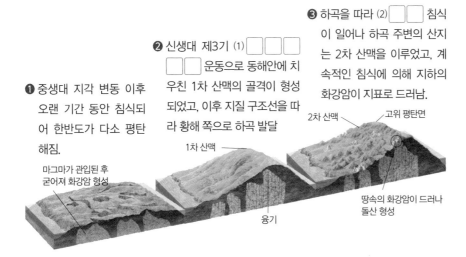

❸ 하곡을 따라 (2) □□ 침식이 일어나 하곡 주변의 산지는 2차 산맥을 이루었고, 계속적인 침식에 의해 지하의 화강암이 지표로 드러남.

2차 산맥
고위 평탄면
1차 산맥
마그마가 관입된 후
굳어져 화강암 형성
융기
땅속의 화강암이 드러나
돌산 형성

3 **□ 안에 들어갈 알맞은 말을 쓰시오.**

(1) □□	분류	(2) □□
	사진	
중생대에 관입한 화강암	기반암	시·원생대에 형성된 편마암
• 암반이 드러나 있고 식생 밀도가 낮음. • 커다란 암반이 하나의 봉우리를 이루는 경우가 많음.	특징	• 오랜 기간 풍화되어 토양층으로 덮인 산지 • 식생 발달에 유리 → 산봉우리 부분이 식생으로 덮임.
도봉산, 북한산, 설악산, 금강산 등	분포	지리산, 오대산, 덕유산 등

한반도의 산지 특성인 흙산과 돌산의 기반암, 특징, 분포를 비교하는 문제가 자주 출제되고 있어.

돌산과 흙산의 형성 과정

돌산	침식 작용으로 화강암이 지표에 드러나 형성
흙산	변성암이 오랜 기간 풍화되어 형성

답 1. (1) 황해 (2) 높다 (3) 차별 침식 2. (1) 경동성 요곡 (2) 차별 3. (1) 돌산 (2) 흙산

3일

산지 지형 ~ 하천 지형

키워드 #6 하천 중·상류에 발달하는 지형

저기 보이는 강은 하천 중·상류에서 볼 수 있는 감입 곡류 하천이에요.
우아, 감입 곡류 하천은 경사가 급하고 유속이 상당히 급하네요.
이 자갈은 굉장히 둥글어.
그건 우리가 서 있는 이곳이 하안 단구이기 때문이야!
맞아요. 우리가 서 있는 이곳은 과거 하천의 강바닥이 융기하여 형성된 하안 단구랍니다.

1 하천의 중·상류에 발달하는 지형

구분	감입 곡류 하천	하안 단구	선상지❶	침식 분지
의미	하천의 중·상류 지역에서 산지 사이를 곡류하며 흐르는 하천	감입 곡류 하천 주변에 나타나는 계단 모양의 지형	골짜기 입구(곡구)에 나타나는 부채꼴 모양의 퇴적 지형	높은 산지로 둘러싸인 비교적 경사가 완만한 평지 지형
형성 과정	신생대 제3기 이후 경동성 요곡 운동으로 인한 지반 융기로 하천의 하방 침식이 활발해지면서 발달	과거 하천의 강바닥이나 범람원이 지반 ☐☐로 하방 침식이 활발해지거나 기후 변화로 해수면이 하강하여 형성	(경사 급변점) 산지와 평지가 만나 경사가 급변하는 곳에서 하천의 유속이 감소하여 다량의 토사가 퇴적되어 형성	두 개 이상의 하천이 합류하거나 화강암이 관입한 지역에서 암석이 차별 침식을 받아 분지 형성
특징	하천의 경사가 급하고 유속이 ☐☐, 경관이 수려하여 관광 자원으로 이용	경사가 완만하고 쉽게 침수되지 않아 도로, 농경지, 취락으로 이용	우리나라는 오랜 침식으로 구릉성 산지가 많아 발달이 미약함.	지방 행정의 중심지로 성장, 주거지와 농경지로 이용, 기온 역전 현상 발생

둥근 자갈 분포

고도가 높아질수록 기온이 상승하는 현상으로 주로 늦가을~초봄의 맑은 날 밤에 분지 내부에서 발생함.

답 빠름, 융기

❶ 선상지

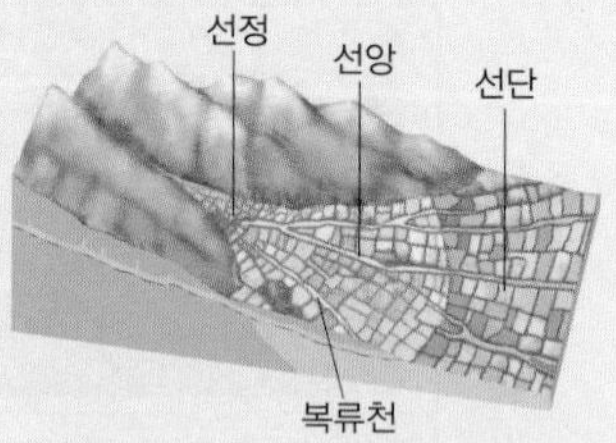

선정
선앙
선단
복류천

선정에서는 취락과 농경지, 선앙에서는 하천의 복류로 인한 지표수 부족으로 밭과 과수원, 선단에서는 취락과 논으로 이용된다.

1 괄호 안의 내용 중 옳은 것에 ◯표 하시오.

(1) 감입 곡류 하천은 하천의 (중·상류, 중·하류) 지역에서 흐르는 하천이다.
(2) 감입 곡류 하천의 경사는 급하고, 유속이 (느리다, 빠르다).
(3) 하안 단구는 경사가 (급하고, 완만하고) 홍수 시 쉽게 침수되지 않는다.

2 ☐ 안에 들어갈 알맞은 말을 쓰시오.

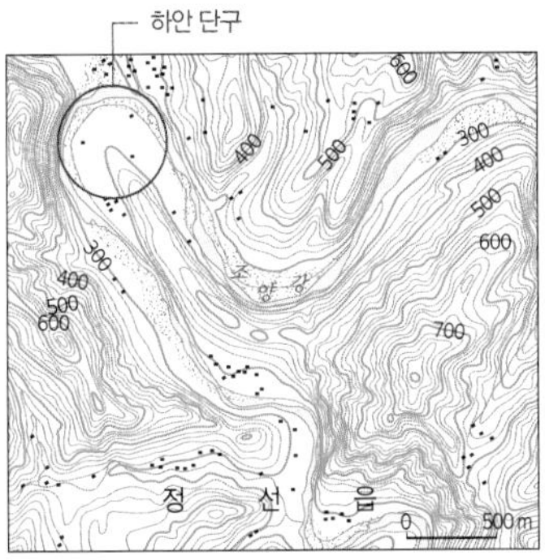
하안 단구
조양강
정 선 읍
0 500m
▲ 감입 곡류 하천과 하안 단구 지형도

- 감입 곡류 하천 지형도에서는 곡류하는 하천 주변에 등고선의 간격이 매우 조밀한 급경사의 산지가 분포함.
- 하안 단구는 등고선 간격이 주변보다 비교적 넓게 나타나고, 하천의 활주 사면에 분포함.

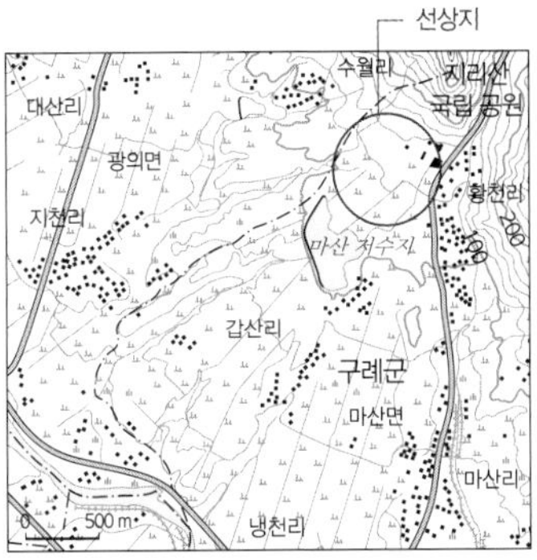
선상지
수월리
지리산 국립 공원
대산리
광의면
지천리
황전리
마산 저수지
갑산리
구례군
마산면
마산리
냉천리
0 500 m
▲ 선상지 지형도

- 선상지는 (1)☐☐가 급변하는 골짜기 입구 하천 주변에 소규모로 분포함.
- 선상지의 선정은 취락과 농경지, (2)☐☐은 밭과 과수원, 선단은 취락과 논으로 이용됨.

각 지형의 지형도를 제시하고 해당 지형에 대한 특징을 묻는 문제가 자주 출제되고 있어. 감입 곡류 하천의 경우 하안 단구와 함께 묻는 문제가 자주 나와.

3 ☐ 안에 들어갈 알맞은 말을 쓰시오.

☐☐☐☐

1. 형성 과정

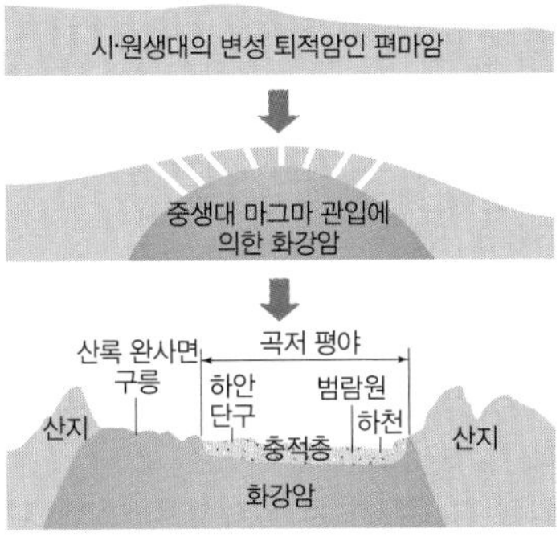
시·원생대의 변성 퇴적암인 편마암
중생대 마그마 관입에 의한 화강암
산록 완사면
곡저 평야
구릉
하안 단구
범람원
하천
산지
충적층
산지
화강암

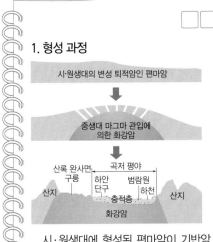

시·원생대에 형성된 편마암이 기반암을 이루는 곳에 중생대 화강암이 관입한 이후, 화강암 지대가 편마암 지대보다 빠르게 침식을 받아 형성됨.

2. 지형도

신 내 면
소 양 강
서 면
춘 천 시
동 내 면
0 5km

하천 중·상류의 두 하천이 합류하는 지점에 잘 발달하며, 등고선이 조밀한 주변 산지는 편마암, 분지의 바닥은 화강암으로 이루어짐.

침식 분지의 지형도를 제시하고 특징을 묻는 문제가 자주 출제되고 있어. 특히 주변 산지와 분지 바닥을 이루는 암석에 대해 묻는 문제가 자주 출제되니까 정리해 두자.

답 1. (1) 중·상류 (2) 빠르다 (3) 완만하고 2. (1) 경사 (2) 선앙 3. 침식 분지

3일 산지 지형 ~ 하천 지형

| 학평 기출 |

1 자료는 우리나라 산지의 형성 과정을 나타낸 것이다. A, B 산맥에 대한 옳은 설명을 〈보기〉에서 고른 것은? (단, A, B는 1차 산맥, 2차 산맥 중 하나임.)

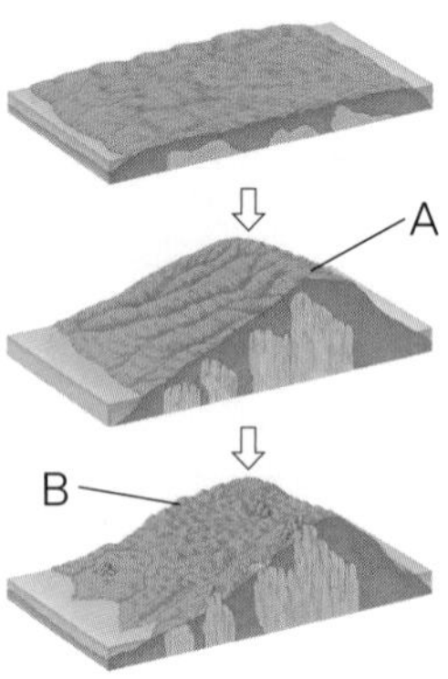
A
B

중생대 지각 변동 이후 오랜 기간 침식 작용을 받아 평탄해짐.

신생대 제3기 경동성 요곡 운동으로 ___A___ 가 형성됨.

하곡을 따라 차별 침식 작용이 일어나 ___B___ 가 형성됨.

보기
ㄱ. A는 지반의 융기로 형성되었다.
ㄴ. B의 예로는 함경산맥, 태백산맥이 있다.
ㄷ. A는 B보다 평균 해발 고도가 높다.
ㄹ. B는 A보다 산지의 연속성이 뚜렷하다.

① ㄱ, ㄴ ② ㄱ, ㄷ ③ ㄴ, ㄷ
④ ㄴ, ㄹ ⑤ ㄷ, ㄹ

| 학평 응용 |

2 다음 자료에 대한 설명으로 옳은 것은? (단, (가)~(다)는 덕유산, 북한산, 한라산 중 하나임.)

• (가) 국립공원: 대도시 속 자연공원이다. 오랜 세월 풍화를 받아 형성된 ㉠ 깎아지른 바위 봉우리와 아름다운 계곡들을 볼 수 있다.
• (나) 국립공원: 소백산맥에 위치하며, 금강과 낙동강의 수원지이다. 주로 ㉡ 흙으로 덮여 있는 정상부와 능선을 볼 수 있다.
• (다) 국립공원: 정상부에 ㉢ 백록담이 있으며, 세계 자연 유산에 등재되어 있다.

① (가)는 백두대간에 위치한다.
② (나)는 (가)보다 산 정상부의 식생 밀도가 낮다.
③ (다)는 (나)보다 최고봉의 해발 고도가 낮다.
④ ㉢은 분화구의 함몰로 형성된 칼데라호이다.
⑤ ㉠은 ㉡보다 주요 기반암의 형성 시기가 늦다.

| 모평 응용 |

3 그림의 (가), (나) 암석에 대한 설명으로 옳은 것은?

(가)

▲ 서울 북한산 인수봉

(나)

▲ 제주도 대포 해안 주상 절리대

① (가)는 마그마가 굳어서 형성되었다.
② (가)는 평북·개마 지괴와 형성된 시기가 같다.
③ (나)는 오랜 퇴적 과정을 거쳐 형성되었다.
④ (나)는 대보 조산 운동이 일어난 시기에 형성되었다.
⑤ (나)는 침식 분지의 바닥을 이루는 암석이다.

| 수능 응용 |

4 다음 지도의 (가)~(라)에 대한 옳은 설명만을 〈보기〉에서 있는 대로 고른 것은?

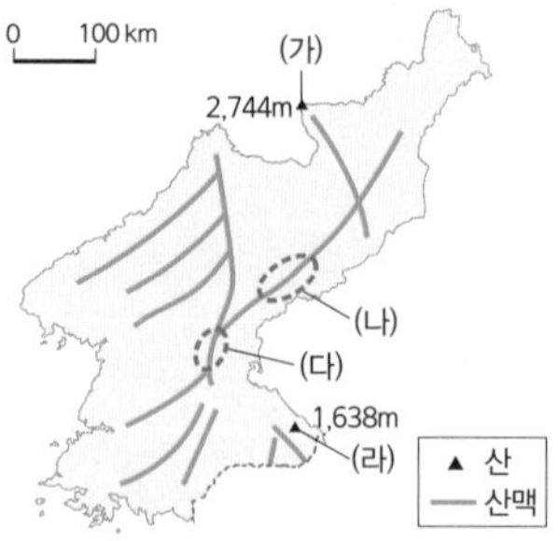
0 100 km
(가)
2,744m
(나)
(다)
1,638m
(라)
▲ 산
— 산맥

보기
ㄱ. (가)는 우리나라 최고봉으로 기반암이 화강암이다.
ㄴ. (나)는 고도가 높고 연속성이 강한 1차 산맥이다.
ㄷ. (다)는 신생대 지각 운동으로 형성된 산맥이다.
ㄹ. (라)는 장기간의 침식으로 기반암이 노출되면서 형성된 돌산이다.

① ㄱ, ㄴ ② ㄱ, ㄹ ③ ㄴ, ㄷ
④ ㄱ, ㄷ, ㄹ ⑤ ㄴ, ㄷ, ㄹ

정답과 해설 2쪽

| 수능 응용 |

5 다음은 어느 지형의 형성 과정을 나타낸 것이다. 이에 대한 설명으로 옳은 것을 〈보기〉에서 고른 것은?

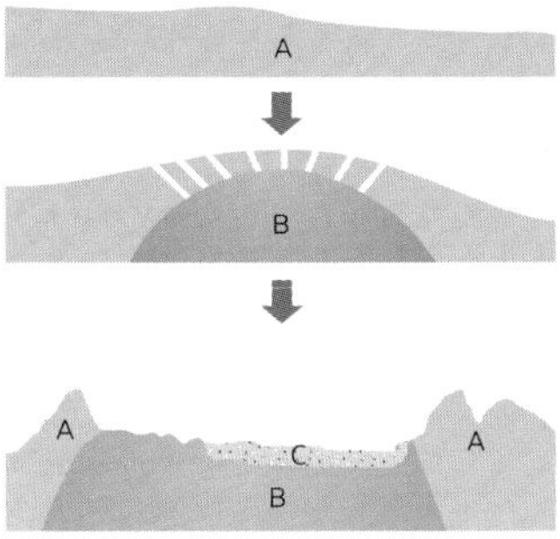
A
B
A
C
A
B

보기

ㄱ. A의 기반암은 시·원생대의 변성암이 주를 이룬다.

ㄴ. B는 경동성 요곡 운동으로 형성된 고위 평탄면이다.

ㄷ. B의 기반암은 A의 기반암보다 풍화와 침식에 대한 저항력이 약하다.

ㄹ. B와 C는 충적층이 넓게 발달하여 주로 벼농사가 이루어진다.

① ㄱ, ㄴ ② ㄱ, ㄷ ③ ㄴ, ㄷ
④ ㄴ, ㄹ ⑤ ㄷ, ㄹ

| 모평 응용 |

6 (가), (나) 암석에 대한 설명으로 옳은 것은?

- (가)(으)로 이루어진 산의 정상부는 삼각형 모양으로 뾰족이 솟아 오른 흰색에 가까운 암석이 노출되어 있다. 북한산 인수봉과 설악산 울산 바위는 이 암석으로 이루어져 있다.
- (나)(으)로 이루어진 산의 정상부는 (가)(으)로 만들어진 산의 정상부에 비해 암석의 노출이 적고, 상대적으로 두꺼운 토양층을 이루는 경우가 많다. (나)은/는 지리산, 덕유산의 기반암이다.

① (가)는 시·원생대에 변성 작용을 받은 암석이다.
② (가)에는 마그마의 냉각으로 주상 절리가 형성된다.
③ (나)는 경상 분지 지역에 널리 분포한다.
④ (가)와 (나)로 이루어진 침식 분지에서 (나)는 주로 배후 산지를 이룬다.
⑤ (나)는 (가)보다 이른 시기에 형성된 암석으로 조선 누층군의 대부분을 차지한다.

| 모평 기출 |

7 지도에 나타난 지역에 대한 설명으로 옳지 않은 것은?

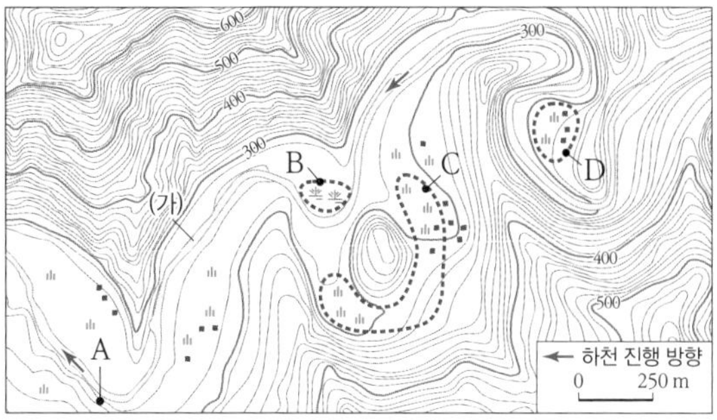
600
500
400
300
300
B
C
D
(가)
A
400
500
하천 진행 방향
0 250 m

① A는 유로의 공격 사면에 해당한다.
② C는 과거에 하천이 흘렀던 곳이다.
③ D에서는 둥근 자갈과 모래가 나타난다.
④ D는 B보다 범람에 의한 침수 가능성이 높다.
⑤ (가) 하천의 형성에는 지반의 융기가 영향을 미쳤다.

| 모평 응용 |

8 다음 마을에 대한 설명 중 밑줄 친 ㉠, ㉡과 지도의 A, B에 대한 설명으로 옳은 것만을 〈보기〉에서 고른 것은?

울진군 안너품 마을에는 약 7m 높이의 광품폭포가 있습니다. 강물은 평소에 ㉠ 마을을 돌아 곡류하는 물길로 흐르지만, 비가 와 강물이 불어나면 ㉡ 폭포를 지나가는 물길로 더 많이 흘러갑니다.
A
광품폭포
안너품
㉡
㉠
B
100
50
0 100 m

보기

ㄱ. ㉠ 유로는 조류에 의해 하천 수위가 주기적으로 변한다.

ㄴ. 하상의 평균 경사는 ㉠ 유로보다 ㉡ 유로가 급하다.

ㄷ. A에서는 침식보다 퇴적이 우세하다.

ㄹ. B에서는 둥근 모양의 자갈이 발견된다.

① ㄱ, ㄴ ② ㄱ, ㄷ ③ ㄴ, ㄷ
④ ㄴ, ㄹ ⑤ ㄷ, ㄹ

4 일

하천 지형 ~ 해안 지형

키워드 #7 하천 중·하류에 발달하는 지형

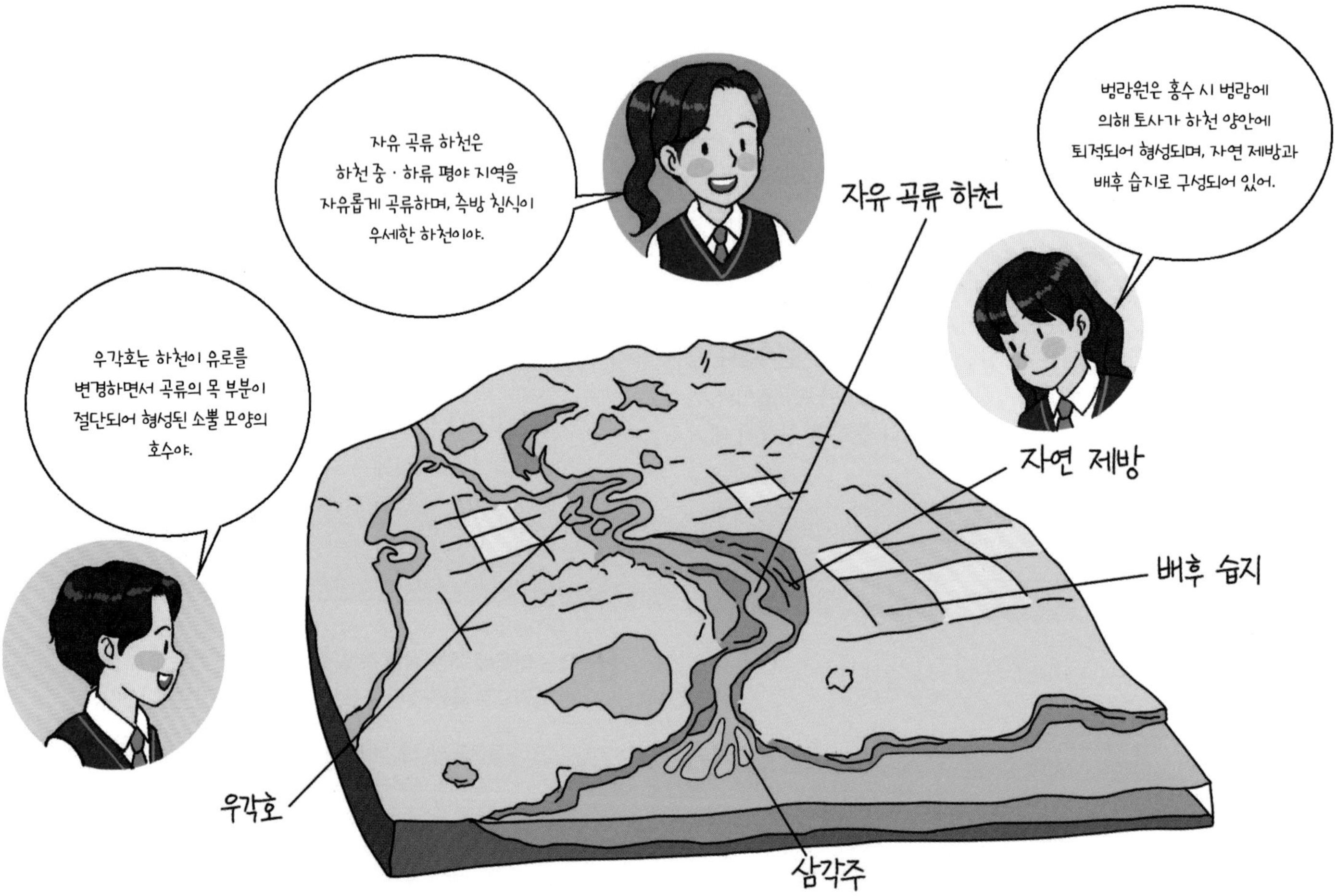

자유 곡류 하천은 하천 중 · 하류 평야 지역을 자유롭게 곡류하며, 측방 침식이 우세한 하천이야.
범람원은 홍수 시 범람에 의해 토사가 하천 양안에 퇴적되어 형성되며, 자연 제방과 배후 습지로 구성되어 있어.
우각호는 하천이 유로를 변경하면서 곡류의 목 부분이 절단되어 형성된 소뿔 모양의 호수야.
자유 곡류 하천
자연 제방
배후 습지
우각호
삼각주

1 하천 중·하류에 발달하는 지형

구분	자유 곡류 하천	□□□	□□□
의미	하천의 중·하류 지역에서 평야 위를 곡류하며 흐르는 하천	하천의 중·하류 지역에 토사가 퇴적되어 형성된 충적 평야	하천 하구에 형성된 삼각형 모양의 충적 평야
형성 과정	측방 침식❶이 활발해 유로를 자유로이 변경하면서 형성	하천의 범람으로 운반 물질이 하천 양안에 퇴적되어 형성	하천이 바다로 유입되는 하구에서 유속이 감소하여 하천 운반 물질이 퇴적되어 형성
특징	• 하천의 유로 변경 과정에서 하중도❷, 우각호❸, 구하도 등의 지형 발달 • 유속 빠른 공격 사면과, 유속 느린 활주 사면이 번갈아 나타남.	• 우리나라 주요 평야 지대의 하천 양안에서 흔히 볼 수 있으며, 하류로 갈수록 면적이 넓어짐. • 자연 제방과 배후 습지로 구성됨.	대부분의 큰 하천은 조차❹가 큰 황·남해로 흘러 퇴적 물질이 쉽게 제거되므로 삼각주 발달이 미약함.

└ 유로 변경으로 더 이상 물이 흐르지 않는 옛 하도

❶ 측방 침식
하천이 측면을 침식하여 하천 폭을 넓히는 작용을 측방 침식이라고 한다.

❷ 하중도
하천의 속도가 느려지거나 흐르는 방향이 바뀌게 되어 하천 중간에 퇴적물이 쌓여 생기는 섬이다.

❸ 우각호
하천의 유로 변경으로 본래의 하천에서 분리되어 생긴 소뿔 모양의 호수이다.

❹ 조차
밀물 때와 썰물 때의 수위차로 보통 조수 간만의 차가 큰 서해안에서 조차가 크게 나타난다.

답 범람원, 삼각주

1 다음 설명에 해당하는 지형에 ✔표 하시오.

(1) 하천의 범람으로 운반 물질이 하천 양안에 퇴적되어 형성된다.
☐ 선상지 ☐ 삼각주 ☐ 범람원

(2) 하천이 바다로 유입되는 하구에 유속이 감소하여 하천 운반 물질 퇴적으로 형성된다.
☐ 선상지 ☐ 삼각주 ☐ 범람원

2 ☐ 안에 들어갈 알맞은 말을 쓰시오.

> 하천 지형 중 범람원의 특징을 묻는 문제가 자주 출제되고 있어. 특히 자연 제방과 배후 습지를 비교하는 문제가 자주 나와.

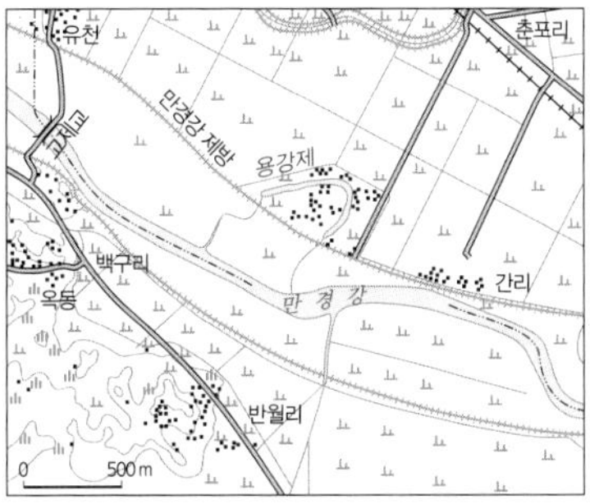
유천
춘포리
만경강 제방
백구리
옥동
간리
만 경 강
반월리
0 500m

▲ 범람원 지형도

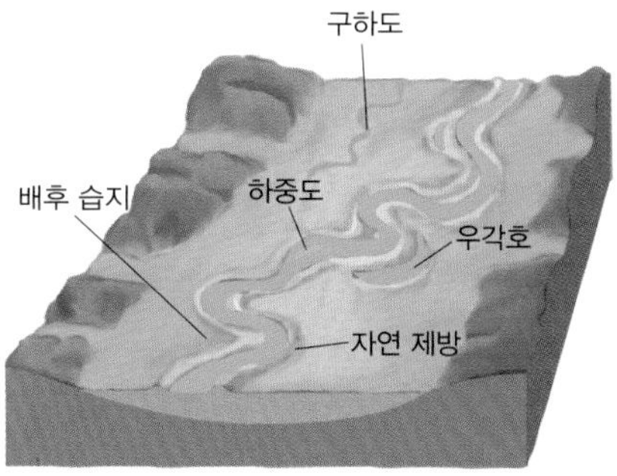
구하도
배후 습지
하중도
우각호
자연 제방

▲ 범람원 모식도

구분	퇴적 물질	배수	고도	홍수 피해	토지 이용
(1) ☐☐ ☐☐	조립질(모래)	양호	높음	적음	밭, 과수원, 취락
(2) ☐☐ ☐☐	미립질(점토)	불량	낮음	큼	논

3 ☐ 안에 들어갈 알맞은 말을 쓰시오.

> 자유 곡류 하천의 지형도를 제시한 뒤 공격 사면, 활주 사면이나 범람원, 우각호, 구하도, 하중도의 특징을 묻는 문제가 자주 출제되고 있어.

하천의 유로 변경

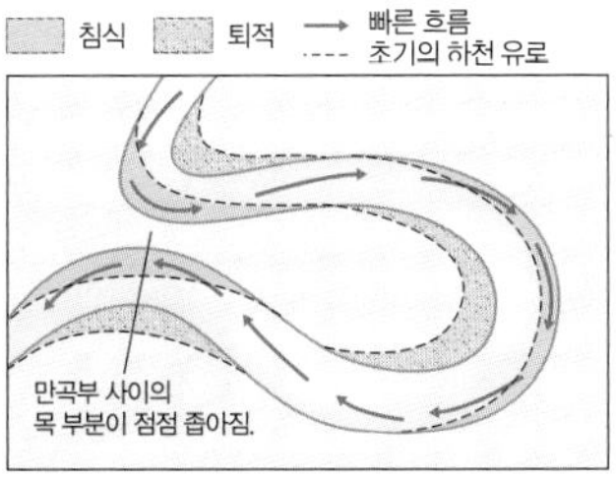
침식
퇴적
빠른 흐름
초기의 하천 유로
만곡부 사이의 목 부분이 점점 좁아짐.

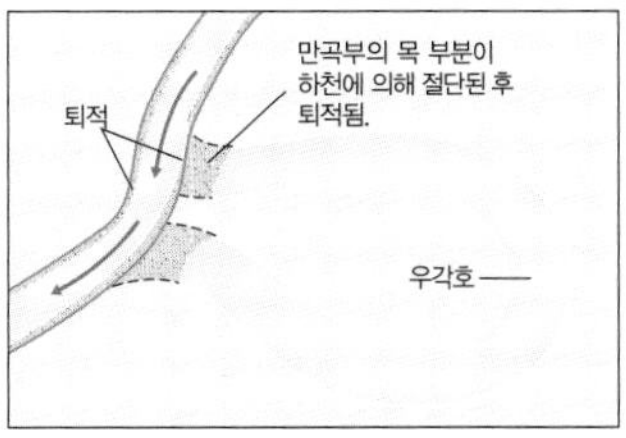
만곡부의 목 부분이 하천에 의해 절단된 후 퇴적됨.
퇴적
우각호

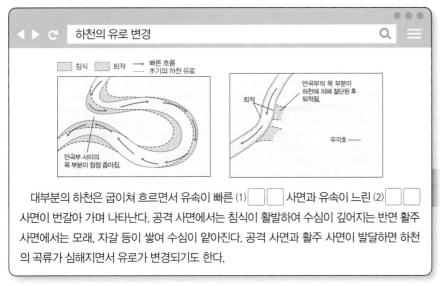

대부분의 하천은 굽이쳐 흐르면서 유속이 빠른 (1) ☐☐ 사면과 유속이 느린 (2) ☐☐ 사면이 번갈아 가며 나타난다. 공격 사면에서는 침식이 활발하여 수심이 깊어지는 반면 활주 사면에서는 모래, 자갈 등이 쌓여 수심이 얕아진다. 공격 사면과 활주 사면이 발달하면 하천의 곡류가 심해지면서 유로가 변경되기도 한다.

답 1. (1) 범람원 (2) 삼각주 2. (1) 자연 제방 (2) 배후 습지 3. (1) 공격 (2) 활주

4일 하천 지형 ~ 해안 지형

키워드 #8 해안 지형의 형성과 특성

역시 서해안은 수심이 얕아서 수영하기 좋아! 서해안은 조차가 크니까 내일은 갯벌 체험을 가야겠다.
이곳은 곶 쪽이라 그런지 파랑 에너지가 집중되어 암석 해안이 발달했네! 동해안이라 그런지 수심이 깊고 파랑 작용도 활발해.

1 해안 지형의 형성 요인

파랑	• 바람에 의해 나타나는 현상으로 바람의 세기가 클수록 강함. • 곶과 만 형성
연안류❶	• 해안을 따라 이동하는 해수의 흐름 • 모래나 자갈을 운반하여 퇴적 지형 형성 (사빈, 사취 등)
조류	태양과 달의 인력에 의해 발생하는 해수의 흐름으로 조류가 운반한 물질이 연안에 퇴적됨.

2 동해안과 서·남해안의 해안선 비교

동해안	• 해안선 가까이 평행하게 뻗은 산맥(태백산맥, 함경산맥)이 융기하여 섬이 적음. → 단조로운 해안선 • 수심이 깊고 파랑 작용이 활발해 해안 침식 지형과 □□ 해안 발달
서·남해안	• 바다를 향해 뻗은 산맥이 후빙기 해수면 상승으로 침수되어 크고 작은 섬, 반도, 곶, 만이 많음 → 다도해, 복잡한 해안선(리아스 해안❷) • □□가 크고 수심이 얕으며 하천에서 공급된 퇴적물의 양이 많아 갯벌 발달

답 암석, 조차

❶ 연안류
파랑이 연안에 비스듬한 각도로 들어와 연안에 발생하는 일정한 방향의 흐름이다. 퇴적물이 연안류를 따라 해안선의 방향과 수평으로 이동하여 해안 퇴적 지형이 형성된다.

해안 퇴적물의 이동 방향
사빈
연안류의 이동 방향

❷ 리아스 해안
해수면 상승이나 지반 침강으로 침수되어 해안선의 드나듦이 복잡하고 섬이 많은 상태의 해안을 말한다.

1 다음 내용이 서해안에 해당하면 '서', 동해안에 해당 하면 '동'이라고 쓰시오.

(1) 산맥과 해안선의 방향이 대체로 평행하다. ( )

(2) 수심이 깊고, 파랑 작용이 활발하다. ( )

(3) 조류 작용이 활발하여 갯벌이 발달하였다. ( )

2 ☐ 안에 들어갈 알맞은 말을 쓰시오.

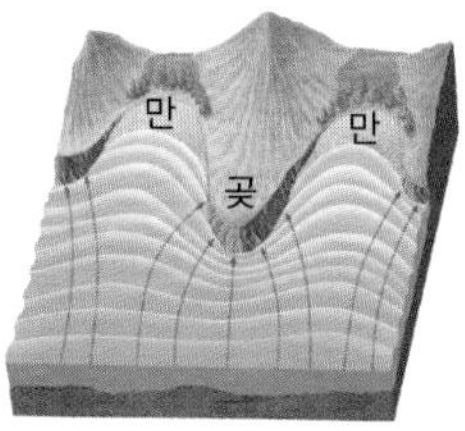

만
곶
만

시간이 지나면 곶은 점차 깎여서 육지 쪽으로 후퇴하게 되고, 만은 계속 퇴적되어 바다 쪽으로 성장하게 되므로 해안선은 점차 단조롭게 변한다.

구분	형태	특징	주요 지형
(1)☐	바다 쪽으로 돌출한 육지	파랑 에너지 집중 ➜ 침식 작용 활발	암석 해안 발달 └ 해식애, 파식대, 시 스택, 해안 단구 등
(2)☐	육지 쪽으로 들어간 바다	파랑 에너지 분산 ➜ 퇴적 작용 활발	모래 해안 발달 └ 사빈, 사주, 육계도, 석호, 해안 사구 등

해안 지형 형성 요인 중 파랑에 의해 형성되는 곶과 만의 특징을 비교하는 문제가 출제되고 있어.

3 ☐ 안에 들어갈 알맞은 말을 쓰시오.

서해안과 동해안의 비교

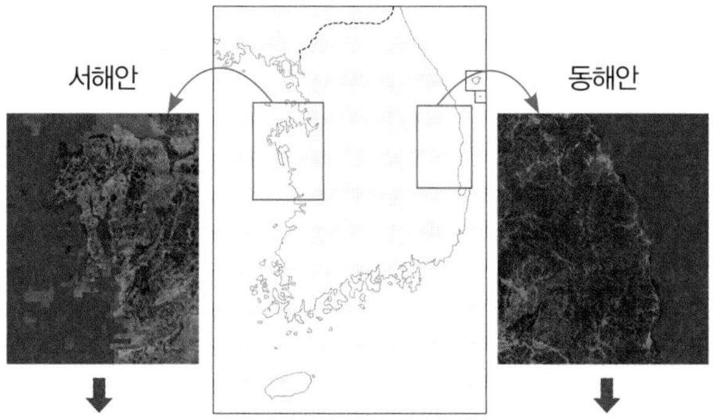

서해안
동해안

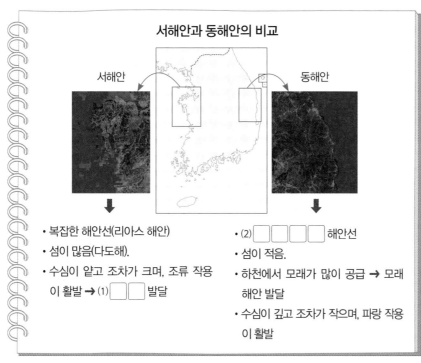

서해안
- 복잡한 해안선(리아스 해안)
- 섬이 많음(다도해).
- 수심이 얕고 조차가 크며, 조류 작용이 활발 ➜ (1)☐☐ 발달

동해안
- (2)☐☐☐☐ 해안선
- 섬이 적음.
- 하천에서 모래가 많이 공급 ➜ 모래 해안 발달
- 수심이 깊고 조차가 작으며, 파랑 작용이 활발

서해안과 동해안의 차이를 비교하는 문제와 해안 지형 문제에서 서해안과 동해안의 특징과 관련된 선지가 자주 출제되고 있어요.

파랑, 연안류, 조류 외에도 해안 지형 형성 요인에는 지반 운동이나 기후 변화로 인한 해수면 변동이 있다. 서·남해안의 많은 섬과 반도 등은 후빙기 해수면 상승으로 형성되었으며, 동해안에 뚜렷하게 나타나는 해안 단구는 지반의 융기 혹은 해수면 하강으로 형성되었다.

답 1. (1) 동 (2) 동 (3) 서 2. (1) 곶 (2) 만 3. (1) 갯벌 (2) 단조로운

4일 하천 지형 ~ 해안 지형

| 수능 기출 |

1 지도의 A~E 지형에 대한 설명으로 옳은 것을 <보기>에서 고른 것은?

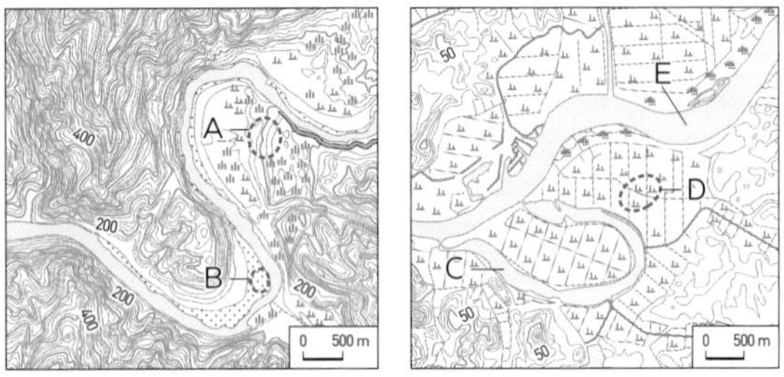

A
B
400
200
C
D
E
50
0 500 m

보기
ㄱ. A는 하천의 퇴적 작용으로 형성된 범람원이다.
ㄴ. B의 퇴적물은 주로 최종 빙기 때 퇴적되었다.
ㄷ. C는 과거에 E 하천의 일부였다.
ㄹ. B는 D보다 퇴적물의 평균 입자 크기가 크다.

① ㄱ, ㄴ ② ㄱ, ㄷ ③ ㄴ, ㄷ
④ ㄴ, ㄹ ⑤ ㄷ, ㄹ

| 수능 기출 |

2 (가), (나) 지역에 대한 설명으로 옳지 않은 것은? (단, (가), (나)는 동일한 하계망에 속함.)

(가) (나)

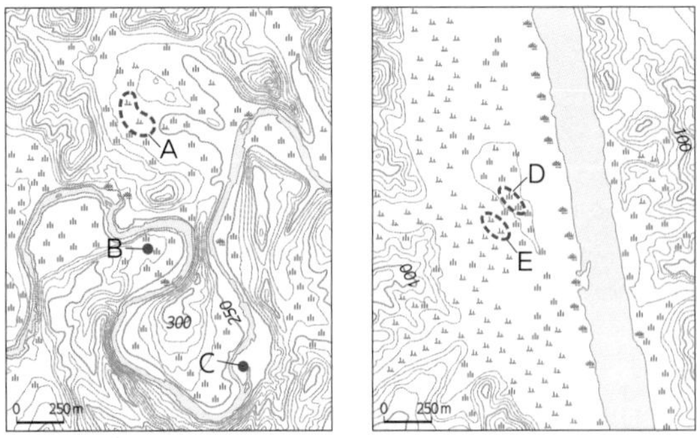

A
B
C
300
D
E
100
0 250m

① 하천의 하방 침식은 (나)보다 (가)에서 활발하다.
② A는 과거에 하천의 유로였다.
③ B는 C보다 인근 하상과의 고도 차가 크다.
④ C는 E보다 퇴적물의 평균 입자 크기가 크다.
⑤ E의 토양은 D의 토양보다 배수가 양호하다.

| 학평 기출 |

3 다음 글의 ㉠~㉤에 대한 옳은 설명만을 <보기>에서 있는 대로 고른 것은?

> 우리나라 대하천의 중·상류에는 산지 사이의 골짜기를 구불거리면서 흐르는 [㉠]이/가 발달한다. [㉠] 주변에는 계단 모양의 지형인 [㉡]이/가 나타나기도 한다. 반면 하천 중·하류에서는 충적 평야 위를 구불거리면서 흐르는 [㉢]을/를 볼 수 있다. [㉢] 주변에서는 집중 호우 시 하천의 범람으로 형성된 [㉣]을/를 흔히 볼 수 있고, 하천이 바다로 유입되는 하구 부근에는 유속의 감소로 쌓인 퇴적물이 [㉤]을/를 형성하기도 한다.

보기
ㄱ. ㉠은 신생대 제3기 경동성 요곡 운동과 관련 있다.
ㄴ. ㉤은 조차가 큰 서해안에서 잘 발달한다.
ㄷ. ㉠은 ㉢에 비해 하방 침식이 우세하다.
ㄹ. ㉡은 ㉣에 비해 퇴적물의 평균 입자 크기가 크다.

① ㄱ, ㄴ ② ㄱ, ㄹ ③ ㄴ, ㄷ
④ ㄱ, ㄷ, ㄹ ⑤ ㄴ, ㄷ, ㄹ

| 모평 기출 |

4 지도의 A, B 지형에 대한 옳은 설명을 <보기>에서 고른 것은?

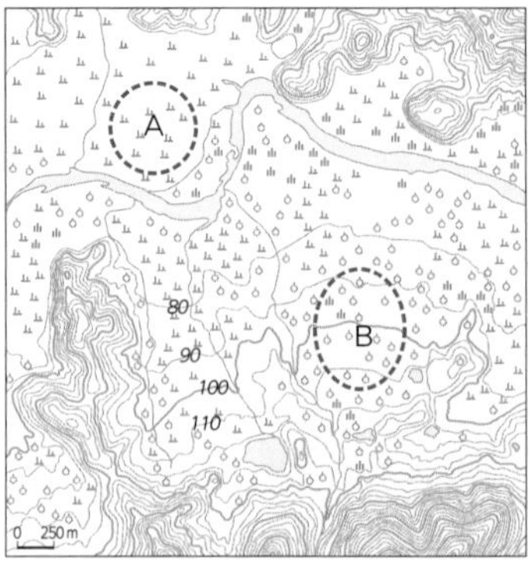

A
B
80
90
100
110
0 250m

보기
ㄱ. A는 B에 비해 경사가 급하다.
ㄴ. A는 B에 비해 배수가 양호하다.
ㄷ. A는 B에 비해 침수 가능성이 높다.
ㄹ. A, B는 하천의 퇴적 작용으로 형성된다.

① ㄱ, ㄴ ② ㄱ, ㄷ ③ ㄴ, ㄷ
④ ㄴ, ㄹ ⑤ ㄷ, ㄹ

정답과 해설 3쪽

| 수능 기출 |

5 (가), (나) 지역에 대한 설명으로 옳은 것은? (단, (가), (나)의 하천은 동일한 하계망에 속함.)

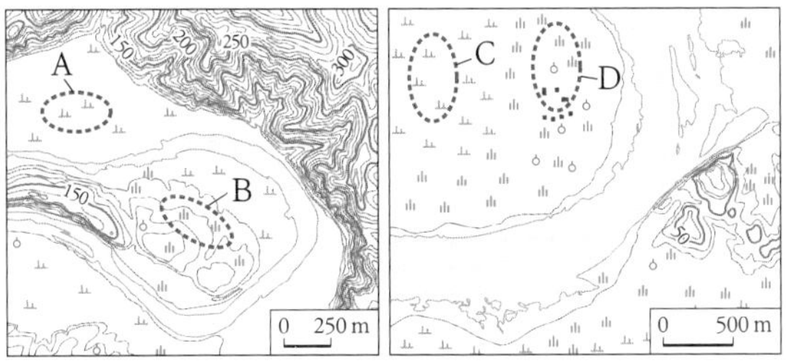
(가)
(나)
A
B
C
D
150
200
250
300
0 250 m
0 500 m

① (가)의 하천은 (나)의 하천보다 평균 유량이 많다.
② (나)의 하천은 (가)의 하천보다 하상의 해발 고도가 높다.
③ B에서는 둥근 모양의 자갈이 발견된다.
④ B는 A보다 범람에 의한 침수 가능성이 높다.
⑤ C의 토양은 D의 토양보다 배수가 양호하다.

| 학평 응용 |

6 (가)~(다) 지형에 대한 설명으로 옳지 <u>않은</u> 것은?

> (가) 하천이 바다로 흘러 들어가는 입구에 토사가 쌓여 형성됨.
> (나) 홍수 시 하천 범람에 의해 토사가 하천 주변에 쌓여 형성됨.
> (다) 곡구에서 하천의 유속 감소로 토사가 부채꼴 모양으로 쌓여 형성됨.

① (가)는 낙동강 하구에서 볼 수 있다.
② (나)는 자연 제방과 배후 습지로 구성된다.
③ (다)는 중앙부에서 복류하는 하천이 나타난다.
④ (가)는 (다)보다 퇴적물의 평균 입자 크기가 크다.
⑤ (나)는 (가), (다)보다 우리나라에서 쉽게 볼 수 있다.

| 모평 기출 |

7 (가), (나) 해안에 대한 설명으로 옳은 것은?

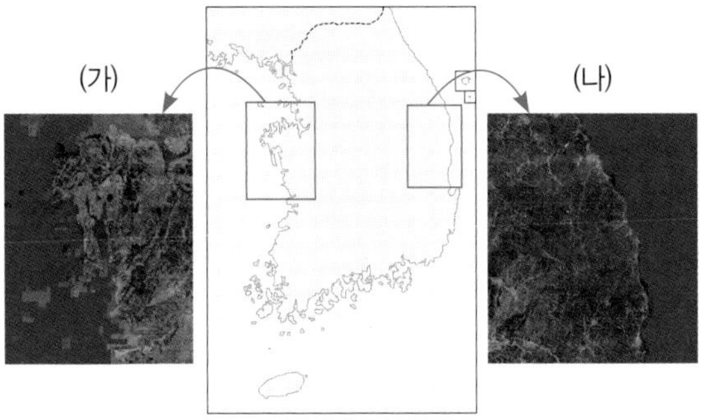
(가)
(나)

① (가)에는 현재 석호가 많이 분포한다.
② (나)에는 리아스 해안이 발달해 있다.
③ (가)는 (나)보다 조차가 크고 조류의 작용이 활발하다.
④ (가)는 (나)보다 신생대 지반 융기의 영향을 크게 받았다.
⑤ (나)는 (가)보다 해안 퇴적물의 평균 입자 크기가 작다.

| 모평 기출 |

8 다음 글의 ㉠~㉣에 대한 옳은 것만을 〈보기〉에서 있는 대로 고른 것은?

> 우리나라의 동해안과 서·남해안은 서로 다른 특징을 보인다. 동해안은 비교적 ㉠ <u>단조로운 해안선</u>이 나타나는 반면, 서·남해안은 해안선이 복잡하고 섬이 많이 분포한다. 파랑의 작용이 활발한 동해안은 ㉡ <u>암석 해안</u>과 ㉢ <u>사빈 해안</u>이 번갈아 나타난다. 서해안은 조수 간만의 차가 크고, 세계적인 규모의 ㉣ <u>갯벌</u>이 발달해 있다.

보기

ㄱ. ㉠이 나타나는 이유는 산맥과 해안선의 방향이 교차하기 때문이다.
ㄴ. ㉡에서는 파랑 에너지가 분산되어 퇴적 작용이 활발히 일어난다.
ㄷ. ㉢은 파랑과 연안류의 퇴적 작용으로 형성된다.
ㄹ. ㉢은 ㉣보다 퇴적물의 평균 입자 크기가 크다.

① ㄱ, ㄴ ② ㄱ, ㄷ ③ ㄷ, ㄹ
④ ㄱ, ㄴ, ㄹ ⑤ ㄴ, ㄷ, ㄹ

5일 해안 지형

키워드 #9 해안 침식 지형

해식애는 파도의 침식에 의해 형성된 해안 절벽이고, 해식애가 후퇴하면서 남은 평평한 바위면이 파식대야. 해식애는 육지 쪽으로 후퇴하고, 그 과정에서 파식대는 점점 확대되고 있어.
해식애
시 스택 (Sea Stack)
해식동
시 스택은 원래 육지의 일부였는데, 해식애가 후퇴하면서 파도에 덜 깎인 부분이 육지에서 분리되어 촛대 모양으로 남은 바위야.
해식동은 해식애의 하단부 중 약한 부분이 파랑의 차별 침식 작용으로 깊게 파인 동굴이야.

1 해안 침식 지형

파랑 에너지가 집중되어 침식 작용이 활발한 곳에서 발달하며 암석 해안❶에 해당한다.

해식애	• 해안의 산지나 구릉이 파랑의 침식 작용에 의해 깎여 형성된 절벽 • 침식 작용에 의해 □□ 쪽으로 후퇴
파식대	• 파랑의 침식 작용으로 해식애가 후퇴하면서 남은 넓고 평평한 바위면 • 해식애의 후퇴 과정에서 점차 확대
해식동	해식애의 하단부 중 약한 부분이 파랑의 □□ 침식 작용으로 깊게 파인 동굴
시 스택❷	원래 육지의 일부였으나 파랑의 차별 침식에 의해 해식애가 후퇴하면서 육지에서 분리된 지형 └ 해식애보다 침식에 강함.
해안 단구	• 지반의 융기 혹은 해수면 하강으로 현재 해수면보다 해발 고도가 높은 곳에 평탄하게 남아 있는 계단 모양의 지형 → 취락 형성, 농경지, 교통로 등으로 이용 • 단구면에서는 과거 바닷가에 퇴적되었던 둥근 자갈이 발견됨.

답 육지, 차별

❶ 암석 해안
수심이 깊고 파랑 에너지가 집중되는 곳에 발달하며 점점 육지 쪽으로 후퇴한다. 지형도에서는 바다 쪽으로 돌출된 바위 모양들로 표시된다.

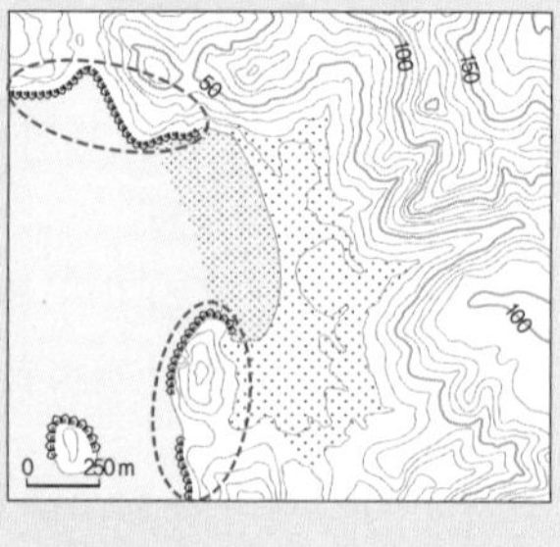
50
100
0 250m

❷ 시 스택
육지의 일부였으나, 상대적으로 침식에 강한 부분만이 분리되어 바다 쪽에 남아 있는 차별 침식에 의한 지형이다.

개념 확인

1 **빈칸에 들어갈 말을 〈보기〉에서 골라 쓰시오.**

> 보기
> 단구면, 해식동, 시 스택, 파식대

(1) (　　　　　　)은/는 주변 암석보다 침식에 강하여 남아 형성된 기둥 모양의 지형이다.

(2) 해안 단구는 간빙기에 파랑에 의해 형성된 (　　　　　　)이/가 지반 융기와 해수면 하강을 반복하여 형성된 지형이다.

2 **괄호 안에 들어갈 알맞은 해안 침식 지형을 쓰시오.**

(1)
(2)

(3)

(1) (　　　　　　)　　(2) (　　　　　　)　　(3) (　　　　　　)

해안 침식 지형의 사진이나 지형도를 제시하고 해당 지형에 대한 특징을 묻는 문제가 자주 출제되고 있어.

해안 침식 지형	해식애, 파식대, 시 스택, 해안 단구 등
해안 퇴적 지형	사빈, 사주, 육계도, 석호, 해안 사구 등

3 **□ 안에 들어갈 알맞은 말을 쓰시오.**

□□□□

1. 형성 과정

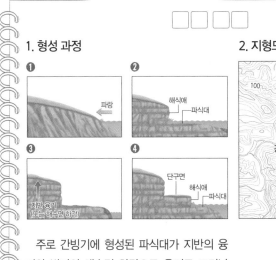

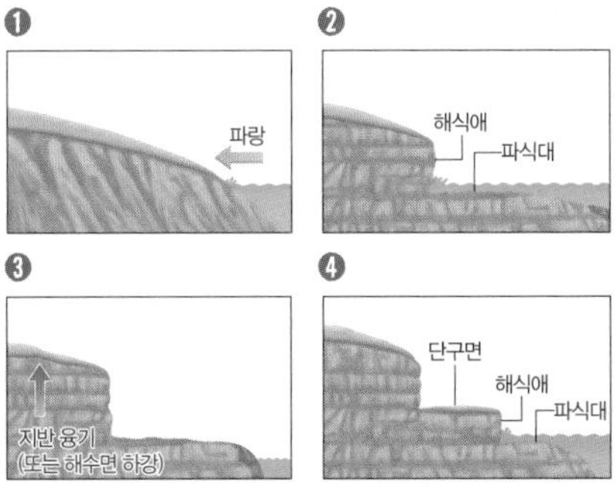
❶
파랑
❷
해식애
파식대
❸
지반 융기
(또는 해수면 하강)
❹
단구면
해식애
파식대

2. 지형도

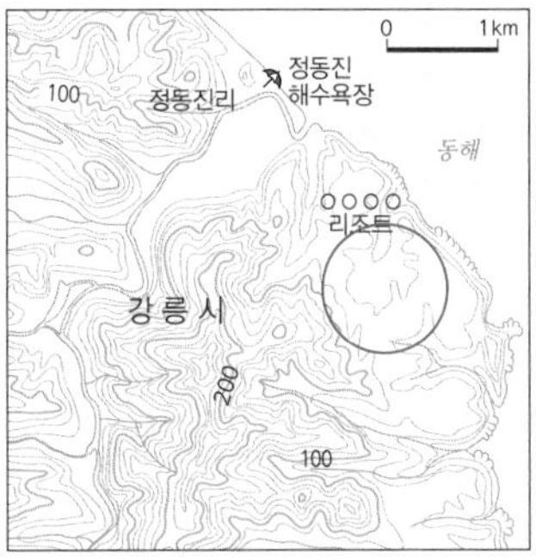
0
1km
정동진
해수욕장
100
정동진리
동해
리조트
강릉 시
200
100

주로 간빙기에 형성된 파식대가 지반의 융기와 빙기의 해수면 하강으로 육지로 드러난 계단 모양의 지형이다. 하단에는 새로운 파식대가 형성되고, 과거 융기량이 많았던 동해안의 강릉~울산에 이르는 지역에 잘 발달한다.

정동진의 해발 고도 75~80m 지역에 주로 발달해 있어요.

해안 단구의 지형도를 제시하고 특징과 형성 과정 및 분포를 물어보는 문제가 자주 출제되고 있어. 해안 단구의 형성 과정과 분포를 과거 한반도 융기와 연관 지어 정리해 두자.

답 1. (1) 시 스택 (2) 파식대　2. (1) 해식애 (2) 파식대 (3) 시 스택　3. 해안 단구

5일 해안 지형

키워드 #10 해안 퇴적 지형

석호
해안 사구
육계도와 육계사주
여러분, 사진에서 어떤 해안 퇴적 지형을 볼 수 있나요?
사주가 만의 입구를 가로막아 바다와 분리되면서 형성된 호수인 석호가 있어요.
사빈의 모래가 바람에 의해 이동하여 퇴적된 모래 언덕인 해안 사구가 있어요!
파랑, 연안류에 의해 사빈의 모래가 바다 쪽으로 길게 퇴적된 지형인 사주를 볼 수 있어요.

1 해안 퇴적 지형

파랑 에너지가 분산되면서 퇴적 작용이 활발한 만에서 발달하며 모래 해안에 해당한다.

(연안류: 파랑이 연안에 비스듬한 각도로 들어와 연안에 발생하는 일정한 방향의 흐름)

사빈	파랑과 연안류에 의해 모래가 퇴적된 지형 → 해수욕장으로 이용
해안 사구❶	• □□의 모래가 바람에 의해 이동하여 사빈의 배후에 퇴적되어 형성된 모래 언덕 • 북서풍의 영향을 많이 받는 서해안에 대규모로 발달, 모래 바람을 막기 위해 방풍림❷ 조성
□□	연안류를 따라 사빈의 모래가 이동하여 바다 쪽으로 길게 퇴적된 지형
육계도	사주로 인해 육지와 연결된 섬, 섬과 육지를 연결하는 사주는 육계사주라고 함.
석호	• 해수면 상승으로 형성된 만의 입구를 사주가 가로막아 바다와 분리되면서 형성된 호수 • 동해안의 경포호, 영랑호, 청초호 등 경치가 아름다워 관광지로 이용 → 염도가 높아 생활용수나 농업용수로 사용하기 어려움.
갯벌❸	하천에 의해 운반된 고운 모래나 점토 등의 물질이 썰물에 쓸려 나갔다가 밀물에 밀려와 하천의 하구나 주변 해안 지역에 퇴적되어 형성 → 조차가 큰 지역에서 발달

답 사빈, 사주

❶ 해안 사구
다양한 동식물의 서식처이며 해풍, 큰 파도, 해일로부터 해안 지역을 보호하는 제방 역할을 한다.

❷ 방풍림
모래가 마을이나 농경지로 날아오는 것을 막기 위해 가꾼 숲을 말한다.

❸ 갯벌
밀물 때 바닷물에 잠기고 썰물 때 물 위로 드러나는 지형으로, 육지에서 배출되는 각종 오염 물질 정화, 태풍, 해일로부터의 해안 지역을 보호하는 완충지 역할을 한다.

개념 확인

1 **괄호 안의 내용 중 옳은 것에 ○표 하시오.**

(1) 해안 퇴적 지형은 파랑 에너지가 (집중, 분산)되면서 퇴적 작용이 활발한 만에서 발달한다.

(2) 갯벌은 (파랑, 조류)에 의해 형성된 지역이다.

(3) 석호는 해수면 상승으로 형성된 만의 입구를 (사빈, 사주)이/가 가로막아 형성된 호수이다.

2 **□ 안에 들어갈 알맞은 말을 쓰시오.**

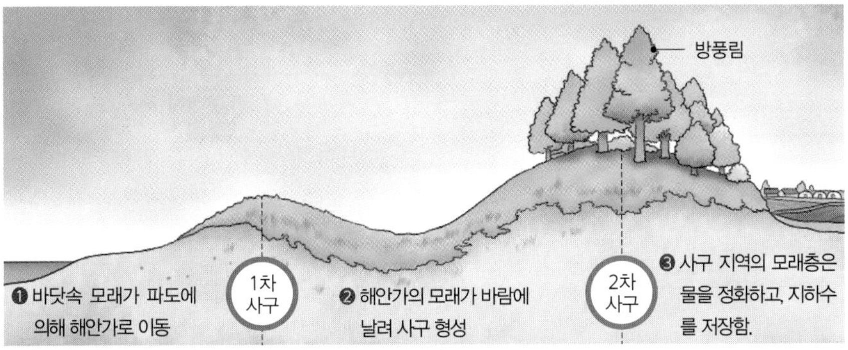
방풍림
❶ 바닷속 모래가 파도에 의해 해안가로 이동
1차 사구
❷ 해안가의 모래가 바람에 날려 사구 형성
2차 사구
❸ 사구 지역의 모래층은 물을 정화하고, 지하수를 저장함.

□□ □□는 다양한 동식물의 서식처 역할을 하며 커다란 파도나 해일로부터 해안 지역을 보호하기도 한다. 이 밑에는 많은 양의 지하수가 있어 생활용수로 유용하게 이용되며, 해안 사구 배후 지역에는 마을과 농지가 형성되어 있다.

사구 모식도 혹은 모래 해안의 지형도를 제시하고, 사구의 형성 과정, 특징, 역할 등을 물어보는 문제가 종종 출제되고 있어. 사구의 모래는 사빈의 모래가 바람에 의해 퇴적된 것이라는 사실을 기억해 두자.

※ 퇴적 물질의 평균 입자 크기
사빈 > 해안 사구 > 갯벌

3 **□ 안에 들어갈 알맞은 말을 쓰시오.**

석호의 형성 과정

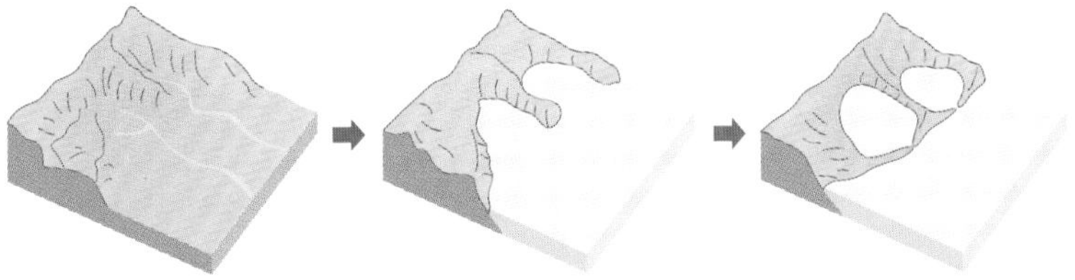

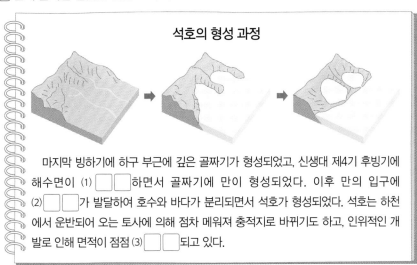

마지막 빙하기에 하구 부근에 깊은 골짜기가 형성되었고, 신생대 제4기 후빙기에 해수면이 (1) □□하면서 골짜기에 만이 형성되었다. 이후 만의 입구에 (2) □□가 발달하여 호수와 바다가 분리되면서 석호가 형성되었다. 석호는 하천에서 운반되어 오는 토사에 의해 점차 메워져 충적지로 바뀌기도 하고, 인위적인 개발로 인해 면적이 점점 (3) □□되고 있다.

석호와 사주가 나타나 있는 지형도를 제시하고 석호의 형성 과정과 특징을 물어보는 문제가 자주 출제되고 있어.

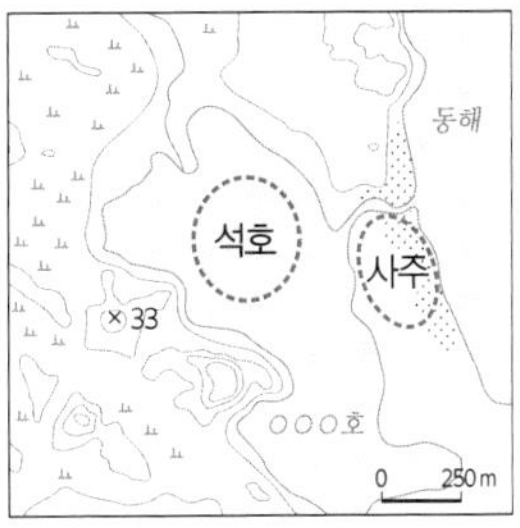
동해
석호
사주
×33
○○○호
0
250m

▲석호와 사주 지형도

답 1. (1) 분산 (2) 조류 (3) 사주 2. 해안 사구 3. (1) 상승 (2) 사주 (3) 축소

5일 해안 지형

| 수능 응용 |

1 다음 지도의 A~E에 대한 옳은 설명만을 〈보기〉에서 있는 대로 고른 것은?

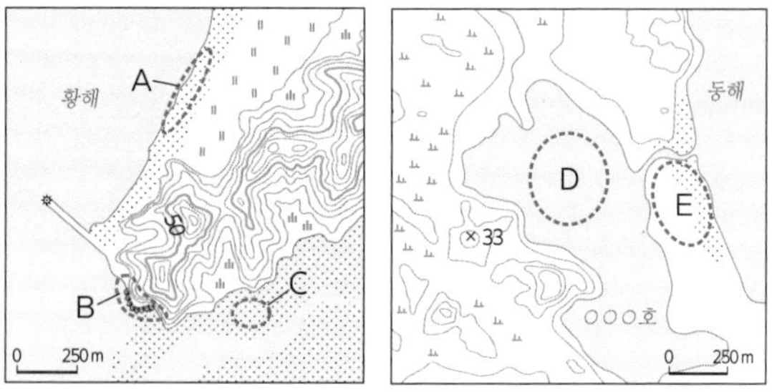

황해
A
B
C
0 250m
동해
D
E
×33
○○○호
0 250m

보기
ㄱ. B는 파랑 에너지가 분산되는 곳에서 잘 발달한다.
ㄴ. D의 염도는 동해보다 낮다.
ㄷ. E에는 해수욕장과 방풍림이 분포한다.
ㄹ. A는 C보다 퇴적물의 평균 입자 크기가 크다.

① ㄱ, ㄷ ② ㄴ, ㄹ ③ ㄱ, ㄴ, ㄷ
④ ㄱ, ㄷ, ㄹ ⑤ ㄴ, ㄷ, ㄹ

| 수능 기출 |

2 다음 지도의 A~E에 대한 설명으로 옳지 <u>않은</u> 것은?

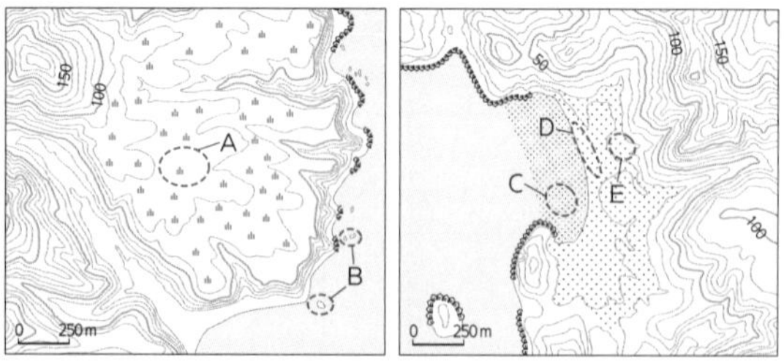

150
100
A
B
0 250m
50
100
150
D
C
E
100
0 250m

① A는 과거의 파식대가 융기된 지형이다.
② B는 해식애가 후퇴하면서 육지에서 분리된 지형이다.
③ C는 주로 조류에 의해 퇴적되는 지형이다.
④ D는 주로 파랑과 연안류의 퇴적 작용으로 만들어진 지형이다.
⑤ E는 D보다 퇴적물의 평균 입자 크기가 크다.

| 수능 응용 |

3 다음 ㉠~㉤에 대한 설명으로 옳은 것은?

◎ ㉠ 의 형성 및 분포
- 파랑과 연안류에 의해 퇴적되어 형성된 ㉡ 의 모래가 바람에 날려 그 배후에 퇴적되어 형성됨.
- 서해안의 경우 북서 계절풍의 영향을 많이 받는 해안에서 두드러지게 나타남.

◎ ㉢ 의 형성 및 분포
- 과거 파랑의 침식으로 평탄해진 ㉣ (이)나, 해안 퇴적 지형이 지반 융기나 해수면 변동으로 인해 해발 고도가 높아지면서 형성됨.
- 전면에는 파랑의 침식으로 형성된 해안 절벽인 ㉤ 이/가 나타남.

① ㉠은 담수를 저장하는 물 저장고 역할을 한다.
② ㉠은 ㉡보다 퇴적물의 평균 입자 크기가 크다.
③ ㉢과 ㉤은 주로 파랑 에너지가 분산되는 만(灣)에 발달한다.
④ ㉣은 ㉤이 육지 쪽으로 후퇴하면서 점점 좁아진다.
⑤ ㉠과 ㉣의 침식을 막기 위해 모래 포집기가 설치된다.

| 학평 응용 |

4 지도의 A~D 해안 지형에 대한 설명으로 옳은 것을 〈보기〉에서 고른 것은?

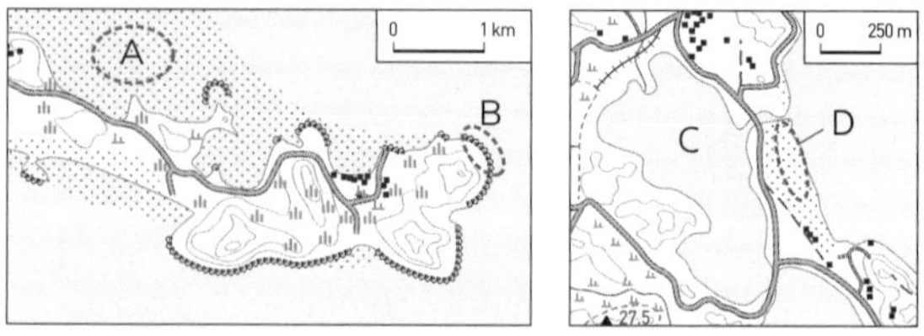

0 1 km
A
B
0 250 m
C
D
27.5

보기
ㄱ. A는 다양한 생물 종의 서식처로 생태적 가치가 높다.
ㄴ. B는 파랑 에너지가 집중하는 곳에 잘 발달한다.
ㄷ. C는 면적이 확대되고 있으며 농업용수로 이용된다.
ㄹ. D는 주로 조류의 퇴적 작용으로 형성되었다.

① ㄱ, ㄴ ② ㄱ, ㄷ ③ ㄴ, ㄷ
④ ㄴ, ㄹ ⑤ ㄷ, ㄹ

정답과 해설 4쪽

| 모평 응용 |

5 지도의 A~E에 대한 설명으로 옳지 <u>않은</u> 것은?

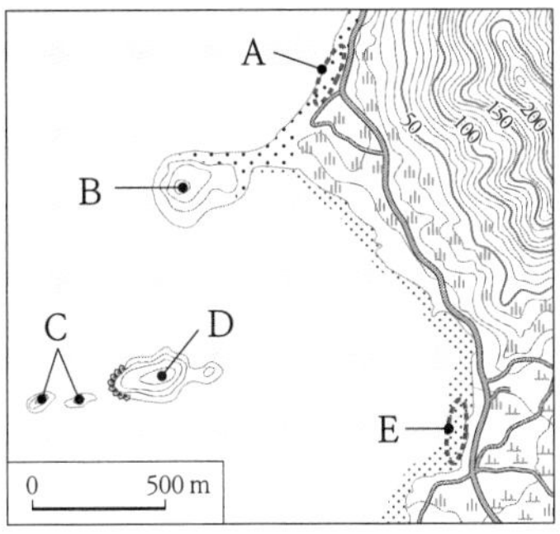
A
B
C
D
E
50
100
150
200
0 500 m

① A는 주로 파랑과 연안류에 의해 형성되었다.
② B는 사주에 의해 육지와 연결된 육계도이다.
③ C는 최후 빙기에 육지의 일부분이었다.
④ D 섬에서 파랑의 침식작용은 동쪽보다 서쪽에서 더 활발하다.
⑤ E는 주로 파랑의 영향을 받아 형성되었다.

| 모평 응용 |

6 그림은 해안 지형의 모식도이다. A~E 지형에 대한 설명으로 옳은 것만을 〈보기〉에서 있는 대로 고른 것은?

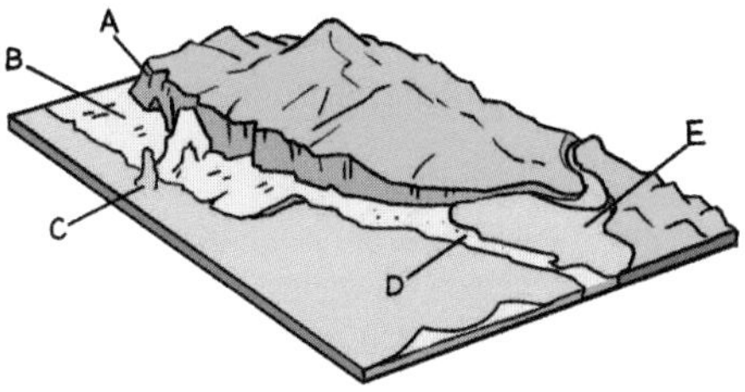
A
B
C
D
E

보기
ㄱ. A는 침식에 의해 육지 쪽으로 후퇴한다.
ㄴ. B는 연안류의 퇴적 작용으로 형성된다.
ㄷ. C는 D보다 파랑 에너지의 집중도가 높다.
ㄹ. E는 D의 성장으로 형성된 호수이다.

① ㄱ, ㄴ ② ㄴ, ㄷ ③ ㄷ, ㄹ
④ ㄱ, ㄴ, ㄹ ⑤ ㄱ, ㄷ, ㄹ

| 수능 기출 |

7 그림의 A~D에 대한 설명으로 옳지 <u>않은</u> 것은?

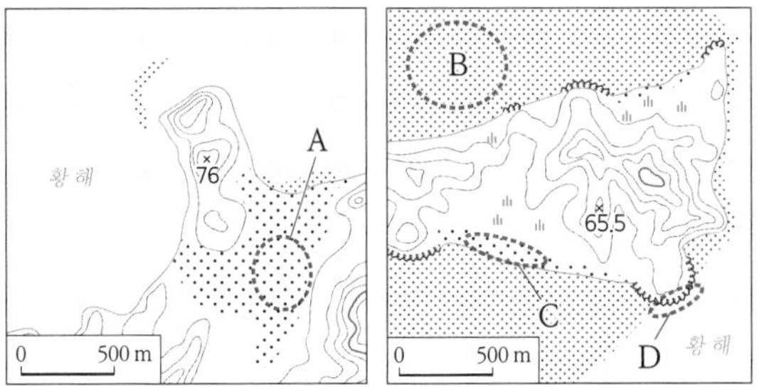
황해
76
A
0 500 m
B
65.5
C
D
황해
0 500 m

① A는 주로 바람에 의해 이동된 물질로 형성된다.
② B는 오염 물질을 정화하는 기능이 있다.
③ C는 주로 해수욕장으로 이용된다.
④ D는 파랑에 의한 퇴적 작용으로 형성된다.
⑤ B는 C보다 퇴적물의 평균 입자 크기가 작다.

| 모평 기출 |

8 A~D 지형에 관한 옳은 설명을 〈보기〉에서 고른 것은?

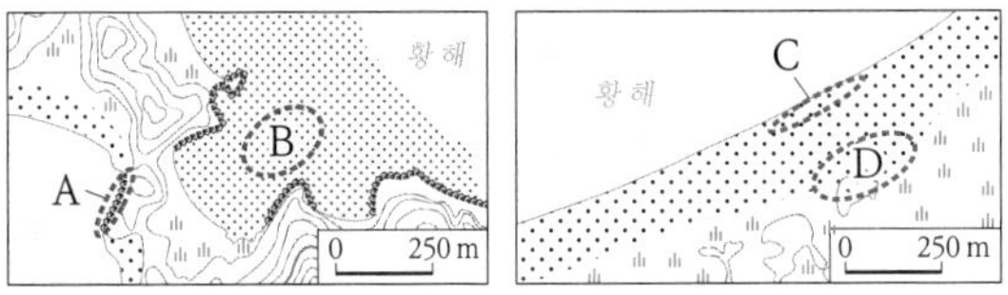
황해
B
A
0 250 m
C
황해
D
0 250 m

보기
ㄱ. A는 주로 파랑의 침식 작용으로 형성된다.
ㄴ. B는 매일 주기적으로 바닷물에 잠기는 곳이다.
ㄷ. C는 주로 조류의 퇴적 작용으로 형성된다.
ㄹ. D는 C보다 퇴적물의 평균 입자 크기가 크다.

① ㄱ, ㄴ ② ㄱ, ㄷ ③ ㄴ, ㄷ
④ ㄴ, ㄹ ⑤ ㄷ, ㄹ

누구나 100점 테스트

1 (가), (나) 섬에 대한 설명으로 옳지 <u>않은</u> 것은?

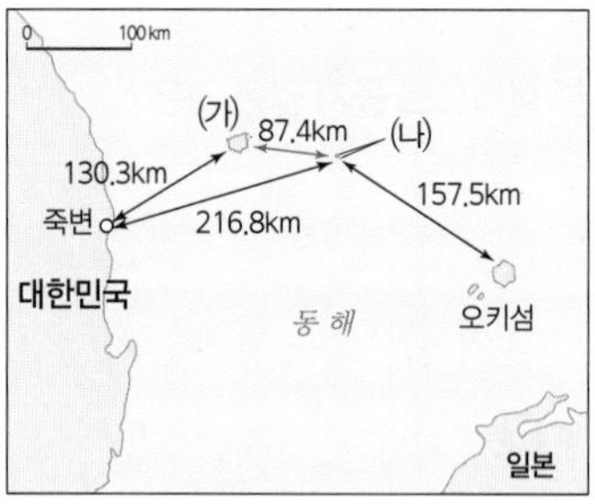
0 100km
(가)
87.4km
(나)
130.3km
157.5km
죽변
216.8km
대한민국
동 해
오키섬
일본

① (가)의 주변 12해리는 우리나라 영해이다.
② (가)는 동도와 서도 2개의 큰 섬과 89개의 부속 도서로 이루어져 있다.
③ (나)는 우리나라의 동쪽 끝을 확정한다.
④ (나)에서 가장 가까운 유인도는 (가)이다.
⑤ (가), (나)는 모두 동해상에 위치한다.

2 표의 (가)~(마)에 대한 설명으로 옳은 것은?

<table>
<tr><td rowspan="2">지질 시대</td><td rowspan="2">시생대</td><td rowspan="2">원생대</td><td colspan="3">고생대</td><td colspan="3">중생대</td><td colspan="2">신생대</td></tr>
<tr><td>캄브리아기</td><td>…</td><td>석탄기-페름기</td><td>트라이아스기</td><td>쥐라기</td><td>백악기</td><td>제3기</td><td>제4기</td></tr>
<tr><td>지질 계통</td><td colspan="2">(가)</td><td>(나)</td><td>결층</td><td colspan="2">(다)</td><td>대동 누층군</td><td>(라)</td><td>제3계</td><td>제4계</td></tr>
<tr><td>주요 지각 변동</td><td colspan="2">↑ 변성 작용</td><td colspan="3">↑ 조륙 운동</td><td>↑ 송림 변동</td><td>↑ 대보 조산 운동</td><td>↑ 불국사 변동</td><td>↑ (마)</td><td>↑ 화산 활동</td></tr>
</table>

① (가)는 북한산, 설악산의 주요 기반암을 이루고 있다.
② (나)에는 무연탄이 다량으로 매장되어 있다.
③ (다)는 고생대 초기에 해침을 받아 형성되었다.
④ (라)는 수평 퇴적암층으로 공룡 발자국 화석이 분포한다.
⑤ (마)로 인해 중국 방향의 지질 구조선이 형성되었다.

3 (가), (나)의 특징이 나타나는 지체 구조를 지도의 A~G에서 고른 것은?

(가) 신생대 제3기에 동해안 일부 지역에서는 해침에 의해 퇴적암층이 형성되었고, 이곳에는 갈탄이 매장되어 있다.
(나) 거대한 습지 또는 호수였던 곳에 중생대에 퇴적물이 쌓여 형성되었으며, 일부 지역에서는 공룡 발자국 화석과 뼈 화석이 발견된다.

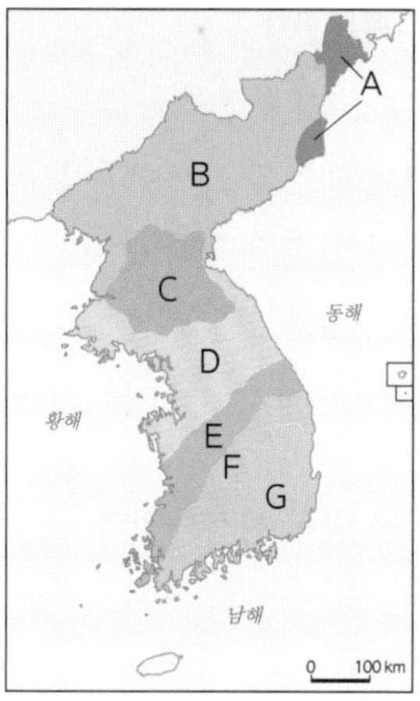
A
B
C
D
E
F
G
동해
황해
남해
0 100km

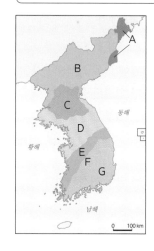

	(가)	(나)
①	A	B
②	A	G
③	C	D
④	C	F
⑤	E	G

4 (가), (나) 하천에 대한 설명으로 옳은 것은?

(가)

(나)

① (가)는 하천 하류에서 발달한다.
② (나)는 측방 침식이 우세하여 유로 변동이 잦다.
③ (가)는 (나)보다 하천의 경사가 완만하다.
④ (가)는 (나)보다 하천 주변 퇴적물의 평균 입자가 작다.
⑤ (나)는 (가)보다 지반 융기의 영향을 크게 받았다.

정답과 해설 5쪽

5 자료는 춘천의 지질도와 지형도이다. (가), (나) 암석에 대한 설명으로 옳지 않은 것은?

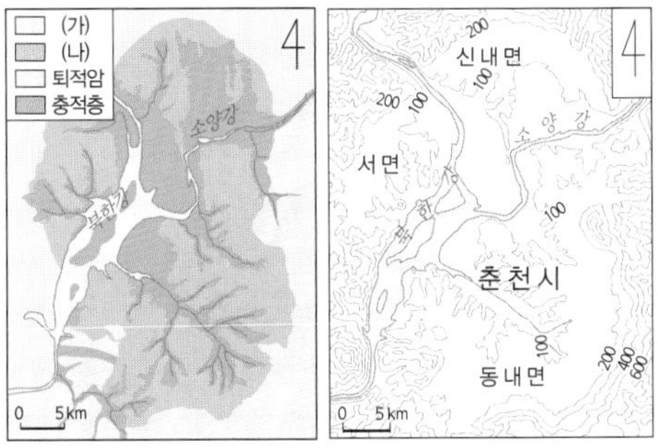
(가)
(나)
퇴적암
충적층
소양강
0 5km
신내면
서면
춘천시
동내면
0 5km

① (가)는 오랫동안 변성 작용을 받았다.
② (가)로 이루어진 산지는 주로 흙산을 이룬다.
③ (나)는 마그마가 관입하여 형성되었다.
④ (가)는 (나)보다 형성 시기가 오래되었다.
⑤ (나)는 (가)보다 풍화와 침식에 대한 저항력이 강하다.

6 (가)~(다) 지형의 공통점으로 옳은 것은?

(가)
(나)
(다)

① 주로 해수욕장으로 이용된다.
② 지하에 담수가 저장되어 있다.
③ 주로 파랑의 힘이 집중되는 곳에 발달한다.
④ 밀물 때 잠기고 썰물 때 드러나는 지형이다.
⑤ 조류에 의해 운반된 미립 물질이 퇴적되어 형성된다.

7 지도는 빙기와 후빙기의 해안선을 나타낸 것이다. (가), (나) 시기의 특징을 비교한 것 중 옳은 것은?

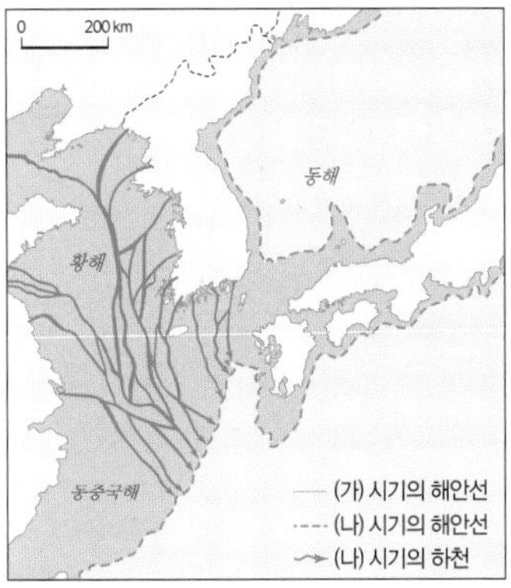
0 200 km
동해
황해
동중국해
(가) 시기의 해안선
(나) 시기의 해안선
(나) 시기의 하천

	구분	(가)	(나)
①	기후 변화	한랭 건조	온난 습윤
②	풍화 작용	화학적 풍화 작용 활발	물리적 풍화 작용 활발
③	하천 상류	퇴적 작용 활발	침식 작용 활발
④	하천 하류	침식 작용 활발	퇴적 작용 활발
⑤	지형 형성	하안 단구 발달	충적 평야 및 석호 발달(하류)

8 모식도는 해안 지역을 나타낸 것이다. (가), (나) 지역에 대한 설명으로 옳지 않은 것은?

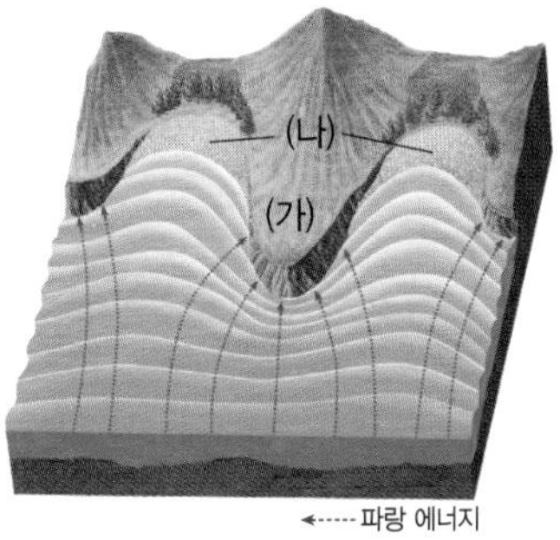
(나)
(가)
파랑 에너지

① (가)는 곶이고, (나)는 만이다.
② (가)는 (나)보다 파랑의 힘이 집중된다.
③ (나)는 (가)보다 침식 작용이 활발하다.
④ (가)에는 해식애, (나)에는 사빈이 형성된다.
⑤ (가)에는 암석 해안, (나)에는 모래 해안이 주로 발달한다.

1. 수리적 위치와 영역

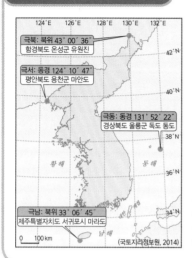

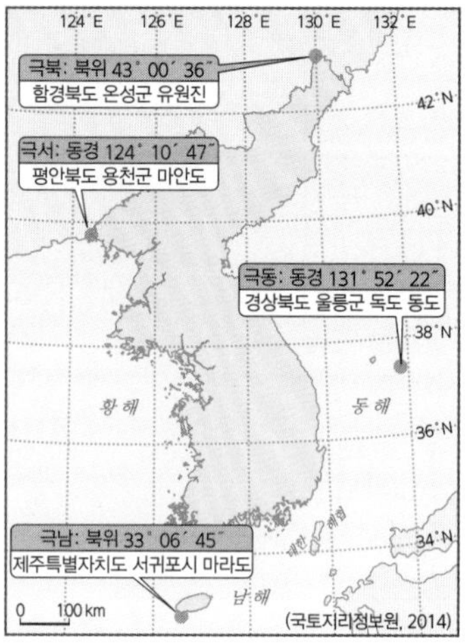
124°E
126°E
128°E
130°E
132°E
42°N
40°N
38°N
36°N
34°N
극북: 북위 43° 00′ 36″
함경북도 온성군 유원진
극서: 동경 124° 10′ 47″
평안북도 용천군 마안도
극동: 동경 131° 52′ 22″
경상북도 울릉군 독도 동도
극남: 북위 33° 06′ 45″
제주특별자치도 서귀포시 마라도
황해
동해
남해
0 100 km
(국토지리정보원, 2014)

위도와 경도로 표현되는 위치를 수리적 위치라고 한다. 우리나라는 북위 33°~43°, 동경 124°~132°에 위치하고 있다.

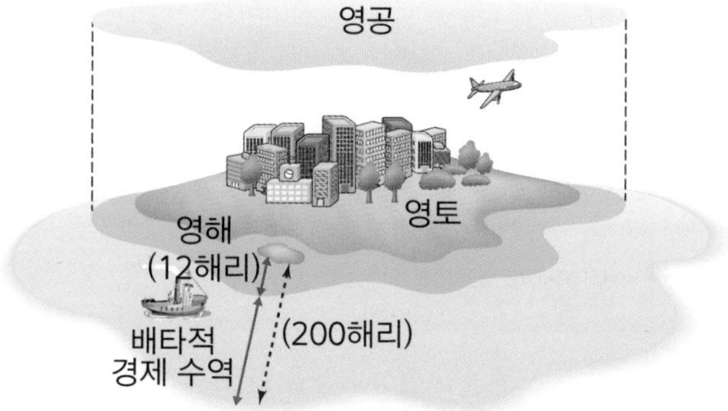
영공
영토
영해
(12해리)
배타적
경제 수역
(200해리)

영역은 한 국가의 주권이 미치는 공간적 범위로 영토, 영해, 영공으로 구성된다.

2. 지체 구조

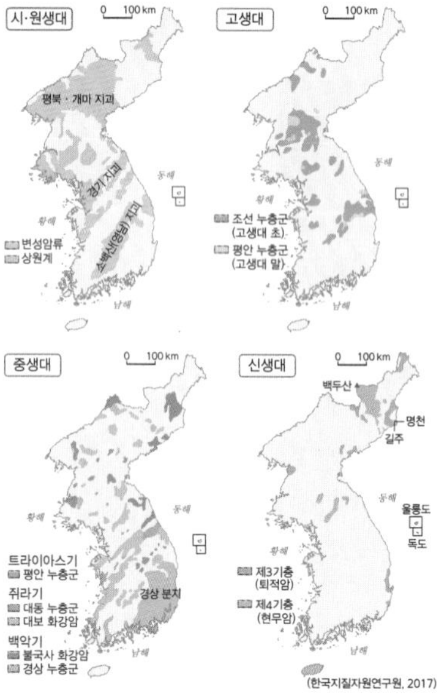
시·원생대
고생대
중생대
신생대
0 100 km
평북·개마 지괴
경기 지괴
소백산 지괴
변성암류
상원계
조선 누층군 (고생대 초)
평안 누층군 (고생대 말)
트라이아스기
평안 누층군
쥐라기
대동 누층군
대보 화강암
백악기
불국사 화강암
경상 누층군
경상 분지
백두산
명천
길주
울릉도
독도
제3기층 (퇴적암)
제4기층 (현무암)
황해
동해
남해
(한국지질자원연구원, 2017)

시·원생대에 형성된 안정 지괴 사이에 고생대의 퇴적 작용이 일어나면서 평남 분지와 옥천 습곡대가 만들어졌다. 중생대에는 전국적으로 화강암이 관입되었고, 경상도를 중심으로 경상 분지가 만들어졌다. 신생대에는 두만 지괴, 길주·명천 지괴 등이 형성되었으며, 화산과 용암 대지가 형성되었다.

3. 산지 지형

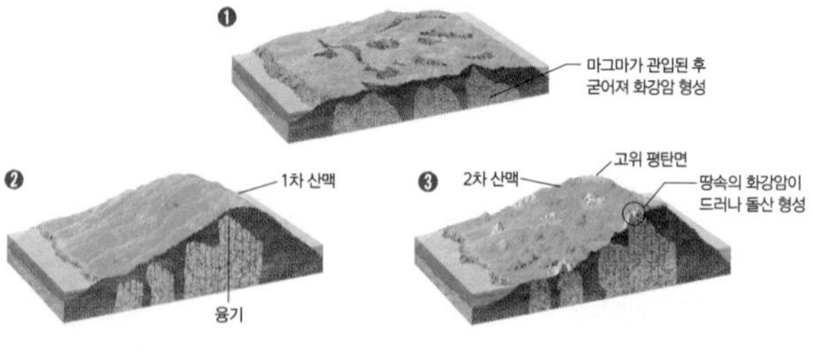
❶
마그마가 관입된 후 굳어져 화강암 형성
❷
1차 산맥
융기
❸
2차 산맥
고위 평탄면
땅속의 화강암이 드러나 돌산 형성

▲ 흙산

▲ 돌산

1차 산맥은 신생대 제3기 경동성 요곡 운동으로 형성되었고, 2차 산맥은 1차 산맥 형성 이후 지질 구조선을 따라 차별 풍화와 차별 침식을 받아 형성되었다.

4. 하천 지형

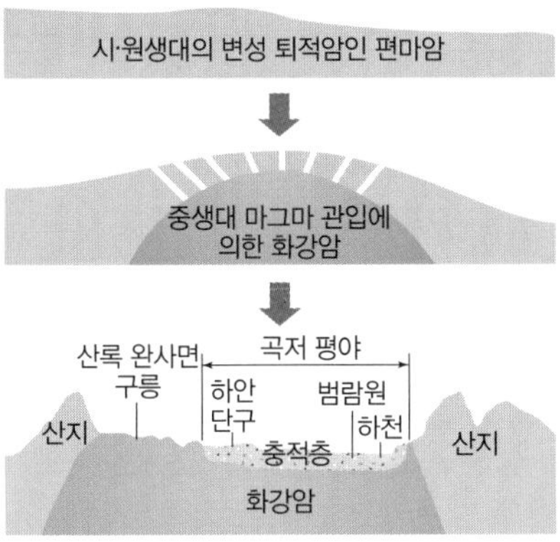
시·원생대의 변성 퇴적암인 편마암
중생대 마그마 관입에 의한 화강암
산록 완사면
곡저 평야
구릉
하안 단구
범람원
하천
산지
충적층
산지
화강암

▲ 침식 분지

시·원생대에 형성된 편마암이 기반암을 이루는 곳에 중생대 화강암이 관입한 이후, 화강암 지대가 편마암 지대보다 빠르게 침식을 받아 형성되었다.

▲ 감입 곡류 하천

▲ 자유 곡류 하천

우리나라 하천의·상류에서는 감입 곡류 하천을 볼 수 있고, 중·하류에서는 자유 곡류 하천을 볼 수 있다. 감입 곡류 하천 주변에서는 하안 단구를 발견할 수 있고, 자유 곡류 하천 주변에서는 범람원을 발견할 수 있다.

5. 해안 지형

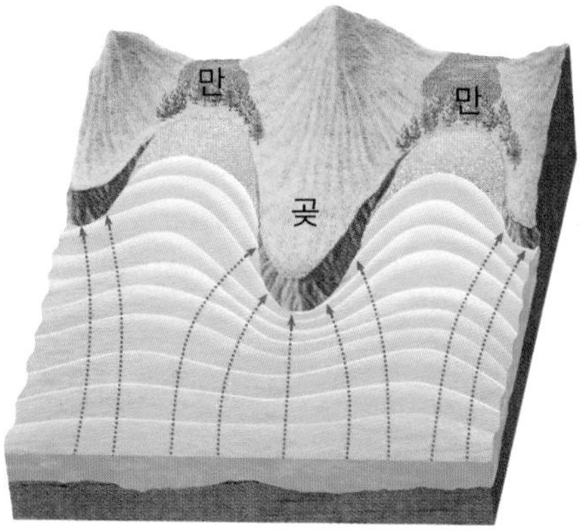
만
만
곶

▲ 곶과 만

해안 지역에는 파랑, 연안류, 조류 등에 의한 침식 작용과 퇴적 작용으로 인해 다양한 지형이 발달한다. 파랑의 침식 작용으로 곶이, 퇴적 작용으로 만이 형성된다.

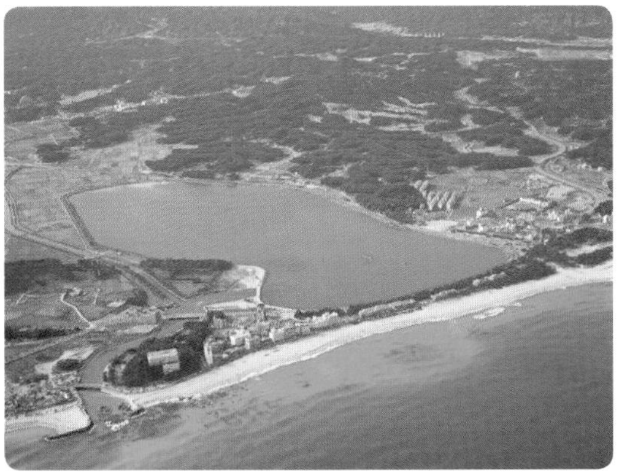

▲ 석호와 사주

해안 침식 지형에는 파식대, 해식애, 해식동, 시 스택 등이 있고, 해안 퇴적 지형에는 사빈, 해안 사구, 사주, 석호, 갯벌 등이 있다.

빈출 자료 1 우리나라의 영해 및 배타적 경제 수역

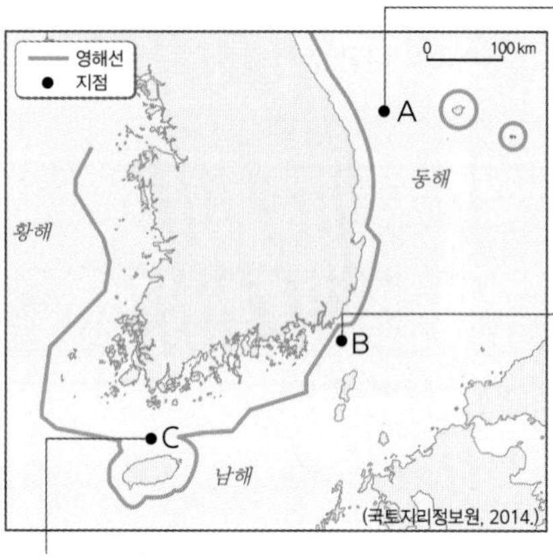
영해선
지점
0 100km
A
B
C
동해
황해
남해
(국토지리정보원, 2014.)

A는 우리나라의 배타적 경제 수역 내에 위치한 지점이다. 배타적 경제 수역은 영해 기선으로부터 200해리까지의 바다에서 영해를 제외한 수역을 말한다. 배타적 경제 수역에서는 연안국의 경제적 권한이 인정된다.

B는 대한 해협상의 우리나라 영해 밖이므로 공해에 해당한다. 일본과 거리가 가까운 대한 해협에서는 직선 기선에서 3해리까지를 영해로 설정하였다. 그 사이는 공해로 남겨 두어 외국 선박의 자유로운 통행을 보장하였다.

C는 우리나라의 영해에 해당한다. 우리나라의 영해의 범위는 일반적으로 기선에서 12해리까지로 규정한다. 동해안, 제주도, 울릉도, 독도 등은 통상 기선을 적용하며, 섬이 많은 서·남해안과 동해안 일부는 직선 기선을 적용한다.

영해와 배타적 경제 수역의 범위와 성격을 기억해야 해요. 기선, 배타적 경제 수역에서 연안국의 권리를 묻는 문제가 자주 출제됩니다.

대표 예제와 기출 선택지

지도의 C 지점에 대한 설명으로 옳은 것에 모두 ○표 하시오.

① 공해에 해당한다. ( )
② 간척 사업으로 확대되고 있다. ( )
③ 우리나라 어선이 고기잡이를 한다. ( )
④ 외국이 인공 섬을 설치할 수 있다. ( )
⑤ 우리나라의 독점적 권리가 인정된다. ( )

답 ③, ⑤

빈출 자료 2 「대동여지도」 읽기

A: 배의 운항이 불가능한 하천으로 단선으로 표현되어 있다.

B: 역참은 통신·교통·숙박 기능을 담당하던 시설이다.

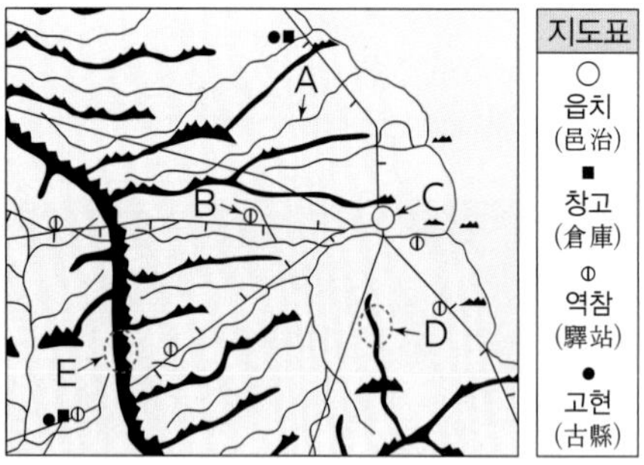
A
B
C
D
E
지도표
읍치 (邑治)
창고 (倉庫)
역참 (驛站)
고현 (古縣)

C: 읍치는 관아가 있는 행정 중심지이다.

E: 이 산줄기를 중심으로 하천의 물줄기가 나뉘므로 분수계라고 볼 수 있다. 분수계는 하천 유역을 나누는 경계를 의미하며, 일반적으로 산지가 분수계를 이루는 경우가 많다.

D: 도로에는 10리마다 방점을 찍어 두 지점 간의 대략적인 거리를 파악할 수 있게 하였다.

자료 분석

대동여지도는 1861년 김정호가 제작한 지도이다. 남북을 120리 간격으로 22층으로 나누고, 동서를 80리 간격으로 19판으로 나누어 병풍처럼 접고 펼 수 있게 분첩 절첩식으로 만들었다. 도로는 직선으로 그렸으며, 10리마다 방점(눈금)을 찍어 거리를 알 수 있게 하였다. 산지는 크기에 따라 선의 굵기를 다르게 표현하였고, 연속성을 강조하였다. 하천은 곡선으로 그렸으며, 항해가 가능하면 쌍선, 불가능하면 단선으로 표시하였다.

고지도 중에서 「대동여지도」에 관한 문제가 자주 나옵니다.

대표 예제와 기출 선택지

대동여지도와 지도표를 보고 학생들이 나눈 대화로 옳은 것에 모두 ○표 하시오.

① 산지의 정확한 해발 고도를 알 수 있어. ( )
② 역참은 관아가 있는 행정 중심지를 뜻해. ( )
③ 방점을 보면 두 지점 간의 거리를 알 수 있어. ( )
④ 교통 및 통신 시설을 표현한 기호가 있어. ( )
⑤ 수운 교통로로 이용되는 하천만 표시하였어. ( )

답 ③, ④

빈출 자료 3 우리나라의 지각 형성 과정

(가)는 변성암류이다. 시생대와 원생대에 형성된 암석들은 오랜 시간 동안 열과 압력을 받아 변성암이 되었다.

(다)는 평안 누층군으로, 고생대 말기부터 중생대 초기까지 육지에서 형성된 퇴적층(육성층)이다. 육지의 습지에서 형성된 무연탄이 매장되어 있다.

지질 시대	시생대	원생대	고생대			중생대			신생대	
			캄브리아기	…	석탄기-페름기	트라이아스기	쥐라기	백악기	제3기	제4기
지질 계통	(가)		(나)	결층	(다)		대동 누층군	(라)	제3계	제4계
주요 지각 변동	변성 작용		조륙 운동			송림 변동	대보 조산 운동	불국사 변동	(마)	화산 활동

(나)는 조선 누층군에 해당한다. 고생대에는 두꺼운 퇴적층이 형성되었는데 이는 주로 평남 지향사와 옥천 지향사에 분포한다. 지향사란 장시간에 걸쳐 침강이 진행되면서 여러 겹의 퇴적층이 두껍게 쌓인 곳을 말한다. 특히 고생대 초기 바다에서 형성된 퇴적층(해성층)을 조선 누층군이라고 하며, 이곳에는 석회암이 매장되어 있다.

(라)는 경상 누층군이다. 중생대 말기 남부 지방 일대에는 습지와 호수가 넓게 형성되어 있었는데, 이곳에 쌓인 두꺼운 수평 퇴적암층을 경상 누층군이라고 한다.

(마)는 경동성 요곡 운동으로 한반도 북쪽과 동쪽이 상대적으로 높게 치솟은 동고서저 지형이 형성되었다.

대표 예제와 기출 선택지

자료에 대한 설명으로 옳은 것에 모두 ○표 하시오.

① (가)는 북한산, 설악산의 주요 기반암을 이루고 있다. ( )

② (나)의 대부분을 화강암이 차지한다. ( )

③ (나)는 육성층으로 무연탄이 많이 매장되어 있다. ( )

④ (다)는 습지였던 지층에 무연탄이 매장되어 있다. ( )

⑤ (라)에는 공룡 발자국 화석이 분포한다. ( )

한반도의 지질 계통과 지질 시대별 지각 변동을 잘 알아두어야 합니다. 주요 지각 변동에 관해 묻는 문제도 자주 출제됩니다.

답 ④, ⑤

빈출 자료 4 한반도의 산지 지형

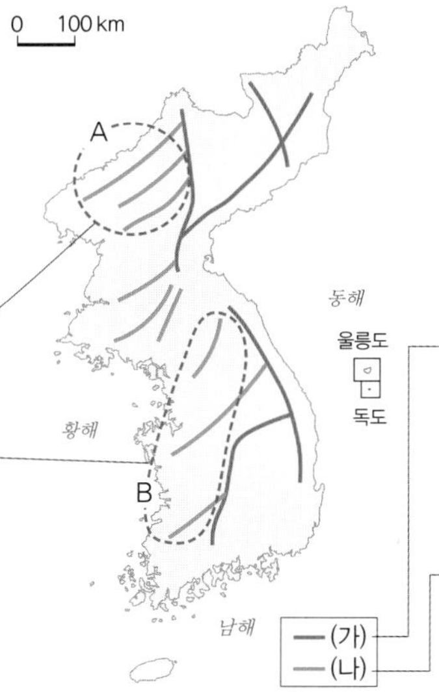
0 100 km
A
B
동해
울릉도
독도
황해
남해
(가)
(나)

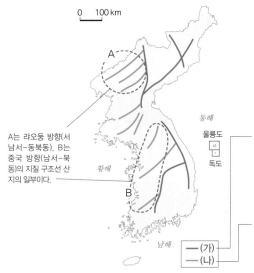

A는 라오둥 방향(서남서-동북동), B는 중국 방향(남서-북동)의 지질 구조선 산지의 일부이다.

(가)는 1차 산맥이다. 1차 산맥은 신생대 제3기 이후 횡압력을 직접 받은 동해안이 비대칭으로 융기하면서 형성되었으며, 함경·태백·낭림·마천·소백산맥이 있다. 이 산지들은 해발 고도가 높고, 산줄기의 연속성이 뚜렷하다.

(나)는 2차 산맥이다. 2차 산맥은 1차 산맥 이후 지질 구조선을 따라 차별 풍화와 차별 침식을 받아 형성된 산지로 강남·묘향·멸악·차령산맥 등이 있다. 이 산지들은 해발 고도가 상대적으로 낮고 산줄기의 연속성도 뚜렷하지 않다.

대표 예제와 기출 선택지

자료에 대한 설명으로 옳은 것에 모두 ○표 하시오.

① (가)의 일부는 백두대간을 구성한다. ( )

② (가)는 (나)보다 평균 해발 고도가 높다. ( )

③ (나)에는 태백산맥과 소백산맥이 속한다. ( )

④ B는 연속성이 강한 1차 산맥이다. ( )

⑤ 지질 구조선은 A가 B보다 먼저 결정되었다. ( )

한반도의 산지 형성 과정을 기억해야 해요. 1차 산맥과 2차 산맥의 특징을 비교하는 문제가 자주 출제됩니다.

답 ①, ②, ⑤

1 주

특강 창의·융합·코딩

빈출 자료 5 산경도와 하천의 특성

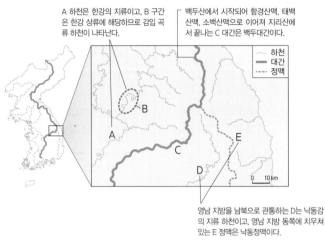

A 하천은 한강의 지류이고, B 구간은 한강 상류에 해당하므로 감입 곡류 하천이 나타난다.

백두산에서 시작되어 함경산맥, 태백산맥, 소백산맥으로 이어져 지리산에서 끝나는 C 대간은 백두대간이다.

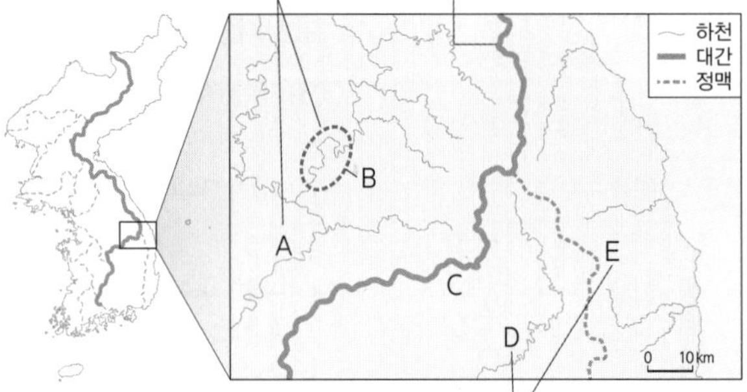

하천
대간
정맥
A
B
C
D
E
0 10 km

영남 지방을 남북으로 관통하는 D는 낙동강의 지류 하천이고, 영남 지방 동쪽에 치우쳐 있는 E 정맥은 낙동정맥이다.

자료 분석

백두산부터 지리산까지 뻗어 내린 산줄기인 백두대간을 보아 산줄기의 연속적 흐름을 강조한 산경도임을 알 수 있다. 산경도에 나타난 산줄기는 분수계를 이루어서 산줄기를 통해 하천의 유역을 파악할 수 있다. 백두대간의 왼쪽은 한강 유역, 오른쪽은 낙동강 유역이다.

우리나라 하천의 특색을 기억해 두어야 해요. 주요 하천의 특징을 비교하는 문제가 자주 출제됩니다.

대표 예제와 기출 선택지

자료에 대한 설명으로 옳은 것에 모두 ○표 하시오.

① A 하천은 조차가 큰 황해로 유입한다. ( )

② A 하천의 하구에는 삼각주가 형성되어 있다. ( )

③ B 구간에서는 감입 곡류보다 자유 곡류가 우세하게 나타난다. ( )

④ C 대간은 한강 유역과 낙동강 유역 간의 분수계를 이룬다. ( )

⑤ D 하천은 황해로 유입한다. ( )

답 ①, ④

빈출 자료 6 주요 하천 지형의 특징

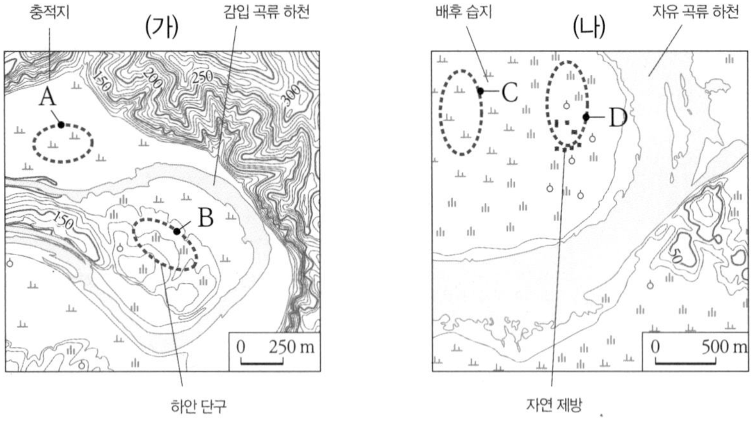

충적지
(가)
감입 곡류 하천
A
B
150
200
250
300
0 250 m
하안 단구
배후 습지
(나)
자유 곡류 하천
C
D
0 500 m
자연 제방

자료 분석

하천의 평균 하폭과 주변의 경사도를 토대로 (가)는 하천의 상류, (나)는 하천의 하류임을 알 수 있다. (가)는 산지 사이를 곡류하므로 감입 곡류 하천, (나)는 평지 위를 흐르므로 자유 곡류 하천이다. B는 하천의 활주 사면 쪽에 등고선이 조밀하게 분포하는 것을 통해 하안 단구임을 알 수 있다. 밭과 과수원이 분포하는 것을 보아 D는 자연 제방이고, 논이 분포하고 자연 제방의 배후에 위치하는 것을 보아 C는 배후습지이다.

하천 상류의 지형과 하류의 지형을 구분하여 정리해 둡시다. 하천 지형의 특징을 묻는 문제가 자주 출제됩니다.

대표 예제와 기출 선택지

(가), (나) 지역에 대한 설명으로 옳은 것에 모두 ○표 하시오.(단, (가), (나)의 하천은 동일한 하계망에 속함.)

① (가)의 하천은 (나)의 하천보다 평균 유량이 많다. ( )

② (나)의 하천은 (가)의 하천보다 하상의 해발 고도가 높다. ( )

③ 하천의 하방 침식은 (나)보다 (가)에서 활발하다. ( )

④ B에서는 둥근 모양의 자갈이 발견된다. ( )

⑤ B는 A보다 범람에 의한 침수 가능성이 높다. ( )

답 ③, ④

빈출 자료 7 해안 침식 지형

(가)는 해안의 산지나 구릉이 파랑의 침식 작용으로 깎여서 형성된 해안 절벽인 해식애이다. 해식애는 파랑의 에너지가 집중되는 곳에서 잘 발달한다.

사진에서 해식애의 하단부 중 약한 부분이 파랑의 침식 작용으로 깊게 파여 형성된 해식동도 볼 수 있다.

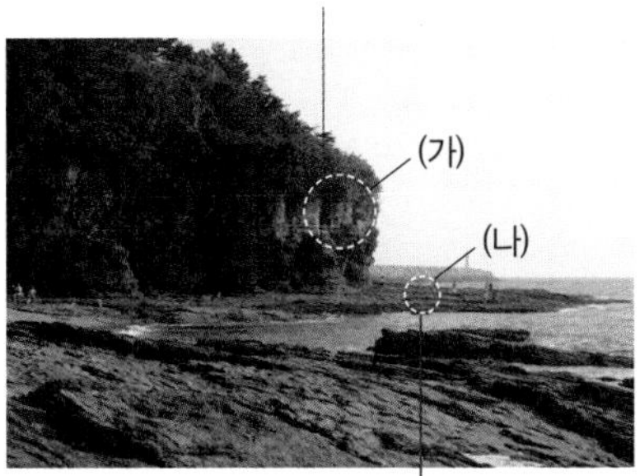
(가)
(나)

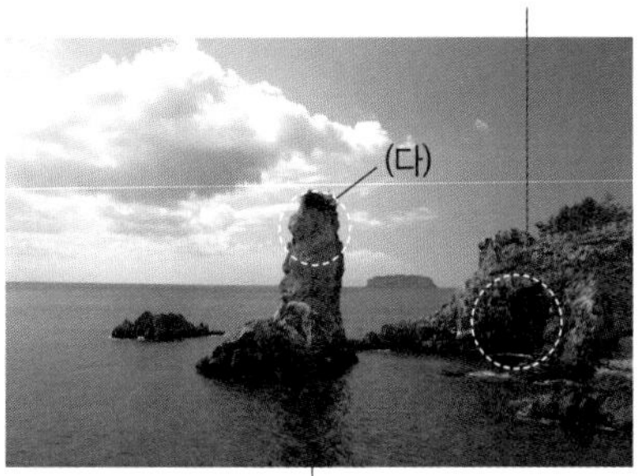
(다)

(나)는 파랑의 침식 작용으로 해식애가 후퇴하면서 남은 넓고 평평한 바위면인 파식대이다.

(다)는 해식애가 파랑의 침식 작용으로 후퇴할 때 약한 부분은 깎이고 단단한 부분이 작은 바위섬으로 떨어져 남아 형성된 시 스택이다.

사진이나 지형도에서 해안 지형을 파악하고, 지형의 특징과 형성 과정 등을 비교하는 문제가 자주 출제됩니다.

대표 예제와 기출 선택지

사진에 대한 설명으로 옳은 것에 모두 ○표 하시오.

① (가)는 파식대, (나)는 해식애이다. ( )

② (가)가 후퇴할수록 (나)의 면적은 넓어진다. ( )

③ (다)는 과거에는 육지의 일부였을 것이다. ( )

④ 만보다는 곶에서 이러한 지형들이 잘 발달한다. ( )

⑤ 모두 조류에 의한 퇴적 작용으로 형성된 지형이다. ( )

답 ②, ③, ④

빈출 자료 8 해안 퇴적 지형

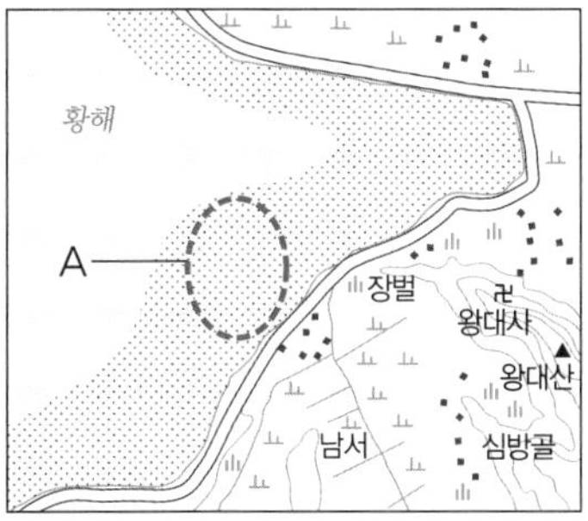
황해
A
장벌
왕대사
왕대산
남서
심방골

A는 조류의 퇴적 작용으로 형성된 갯벌이다. 갯벌은 모래나 점토 등의 물질이 썰물에 쓸려나갔다가 밀물에 밀려와 해안 지역에 퇴적되어 형성된다. 서해안 지역은 수심이 낮고, 조차가 크기 때문에 갯벌이 잘 발달한다.

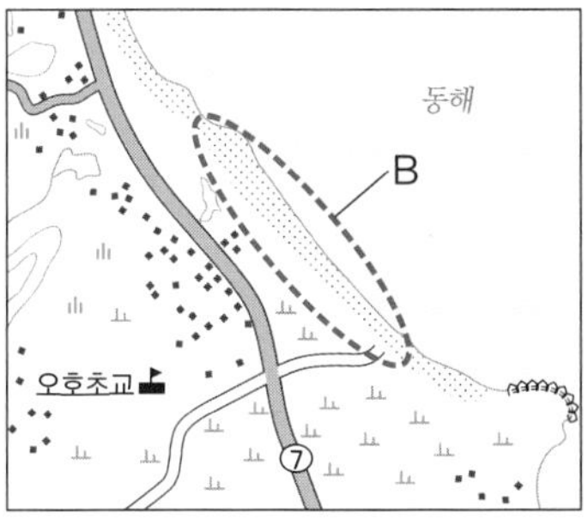
동해
B
오호초교
7

B는 파랑이나 연안류에 의해 모래가 퇴적되어 형성된 사빈이다. 모래의 공급이 원활한 동해안에서는 규모가 큰 사빈이 형성되어 해수욕장으로 이용된다.

자료 분석

해안의 만에는 파랑, 연안류, 조류 등에 의해 퇴적 작용이 활발하게 일어난다. 서해안은 수심이 낮고 조차가 크며, 하천에서 공급되는 퇴적물의 양이 많아 갯벌이 형성되기에 유리한 조건을 갖추고 있다. 그에 반해 동해안은 해안선이 단조롭고 수심이 깊기 때문에 파랑의 퇴적 작용이 활발하여 사빈이 잘 발달한다.

지형도에서 육지 쪽에 점이 찍혀 있으면 사빈, 바다 쪽에 점이 찍혀 있으면 갯벌입니다. 사빈과 갯벌을 비교하는 문제가 자주 출제됩니다.

대표 예제와 기출 선택지

A, B에 대한 설명으로 옳은 것에 모두 ○표 하시오.

① A는 주로 조류에 의해 형성된 지형이다. ( )

② A는 조수 간만의 차가 작은 해안에서 잘 발달한다. ( )

③ B는 주로 해수욕장으로 이용된다. ( )

④ B는 파랑과 연안류에 의해 형성된 지형이다. ( )

⑤ B는 파랑 에너지가 집중되는 곳에서 잘 발달한다. ( )

답 ①, ③, ④

1주

Week 2

2주에는 무엇을 공부할까? ①

여러분, 지난주에는 우리나라 국토와 지형에 대해서 배웠죠? 이번 주에는 우리나라 기후와 인문적 요소에 대해 알아볼 거예요.
우리나라는 사계절의 변화가 뚜렷하여 계절마다 다른 기후 특성을 보이죠.
그 다음으로는 우리나라에서 자주 일어나는 자연재해들을 알아볼 거예요. 여러분, 어떤 자연재해들이 떠오르나요?
이제까지 우리나라의 자연적 요소들을 알아보았으니, 이제 우리나라 인문적 요소들을 알아보아요.
오늘날 우리나라의 촌락이 변화하고 있어요. 그 이유는 도시화와 산업화로 농촌 인구가 도시로 유출되기 때문이죠.

전체 내용 파악하기

그렇다면 도시는 어떤 모습일까요?
도시 내부는 이렇게 지역의 기능별로 분화되어 있답니다.
도심 (CBD)
부도심
중간 지역
주변 지역
인천
서울
경기
교통 발달과 교통망 확충, 거주지의 교외화로 인천 · 경기에서 서울로 통근이나 통학을 하는 사람들이 늘어났어요.
방금 이야기해 본 것들을 더 자세히 알아봅시다!
네.

[관련 단원] Ⅱ. 지형 환경과 인간 생활 ~ Ⅳ. 거주 공간의 변화와 지역 개발

배울 내용

1일 | 화산 지형~카르스트 지형 _52
2일 | 우리나라 기후 특성 ❶ _58
3일 | 우리나라 기후 특성 ❷ _64
4일 | 촌락의 변화와 도시 발달 _70
5일 | 도시 구조와 대도시권 _76

Week 2

2주에는 무엇을 공부할까? ②

수능 한국지리 빈출 키워드#

1일

키워드#11 화산 지형

키워드#12 카르스트 지형

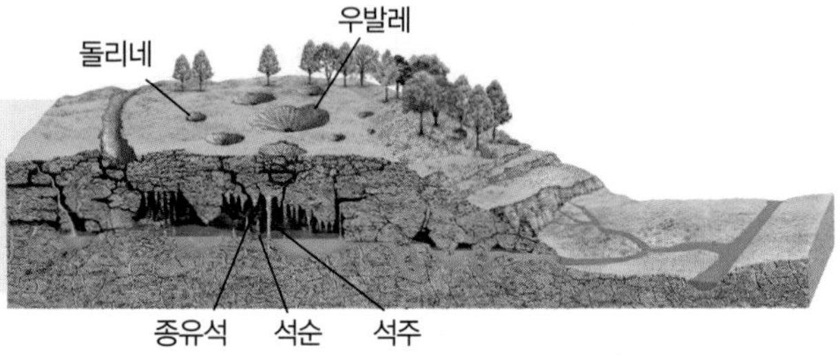

우발레
돌리네
종유석
석순
석주

▲ 카르스트 지형 모식도

공부할 내용 추측해 보기 관련 페이지 52쪽

우리나라에서 화산 폭발로 형성된 지역 혹은 지형을 아는 대로 적어 보자.

____

2일

키워드#13 기온

키워드#14 강수

0 100 km
(단위: ℃)
중강진
청진
성진
신의주
함흥
원산
평양
개성
서울
인천
대전
대구
울산
부산
광주
제주
이어도
울릉도
독도
동해
황해
남해
북한: 1973~1994년 평균
남한: 1981~2010년 평균
(기상청, 2016)

▲ 우리나라의 연교차 분포

공부할 내용 추측해 보기 관련 페이지 58, 60쪽

우리나라 지역 중 겨울철 가장 추울 것 같은 지역과 여름철 가장 강수량이 많을 것 같은 지역을 적어 보자.

____

3 일

키워드#15 계절별 기후 특성

키워드#16 자연재해

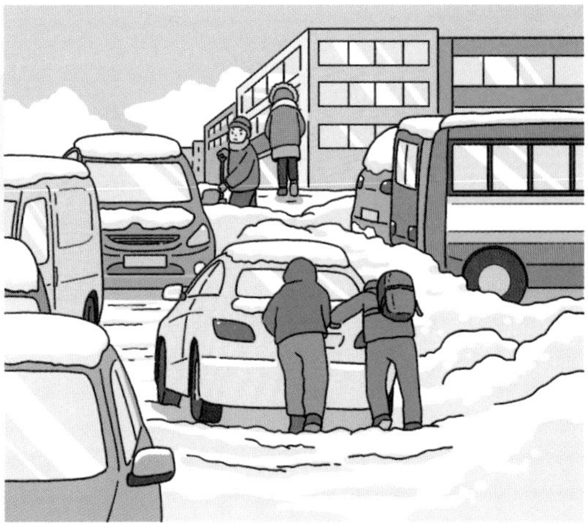

공부할 내용 추측해 보기 관련 페이지 66쪽

우리나라에서 발생 빈도가 가장 잦은 자연재해와 발생 시 피해가 가장 큰 자연재해를 적어 보자.

4 일

키워드#17 전통 촌락

키워드#18 도시 체계

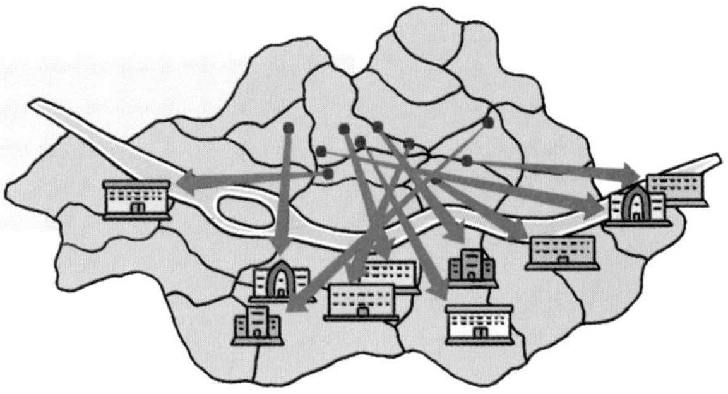

공부할 내용 추측해 보기 관련 페이지 72쪽

오늘날 촌락의 변화를 아는 대로 적어 보고, 우리나라에서 인구가 가장 많은 도시를 적어 보자.

5 일

키워드#19 도시 내부 구조

키워드#20 대도시권

공부할 내용 추측해 보기 관련 페이지 76쪽

서울에서 업무 기능이 집중되어 있는 지역과 주거 기능이 집중되어 있는 지역을 아는 대로 적어 보자.

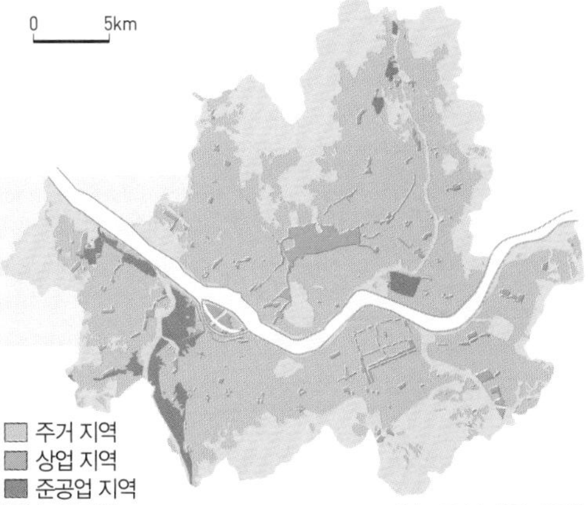
0
5km
주거 지역
상업 지역
준공업 지역
녹지 지역

(지도로 본 서울, 2013)

▲ 서울의 토지 이용

1 일

화산 지형 ~ 카르스트 지형

키워드 #11 화산 지형

울릉도

나는 급경사의 종상 화산이며,
섬 중앙에 나리 분지와 중앙 화구구인
알봉이 있는 이중 화산체야!

독도

나는 화산체 대부분이 해저에
있는 급경사의 종상 화산이지.

철원-평강

난 현무암질 용암의 열하 분출로
형성된 용암 대지야!

제주도

난 전체적으로는 순상 화산이지만
산 정상부는 종상 화산이야.
산록부에는 기생 화산들이 분포해!

1 우리나라의 다양한 화산 지형

백두산	• 유동성이 큰 현무암질 용암의 분출로 형성된 용암 대지 위에 솟은 화산 • 천지: 화구의 함몰로 형성된 칼데라에 물이 고여 형성된 호수 → 칼데라호❶
울릉도	• 점성이 큰 조면암질·안산암질 용암의 분출로 형성된 급경사의 종상 화산 • 섬 중앙에 칼데라 분지인 나리 분지와 중앙 화구구인 알봉 형성 → □□ 화산체
독도	화산체 대부분이 해저에 있는 급경사의 종상 화산
철원-평강	• 유동성이 큰 현무암질 용암의 열하 분출로 기존의 평야와 하천 등을 메워 형성된 □□ □□ (열하 분출: 지각의 틈을 뚫고 용암이 서서히 분출하는 것) • 철원 평야: 신생대 제4기 추가령 구조곡을 따라 용암 분출, 이후 한탄강의 하방 침식으로 협곡 형성, 하천 양안에 수직 절벽과 주상 절리❷ 발달 → 수리 시설 갖춘 후 논농사가 이루어짐.
제주도	• 한라산: 현무암질 용암이 여러 차례 분출하여 만들어진 방패 모양 화산(순상 화산) → 산 정상부는 종 모양의 화산(종상 화산), 정상부에는 화구호인 백록담 형성 • 기생 화산(오름): 한라산 화산체 형성 이후 산록부에 용암이 추가 분출하여 형성 • 용암동굴(만장굴, 협재굴, 김녕굴 등), 주상 절리 발달 → 관광 자원으로 활용 • 용천대: 지하수가 솟아오르는 용천대에 취락 발달

용천대: 현무암이 절리가 많아 하천 발달이 미약하므로 물을 구하기 쉬운 용천대에 취락이 발달함.

답 이중, 용암 대지

❶ 칼데라호
화산 분화 후 화구가 함몰된 곳에 생긴 칼데라에 물이 고여 형성된 호수

❷ 주상 절리
용암이 식으면서 만들어진 기둥 모양의 지형이다. 용암 냉각 과정에서 수직 균열 틈새로 물이 침투하여 침식과 풍화 작용을 일으키면서 돌기둥 모양의 절리대가 형성된다.

개념 확인

1 다음 내용이 백두산에 해당하면 ‘백’, 독도에 해당하면 ‘독’, 울릉도에 해당하면 ‘울’이라고 쓰시오.

(1) 화산체 대부분이 해저에 있다. .... (　　)
(2) 칼데라호인 천지가 존재한다. .... (　　)
(3) 칼데라 분지에 취락이 분포한다. .... (　　)
(4) 이중 화산체이다. .... (　　)

2 □ 안에 들어갈 알맞은 말을 쓰시오.

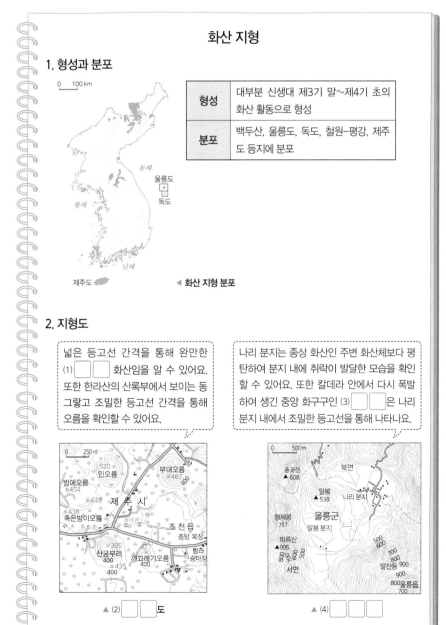

화산 지형

1. 형성과 분포

0 100 km
동해
울릉도
독도
황해
남해
제주도

◀ 화산 지형 분포

형성	대부분 신생대 제3기 말~제4기 초의 화산 활동으로 형성
분포	백두산, 울릉도, 독도, 철원-평강, 제주도 등지에 분포

2. 지형도

넓은 등고선 간격을 통해 완만한 (1)□□ 화산임을 알 수 있어요. 또한 한라산의 산록부에서 보이는 동그랗고 조밀한 등고선 간격을 통해 오름을 확인할 수 있어요.

0 250m
520× 민오름
부대오름 ×467
방애오름 ×454
×449
제 주 시
×438 족은방이오름
조 천 읍
중앙 목장
산굼부리
까끄래기오름
탐라 승마장

▲ (2)□□도

나리 분지는 종상 화산인 주변 화산체보다 평탄하여 분지 내에 취락이 발달한 모습을 확인할 수 있어요. 또한 칼데라 안에서 다시 폭발하여 생긴 중앙 화구구인 (3)□□은 나리 분지 내에서 조밀한 등고선을 통해 나타나요.

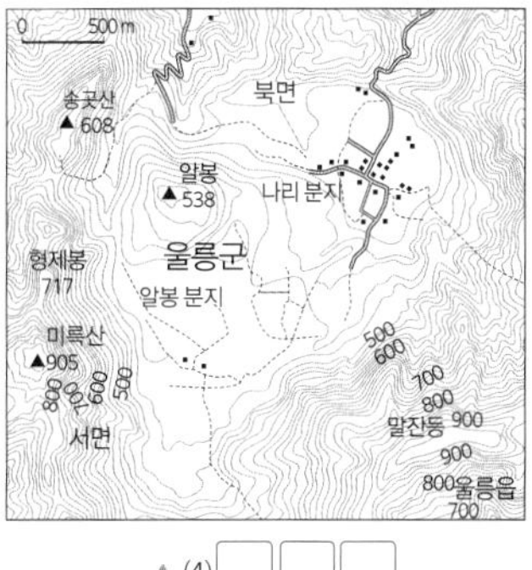

0 500m
송곳산 ▲608
북면
알봉 ▲538
나리 분지
형제봉 717
울릉군
알봉 분지
미륵산 ▲905
서면
말잔등 900
울릉읍

▲ (4)□□□

지형도를 읽고, 해당 화산 지형의 형성 과정과 특징을 종합적으로 묻는 문제가 자주 출제되고 있어. 제주도, 울릉도, 독도, 철원-평강의 화산 지형들이 빈출되고 있으니 잘 정리해 두자.

칼데라호 형성 과정

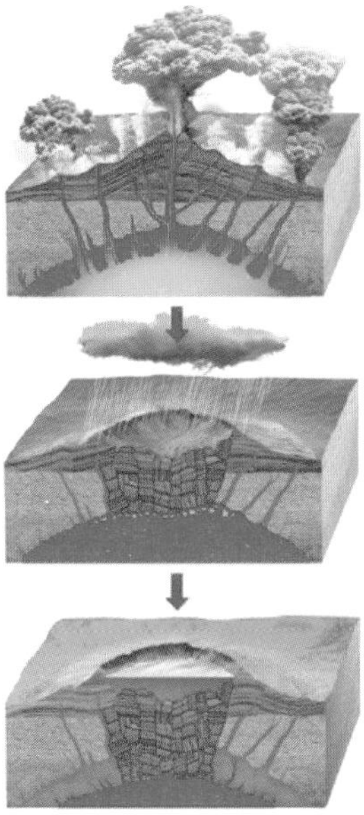

답 1. (1) 독 (2) 백 (3) 울 (4) 울 2. (1) 순상 (2) 제주 (3) 알봉 (4) 울릉도

1일 화산 지형 ~ 카르스트 지형

키워드 #12 카르스트 지형

우발레는 돌리네가 다른 돌리네와 합쳐져 형성된 와지야.
돌리네는 석회암이 용식 작용 등에 의해 녹아 원형으로 움푹 파인 와지야.
폴리에 (넓은 용식 분지)
우발레
돌리네
석주
석회 동굴
종유석
석순
석회동굴은 지하수에 의해 석회암이 용식되어 형성되는 지형이야. 동굴 안에는 종유석, 석순, 석주 등이 발달하여 관광 자원으로 이용되기도 해.

석회암의 주성분인 탄산 칼슘이 빗물과 지하수에 의해 용식 작용을 받아 형성

1 다양한 카르스트 지형❶

돌리네	땅속의 석회암이 녹아 원형 또는 타원형으로 움푹 파인 와지 → 배수가 잘되기 때문에 주로 밭으로 이용
□□□	돌리네가 다른 돌리네와 합쳐져 규모가 커진 것
석회동굴	• □□□에 의해 석회암이 용식되어 형성(고수동굴, 환선굴 등) • 동굴 내에 종유석, 석순, 석주 발달 → 관광 자원으로 이용
석회암 풍화토	석회암의 용식❷ 과정에서 남은 철분이 산화되어 붉은색을 띰.

2 카르스트 지형의 이용

관광 자원	석회동굴은 독특한 경관을 형성하여 관광지로 개발됨.
시멘트 공업	석회암 산지에 시멘트 공장 입지 → 석회암 채굴로 카르스트 지형 훼손, 분진·소음 문제 발생

답 우발레, 지하수

❶ 카르스트 지형

기반암의 특성으로 배수가 잘되어 평소에 물이 흐르지 않는 건천이 나타난다.

돌리네
우발레
종유석
석순
석주

❷ 용식

빗물이나 지하수가 암석을 용해하여 침식하는 현상으로, 화학적 풍화 작용에 해당한다.

1 다음 설명에 해당하는 지형에 ✔표 하시오.

(1) 석회암이 녹아 형성된 와지로 여러 개의 돌리네가 합쳐져 형성되었다.
□ 칼데라호 □ 우발레

(2) 동굴 내부에 종유석, 석순, 석주가 발달한다.
□ 석회동굴 □ 용암동굴

(3) 석회암 용식 과정에서 남은 철분이 산화되어 붉은색을 띠는 토양이다.
□ 현무암 풍화토 □ 석회암 풍화토

2 □ 안에 들어갈 알맞은 말을 쓰시오.

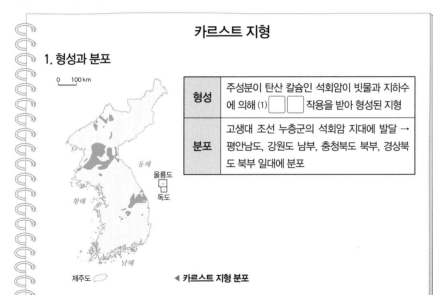

카르스트 지형

1. 형성과 분포

0 100 km
동해
울릉도
독도
황해
남해
제주도
◀ 카르스트 지형 분포

형성	주성분이 탄산 칼슘인 석회암이 빗물과 지하수에 의해 (1)□□ 작용을 받아 형성된 지형
분포	고생대 조선 누층군의 석회암 지대에 발달 → 평안남도, 강원도 남부, 충청북도 북부, 경상북도 북부 일대에 분포

2. 지형도

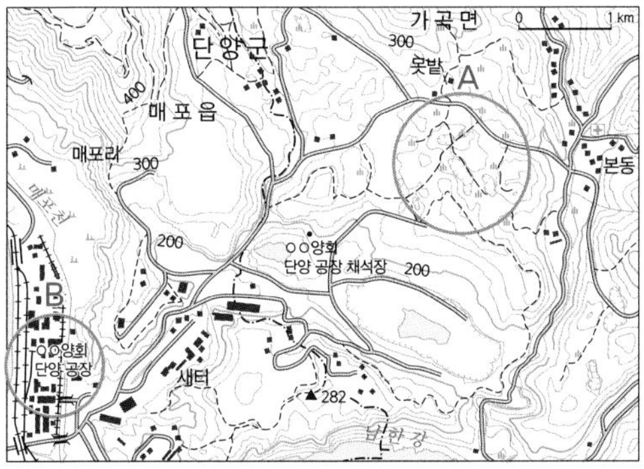
가곡면
0 1 km
단양군
300
옷발
A
400
매포읍
매포리
300
본동
200
○○양회
단양 공장 채석장
200
B
○○양회
단양 공장
새터
282
남한강

움푹 파인 깊이를 표현하는 저하 등고선이 분포하는 것을 통해 A 부분은 주변보다 고도가 낮음을 알 수 있다. 그리고 단양군에 분포하는 지형이라는 점에서 A 부분은 와지인 (2)□□□ 혹은 우발레이다. 카르스트 지형의 기반암인 (3)□□□은 건축 자재인 시멘트의 원료로 이용된다는 점을 통해 B가 시멘트 공장임을 유추할 수 있다.

카르스트 지형과 화산 지형의 지형도를 함께 제시하고, 공통점과 차이점을 묻는 문제가 주로 출제되고 있어. 두 지형의 형성 원리, 특징, 토지 이용 등을 비교하여 정리해 두자.

카르스트 지형의 형성 과정

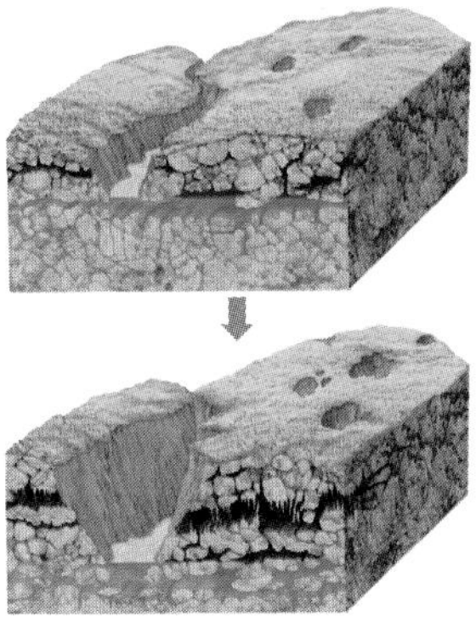

답 1. (1) 우발레 (2) 석회동굴 (3) 석회암 풍화토 2. (1) 용식 (2) 돌리네 (3) 석회암

1일 화산 지형 ~ 카르스트 지형

| 학평 기출 |

1 자료는 지도에 표시된 화산 지형에 대해 정리한 것이다. (가)~(라) 중 옳은 내용을 고른 것은?

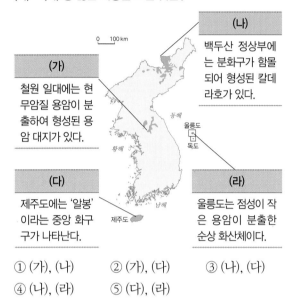

(가) 철원 일대에는 현무암질 용암이 분출하여 형성된 용암 대지가 있다.

(나) 백두산 정상부에는 분화구가 함몰되어 형성된 칼데라호가 있다.

0 100 km
동해
울릉도
독도
황해
남해
제주도

(다) 제주도에는 '알봉'이라는 중앙 화구구가 나타난다.

(라) 울릉도는 점성이 작은 용암이 분출한 순상 화산체이다.

① (가), (나) ② (가), (다) ③ (나), (다)
④ (나), (라) ⑤ (다), (라)

| 모평 기출 |

2 지도의 A~D에 대한 설명으로 옳은 것은?

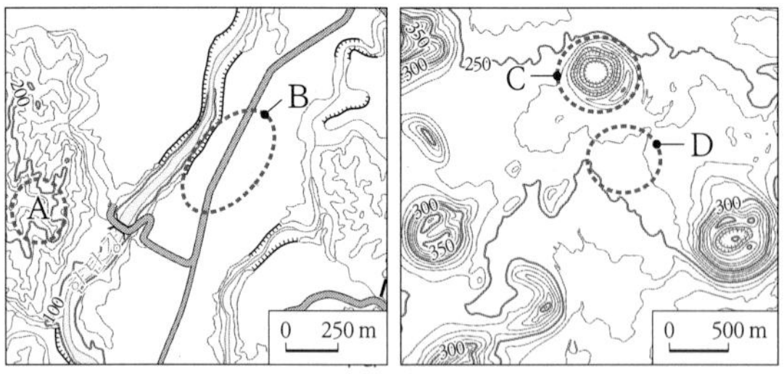
A
B
0 250 m
C
D
250
300
350
0 500 m

① A는 용암이 분출하여 형성된 종 모양의 화산이다.
② B에는 종유석과 석순이 발달한 동굴이 형성되어 있다.
③ C는 화구의 함몰로 형성된 칼데라이다.
④ D에는 석회암이 풍화된 붉은색의 토양이 널리 분포한다.
⑤ A의 기반암은 B의 기반암보다 형성 시기가 이르다.

| 학평 기출 |

3 지도는 천연기념물로 지정된 동굴의 분포를 나타낸 것이다. A, B 동굴에 대한 옳은 설명을 〈보기〉에서 고른 것은?

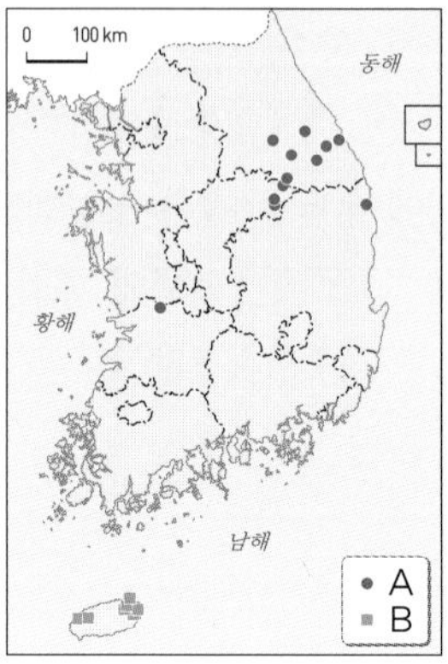
0 100 km
동해
황해
남해
A
B

보기
ㄱ. A에는 종유석, 석순이 발달해 있다.
ㄴ. B는 지하수의 용식 작용을 받아 형성되었다.
ㄷ. B는 A보다 화산 활동의 영향을 많이 받았다.
ㄹ. A와 B가 분포하는 지역은 모두 논농사가 활발히 이루어진다.

① ㄱ, ㄴ ② ㄱ, ㄷ ③ ㄴ, ㄷ
④ ㄴ, ㄹ ⑤ ㄷ, ㄹ

| 수능 기출 |

4 지도의 A~D에 대한 설명으로 옳은 것은?

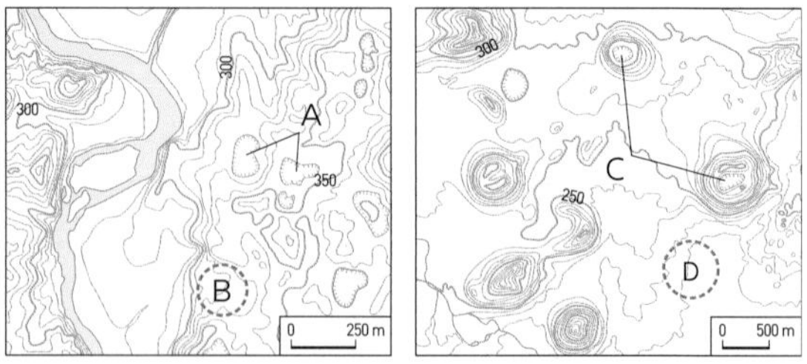
300
A
350
B
0 250 m
300
C
250
D
0 500 m

① B는 현무암질 용암이 흘러서 형성되었다.
② D에서는 석회암이 풍화된 붉은색의 토양이 나타난다.
③ C는 A보다 기반암의 형성 시기가 이르다.
④ A와 C 주변에는 기반암이 용식되어 형성된 동굴이 분포한다.
⑤ B와 D는 배수가 양호하여 밭농사에 유리하다.

정답과 해설 6쪽

| 수능 기출 |

5 (가), (나) 지형이 나타나는 지역의 공통적인 특징으로 옳은 것은?

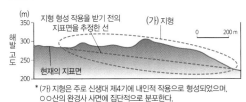

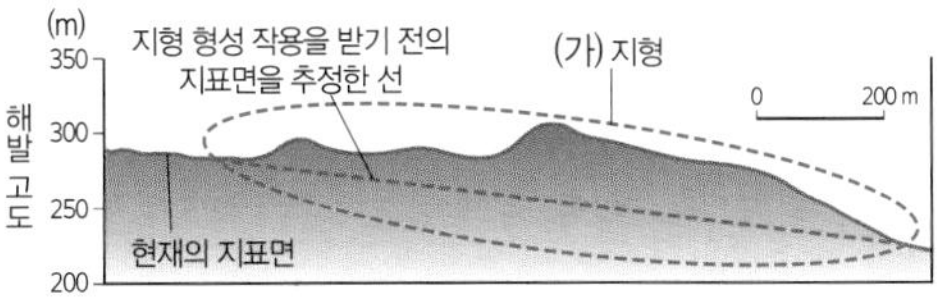
(m)
350
300
250
200
해발 고도
지형 형성 작용을 받기 전의 지표면을 추정한 선
(가) 지형
0 200 m
현재의 지표면

* (가) 지형은 주로 신생대 제4기에 내인적 작용으로 형성되었으며, ○○산의 완경사 사면에 집단적으로 분포한다.

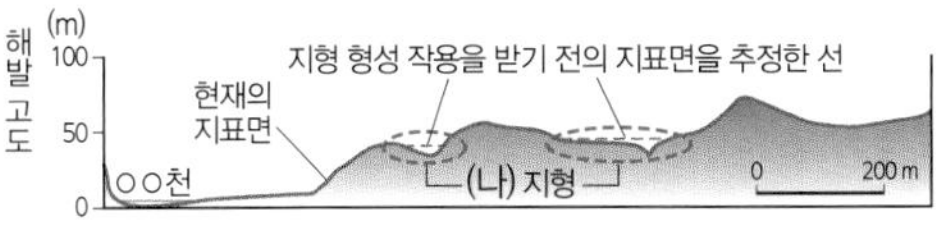
(m)
100
50
0
해발 고도
지형 형성 작용을 받기 전의 지표면을 추정한 선
현재의 지표면
○○천
(나) 지형
0 200 m

* (나) 지형은 주로 빗물과 지하수가 암석에 화학 작용을 일으켜 형성되며, 서로 연결되어 규모가 커지기도 한다.

① 기반암의 특성으로 인해 건천이 나타난다.
② 기반암이 용식되어 형성된 동굴이 나타난다.
③ 분화구에 물이 고여 형성된 호수가 나타난다.
④ 기반암이 풍화되어 주로 검은색의 토양이 나타난다.
⑤ (가), (나) 지형의 형성은 해발 고도를 높이는 작용을 한다.

| 학평 기출 |

6 다음 글의 ㉠~㉤에 대한 설명으로 옳지 않은 것은?

> ㉠ 제주도는 점성이 작고 유동성이 큰 마그마가 여러 차례 분출하여 형성된 방패 모양의 화산섬이다. 하지만 ㉡ 한라산의 정상부는 종 모양의 화산으로 이루어져 있으며, 산허리에는 오름으로 불리는 ㉢ 기생 화산이 많이 형성되어 있다.
> ㉣ 울릉도는 점성이 크고 유동성이 작은 마그마가 ㉤ 중심 화구를 따라 여러 차례 분출하여 형성된 종 모양의 화산섬이다. 전체적으로 경사가 급한 산지를 이루고 있으며, 중앙에 나리 분지와 중앙 화구구인 알봉이 있는 이중 화산체이다.

① ㉠에는 기반암의 특성으로 인해 건천이 나타난다.
② ㉡은 유네스코 세계자연유산으로 지정되었다.
③ ㉢은 용암 분출이나 화산 쇄설물의 퇴적으로 형성되었다.
④ ㉤과 같은 분출을 열하 분출이라고 한다.
⑤ ㉠은 ㉣보다 용암동굴이 잘 발달해 있다.

| 모평 기출 |

7 지도에 나타난 지역에 대한 옳은 설명을 〈보기〉에서 고른 것은?

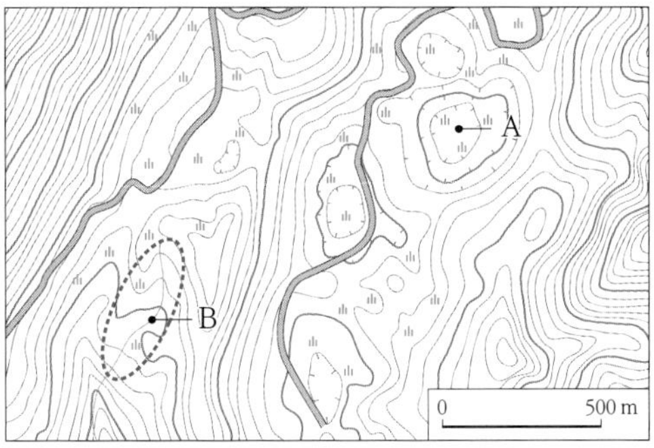
A
B
0 500 m

> **보기**
> ㄱ. A는 주로 암석의 물리적 풍화 작용으로 형성된다.
> ㄴ. A에서는 석회암이 풍화된 붉은색 토양이 나타난다.
> ㄷ. B 하천은 수위가 주기적으로 오르내리는 감조 하천이다.
> ㄹ. 이 지역에서는 종유석과 석순이 발달한 자연 동굴이 형성된다.

① ㄱ, ㄴ ② ㄱ, ㄷ ③ ㄴ, ㄷ
④ ㄴ, ㄹ ⑤ ㄷ, ㄹ

| 모평 기출 |

8 (가), (나) 지역에 대한 설명으로 옳은 것은?

(가) (나)

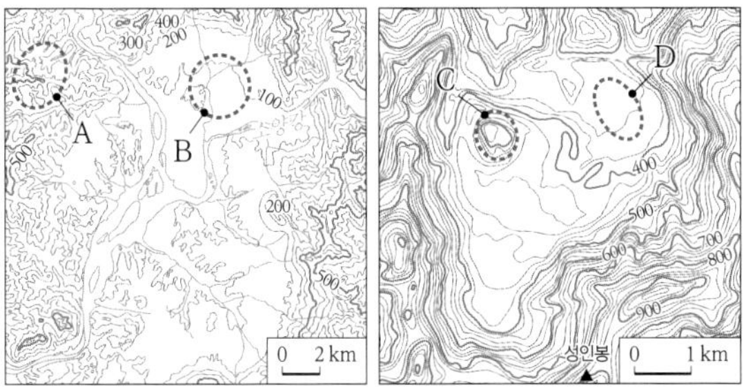
A
B
400
300
200
100
500
0 2 km
C
D
400
500
600
700
800
성인봉
0 1 km

① A에서는 붉은색의 석회암 풍화토가 나타난다.
② C는 D보다 형성 시기가 이르다.
③ B와 D는 현무암질 용암이 골짜기를 메워 형성되었다.
④ 기반암의 형성 시기가 오래된 순으로 나열하면 A, B, D이다.
⑤ (가), (나) 지역의 분지는 모두 하천의 차별 침식에 의해 형성되었다.

2일 우리나라 기후 특성 ❶

키워드 #13 기온

시베리아 기단
1월 평균 기온
남쪽에서 북쪽으로 갈수록 기온이 대체로 낮아져.
동서 간의 차이보다 남북 간의 기온 차이가 커.
비슷한 위도의 동해안이 서해안보다 기온이 높은 이유는 동해가 황해보다 수심이 깊어 수온이 더 높고, 태백산맥이 차가운 시베리아 기단을 막아주기 때문이야.
서울
춘천
인천
속초
강릉
울릉도
독도
대전
군산
포항
광주
부산
-16
-14
-12
-10
-8
-6
-4
-2
0
2
등온선(℃)

1 우리나라 기온의 지역 차

□□보다 □□에 지역 간 기온 차이가 큼.

남북 차	• 남쪽에서 북쪽으로 갈수록 기온이 낮아짐. • 국토 형태가 남북 방향으로 길어서 기온의 남북 차가 동서 차보다 큼.
동서 차 동해 > 황해	• 수륙 분포의 영향으로 비슷한 위도의 동서 지역 간 기온 차 발생 • 여름: 동해안 < 서해안 < 내륙, 겨울: 동해안 > 서해안 > 내륙 • 동해와 황해의 수심 차이와 북서풍을 차단하는 태백산맥 등 지형의 영향으로 비슷한 위도의 동해안이 서해안보다 겨울 기온이 높음.

2 우리나라 기온의 연교차❶

• 남해안에서 북부 내륙 지역으로 갈수록 큼.

• 같은 위도에서는 내륙 > 해안, 서해안 > 동해안

3 우리나라 기온의 일교차

습도가 높은 장마철과 한여름, 흐린 날에 작고, 습도가 낮은 봄과 가을, 겨울철, 맑은 날에 큼

❶ 연교차

최난월 평균 기온과 최한월 평균 기온의 차이를 말한다. 우리나라는 겨울에 지역 간 기온 차이가 크므로 겨울 기온이 낮은 지역일수록 연교차가 크다.

0 100 km
(단위: ℃)
중강진
청진
성진
신의주
함흥
평양
원산
개성
서울
인천
울릉도
독도
대전
대구
광주
울산
부산
제주
이어도
황해
동해
남해
북한: 1973~1994년 평균
남한: 1981~2010년 평균
(기상청, 2016)

답 여름, 겨울

개념 확인

1 **빈칸에 들어갈 말을 〈보기〉에서 골라 쓰시오.**

> **보기**
> 태백산맥, 제주도, 소백산맥, 북부 내륙

(1) 연교차는 남해안에서 (   )(으)로 갈수록 크다.

(2) 비슷한 위도의 동해안이 서해안보다 겨울철 기온이 높은 이유는 차가운 북서풍을 (   )이/가 차단하기 때문이다.

2 **□ 안에 들어갈 알맞은 말을 쓰시오.**

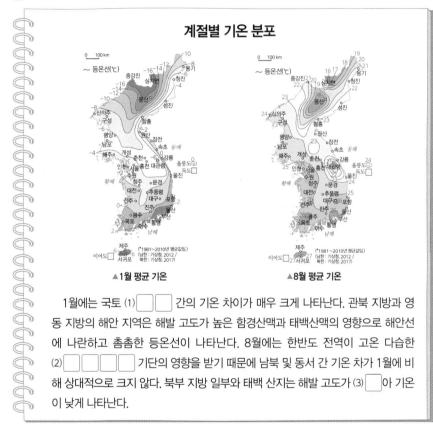

계절별 기온 분포

0 100 km
~ 등온선(℃)
중강진
삼지연
풍산
웅기
청진
성진
신의주
구성
함흥
평양
원산
장전
남포
속초
해주
개성
춘천
강릉
인천
서울
홍천
대관령
울릉도
독도
수원
청주
울진
문경
대전
추풍령
대구
포항
전주
진주
울산
광주
부산
목포
통영
여수
동해
황해
남해
제주
서귀포
이어도
(*1981~2010년 평균값임.)
(남한: 기상청, 2012 / 북한: 기상청, 2017)

▲1월 평균 기온

0 100 km
~ 등온선(℃)
중강진
삼지연
풍산
웅기
청진
성진
신의주
구성
함흥
평양
원산
장전
남포
속초
해주
개성
춘천
강릉
인천
서울
홍천
대관령
울릉도
독도
수원
청주
울진
문경
대전
추풍령
대구
포항
전주
진주
울산
광주
부산
목포
통영
여수
동해
황해
남해
제주
서귀포
이어도
(*1981~2010년 평균값임.)
(남한: 기상청, 2012 / 북한: 기상청, 2017)

▲8월 평균 기온

1월에는 국토 (1)□□ 간의 기온 차이가 매우 크게 나타난다. 관북 지방과 영동 지방의 해안 지역은 해발 고도가 높은 함경산맥과 태백산맥의 영향으로 해안선에 나란하고 촘촘한 등온선이 나타난다. 8월에는 한반도 전역이 고온 다습한 (2)□□□□ 기단의 영향을 받기 때문에 남북 및 동서 간 기온 차가 1월에 비해 상대적으로 크지 않다. 북부 지방 일부와 태백 산지는 해발 고도가 (3)□아 기온이 낮게 나타난다.

여러 지역의 계절별 평균 기온, 연교차 등을 제시하고, 지도에서 위치를 확인하는 문제가 자주 출제되고 있어. 각 지역별 기온 특성과 위치를 확인해 두자.

우리나라의 기후 특성

냉대 및 온대 기후	북반구 중위도에 위치하여 사계절의 변화가 뚜렷함.
대륙성 기후	대륙 동안에 위치하여 기온의 연교차가 큼.
계절풍 기후	계절에 따라 풍향과 성질이 바뀌는 계절풍의 영향을 받음.

계절풍: 대륙과 해양의 비열 차에 의해 발생

3 **(가)~(다)에 해당하는 지역을 쓰시오. (단, (가)~(다)는 강릉, 대관령, 홍천 중 하나임.)**

구분	최난월 평균 기온(℃)	최한월 평균 기온(℃)	연 강수량 (mm)	겨울 강수량 (mm)
(가)	19.1	−7.7	1,898	153
(나)	24.2	−5.5	1,405	65
(다)	24.6	0.4	1,464	143

(가) – (   ), (나) – (   ), (다) – (   )

제시된 기온과 강수량을 보고 지역을 찾는 문제가 자주 출제되고 있어. 이때는 지역별 기온 차가 비교적 큰 최한월 평균 기온을 먼저 확인해 봐.

답 1. (1) 북부 내륙 (2) 태백산맥 2. (1) 남북 (2) 북태평양 (3) 높 3. (가) 대관령 (나) 홍천 (다) 강릉

2일 우리나라 기후 특성 ①

키워드 #14 강수

대구
아이고, 더워. 대구는 바람그늘인 영남 내륙 지역에 위치해서 그런지 비 소식을 들은 지 꽤 오래됐네.
아이고, 지겨워. 매일 비가 오는 듯하네. 이게 대체 며칠째야! 제주도가 남서 기류의 바람받이에 위치해서 지형성 강수가 많이 오나 보네. 이제 비 좀 그쳤으면 좋겠다.
제주도

1 우리나라 강수의 계절 차

강수량의 계절 차와 연 변동이 크고, 연 강수량의 절반 이상이 여름철에 집중
→ 여름철 고온 다습한 북태평양 기단과 장마 전선, 태풍 등의 영향

2 우리나라 강수의 지역 차❶

대체로 남쪽에서 북쪽으로 갈수록 연 강수량 감소, 지형과 풍향에 따라 지역 차 발생

다우지	• □□ 기류❷의 바람받이 지역 → 지형성 강수가 많이 내림. • 예 한강 중·상류 지역, 남해안 일대, 청천강 중·상류 지역, 제주도 남동 지역
소우지	• □□□□ 지역 예 개마고원 일대, 영남 내륙 지역 • 상승 기류 발생이 어려운 지형이 낮고 평평한 지역 예 대동강 하류 지역
다설지	• 북서 계절풍의 영향 예 울릉도, 소백산맥 서사면 • 북동 기류의 영향 예 강원도 영동 산간 지역

북서 계절풍: 차가운 북서풍이 상대적으로 따뜻한 서해 바다를 건너오는 과정에서 눈구름이 만들어져 해당 지역에 많은 눈이 내림.

영동 산간 지역: 태백산맥의 바람받이 사면인 영동 지역과 대관령 지역

답 남서, 바람그늘

❶ 우리나라의 소우지와 다우지

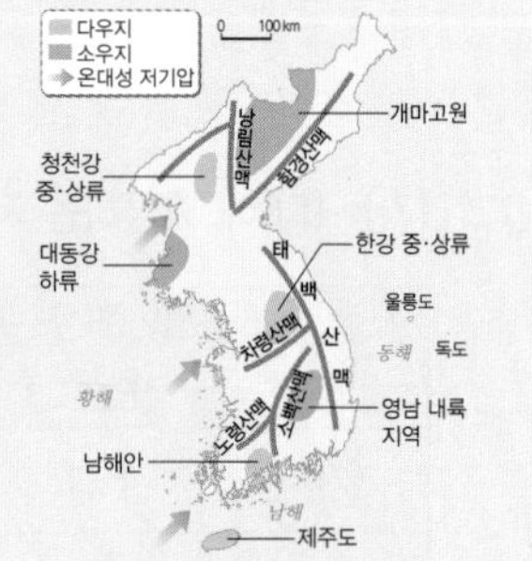
다우지
소우지
온대성 저기압
0 100km
개마고원
낭림산맥
함경산맥
청천강 중·상류
대동강 하류
한강 중·상류
태백산맥
울릉도
독도
동해
차령산맥
황해
노령산맥
소백산맥
영남 내륙 지역
남해안
남해
제주도

❷ 남서 기류

남서 기류는 주로 여름철에 남쪽 바다에서 유입되어 습기가 많으며, 산맥에 부딪쳐 많은 비를 내린다.

개념 확인

1 다음 지역이 다우지이면 '다', 소우지이면 '소', 다설지이면 '설'이라고 쓰시오.

(1) 울릉도 ( )

(2) 영남 내륙 지역 ( )

(3) 제주도 남동 지역 ( )

(4) 소백산맥 서사면 ( )

2 □ 안에 들어갈 알맞은 말을 쓰시오.

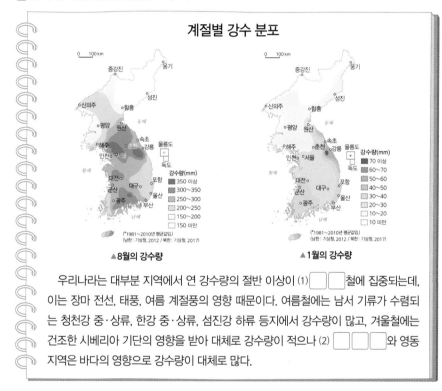

계절별 강수 분포

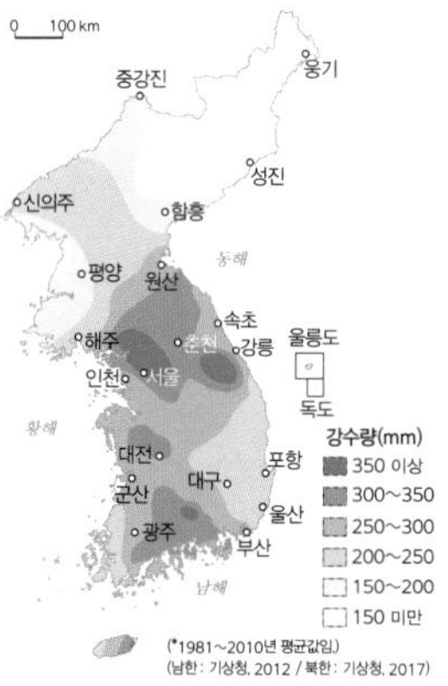

0 100 km
중강진
웅기
성진
신의주
함흥
평양
원산
속초
해주
춘천
강릉
울릉도
인천
서울
독도
황해
동해
대전
포항
군산
대구
울산
광주
부산
남해
강수량(mm)
350 이상
300~350
250~300
200~250
150~200
150 미만
(*1981~2010년 평균값임.)
(남한: 기상청, 2012 / 북한: 기상청, 2017)

▲8월의 강수량

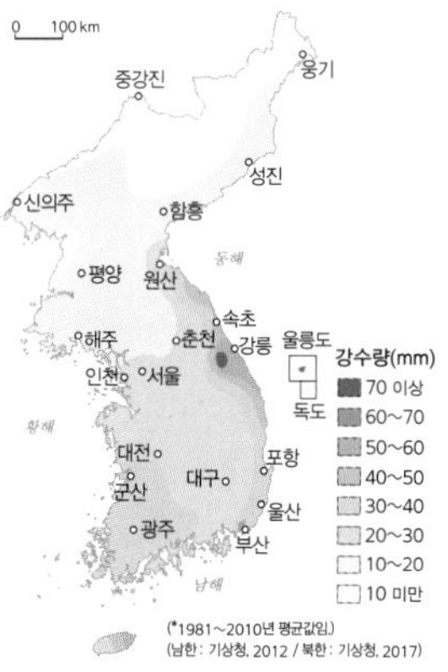

0 100 km
중강진
웅기
성진
신의주
함흥
평양
원산
속초
해주
춘천
강릉
울릉도
인천
서울
독도
대전
포항
군산
대구
울산
광주
부산
강수량(mm)
70 이상
60~70
50~60
40~50
30~40
20~30
10~20
10 미만
(*1981~2010년 평균값임.)
(남한: 기상청, 2012 / 북한: 기상청, 2017)

▲1월의 강수량

우리나라는 대부분 지역에서 연 강수량의 절반 이상이 (1) □□철에 집중되는데, 이는 장마 전선, 태풍, 여름 계절풍의 영향 때문이다. 여름철에는 남서 기류가 수렴되는 청천강 중·상류, 한강 중·상류, 섬진강 하류 등지에서 강수량이 많고, 겨울철에는 건조한 시베리아 기단의 영향을 받아 대체로 강수량이 적으나 (2) □□□와 영동 지역은 바다의 영향으로 강수량이 대체로 많다.

강수량 관련 문제의 경우 계절별 강수량 특징 비교 및 계절별로 강수량이 많은 지역을 묻는 문제가 자주 출제되고 있어. 어느 지역에 어떤 요인이 작용하여 강수가 발생하는지 정리해 두자.

푄 현상

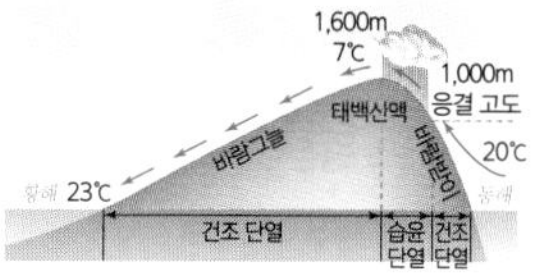

1,600m
7℃
1,000m
응결 고도
태백산맥
바람그늘
바람받이
20℃
23℃
건조 단열
습윤 단열
건조 단열

습윤한 공기가 산지를 타고 넘어갈 때 바람받이 사면에 강수를 발생시키고, 바람그늘 사면에서는 고온 건조한 공기로 변하는 현상이다.

3 지도는 8월 강수량 분포를 나타낸 것이다. A 지역의 여름철 강수량이 적은 이유를 바르게 말한 학생을 고르시오. ( )

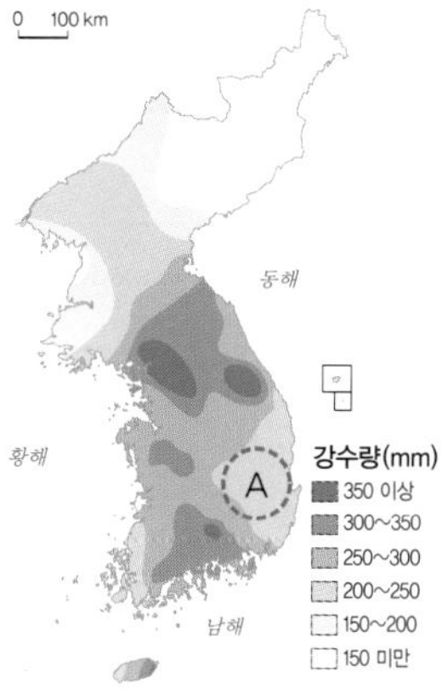

0 100 km
동해
황해
A
남해
강수량(mm)
350 이상
300~350
250~300
200~250
150~200
150 미만

지형이 낮고 평탄하여 상승 기류 발생이 어렵기 때문이야.
남서 계절풍의 바람그늘 지역에 위치하기 때문이야.
갑

강수량에 영향을 미치는 요인들을 생각해 보자. 특히 산맥의 위치가 강수량에 영향을 미치는 경우가 많으니 주요 산맥들의 위치를 알아 두자.

답 1. (1) 설 (2) 소 (3) 다 (4) 설 2. (1) 여름 (2) 울릉도 3. 을

2일 우리나라 기후 특성 ①

| 학평 기출 |

1 다음 자료를 토대로 그래프의 (가)~(다) 지역을 지도의 A~C에서 고른 것은?

> 기온의 연교차는 북부 지역이 남부 지역보다, 내륙 지역이 비슷한 위도상의 해안 지역보다 큰 편이다. 또한 서해안 지역은 비슷한 위도상의 동해안 지역보다 기온의 연교차가 크다.

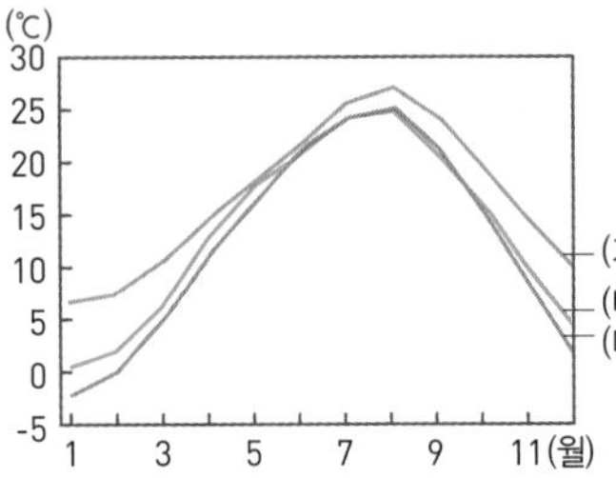

(℃)
30
25
20
15
10
5
0
-5
1
3
5
7
9
11(월)
(가)
(나)
(다)

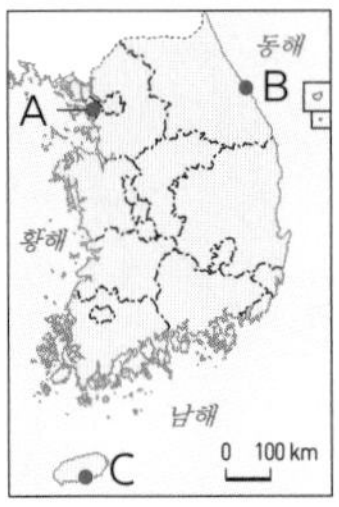

A
B
C
동해
황해
남해
0 100km

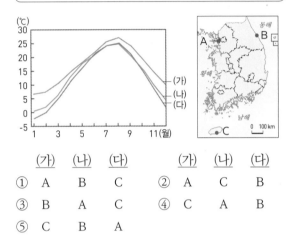

	(가)	(나)	(다)		(가)	(나)	(다)
①	A	B	C	②	A	C	B
③	B	A	C	④	C	A	B
⑤	C	B	A				

| 학평 응용 |

2 A~C 지역의 기후에 대한 옳은 설명을 〈보기〉에서 고른 것은?

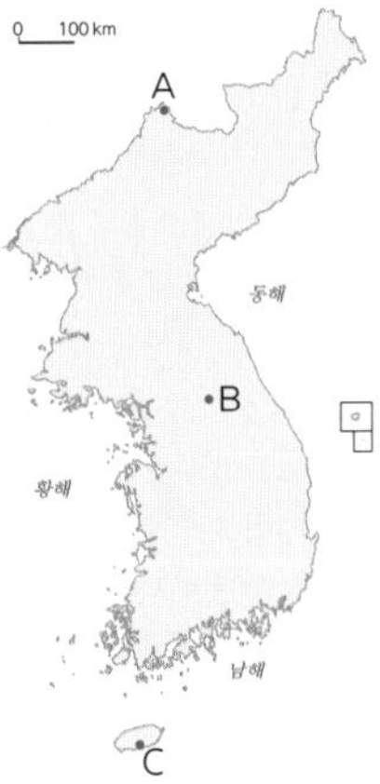

0 100km
A
B
C
동해
황해
남해

보기

ㄱ. A는 B보다 기온의 연교차가 작다.
ㄴ. B는 C보다 연 강수량이 작다.
ㄷ. C는 A보다 최난월 평균 기온이 낮다.
ㄹ. A~C 중 최한월 평균 기온은 C가 가장 높다.

① ㄱ, ㄴ ② ㄱ, ㄷ ③ ㄴ, ㄷ
④ ㄴ, ㄹ ⑤ ㄷ, ㄹ

| 수능 응용 |

3 그래프는 A~C 지역의 상대적 기후 특성을 나타낸 것이다. (가)~(다)에 해당하는 기후 지표로 옳은 것은?

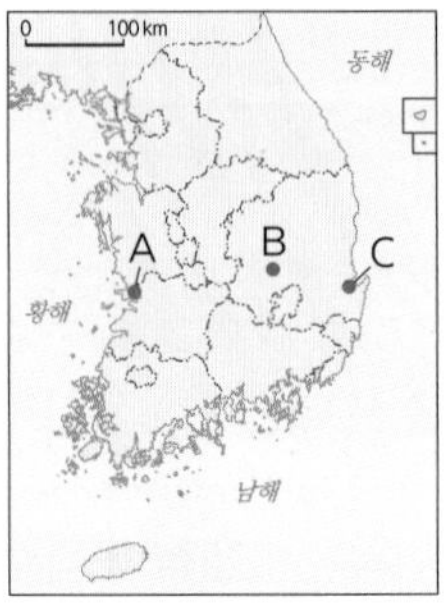

0 100km
동해
A
B
C
황해
남해

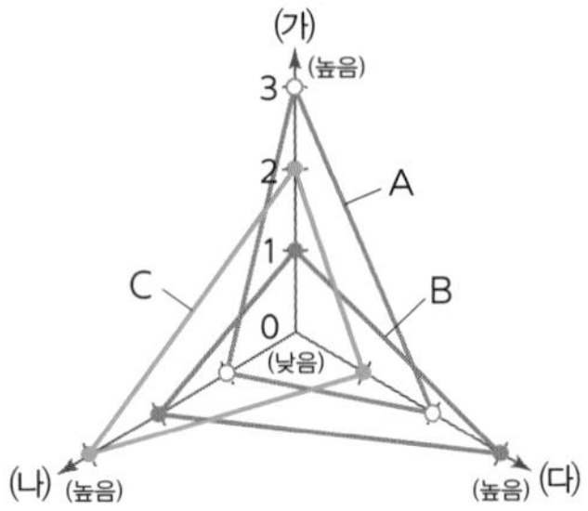

(가)
3
(높음)
2
1
0
(낮음)
A
B
C
(나) (높음)
(높음) (다)

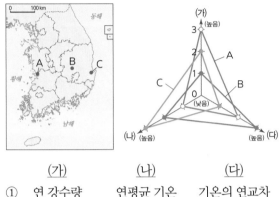

	(가)	(나)	(다)
①	연 강수량	연평균 기온	기온의 연교차
②	연 강수량	기온의 연교차	연평균 기온
③	연평균 기온	연 강수량	기온의 연교차
④	기온의 연교차	연 강수량	연평균 기온
⑤	기온의 연교차	연평균 기온	연 강수량

| 수능 응용 |

4 다음 그래프의 (가)~(라)에 속하는 지역을 지도의 A~D에서 고른 것은? (단, 기후 값의 차이는 울릉도의 값에서 해당 지역의 값을 뺀 것임.)

〈기후 값의 차이〉

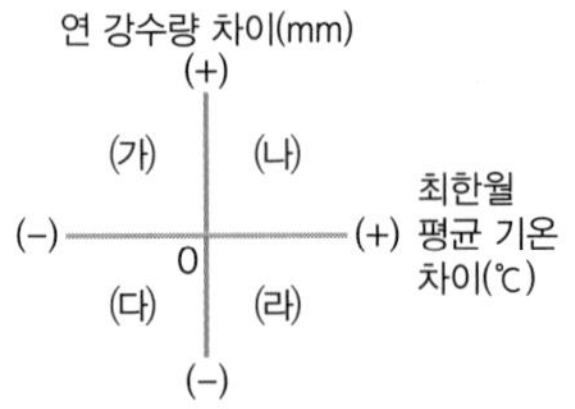

연 강수량 차이(mm)
(+)
(가)
(나)
(−)
(+)
0
최한월 평균 기온 차이(℃)
(다)
(라)
(−)

*1981~2010년의 평균값임. (기상청)

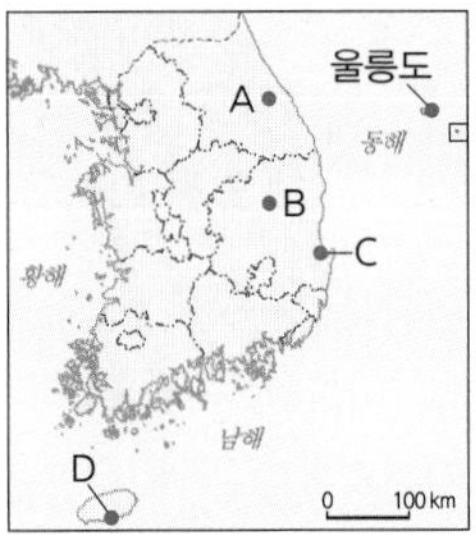

울릉도
A
B
C
D
동해
황해
남해
0 100km

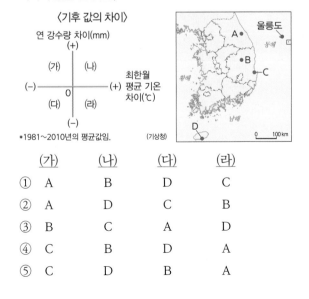

	(가)	(나)	(다)	(라)
①	A	B	D	C
②	A	D	C	B
③	B	C	A	D
④	C	B	D	A
⑤	C	D	B	A

정답과 해설 7쪽

| 모평 기출 |

5 그래프는 (가)~(마) 지역의 기후 특성을 나타낸 것이다. 이에 해당하는 지역을 지도의 A~E에서 고른 것은?

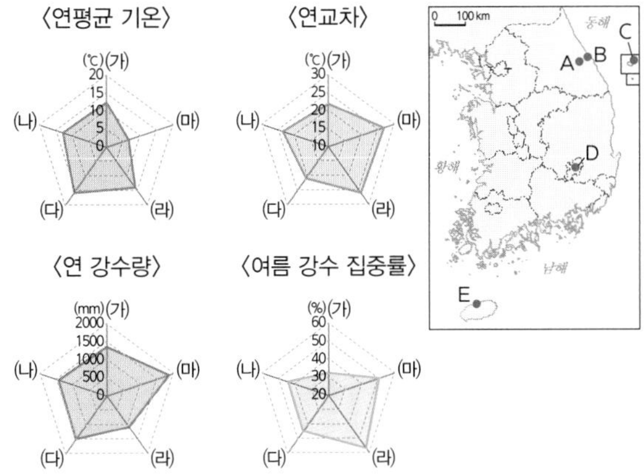
〈연평균 기온〉
(℃)(가)
20
15
10
5
0
(나)
(마)
(다)
(라)
〈연교차〉
(℃)(가)
30
25
20
15
10
〈연 강수량〉
(mm)(가)
2000
1500
1000
500
0
〈여름 강수 집중률〉
(%)(가)
60
50
40
30
20
0
100 km
동해
황해
남해
A
B
C
D
E

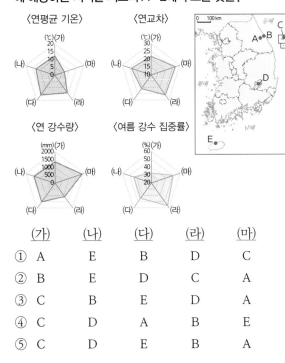

	(가)	(나)	(다)	(라)	(마)
①	A	E	B	D	C
②	B	E	D	C	A
③	C	B	E	D	A
④	C	D	A	B	E
⑤	C	D	E	B	A

| 수능 기출 |

6 그래프는 (가)~(라) 지역의 기후 특성을 나타낸 것이다. 이에 해당하는 지역을 지도의 A~D에서 고른 것은?

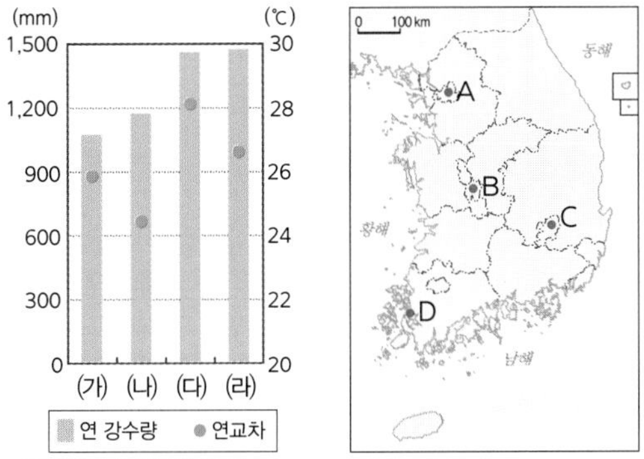
(mm)
(℃)
1,500
1,200
900
600
300
0
30
28
26
24
22
20
(가) (나) (다) (라)
연 강수량
연교차
0
100 km
동해
황해
남해
A
B
C
D

*1981~2010년의 평균값임.
(기상청)

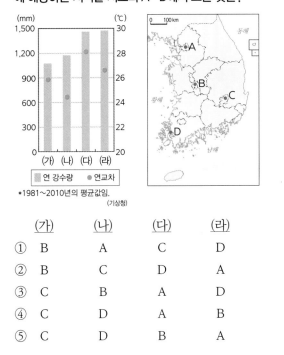

	(가)	(나)	(다)	(라)
①	B	A	C	D
②	B	C	D	A
③	C	B	A	D
④	C	D	A	B
⑤	C	D	B	A

| 학평 응용 |

7 다음 (가), (나) 자료의 밑줄 친 '이 바람'에 대한 설명으로 옳은 것은?

> (가) '이 바람'이 불면 날씨가 맑고 기온이 높아지며 매우 건조해진다. 이 바람은 초목을 말려 죽이니 예로부터 영서 지방의 농민들은 녹새풍(綠塞風)이라고 하였다. －『택리지』－
>
> (나) 영동 지방 사람들은 바람이 바다를 거쳐 불어와 비를 내리게 하여 식물을 잘 자라게 하기 때문에 동풍이 불기를 바랐다. 반면 영서 지방 사람들은 산을 넘어 고온 건조해지는 '이 바람'이 식물에 해를 끼치기 때문에 서풍이 불기를 바랐다. －『금양잡록』－

① 고온 다습한 해양 기단에서 유입되는 바람이다.
② 오호츠크해 기단의 영향으로 불어오는 바람이다.
③ 해안가에서 낮과 밤을 주기로 방향을 바꿔 교대로 부는 바람이다.
④ 시베리아 고기압이 발달할 때 주로 나타난다.
⑤ 영동 지방에 이상 고온 현상을 유발한다.

| 학평 기출 |

8 지도는 두 계절의 강수량 분포를 나타낸 것이다. (가), (나)에 대한 설명으로 옳은 것은? (단, (가), (나)는 여름과 겨울 중 하나임.)

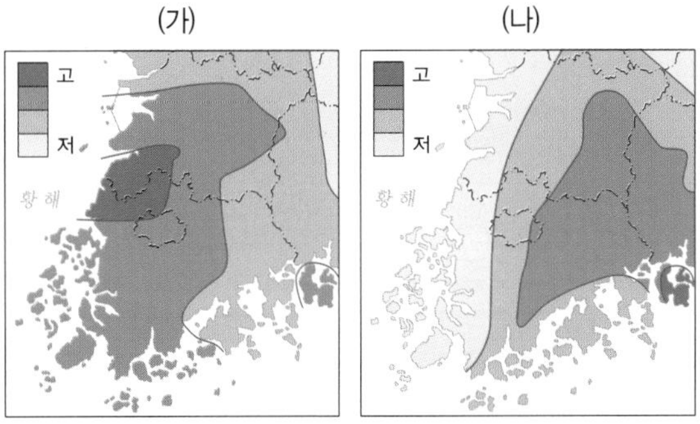
(가)
(나)
고
저
황해
고
저
황해

• (가)의 등치선은 20mm, (나)의 등치선은 100mm 간격임. (1981~2010)

① (가)는 소나기가 자주 내린다.
② (나)는 대설로 인한 피해가 발생한다.
③ (가)는 (나)보다 평균 강수량이 많다.
④ (가)는 (나)보다 태풍의 영향을 많이 받는다.
⑤ (가)는 대륙성 기단, (나)는 해양성 기단의 영향을 주로 받는다.

3일 우리나라 기후 특성 ②

키워드 #15 계절별 기후 특성

봄

내일은 시베리아 기단의 일시적 세력 확장으로 꽃샘 추위가 찾아오겠습니다.
아침 영하권 꽃샘추위
내일
4.2
-2
0.5
-7

여름

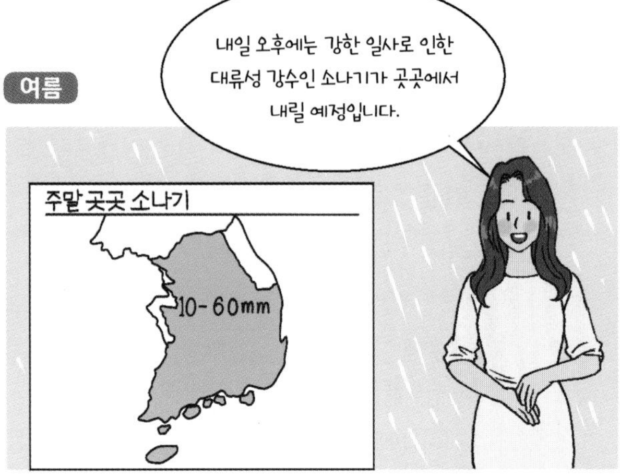
내일 오후에는 강한 일사로 인한 대류성 강수인 소나기가 곳곳에서 내릴 예정입니다.
주말 곳곳 소나기
10-60mm

가을

오늘은 이동성 고기압의 영향으로 맑은 날씨가 이어지겠습니다.
오늘 쾌청한 가을 날씨!
°C
26
16
서울
25
12
춘천

겨울

내일은 시베리아 고기압이 확장되고, 제트기류가 약화됨에 따라 전국적으로 한파가 찾아오겠습니다. 그리고 서해안의 경우 북서풍이 상대적으로 따뜻한 황해를 건너며 눈구름을 형성하여 폭설이 내리겠습니다.
오늘부터 최강 한파…서해안 폭설

1 우리나라의 계절별 기후 특성

(심한 날씨 변화: 고기압이 통과하는 날은 화창한 날씨가 나타나고, 저기압이 통과하는 날은 비가 내림.)

봄	• 심한 날씨 변화: 이동성 고기압과 저기압이 교대로 통과 • □□□□: 3월 이후 시베리아 기단의 일시적인 세력 확장으로 발생 • 황사: 중국과 몽골의 건조 지역에서 발생한 흙먼지가 편서풍을 타고 이동 • 높새바람❶: 늦봄~초여름, 영서 지방과 경기 지방에 부는 바람
여름	• 장마 전선의 형성과 이동: 오호츠크해 기단과 북태평양 기단이 만나 정체성이 강한 전선 형성, 장마 전선은 시간이 지남에 따라 북상 → 장마 전선대를 따라 수증기가 다량 유입될 경우 집중 호우 발생 • 북태평양 기단 발달: 남고북저형 기압 배치 → 남서 및 남동 계절풍 • 강한 일사로 인해 대류성 강수❷인 소나기 발생이 잦음.
가을	• 초가을: 짧은 가을 장마 • □□□ □□□의 영향으로 맑은 날이 많음. → 농작물의 결실과 추수에 유리
겨울	• 시베리아 고기압 발달, 서고동저형 기압 배치 → 북서 계절풍 • 삼한 사온 현상: 시베리아 기단의 주기적인 발달과 쇠퇴로 기온의 하강과 상승이 반복적으로 나타나는 현상 • 한파: 시베리아 고기압의 확장, 제트 기류(대류권 상부에서 좁은 영역에 수평으로 집중하는 강한 기류)의 약화 • 폭설: 차가운 북서풍이 황해를 건너오면서 눈구름 형성 → 서해안 폭설

답 꽃샘추위, 이동성 고기압

❶ 높새바람

시기	오호츠크해 기단이 세력을 확장하는 늦봄~초여름
특징	영서 지방과 경기 지방으로 불어오는 고온 건조한 북동풍 → 습윤하고 서늘한 바람이 태백산맥을 넘으면서 푄 현상의 영향으로 고온 건조해짐.
영향	영서와 경기 지방에 이상 고온 현상이나 가뭄 피해 발생, 영동 지방에 냉해 피해 발생

❷ 대류성 강수

지면이 가열되면 대류 현상에 의해 강한 상승 기류가 형성되는데, 이때 나타나는 강수 현상이다.

1 다음 설명에 해당하는 계절에 ✔표 하시오.

(1) 이동성 고기압과 저기압이 교차하여 날씨 변화가 심하다.

☐ 봄 ☐ 가을 ☐ 겨울

(2) 강한 일사로 대류성 강수인 소나기가 자주 발생한다.

☐ 봄 ☐ 여름 ☐ 겨울

(3) 기온의 하강과 상승이 반복적으로 나타나는 삼한 사온 현상이 발생한다.

☐ 여름 ☐ 가을 ☐ 겨울

2 ☐ 안에 들어갈 알맞은 말을 쓰시오.

〈우리나라에 영향을 미치는 기단〉

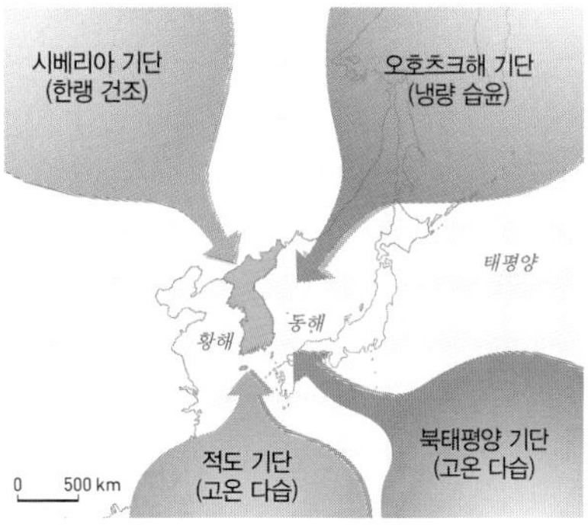
시베리아 기단
(한랭 건조)
오호츠크해 기단
(냉량 습윤)
태평양
동해
황해
적도 기단
(고온 다습)
북태평양 기단
(고온 다습)
0 500 km

구분	여름철	겨울철
기단	(1)☐☐☐☐ 기단, 적도 기단	(2)☐☐☐☐ 기단
풍향	남서·남동 계절풍	북서 계절풍
기후 특성	고온 다습, 많은 강수량	한랭 건조, 적은 강수량

계절별로 우리나라에 영향을 미치는 기단의 특성을 묻는 문제가 종종 출제되고 있어.

3 ☐ 안에 들어갈 알맞은 말을 쓰시오.

여름과 겨울의 일기도

북태평양 고기압의 발달로 장마 전선이 북쪽으로 이동하였고, (1)☐☐☐☐형 기압 배치가 나타나요.

시베리아 고기압의 발달로 (2)☐☐☐☐형의 기압 배치가 나타나고, 등압선의 간격이 매우 좁아요.

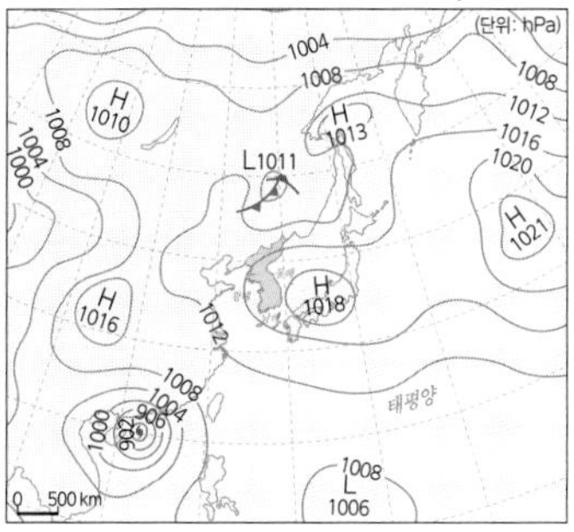
(단위: hPa)
H 1010
H 1013
L1011
H 1021
H 1018
H 1016
L 1006
0 500 km

▲ 여름의 일기도

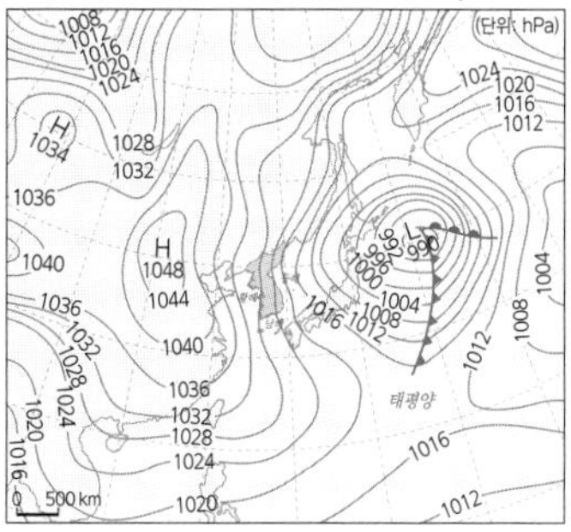
(단위: hPa)
H 1034
H 1048
태평양
0 500 km

▲ 겨울의 일기도

여름철과 겨울철의 일기도를 제시하고, 각 일기도가 나타내는 계절의 기압 배치와 특성을 묻는 문제가 주로 출제되고 있어.

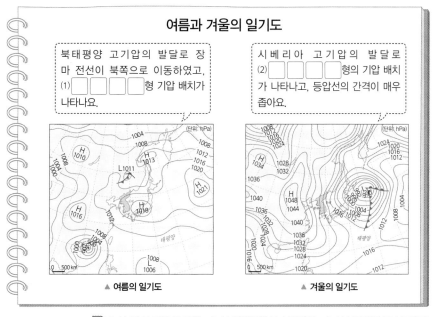

답 1. (1) 봄 (2) 여름 (3) 겨울 2. (1) 북태평양 (2) 시베리아 3. (1) 남고북저 (2) 서고동저

3일 우리나라 기후 특성 ②

키워드 #16 자연재해

태풍

우리 남동 해안 지역에서는 태풍이 발생하면 매번 피해가 커. 특히 위험 반원에 들 때는 피해가 더 심하지.

집중 호우

올해는 장마가 길어서 그런지 집중 호우가 너무 잦네! 어제는 지하철역도 침수되었어.

대설

우리 대관령 일대에는 이번에도 폭설이 와서 비닐하우스가 또 붕괴되었어.

황사

중국 내륙 사막에서 발생한 흙먼지가 편서풍을 타고 우리나라로 날아와서 기침이 나고 목이 아파.

1 우리나라의 자연재해

우리나라는 강수의 연 변동과 계절 차가 크고, 태풍 통과 지역이기 때문에 기후적 요인에 따른 자연재해가 잦음.

태풍	의미	중심 부근의 최대 풍속이 17m/s 이상인 폭풍우를 동반한 열대 저기압
	발생	저위도 열대 해상에서 발생하여 중위도로 북상, 6~10월에 주로 영향
	영향	섬·해안 지역에 풍수해 및 해일 피해 발생, 위험 반원❶에 자주 놓이는 □□□□ 지역의 피해가 큼.
집중 호우❷	의미	국지적으로 단시간 내 많은 양의 강한 비가 집중적으로 내리는 현상
	발생	여름철 장마 전선과 태풍의 영향으로 다수 발생
	영향	여름 강수 집중률이 높은 경기도, 강원도 등 중부 지방에서 피해가 큼.
대설	의미	짧은 시간에 많은 양의 눈이 내리는 현상
	발생	강원도 영동과 대관령 일대(북동 기류의 바람받이), 충남과 호남의 서해안 일대(직접적인 북서풍 영향)에 자주 발생
	영향	산간 마을 고립, 비닐하우스·축사 등 각종 시설물 붕괴, 교통 장애 등
황사	의미	중국 내륙 사막에서 발생한 흙먼지가 □□□을 타고 우리나라로 날아오는 현상
	발생	주로 봄철에 우리나라 서쪽에서 자주 발생, 중국 사막화로 발생 빈도 증가
	영향	호흡기 질환, 항공 교통 장애, 정밀 기기 오작동 등

답 남동 해안, 편서풍

❶ 위험 반원

태풍 진행 방향의 오른쪽 반원은 태풍의 중심을 향해 불어 들어오는 바람과 편서풍이 부는 방향이 일치하는 위험 반원이다.

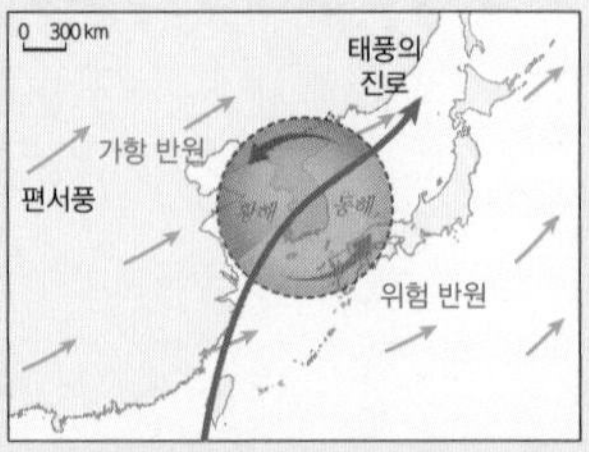

0 300 km
태풍의 진로
가항 반원
편서풍
위험 반원

❷ 집중 호우

주로 북쪽의 찬 공기와 남쪽의 더운 공기가 만나면 대기가 불안정해져 집중 호우가 발생한다.

1 괄호 안의 내용 중 옳은 것에 ○표 하시오.

(1) 태풍은 열대 해상에서 발생하여 (북서풍, 편서풍)을 타고 북상한다.
(2) 대설은 (제주도 일대, 강원 영동 일대)에서 주로 발생한다.
(3) 황사는 우리나라의 (동쪽, 서쪽)에서 피해가 큰 편이다.

2 □ 안에 공통으로 들어갈 알맞은 말을 쓰시오.

1. □□의 평균 이동 경로

120°E
140°E
40°N
대한민국
일본
중국
북회귀선
20°N
9월
10월
8월
7월
필리핀
0 1000 km
(기상청, 1971~2002)

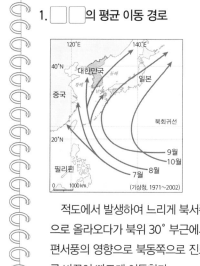

적도에서 발생하여 느리게 북서쪽으로 올라오다가 북위 30° 부근에서 편서풍의 영향으로 북동쪽으로 진로를 바꾸어 빠르게 이동한다.

2. 우리나라에 영향을 준 □□ 횟수

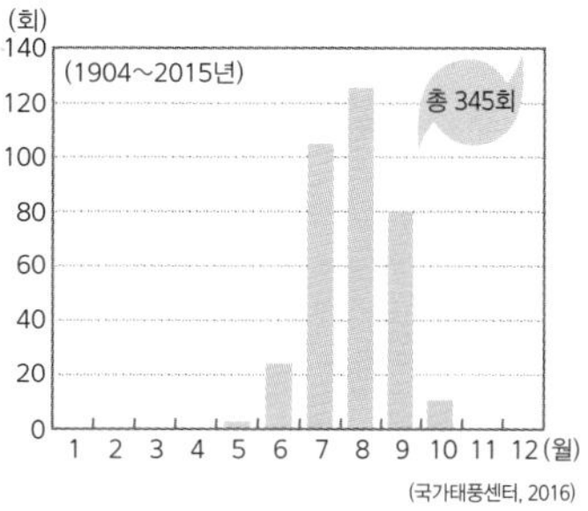
(회)
140
120
100
80
60
40
20
0
(1904~2015년)
총 345회
1 2 3 4 5 6 7 8 9 10 11 12 (월)
(국가태풍센터, 2016)

우리나라에는 주로 6~10월에 피해를 주며, 전남, 경남, 제주 등 주로 남동 해안 지역에 큰 피해를 입힌다.

태풍의 특징을 묻는 문제가 종종 출제되고 있어. 특히 태풍의 발생 지역과 이동 경로, 태풍의 영향을 미리 알아 두자.

태풍의 긍정적 기능

- 가뭄에 따른 물 부족이나 적조 해결
- 저위도와 고위도의 열 교환을 촉진하여 지구의 열평형 유지

3 다음은 우리나라 자연재해 피해와 관련된 그래프이다. □ 안에 들어갈 알맞은 말을 쓰시오.

7~8월에는 (1) □□, 8~10월에는 (2) □□, 12~3월에는 (3) □□에 의한 피해가 크게 나타나요.

(4) □□은 강원도에서 피해액의 비중이 가장 높지만, 지역 간 피해액 차이가 크지 않은 편이며, 세 자연재해 중 피해액이 가장 적다. (5) □□는 여름 강수 집중률이 높은 경기도, 강원도 등 중부 지방에서 피해액이 많다. (6) □□은 전남, 경남, 제주, 전북, 경북 등 남부 지방에서 피해액이 많다.

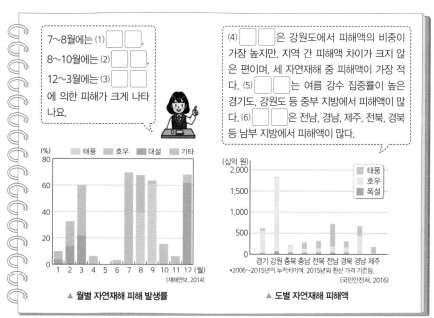

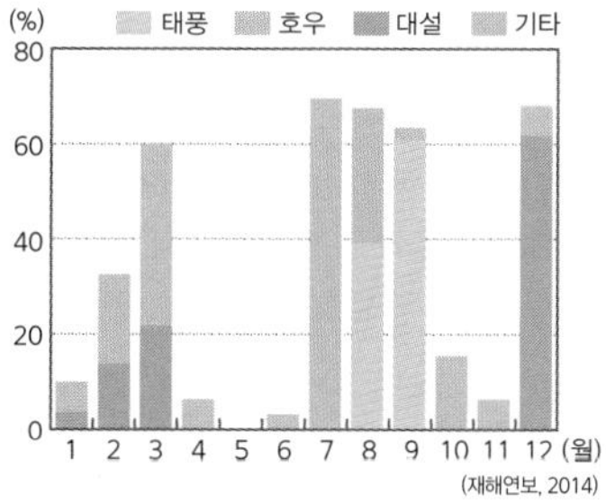
(%)
태풍 호우 대설 기타
80
60
40
20
0
1 2 3 4 5 6 7 8 9 10 11 12 (월)
(재해연보, 2014)

▲ 월별 자연재해 피해 발생률

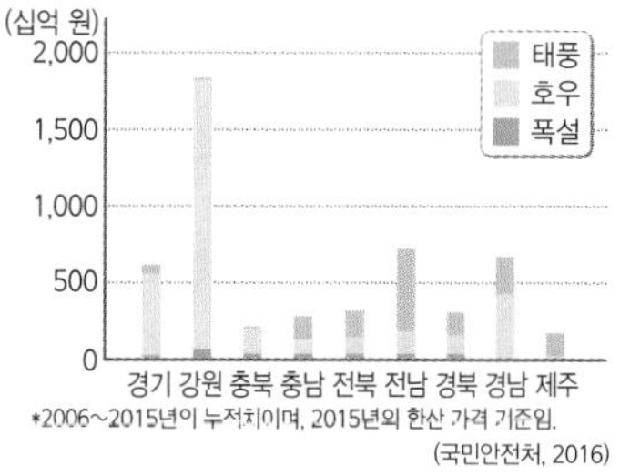
(십억 원)
2,000
1,500
1,000
500
0
태풍
호우
폭설
경기 강원 충북 충남 전북 전남 경북 경남 제주
*2006~2015년의 누적치이며, 2015년의 환산 가격 기준임.
(국민안전처, 2016)

▲ 도별 자연재해 피해액

자연재해와 관련해서는 주로 그래프를 해석하는 문제가 자주 출제되고 있어. 각 자연재해의 피해가 큰 지역, 각 자연재해별 피해액 특징, 월별 피해 발생률을 잘 정리해 두자.

답 1. (1) 편서풍 (2) 강원 영동 일대 (3) 서쪽 2. 태풍 3. (1) 호우 (2) 태풍 (3) 대설 (4) 대설 (5) 호우 (6) 태풍

3일 우리나라 기후 특성 ②

| 학평 응용 |

1 다음 축제들과 관련된 시기의 기후 특성으로 가장 적절한 것은?

> • 청풍호 벚꽃 축제　　• 광양 매화 축제
> • 제주 유채꽃 축제　　• 진해 군항제

① 일교차가 커지면서 첫서리가 내린다.
② 장마 전선의 영향으로 흐리거나 비가 자주 내린다.
③ 대륙 기단의 영향으로 심한 사온 현상이 일어난다.
④ 고온 다습한 날씨가 지속되면서 열대야 현상이 나타난다.
⑤ 이동성 고기압과 저기압이 교대로 통과해 날씨 변화가 심하다.

| 모평 응용 |

2 다음은 계절에 따라 나타나는 다양한 기후 현상이다. ㉠, ㉡에 대한 옳은 설명을 〈보기〉에서 고른 것은?

> • ㉠ 태풍이 한반도를 향해 북상함에 따라 경로와 규모에 주의를 기울이고 있다. 창문에 테이프나 젖은 신문지를 붙여 두면 강풍에 의한 사고를 예방하는 데 도움이 된다.
> • 6월 10일 서울의 최고 기온은 30.8℃인 반면, 강릉은 21.8℃로 큰 차이를 보였다. 이는 늦봄에서 초여름 사이 영서 지방에서 주로 나타나는 ㉡ 높새바람 때문이다.

보기
ㄱ. ㉡은 영서 지방에 냉해 피해를 유발한다.
ㄴ. ㉠은 우리나라 통과 시 주로 대류성 강수를 동반한다.
ㄷ. ㉡이 지속되면 영서 지방에 가뭄이 발생할 수 있다.
ㄹ. 우리나라 부근에서 ㉠의 진행 방향은 편서풍의 영향을 받는다.

① ㄱ, ㄴ　② ㄱ, ㄷ　③ ㄴ, ㄷ　④ ㄴ, ㄹ　⑤ ㄷ, ㄹ

| 모평 기출 |

3 (가)~(라) 자연재해에 대한 설명으로 옳은 것은? (단, (가)~(라)는 지진, 태풍, 폭염, 한파 중 하나임.)

구분	안전 문자 내용
(가)	전국에 ◇◇ 특보 발효 중. 논밭과 건설 현장 등에서 야외 활동 자제, 충분한 수분 섭취 등 건강에 유의하세요.
(나)	강력한 □□ 북상 중. 호우 및 강풍 피해 예상, 선박 파손, 저지대 침수 등 안전에 유의하세요.
(다)	○○시 북구 북쪽 6km 지점에 리히터 규모 5.5 △△ 발생, 여진 주의 및 재난 방송 청취 바랍니다.
(라)	중부 지방 ◎◎ 경보 발효 중. 수도관 및 보일러 동파, 전열기 화재 등 안전에 유의하세요.

① (가)는 주로 여름에 발생한다.
② (나)의 피해 건수는 남부 지방보다 북부 지방이 많다.
③ (다)는 기후적 요인에 따른 자연재해이다.
④ (라)는 열대 해상에서 발생해 우리나라로 이동한다.
⑤ (가)는 (나)보다 해일 피해를 유발하는 경우가 많다.

| 수능 기출 |

4 (가)~(다) 자연재해에 대한 옳은 설명만을 〈보기〉에서 있는 대로 고른 것은? (단, (가)~(다)는 대설, 태풍, 호우 중 하나임.)

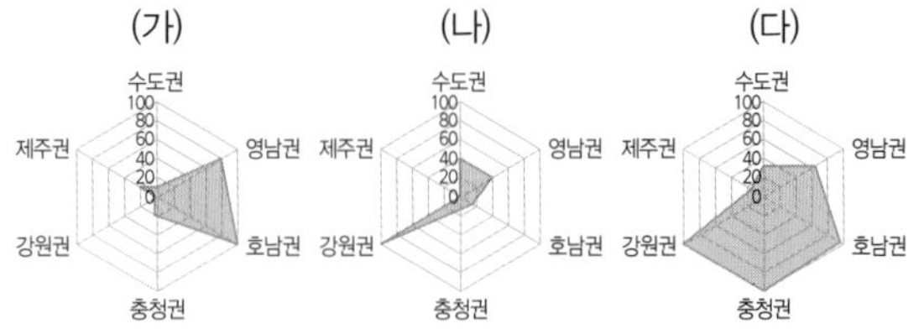

(가)
(나)
(다)
수도권
영남권
호남권
충청권
강원권
제주권
100
80
60
40
20
0

*수치는 피해액 누적치(2006~2016년)가 가장 높은 지역의 값을 100으로 했을 때의 상댓값임.
(국민안전처)

보기
ㄱ. (가)는 강풍과 많은 비를 동원하여 풍수해를 유발한다.
ㄴ. (나)는 장마 전선이 정체되었을 때 주로 발생한다.
ㄷ. (다)는 겨울철 찬 공기가 바다를 지나면서 형성된 눈구름에 의해 발생하는 경우가 많다.
ㄹ. 우리나라 연 강수량에서 차지하는 비중은 (다)가 (나)보다 높다.

① ㄱ, ㄴ　② ㄴ, ㄷ　③ ㄷ, ㄹ
④ ㄱ, ㄴ, ㄷ　⑤ ㄴ, ㄷ, ㄹ

정답과 해설 8쪽

| 학평 응용 |

5 다음 신문 기사의 (가)에 따른 영향으로 가장 적절한 것은?

> 봄에 접어들었지만 여전히 꽃샘추위가 기승을 부리고 있다. 곧 꽃샘추위가 물러가면 [(가)]의 역습이 예상된다. [(가)]은/는 중국 내륙 및 몽골에서 발생한 모래 먼지로, 편서풍을 타고 우리나라 쪽으로 날아온다. 과거에는 주로 봄철에 영향을 주었으나 최근에는 다른 계절에도 이 현상이 나타나고 있다.

① 하천이 범람하여 주변 저지대가 침수된다.
② 감기 환자가 급증하며 수도관 동파 피해가 발생한다.
③ 매우 심한 더위가 나타나며 전력 수요가 급격히 상승한다.
④ 교통 장애를 유발하며 비닐하우스 등의 시설이 붕괴되기도 한다.
⑤ 호흡기 환자가 증가하며 정밀 기계가 고장나는 원인이 되기도 한다.

| 수능 응용 |

6 자료는 (가)~(다) 재난의 예방을 위한 국민 행동 요령의 일부이다. 이에 대한 설명으로 옳지 않은 것은? (단, 대설, 지진, 황사만 고려함.)

(가)	(나)	(다)
• 운전자는 굽잇길, 고갯길, 교량 등에서는 서행 운전한다. • 보행자는 외출 시 바닥면이 넓은 운동화나 등산화를 착용한다.	• 학생들의 실외 학습, 운동 경기 등을 중지하거나 연기한다. • 창문을 닫고 노약자, 어린이는 가능한 한 외출을 삼간다.	• 실내에서 떨어지는 물건에 주의한다. • 승강기를 타고 있다면 모든 층의 버튼을 눌러 가장 먼저 열리는 층에서 신속하게 내린다.

① (가)에 대비한 전통 가옥 시설에는 우데기가 있다.
② (나)의 발생은 편서풍과 관계가 깊다.
③ (다)는 주로 열대 해상에서 발생하여 우리나라로 이동해 온다.
④ (가)는 기상 재해, (다)는 지형(지질) 재해에 해당한다.
⑤ (가)는 주로 겨울, (나)는 주로 봄에 발생한다.

| 학평 응용 |

7 (가)~(다)에 대한 옳은 설명을 〈보기〉에서 고른 것은? (단, (가)~(다)는 부산, 인천, 제주 중 하나임.)

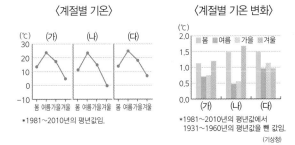

〈계절별 기온〉

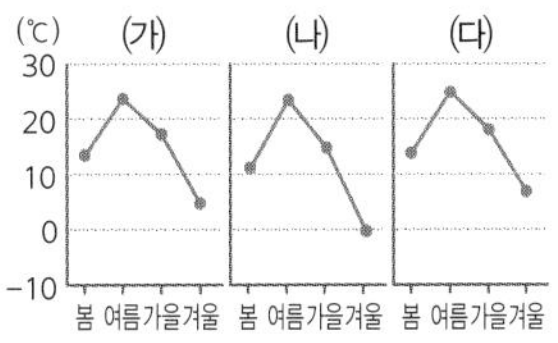
(℃)
(가)
(나)
(다)
30
20
10
0
−10
봄 여름 가을 겨울

*1981~2010년의 평년값임.

〈계절별 기온 변화〉

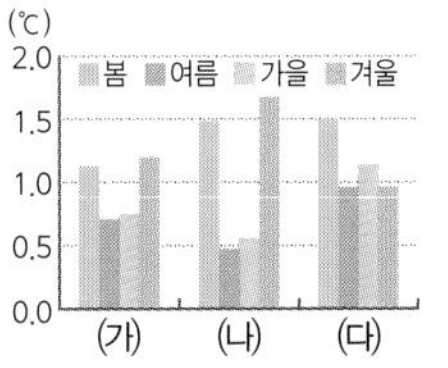
(℃)
봄 여름 가을 겨울
2.0
1.5
1.0
0.5
0.0
(가)
(나)
(다)

*1981~2010년의 평년값에서 1931~1960년의 평년값을 뺀 값임.
(기상청)

보기
ㄱ. (가)는 부산, (나)는 인천이다.
ㄴ. (나)는 (다)보다 무상 일수가 많다.
ㄷ. (가)~(다)의 겨울 기온은 위도가 높을수록 더 크게 상승하였다.
ㄹ. 제주는 겨울 기온이 가장 크게 상승하였다.

① ㄱ, ㄴ ② ㄱ, ㄷ ③ ㄴ, ㄷ ④ ㄴ, ㄹ ⑤ ㄷ, ㄹ

| 학평 기출 |

8 그래프는 (가), (나) 지역의 기상 특보 발령 횟수를 나타낸 것이다. 이에 대한 옳은 설명만을 〈보기〉에서 있는 대로 고른 것은? (단, (가), (나)는 강원도와 제주도 중 하나이며, A~C는 대설, 태풍, 호우 중 하나임.)

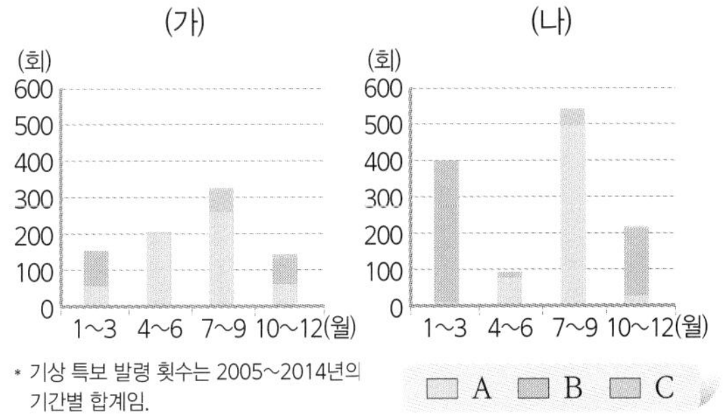
(가)
(나)
(회)
600
500
400
300
200
100
0
1~3
4~6
7~9
10~12(월)
A
B
C

* 기상 특보 발령 횟수는 2005~2014년의 기간별 합계임.

보기
ㄱ. A는 B보다 우리나라 연 강수량에서 차지하는 비중이 높다.
ㄴ. B는 C보다 우리나라 연평균 피해액 규모가 크다.
ㄷ. (가)는 (나)보다 C의 영향을 먼저 받는다.
ㄹ. (나)는 (가)보다 북동 기류에 의한 B의 발생 빈도가 높다.

① ㄱ, ㄴ ② ㄱ, ㄹ ③ ㄴ, ㄷ
④ ㄱ, ㄷ, ㄹ ⑤ ㄴ, ㄷ, ㄹ

2주 3일

4일

촌락의 변화와 도시 발달

키워드 #17 전통 촌락

우리 마을은 배산임수의 입지를 하고 있어 겨울철 북서풍을 차단할 수 있고, 용수를 얻기가 용이해서 참 좋아.
맞아. 그리고 우리 마을은 가옥이 밀집해 있는 집촌을 형성하고 있어서 협력 노동에 유리하다는 장점도 있지!

1 전통 촌락의 입지

배산임수❶의 입지	겨울철 차가운 □□□을 차단하고 각종 용수를 얻을 수 있는 곳
자연적 요인	• 용수 및 연료 확보가 유리한 곳 • 물을 얻을 수 있는 곳 예 제주도 해안의 용천대 • 홍수를 피할 수 있는 곳 예 산록 완사면, 범람원의 자연 제방
사회·경제적 요인	• 교통이 유리한 곳 예 역원 취락❷(조치원), 나루터 취락(마포) • 지형적으로 방어에 유리한 지역, 국경 및 해안 지역 예 병영촌(남한산성)

2 전통 촌락의 형태와 경관

① 가옥 밀집도에 따른 촌락 형태

□□	• 특정 장소에 가옥이 밀집하여 분포하는 촌락 • 가옥 간 거리가 가까워 협동 노동에 유리 ― 가옥과 경지 간의 거리가 멂.
산촌	• 가옥이 흩어져 분포하여 밀집도가 낮은 촌락 ― 가옥과 경지 간의 거리가 가까움. • 집단 방어, 협동 작업의 필요성이 작은 지역에 분포

② 기능에 따른 촌락 형태: 농촌, 어촌, 산지촌으로 구분됨.

❶ 배산임수
산을 등지고 물을 바라보는 위치로, 풍수지리상 길지에 속하여 조상들이 이상적인 마을 입지 조건으로 여겼다.

❷ 역원 취락
역은 말을 갈아타던 장소이고 원은 관리와 여행자들에게 숙식과 편의를 제공하던 곳으로서, 과거 육상 교통의 결절점에 발달한 취락을 말한다.

답 북서풍, 집촌

개념 확인

1 다음 내용이 집촌에 해당하면 '집', 산촌에 해당하면 '산'이라고 쓰시오.

(1) 가옥이 흩어져 분포하여 밀집도가 낮다. ( )

(2) 협동 노동에 유리하고, 주민 간 공동체 의식이 강하다. ( )

(3) 가옥과 경지의 결합도가 높아 경지를 관리하는 데 효율적이다. ( )

2 □ 안에 들어갈 알맞은 말을 쓰시오.

전통 촌락의 입지 특성

1. (1)□□□□의 입지

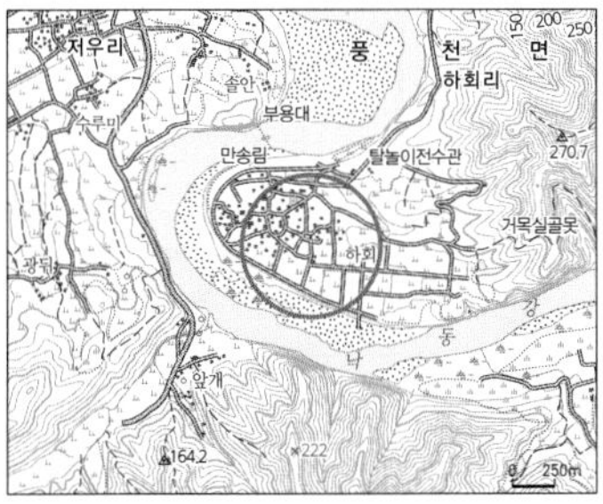

저우리
풍
천
면
하회리
부용대
만송림
하회
270.7
164.2
222
250m

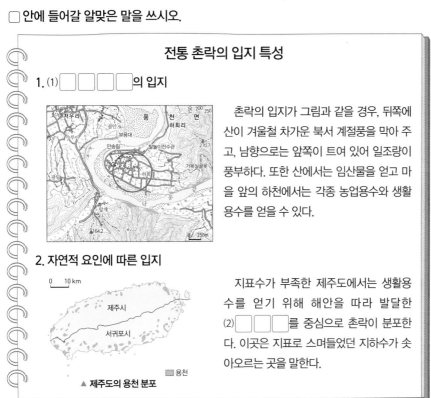

촌락의 입지가 그림과 같을 경우, 뒤쪽에 산이 겨울철 차가운 북서 계절풍을 막아 주고, 남향으로는 앞쪽이 트여 있어 일조량이 풍부하다. 또한 산에서는 임산물을 얻고 마을 앞의 하천에서는 각종 농업용수와 생활용수를 얻을 수 있다.

2. 자연적 요인에 따른 입지

0 10 km
제주시
서귀포시
용천

▲ 제주도의 용천 분포

지표수가 부족한 제주도에서는 생활용수를 얻기 위해 해안을 따라 발달한 (2)□□□를 중심으로 촌락이 분포한다. 이곳은 지표로 스며들었던 지하수가 솟아오르는 곳을 말한다.

> 전통 촌락 입지 부분에서는 배산임수 입지, 자연적 요인, 사회적 요인을 종합하여 물어보는 문제가 종종 출제되고 있어. 따라서 입지 특성과 요인을 전체적으로 알아 둘 필요가 있어.

3 그래프를 보고, □ 안에 들어갈 알맞은 말을 쓰시오.

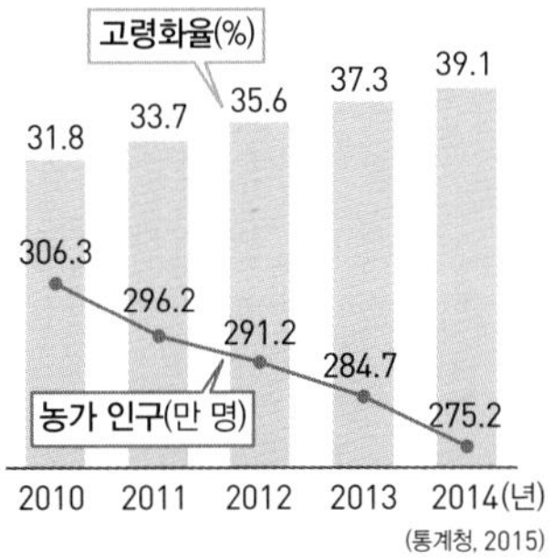

고령화율(%)
31.8
33.7
35.6
37.3
39.1
306.3
296.2
291.2
284.7
275.2
농가 인구(만 명)
2010
2011
2012
2013
2014(년)
(통계청, 2015)

▲ 촌락 인구 감소와 고령화

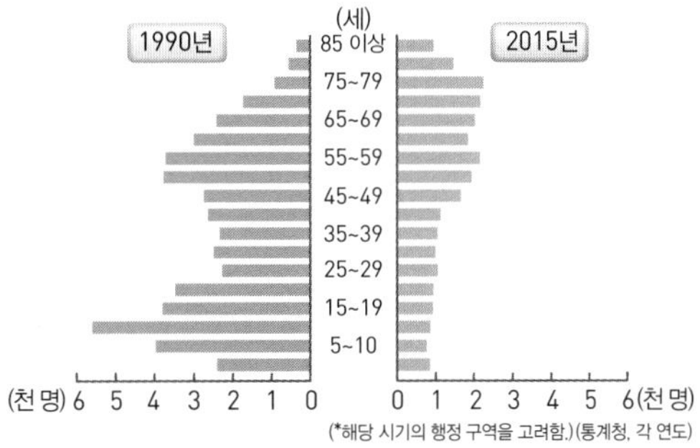

1990년
2015년
(세)
85 이상
75~79
65~69
55~59
45~49
35~39
25~29
15~19
5~10
(천 명) 6 5 4 3 2 1 0
0 1 2 3 4 5 6(천 명)
(*해당 시기의 행정 구역을 고려함.)(통계청, 각 연도)

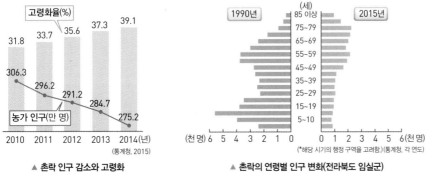

▲ 촌락의 연령별 인구 변화(전라북도 임실군)

촌락은 도시로 많은 인구가 빠져나가 인구가 감소하면서 큰 변화를 겪고 있다. 1970년대 이후 도시화로 인한 이촌 향도 현상으로 청장년층이 유출되면서 촌락은 인구의 (1)□□□와 노동력 부족 문제를 겪게 되었다. 또한 폐가와 휴경지가 증가하였으며, (2)□□층 인구가 많고 유소년층 인구가 적은 인구 구조가 나타나게 되었다.

> 촌락의 변화와 관련하여 인구 감소, 고령화, 인구 구조 변화, 폐교 현황 등의 그래프를 제시하고, 촌락의 변화로 인한 영향을 물어보는 문제가 종종 출제되고 있어.

촌락의 변화

인구 변화	• 청장년층, 유소년층 인구 감소 → 정주 기반 약화 • 고령화 → 노동력 부족 • 결혼 적령기의 성비 불균형 → 다문화 가정 증가
경관 변화	영농의 기계화, 상업적 농업 확대, 체험 마을 등 관광 자원화

답 1. (1) 산 (2) 집 (3) 산 2. (1) 배산임수 (2) 용천대 3. (1) 고령화 (2) 노년

4일

촌락의 변화와 도시 발달

키워드 #18 도시 체계

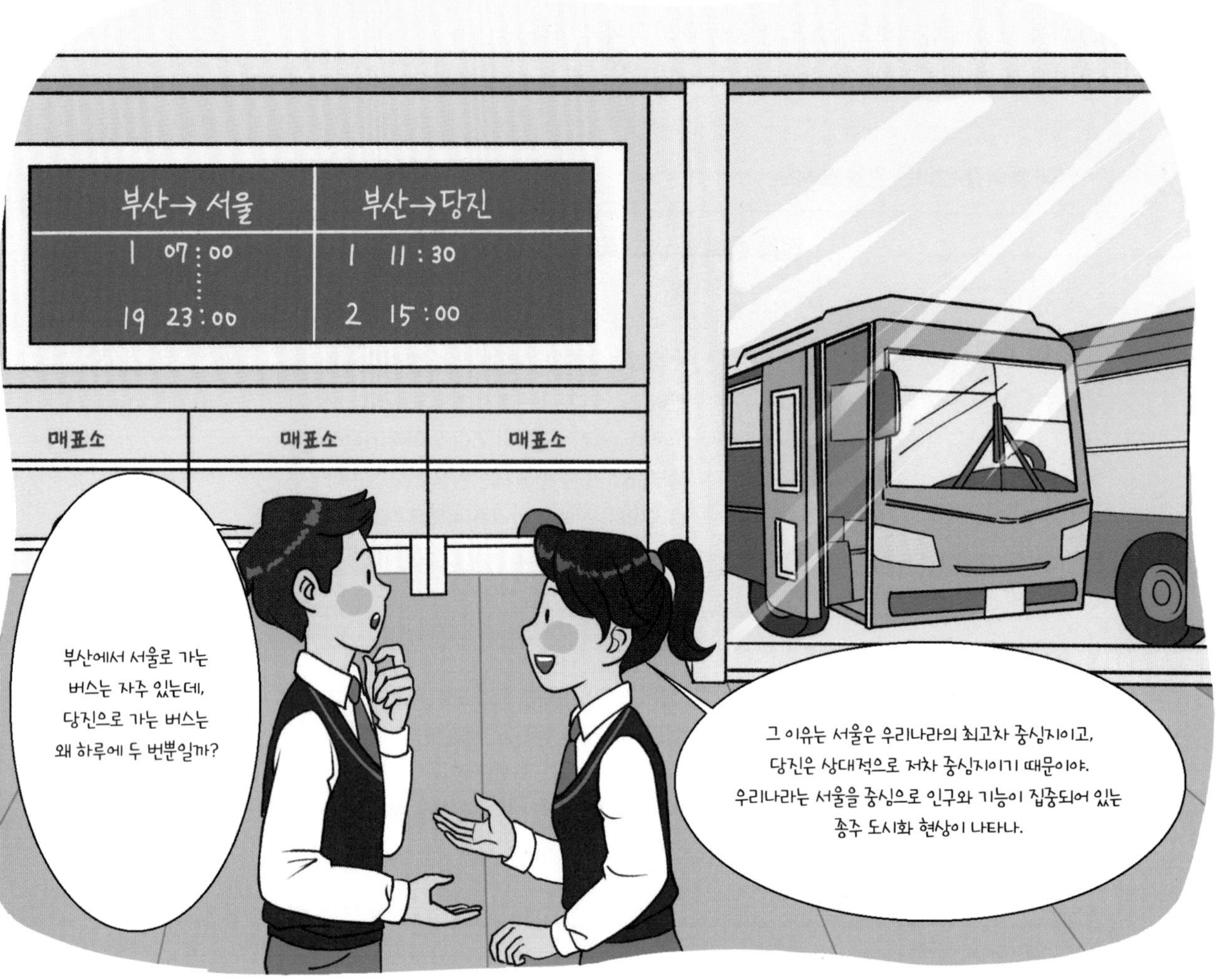

부산→서울
1 07:00
19 23:00
부산→당진
1 11:30
2 15:00
매표소
매표소
매표소
부산에서 서울로 가는 버스는 자주 있는데, 당진으로 가는 버스는 왜 하루에 두 번뿐일까?
그 이유는 서울은 우리나라의 최고차 중심지이고, 당진은 상대적으로 저차 중심지이기 때문이야. 우리나라는 서울을 중심으로 인구와 기능이 집중되어 있는 종주 도시화 현상이 나타나.

1 도시 체계

① 의미: 한 국가 또는 한 지역에 분포하는 도시 간의 기능적 상호 의존으로 형성되는 도시 간 계층 질서

② 도시 간 계층 구조❶

- 최소 요구치: 중심 기능이 유지되기 위한 최소한의 요구
- 재화의 도달 범위: 중심지로부터 중심 기능을 제공받는 최대 범위

구분	최소 요구치	재화의 도달 범위	중심지 기능	중심지 수	중심지 간의 거리	행정 구역
고차 중심지	큼	넓음	많음	적음	멂	특별시, 광역시
저차 중심지	작음	좁음	적음	많음	가까움	읍, 면

2 우리나라 도시 체계의 특징

변화 요인	도시화❷, 산업화, 교통 발달, 국토 계획 등의 영향으로 변화
종주 도시❸화	우리나라는 수위 도시인 서울의 인구가 제2위 도시인 부산의 인구에 비해 2배 이상이 되는 종주 도시화 현상이 나타남. → 수위 도시인 서울을 중심으로 ☐☐와 각종 ☐☐ 집중, 수직적 도시 체계

- 수위 도시: 한 국가에서 인구가 가장 많은 도시를 뜻함.

답 인구, 기능

❶ 도시 간 계층 구조
도시들은 재화와 서비스의 이동, 자본과 정보의 흐름 등에 따라 상호 작용을 한다. 이때 저차 중심지는 고차 중심지에 기능적으로 의존한다.

❷ 도시화
도시화는 도시 인구가 증가하고, 2·3차 산업 종사자 비율이 높아지며, 도시적 생활 양식이 확대되는 현상이다.

❸ 종주 도시
인구 순위에 따라 도시를 배열할 때 제1위 도시의 인구가 제2위 도시의 2배 이상일 경우 제1위 도시를 종주 도시라고 한다.

1 도시 계층 구조를 상대적으로 비교할 때, 다음 내용이 고차 중심지에 해당하면 '고', 저차 중심지에 해당하면 '저'라고 쓰시오.

(1) 중심지의 수가 많다. ( )
(2) 재화의 도달 범위가 넓다. ( )
(3) 최소 요구치가 크다. ( )
(4) 중심지 간의 거리가 멀다. ( )

2 다음은 우리나라 도시 발달 과정을 정리한 것이다. ㉠, ㉡에 해당하는 도시를 지도의 A~C에서 고르시오.

〈우리나라 도시의 발달 과정〉

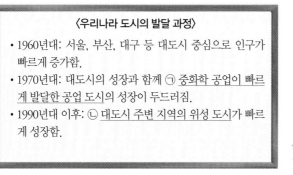

- 1960년대: 서울, 부산, 대구 등 대도시 중심으로 인구가 빠르게 증가함.
- 1970년대: 대도시의 성장과 함께 ㉠ 중화학 공업이 빠르게 발달한 공업 도시의 성장이 두드러짐.
- 1990년대 이후: ㉡ 대도시 주변 지역의 위성 도시가 빠르게 성장함.

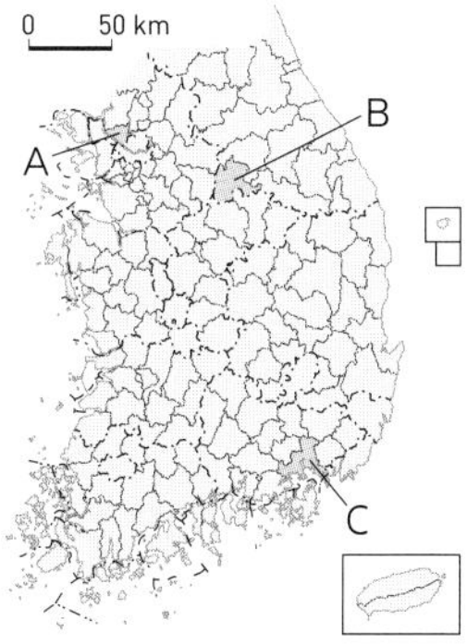
0 50 km
A
B
C

㉠ – ( ), ㉡ – ( )

우리나라의 도시 발달 과정을 시기별로 구분해 알아 두자. 시기별로 성장한 도시와 그 특징을 미리 정리해 두자.

3 다음은 제시된 자료를 보고, □ 안에 들어갈 알맞은 말을 쓰시오.

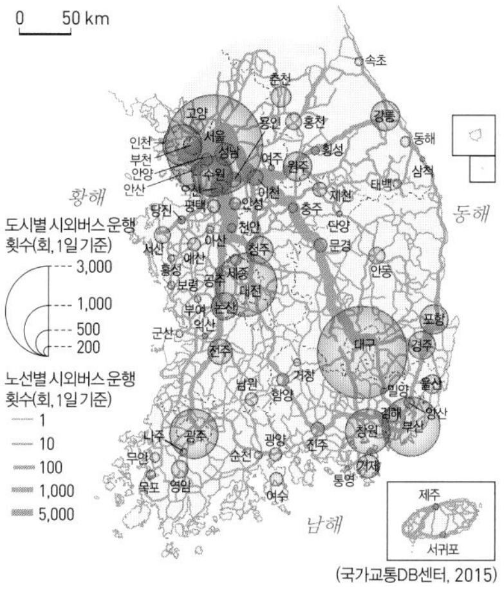
0 50 km
황해
동해
남해
도시별 시외버스 운행 횟수(회, 1일 기준)
3,000
1,000
500
200
노선별 시외버스 운행 횟수(회, 1일 기준)
1
10
100
1,000
5,000
서울
부산
대구
대전
광주
(국가교통DB센터, 2015)

▲ 시외버스 운행 횟수(2015년)

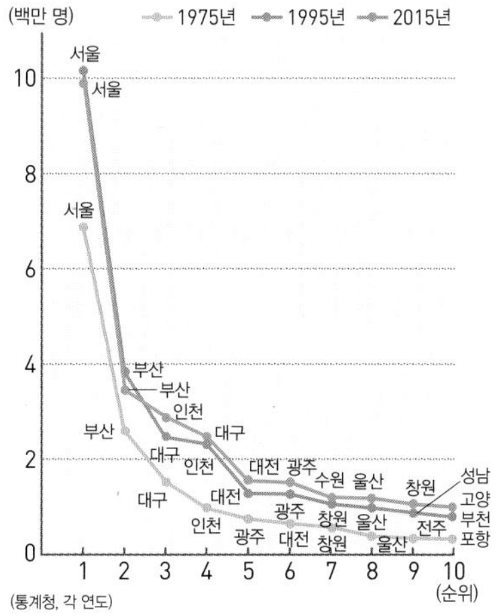
(백만 명)
1975년
1995년
2015년
10
8
6
4
2
0
1 2 3 4 5 6 7 8 9 10
(순위)
서울
부산
대구
인천
대전
광주
수원
울산
창원
성남
고양
부천
전주
포항
(통계청, 각 연도)

▲ 인구 성장에 따른 도시 순위 변화

- (1) □□은 가장 큰 고차 중심지이다.
- 서울의 과도한 인구 집중으로 (2) □□ □□□ 현상이 나타나고 있다.
- 시외버스 운행 횟수가 많은 도시일수록 (3) □□ 중심지이다.
- 대도시, 공업 도시, 위성 도시의 성장이 두드러진다.

도시 순위 변화 그래프를 제시하고, 그래프를 해석하여 우리나라 도시 계층의 특징을 묻는 문제가 자주 출제되고 있어.

중심지의 계층 구조

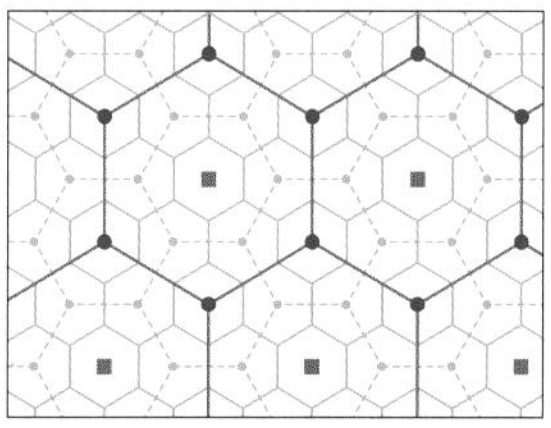

■ 대도시 ● 중도시 ∘ 소도시 (경제지리학, 2011)

동일 기능의 중심지라 하더라도 규모에 따라 최소 요구치와 재화의 도달 범위가 다르므로 여러 계층으로 구성되는 중심지 체계가 형성된다.

답 1. (1) 저 (2) 고 (3) 고 (4) 고 2. ㉠ C ㉡ A 3. (1) 서울 (2) 종주 도시화 (3) 고차

4일 촌락의 변화와 도시 발달

| 수능 기출 |

1 **자료는 학생이 전통 촌락의 입지에 관하여 정리한 내용의 일부이다. ㉠~㉤ 중 적절하지 않은 것은?**

〈전통 촌락의 입지〉

구분	입지 사례	주요 입지 요인
자연적 조건	범람원상의 자연 제방	㉠ 경지와 가까우며 피수에 유리함.
	구릉지의 남향 사면	㉡ 일조량이 풍부하며, 북서풍을 피할 수 있음.
	해안의 용천대	㉢ 풍수해를 줄일 수 있음.
사회적·경제적 조건	역원 취락(역삼동, 조치원)	㉣ 주요 도로상의 교통 요지였음.
	방어 취락(중강진, 통영)	㉤ 국방상의 요충지였음.

① ㉠ ② ㉡ ③ ㉢ ④ ㉣ ⑤ ㉤

| 학평 기출 |

2 **다음 자료의 ㉠, ㉡ 촌락에 대한 설명으로 옳은 것은? (단, ㉠, ㉡은 산촌, 집촌 중 하나임.)**

내가 살던 곳은 ㉠ 집들이 띄엄띄엄 떨어져 있는 마을입니다. 산간 지대여서 사면의 경사가 급하고 경지가 좁은 편입니다.

내 고향은 ㉡ 집들이 옹기종기 모여 있는 마을입니다. 근처에 평야가 발달하여 '평'자가 들어가는 지명이 많고, 그곳 주민들은 주로 논농사를 짓습니다.

① ㉠은 집촌이다.
② ㉡은 제주도의 과수원 지대에서 나타난다.
③ ㉠은 ㉡보다 가옥의 밀집도가 높다.
④ ㉠은 ㉡보다 주민들의 협동 노동에 유리하다.
⑤ ㉠은 ㉡보다 가옥과 경지 간 평균 거리가 가깝다.

| 학평 기출 |

3 **다음 글의 ㉠~㉥에 대한 설명으로 옳지 않은 것은?**

우리나라의 전통 촌락은 대체로 ㉠ 가옥이 불규칙하게 분포한다. 촌락의 형태는 [㉡]에 따라 크게 집촌(集村)과 산촌(散村)으로 구분된다. 집촌은 ㉢ 벼농사 지역, 동족 촌락 등에서 주로 나타나고, 산촌은 ㉣ 밭농사 지역, 과수원 지역 등에서 나타난다. 집촌과 산촌은 ㉤ 가옥과 경지 간의 평균 거리, 주민의 공동체 의식 등에서 차이가 크다. 한편, 전통 촌락은 ㉥ 농촌, 어촌, 산지촌 등으로 구분된다.

① ㉠은 자연 발생적으로 형성되었기 때문이다.
② ㉡에는 '가옥의 밀집도'가 들어갈 수 있다.
③ ㉢은 ㉣보다 전통적으로 협동 작업의 필요성이 크다.
④ ㉤은 집촌이 산촌보다 가깝다.
⑤ ㉥은 촌락을 기능에 따라 구분한 것이다.

| 모평 기출 |

4 **표는 지도에 표시된 세 지역의 의료 기관 수를 나타낸 것이다. 이에 대한 설명으로 옳은 것은? (단, (가), (나)는 의원, 종합 병원 중 하나임.)**

지역 \ 의료 기관	(가)	병원	(나)
A	0	2	19
B	3	10	204
C	12	111	1,666

(통계청, 2016.)

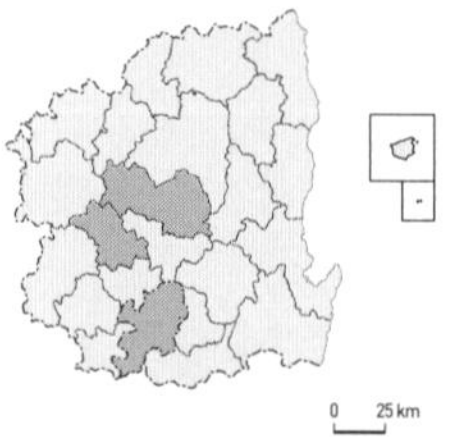

0 25km

① A는 구미이다.
② B는 C보다 인구가 많다.
③ C는 A보다 중심지 기능의 수가 적다.
④ (나)는 병원보다 의료 기관당 서비스를 제공하는 공간 범위가 넓다.
⑤ (가)는 (나)보다 최소 요구치가 크다.

정답과 해설 9쪽

| 모평 응용 |

5 그래프를 통해 알 수 있는 도시 인구 규모의 변화 및 특징에 대해 옳은 설명을 〈보기〉에서 고른 것은?

〈시기별 인구 규모 6대 도시의 전국 대비 인구 비중〉

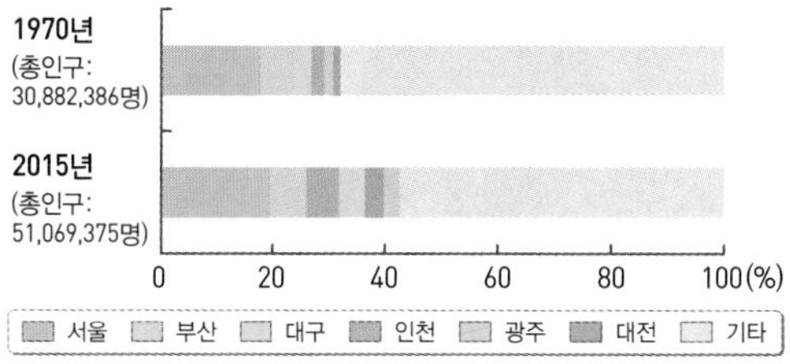

1970년
(총인구: 30,882,386명)
2015년
(총인구: 51,069,375명)
0
20
40
60
80
100(%)
서울
부산
대구
인천
광주
대전
기타

보기

ㄱ. 두 시기 모두 종주 도시화 현상이 나타난다.
ㄴ. 6대 도시 중 서울의 인구 증가율이 가장 높다.
ㄷ. 총인구에서 6대 도시가 차지하는 비중이 높아졌다.
ㄹ. 1970년보다 2015년에 대구와 광주의 인구는 감소하였다.

① ㄱ, ㄴ ② ㄱ, ㄷ ③ ㄴ, ㄷ ④ ㄴ, ㄹ ⑤ ㄷ, ㄹ

| 학평 기출 |

6 표는 지도에 표시된 세 지역의 교육기관 현황을 나타낸 것이다. 이에 대한 적절한 추론을 〈보기〉에서 고른 것은? (단, A~C는 초등학교, 중학교, 고등학교 중 하나임.)

지역	교육기관(개)				인구 (만 명)
	A	B	C	대학교	
(가)	73	31	23	6	66
(나)	147	88	62	15	153
(다)	12	7	2	1	3

(2017) (통계청)

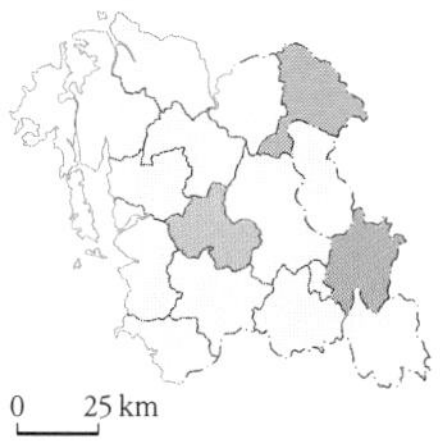

0 25 km

보기

ㄱ. (가)는 (나)보다 인구 밀도가 높을 것이다.
ㄴ. (나)는 (다)보다 중심지 기능이 다양할 것이다.
ㄷ. A는 B보다 학교 간 평균 거리가 가까울 것이다.
ㄹ. A는 C보다 학생들의 평균 통학 거리가 멀 것이다.

① ㄱ, ㄴ ② ㄱ, ㄷ ③ ㄴ, ㄷ ④ ㄴ, ㄹ ⑤ ㄷ, ㄹ

| 수능 응용 |

7 그래프는 (가)~(다) 지역의 인구 규모별 도시 수와 도시 인구 비중을 나타낸 것이다. (가)~(다)를 지도의 A~C에서 고른 것은?

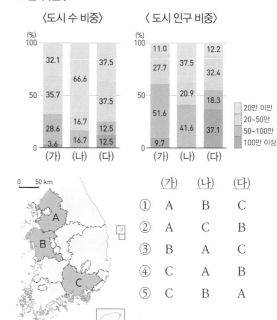

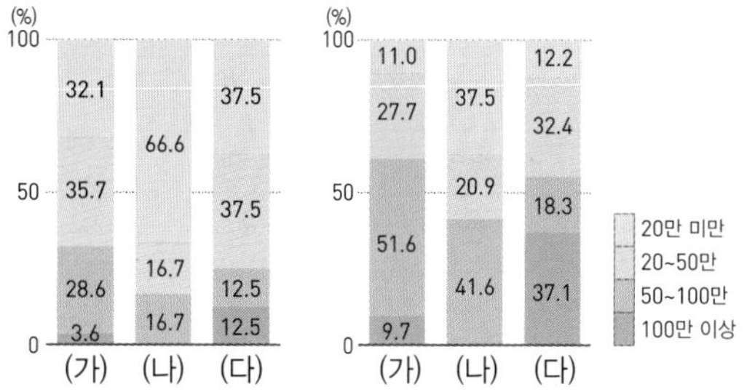

〈도시 수 비중〉
〈 도시 인구 비중〉
(%)
100
50
0
32.1
35.7
28.6
3.6
66.6
16.7
16.7
37.5
37.5
12.5
12.5
11.0
27.7
51.6
9.7
37.5
20.9
41.6
12.2
32.4
18.3
37.1
(가)
(나)
(다)
20만 미만
20~50만
50~100만
100만 이상

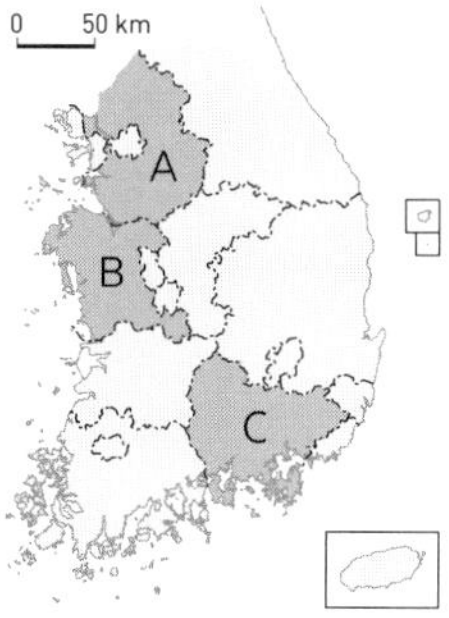

0 50 km
A
B
C

	(가)	(나)	(다)
①	A	B	C
②	A	C	B
③	B	A	C
④	C	A	B
⑤	C	B	A

| 수능 응용 |

8 자료는 서울 고속버스 터미널의 호남선 운행 현황을 나타낸 것이다. 이에 대해 적절한 내용을 〈보기〉에서 고른 것은?

목적지	거리 (km)	배차 간격	운행 차종		
			일반 고속	우등 고속	심야 고속
A	291	5~10분	○	○	○
B	347	50~60분	○	○	○
C	236	30~40분	○	○	○
D	362	6회/일	○	○	
E	276	5회/일	○		

보기

ㄱ. A는 C보다 저차 계층 중심지일 것이다.
ㄴ. C는 D보다 중심지 기능이 다양할 것이다.
ㄷ. D는 B보다 도시 규모가 작을 것이다.
ㄹ. E는 C보다 고속버스 이용객이 많을 것이다.

① ㄱ, ㄴ ② ㄱ, ㄷ ③ ㄴ, ㄷ ④ ㄴ, ㄹ ⑤ ㄷ, ㄹ

5일 도시 구조와 대도시권

키워드 #19 도시 내부 구조

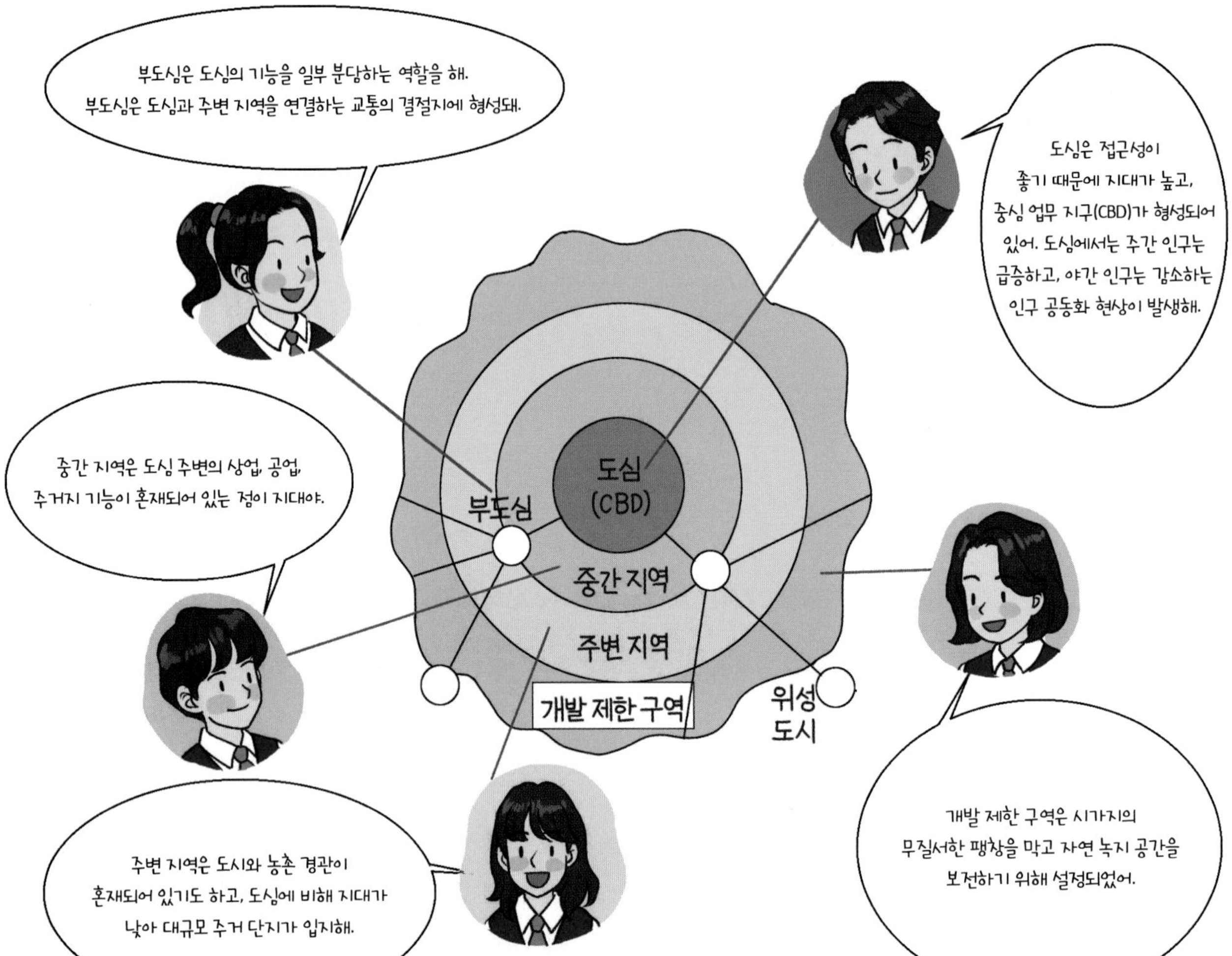

부도심은 도심의 기능을 일부 분담하는 역할을 해.
부도심은 도심과 주변 지역을 연결하는 교통의 결절지에 형성돼.
도심은 접근성이 좋기 때문에 지대가 높고, 중심 업무 지구(CBD)가 형성되어 있어. 도심에서는 주간 인구는 급증하고, 야간 인구는 감소하는 인구 공동화 현상이 발생해.
중간 지역은 도심 주변의 상업, 공업, 주거지 기능이 혼재되어 있는 점이 지대야.
도심 (CBD)
부도심
중간 지역
주변 지역
개발 제한 구역
위성 도시
개발 제한 구역은 시가지의 무질서한 팽창을 막고 자연 녹지 공간을 보전하기 위해 설정되었어.
주변 지역은 도시와 농촌 경관이 혼재되어 있기도 하고, 도심에 비해 지대가 낮아 대규모 주거 단지가 입지해.

1 도시 내부 구조

도심	• 접근성과 지대❶가 높음 예 서울 중구·종로구, 부산 중구 등 • 중심 업무 지구(CBD) 형성: 높은 지대를 지불할 수 있는 중추 관리 기능, 전문 서비스업, 고급 상점 등 집중 • 인구 공동화 현상: 직장과 거주지의 분화로 도심의 □□ □□(유동 인구)는 급증하고 야간 인구(상주인구❷)는 감소하는 현상
부도심	• 도시 외곽에서 도심으로 연결되는 교통의 결절점에 위치 예 서울의 신촌·잠실·영등포, 부산의 서면·동래·해운대 등 • 도심의 기능(상업·업무 기능)을 일부 분담하여 도심의 과밀화와 교통 혼잡을 완화하는 역할 → 업무·상업용 토지 이용 비중 증가
중간 지역	• 도심 주변의 상업·공업·주거지 기능이 혼재되어 있는 점이 지대 (점이 지대: 서로 다른 지리적 특성을 가진 두 지역 사이에서 중간적인 현상이 나타나는 지역) • 노후 주택의 재개발 진행 • 최근 공장과 학교가 도시 주변 지역으로 이전 → 대단위 아파트 단지 조성, 첨단 산업 중심의 아파트형 공장 등으로 조성
주변 지역	• 도시와 □□ 경관이 혼재 • 도심에서 분산된 공장 지역, 고급 주택이나 대규모 아파트 단지, 대형 쇼핑센터 형성
개발 제한 구역	시가지의 무질서한 팽창을 막고 자연 녹지 공간을 보전하기 위해 설정한 공간

답 주간 인구, 농촌

❶ 지역 분화 요인
① 접근성: 특정 지역이나 시설에 도달하기 쉬운 정도로 교통이 편리한 지역은 접근성이 높으며, 도시 중심부가 주변 지역보다 접근성이 높음.
② 지대: 토지 이용을 통해 얻을 수 있는 수익, 접근성이 높을수록 지대가 높음.
③ 지가: 토지의 가격, 접근성과 지대가 높은 도심과 교통 결절 지역에서 높게 나타남.

❷ 상주인구
한 지역에 주소를 두고 거주하는 인구로, 일시적으로 머무는 인구는 제외하고 일시적으로 부재하는 인구는 포함한다. 즉 야간 인구를 의미한다.

1 빈칸에 들어갈 말을 〈보기〉에서 골라 쓰시오.

> 보기
> 중심 업무 지구, 중간 지역, 주변 지역, 부도심

(1) 도심에는 지대 지불 능력이 높은 대기업 본사, 백화점 본점, 관공서 등이 밀집하여 (   )을/를 형성한다.

(2) (   )에서는 농촌과 도시의 경관이 혼재한다.

2 ▢ 안에 들어갈 알맞은 말을 쓰시오.

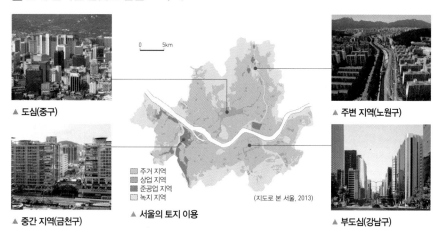

▲ 도심(중구)

▲ 중간 지역(금천구)

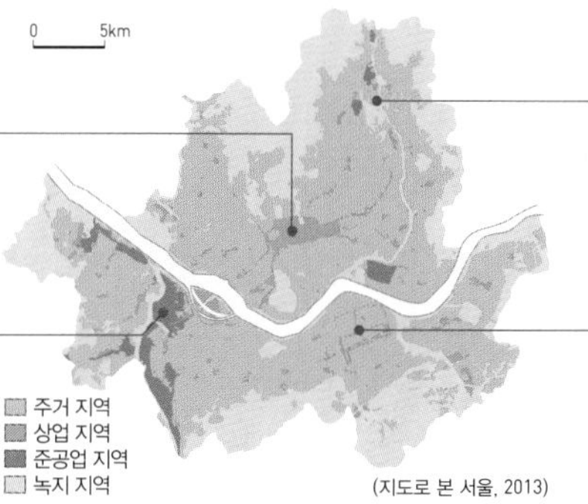
0 5km
주거 지역
상업 지역
준공업 지역
녹지 지역
(지도로 본 서울, 2013)

▲ 서울의 토지 이용

▲ 주변 지역(노원구)

▲ 부도심(강남구)

도시가 성장함에 따라 도시 내부는 기능 지역별로 분화된다. 중심부에는 접근성이 가장 높아 업무 기능이 집중한 (1)▢▢이 형성되고, 그 주변에는 도시 팽창 과정에서 도심에서 밀려나온 공장, 주택, 학교가 혼재하는 (2)▢▢ ▢▢이 형성된다. (3)▢▢▢은 중간 지역과 도심을 연결하는 교통의 요지에 입지하여 도심의 기능을 분담한다. (4)▢▢ ▢▢에는 공장, 대단위 주거 단지와 일부 농촌 경관이 혼재되어 나타난다.

서울시, 부산 등 대도시의 지도를 제시하고, 도시 내부 구조가 어떻게 분화되어 있는지 묻는 문제가 출제되고 있어.

주간 인구 지수

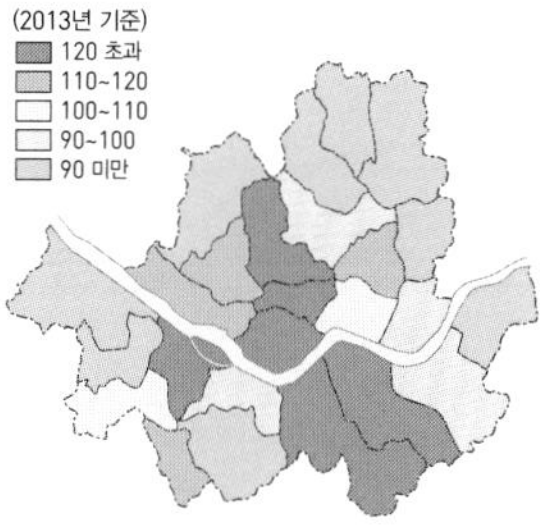
(2013년 기준)
120 초과
110~120
100~110
90~100
90 미만

주간 인구 지수는 주간 인구를 야간 인구로 나눠 100을 곱한 비율로 도심이 가장 높고 주변 지역으로 갈수록 낮아진다. 100 이상이면 업무 지역의 특성이, 이하이면 주거 지역의 특성이 높다는 것을 의미한다.

3 다음 두 지역이 도시 내부 구조 중 어디에 해당하는지 쓰고, ▢ 안에 알맞은 부등호를 쓰시오.

(가)

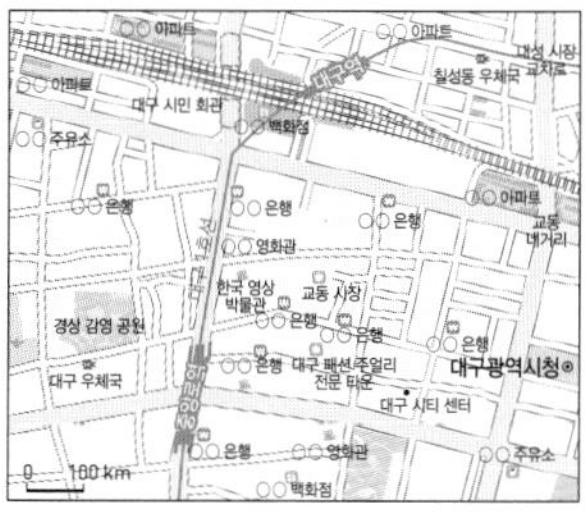
대구광역시청
경상 감영 공원
0 100 km

(나)

대구 신매 초등학교
고산동 주민 센터
0 75 m

(3) 주간 인구 지수
: (가) ▢ (나)

(4) 평균 통근 거리
: (가) ▢ (나)

(1) (   ) (2) (   )

도시 내부 구조 내에서 도심과 주변 지역의 차이를 묻는 문제가 자주 출제되고 있어.

답 1. (1) 중심 업무 지구 (2) 주변 지역 2. (1) 도심 (2) 중간 지역 (3) 부도심 (4) 주변 지역 3. (1) 도심 (2) 주변 지역 (3) > (4) <

5일 도시 구조와 대도시권

키워드 #20 대도시권

서울에 인구와 기능이 집중되니 과밀 문제가 심각해져서 안 되겠어. 해결을 위해 주거 기능과 공업 기능을 인천, 경기 일대로 교외화 시키고, 신도시를 개발하여 대도시권을 형성해야겠어.

1 대도시권❶ 형성 과정

도시화와 대도시의 과밀화 》 ■■■❷ 주거 기능 및 공업 기능 분산 》 ■■■ 개발 공장 이전과 신산업 단지 조성 》 대도시권 형성

2 대도시권의 공간 구조 중심 도시에서 멀어질수록 영향력 감소

대도시 일일 생활권	중심 도시		주변 지역에 재화와 서비스 제공, 대도시권의 중심지 기능 수행
	통근 가능권	교외 지역	중심 도시와 인접, 주거·공업·상업 기능 수행
		대도시 영향권	도시와 농촌 경관 혼재, 대도시와 기능적으로 밀접
		배후 농촌 지역	최대 통근 가능 지역
		위성 도시	주거·공업·행정과 같은 대도시의 일부 기능 분담
주말 생활권			중심 도시 사람들의 주말 휴식 공간으로 이용

주말 농장, 주말형 전원주택 등

답 교외화, 신도시

❶ 대도시권
대도시를 중심으로 일상적인 생활이 이루어지는 범위로 대도시를 중심으로 위성 도시와 주변 지역이 하나의 도시처럼 통합된 공간

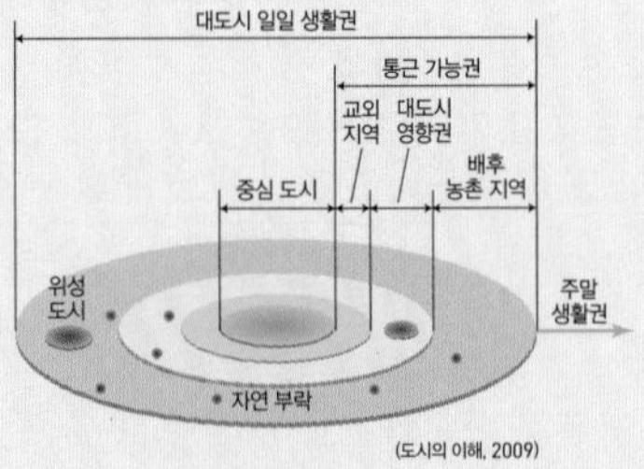
대도시 일일 생활권
통근 가능권
교외 지역
대도시 영향권
배후 농촌 지역
중심 도시
위성 도시
주말 생활권
자연 부락

(도시의 이해, 2009)

❷ 교외화
도시의 인구나 기능, 시설 등이 도시 주변 지역으로 확산되는 현상

1 괄호 안의 내용 중 옳은 것에 ○표 하시오.

(1) (교외 지역, 위성 도시)은/는 중심 도시와 인접하여 주거·공업·상업 기능을 수행한다.

(2) 배후 농촌 지역은 최대 (주거, 통근) 가능 지역이다.

2 다음은 자료들을 통해 추론할 수 있는 사실이다. □ 안에 알맞은 말을 쓰시오.

〈수도권 신도시 개발〉

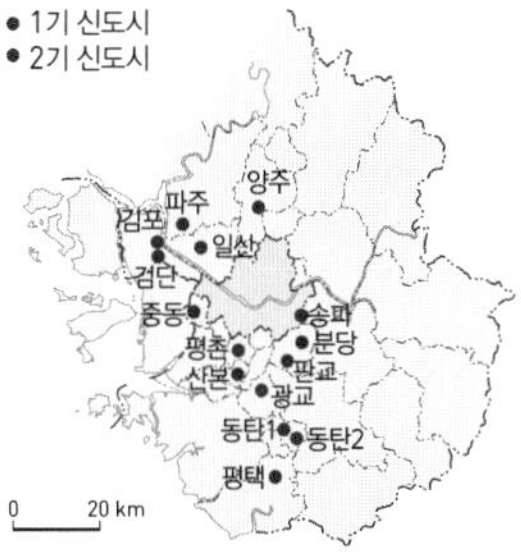

• 1기 신도시
• 2기 신도시
양주
파주
김포
일산
검단
중동
송파
분당
평촌
판교
산본
광교
동탄1
동탄2
평택
0 20 km

〈지하철 종착역 변화〉

0 10km
소요산
동두천
대화
구파발
창동
당고개
춘천
삼선교
경춘선(광운대(종점))
왕십리
암사
인천
오금
사당
양재
모란
오이도
수원
신창
○ 1985년 종착역
● 2016년 종착역

(도시철도공사, 2016)
(*서울 외곽을 운행하는 1·3·4·8호선, 분당선, 경춘선만을 표시함.)

• 서울의 (1)□□□□이 확대되었다.
• 서울로 집중되었던 인구와 기능의 (2)□□□가 진행되었다.
• 경기도에서 서울로의 통근자 수가 (3)□□하였다.
• 수도권 거주자의 평균 통근 거리가 (4)□□하였다.

우리나라의 대도시권의 형성 과정 및 영향을 묻는 문제가 자주 출제되고 있어. 신도시의 분포, 교통망 확산 등을 나타내는 지도가 제시되었을 때, 대도시권 확장과 관련있다는 점을 알 수 있어야 해.

3 다음은 대도시권의 구조를 나타낸 자료이다. A~D에 대해 옳은 설명을 하고 있는 학생을 모두 고르시오. (　　　　　)

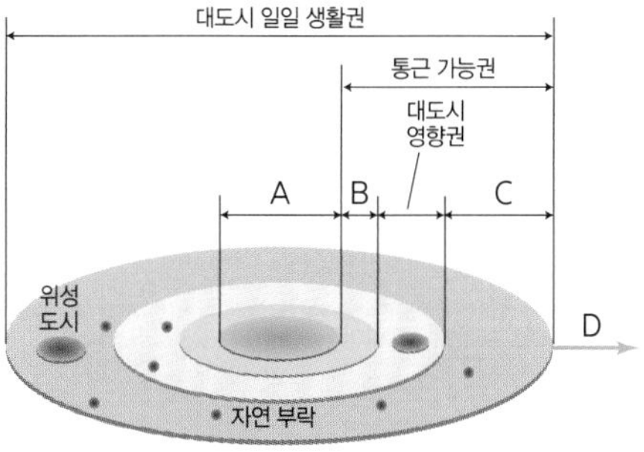

대도시 일일 생활권
통근 가능권
대도시 영향권
A
B
C
D
위성 도시
자연 부락

(도시의 이해, 2009)

갑: A는 대도시권의 중심지 역할을 하며, 주변 지역에 재화와 서비스를 공급해.

을: B는 중심 도시와 인접한 지역으로, 농촌 경관이 우세하게 나타나.

병: C는 원교 농촌 지역으로, 중심 도시와의 관련성이 떨어지는 지역이야.

정: D는 대도시권에 사는 사람들이 여가를 위해 방문하는 지역이야.

대도시권의 구조를 알아 두고, 각 구역이 어떤 역할을 하는지 각 구역들은 서로 어떠한 영향을 주고받는지 알아 두자.

답 1. (1) 교외 지역 (2) 통근　2. (1) 대도시권 (2) 교외화 (3) 증가 (4) 증가　3. 갑, 정

2주 5일

5일 도시 구조와 대도시권

| 수능 응용 |

1 (가), (나) 지역의 상대적 특성을 옳게 나타낸 것은?

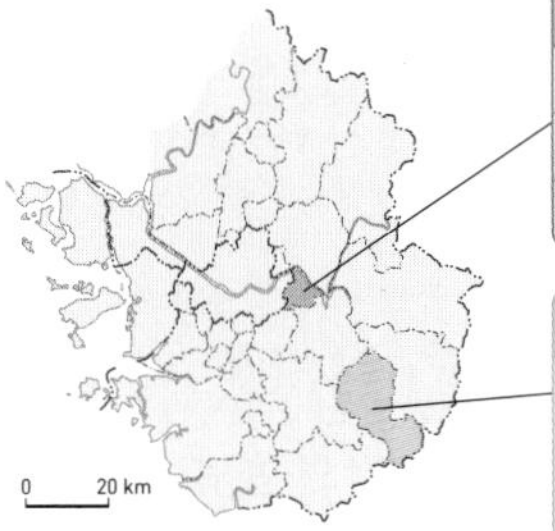
0 20 km

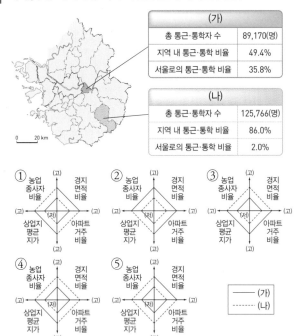

(가)	
총 통근·통학자 수	89,170(명)
지역 내 통근·통학 비율	49.4%
서울로의 통근·통학 비율	35.8%

(나)	
총 통근·통학자 수	125,766(명)
지역 내 통근·통학 비율	86.0%
서울로의 통근·통학 비율	2.0%

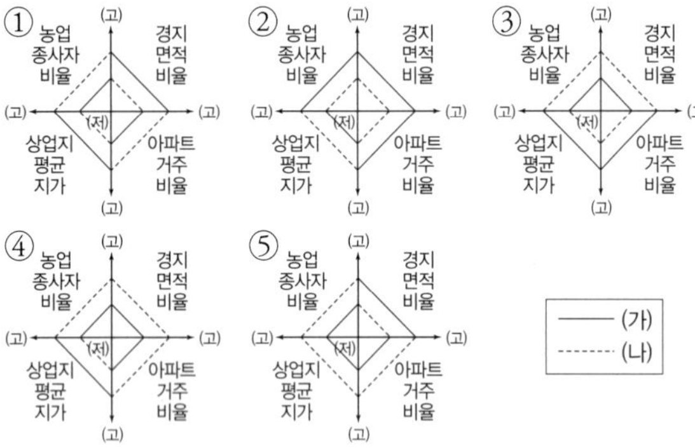
①
②
③
④
⑤
농업 종사자 비율
경지 면적 비율
상업지 평균 지가
아파트 거주 비율
(고)
(저)
(가)
(나)

| 모평 기출 |

2 그래프는 서울시의 구(區)별 특성을 나타낸 것이다. (가)~(다)에 해당하는 지역을 A~C에서 고른 것은?

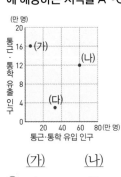

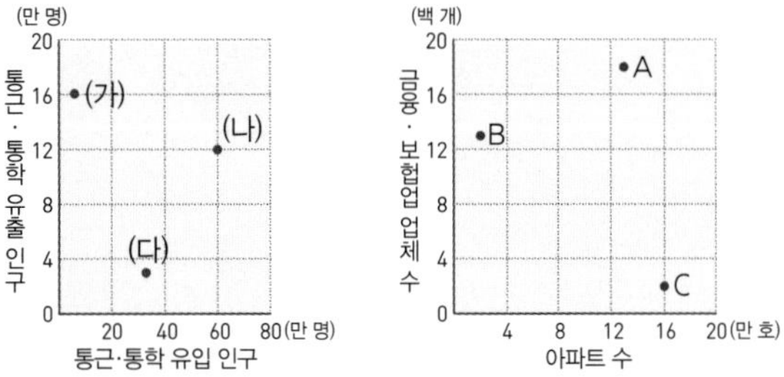
(만 명)
통근·통학 유출 인구
(가)
(나)
(다)
통근·통학 유입 인구
20 40 60 80(만 명)
(백 개)
금융·보험업 사업체 수
A
B
C
아파트 수
4 8 12 16 20(만 호)

	(가)	(나)	(다)
①	A	B	C
②	A	C	B
③	B	A	C
④	C	A	B
⑤	C	B	A

| 모평 기출 |

3 (가) 구(區)와 비교한 (나) 구의 상대적 특성을 그림의 A~E에서 고른 것은?

〈대구의 구별 상주인구와 통근·통학 순 유입 인구의 변화〉

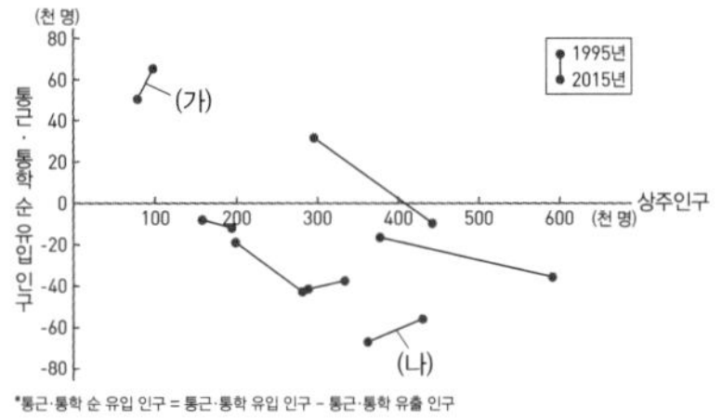
(천 명)
통근·통학 순 유입 인구
상주인구
(천 명)
1995년
2015년
(가)
(나)
*통근·통학 순 유입 인구 = 통근·통학 유입 인구 − 통근·통학 유출 인구

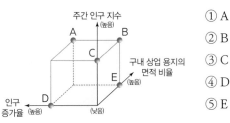

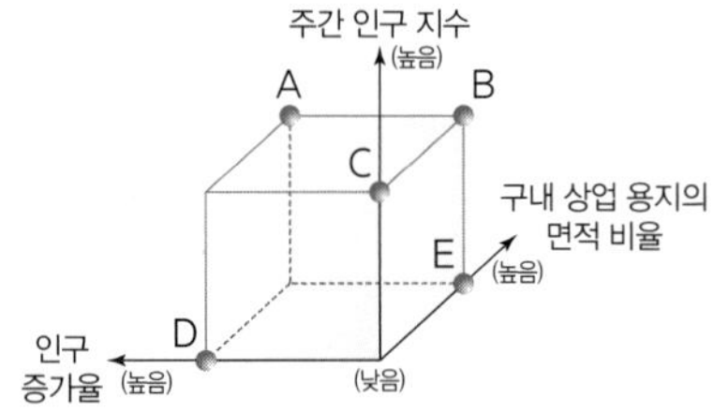
주간 인구 지수
(높음)
구내 상업 용지의 면적 비율
(높음)
인구 증가율
(높음)
(낮음)
A
B
C
D
E

① A
② B
③ C
④ D
⑤ E

| 학평 기출 |

4 그래프는 지도에 표시된 세 지역의 통근·통학 인구 비율을 나타낸 것이다. (가)~(다) 지역에 대한 옳은 설명을 〈보기〉에서 고른 것은? (단, (가)~(다)는 광명시, 화성시, 가평군 중 하나임.)

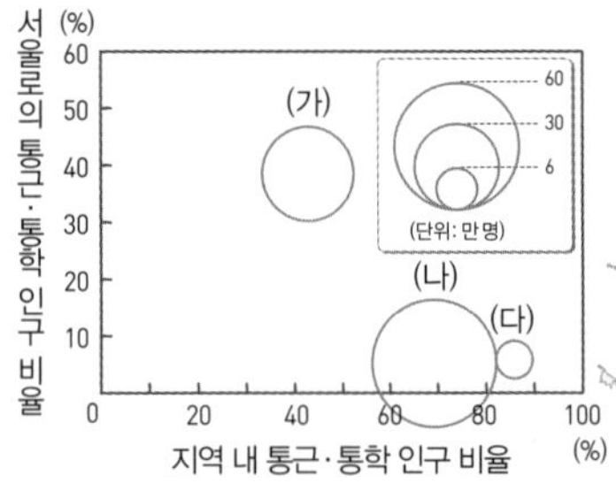
서울로의 통근·통학 인구 비율
(%)
지역 내 통근·통학 인구 비율
(%)
(가)
(나)
(다)
60
30
6
(단위: 만 명)

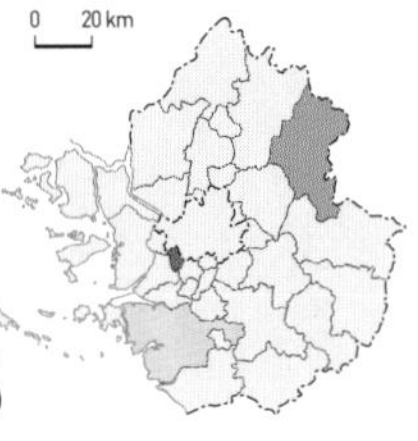
0 20 km

* 지역 내 통근·통학 인구 비율과 서울로의 통근·통학 인구 비율은 원의 가운데 값임.
** 원의 크기는 총인구 값임.
(통계청, 2015)

보기
ㄱ. (가)는 (나)보다 인구 밀도가 높다.
ㄴ. (가)는 (다)보다 녹지 비율이 높다.
ㄷ. (나)는 (가)보다 자족 기능이 강하다.
ㄹ. (다)는 (나)보다 서울로의 통근·통학 인구 수가 많다.

① ㄱ, ㄴ ② ㄱ, ㄷ ③ ㄴ, ㄷ
④ ㄴ, ㄹ ⑤ ㄷ, ㄹ

정답과 해설 10쪽

| 수능 기출 |

5 자료는 부산광역시에 위치한 A~C 구(區)의 인구와 종사자 현황을 나타낸 것이다. 이에 대한 설명으로 옳은 것은?

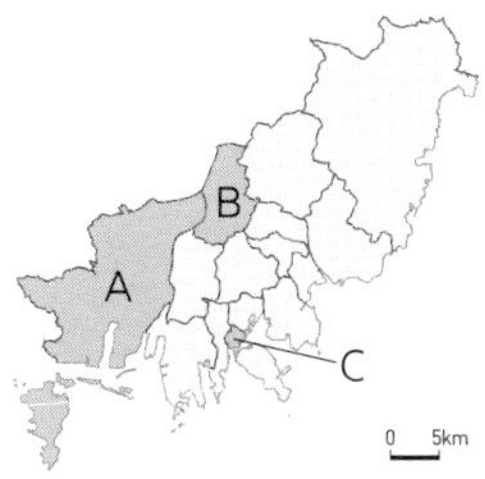
B
A
C
0 5km

(단위: 명)

구분	인구		종사자	
	상주인구	통근·통학 순 이동	전체 산업	제조업
A	86,505	79,825	114,531	72,339
B	294,147	-69,623	56,412	2,401
C	43,685	41,683	69,241	1,428

*통근·통학 순 이동 = 통근·통학 유입 인구 − 통근·통학 유출 인구

(통계청, 2015)

① A는 B보다 인구 밀도가 높다.
② C는 A보다 초등학교 수가 많다.
③ C는 B보다 주거 기능이 우세하다.
④ 주간 인구는 A가 가장 많다.
⑤ 생산자 서비스업 종사자 비중은 C가 가장 높다.

| 모평 응용 |

6 그래프는 두 시기의 인구 규모 상위 10대 도시를 나타낸 것이다. 1990년 대비 2010년의 변화에 대한 옳은 분석을 〈보기〉에서 고른 것은?

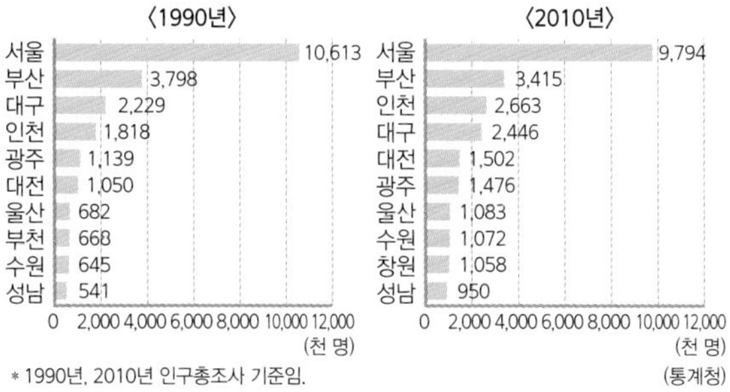
〈1990년〉
서울 10,613
부산 3,798
대구 2,229
인천 1,818
광주 1,139
대전 1,050
울산 682
부천 668
수원 645
성남 541
0 2,000 4,000 6,000 8,000 10,000 12,000
(천 명)
〈2010년〉
서울 9,794
부산 3,415
인천 2,663
대구 2,446
대전 1,502
광주 1,476
울산 1,083
수원 1,072
창원 1,058
성남 950
0 2,000 4,000 6,000 8,000 10,000 12,000
(천 명)

* 1990년, 2010년 인구총조사 기준임.

(통계청)

보기

ㄱ. 10대 도시 중 수도권 도시 수가 증가했다.
ㄴ. 인구 증가율은 광주보다 대전이 더 높다.
ㄷ. 인구 100만 이상 도시의 수는 2배 이상 증가했다.
ㄹ. 1위 도시에 대한 10위 도시의 인구 비율은 증가했다.

① ㄱ, ㄴ ② ㄱ, ㄷ ③ ㄴ, ㄷ
④ ㄴ, ㄹ ⑤ ㄷ, ㄹ

| 학평 응용 |

7 그래프는 서울시 두 구(區)의 상주인구와 주간 인구 지수의 변화를 나타낸 것이다. (가), (나) 지역에 대한 설명으로 옳은 것은?

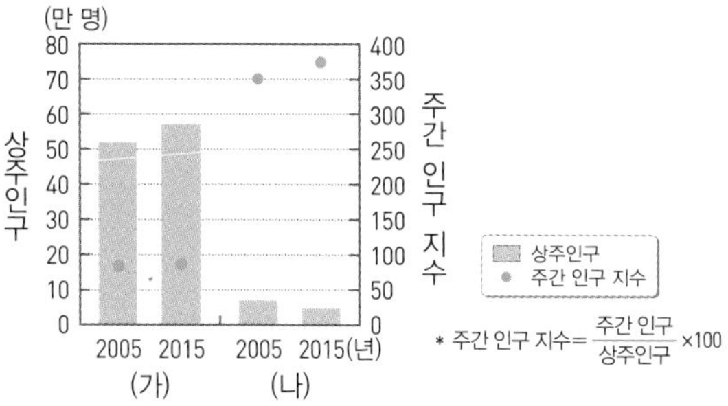
(만 명)
상주인구
주간 인구 지수
80 70 60 50 40 30 20 10 0
400 350 300 250 200 150 100 50 0
2005 2015 2005 2015(년)
(가) (나)
상주인구
주간 인구 지수

* 주간 인구 지수 = $\frac{\text{주간 인구}}{\text{상주인구}} \times 100$

① (가)는 주간 인구가 감소하였다.
② (나)는 통근·통학 유입 인구가 유출 인구보다 많다.
③ (가)는 (나)보다 상업지의 평균 지가가 높다.
④ (가)는 (나)보다 인구 공동화 현상이 뚜렷하다.
⑤ (나)는 (가)보다 초등학교 학생 수가 많다.

| 수능 기출 |

8 자료는 수도권에 위치한 두 지역의 연령별 인구 구조를 나타낸 것이다. (가)와 비교한 (나) 지역의 상대적 특징을 그림의 A~E에서 고른 것은?

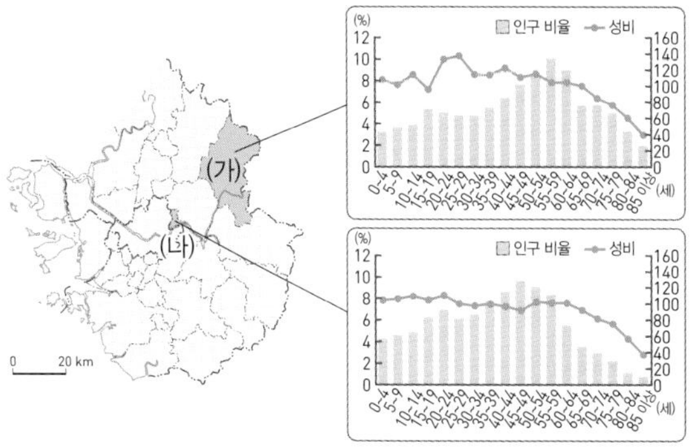
(가)
(나)
0 20 km
(%)
인구 비율
성비
12 10 8 6 4 2 0
160 140 120 100 80 60 40 20 0
(세)

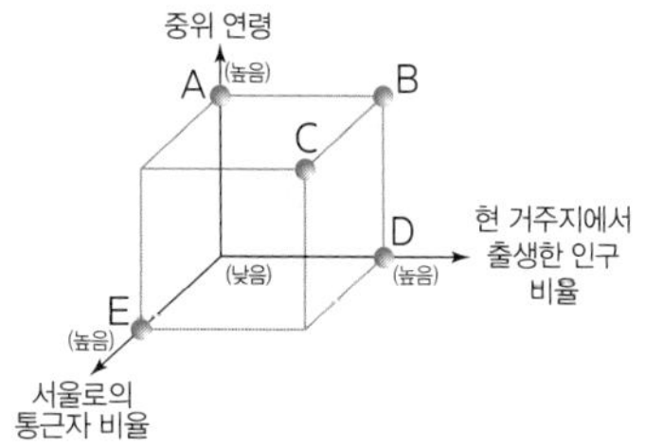
중위 연령
A (높음)
B
C
D
(낮음)
(높음)
E
(높음)
현 거주지에서 출생한 인구 비율
서울로의 통근자 비율

① A
② B
③ C
④ D
⑤ E

누구나 100점 테스트

1 (가), (나) 지역에 대한 옳은 설명을 〈보기〉에서 고른 것은?

(가)

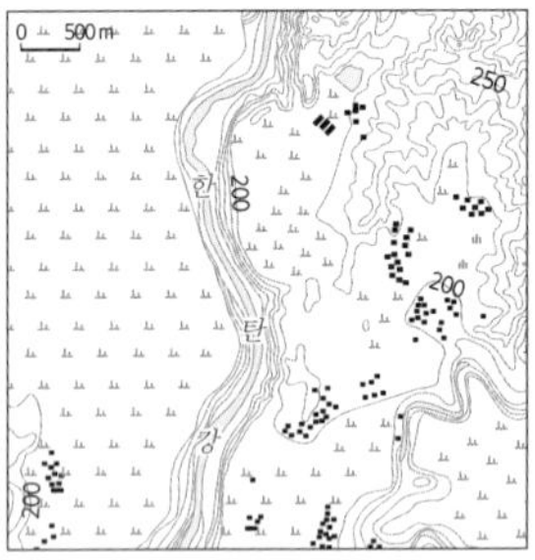
0 500m
250
200
한
탄
강
200

(나)

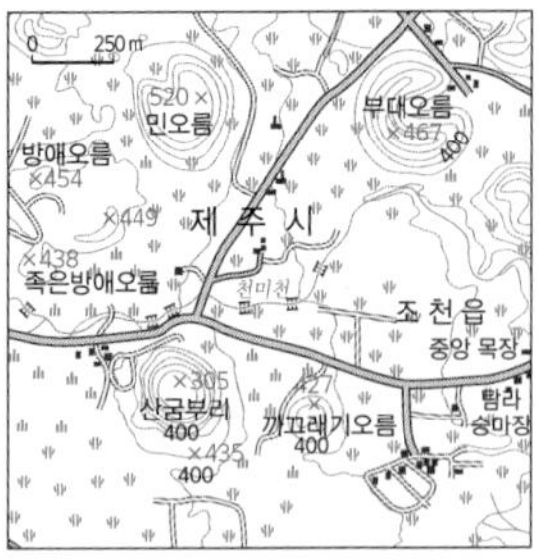
0 250m
520
민오름
방애오름
454
449
제주시
438
족은방애오름
부대오름
467
400
조천읍
중앙 목장
305
산굼부리
400
까끄래기오름
400
탐라
승마장

보기
ㄱ. (가)의 한탄강 주변부는 하상과의 고도 차가 거의 없는 평야이다.
ㄴ. (나)의 오름들은 용암의 열하 분출에 의해 형성되었다.
ㄷ. (가)는 논농사, (나)는 밭농사가 활발하게 이루어진다.
ㄹ. (가)와 (나)는 신생대에 화산 활동이 일어난 지역이다.

① ㄱ, ㄴ ② ㄱ, ㄷ ③ ㄴ, ㄷ
④ ㄴ, ㄹ ⑤ ㄷ, ㄹ

2 (가)~(다) 지역에 대한 설명으로 옳은 것을 〈보기〉에서 고른 것은? (단, (가)~(다)는 강릉, 대관령, 홍천 중 하나임.)

구분	최난월 평균 기온(℃)	최한월 평균 기온(℃)	연 강수량 (mm)	겨울 강수량 (mm)
(가)	19.1	-7.7	1,898	153
(나)	24.2	-5.5	1,405	65
(다)	24.6	0.4	1,464	143

보기
ㄱ. (가)는 (나)보다 해발 고도가 낮다.
ㄴ. (나)는 (가)보다 기온의 연교차가 크다.
ㄷ. (다)는 (나)보다 겨울 강수 집중률이 높다.
ㄹ. (나)는 해안, (다)는 내륙 지역에 위치하고 있다.

① ㄱ, ㄴ ② ㄱ, ㄷ ③ ㄴ, ㄷ
④ ㄴ, ㄹ ⑤ ㄷ, ㄹ

3 A~D에 대한 설명으로 옳지 <u>않은</u> 것은?

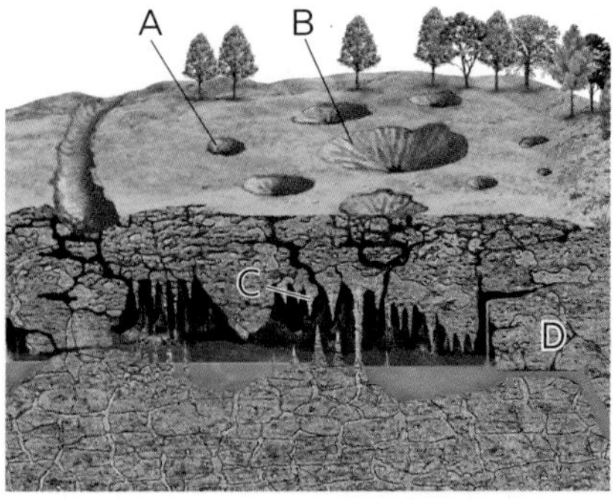
A
B
C
D

① A는 주로 용식 작용을 받아 형성된다.
② A는 배수가 불량하여 논농사에 유리하다.
③ B는 인접한 A가 합쳐져 형성된 지형이다.
④ C는 동굴 천장에서 자라는 종유석이다.
⑤ D의 기반암은 고생대 해성층에 주로 분포한다.

4 그래프는 세 자연재해의 월별 피해액 비중을 나타낸 것이다. (가)~(다) 자연재해에 대한 설명으로 옳지 <u>않은</u> 것은? (단, (가)~(다)는 대설, 태풍, 호우 중 하나임.)

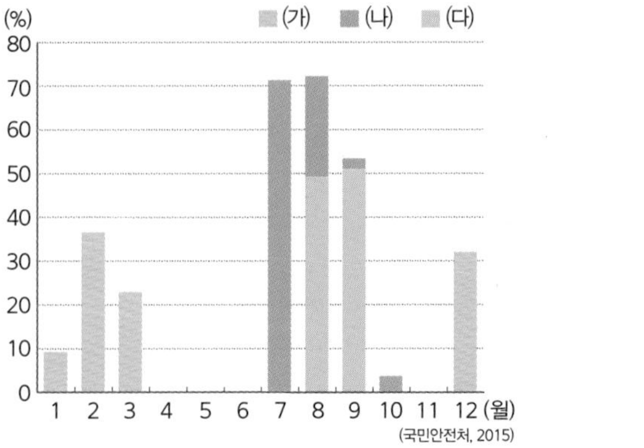
(%)
(가) (나) (다)
80
70
60
50
40
30
20
10
0
1 2 3 4 5 6 7 8 9 10 11 12 (월)

(국민안전처, 2015)

① (가)의 피해액은 호남 지방이 영남 지방보다 많다.
② (나)의 피해가 주로 발생하는 지역은 하천 주변의 충적지이다.
③ (다)의 피해액은 남부 지방이 중부 지방보다 많다.
④ (나)는 (다)보다 바람에 의한 피해가 크다.
⑤ (다)는 (가)보다 연평균 피해액이 많다.

정답과 해설 11쪽

5 자료는 어느 두 시기의 전형적인 일기도이다. (가), (나) 시기에 대한 설명으로 옳은 것은?

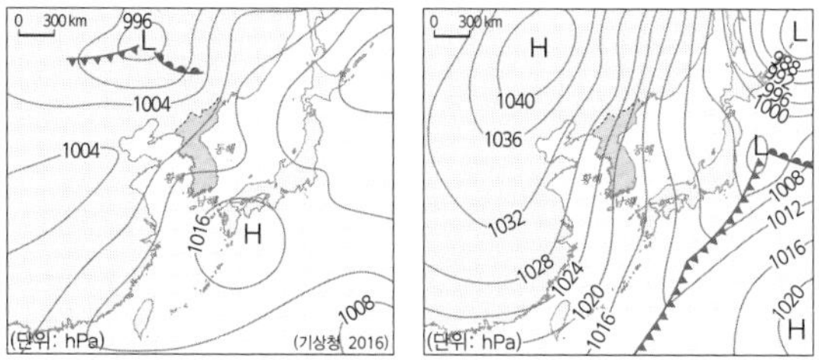
(가)
(나)
0 300 km
996
L
1004
1004
1016
H
1008
H
1040
1036
1032
1028
1024
1020
1016
1008
1012
1016
1020
(단위: hPa)
(기상청, 2016)

① (가) 시기에는 심한 사온 현상이 나타난다.
② (나) 시기에는 열대일과 열대야가 자주 나타난다.
③ (가)는 (나)보다 대류성 강수 빈도가 높다.
④ (나)는 (가)보다 상대 습도가 높다.
⑤ (가)는 장마철, (나)는 한여름철의 일기도이다.

6 다음은 도시 단원에 대한 한국지리 수업 장면이다. 발표 내용이 옳지 않은 학생을 〈보기〉에서 고른 것은?

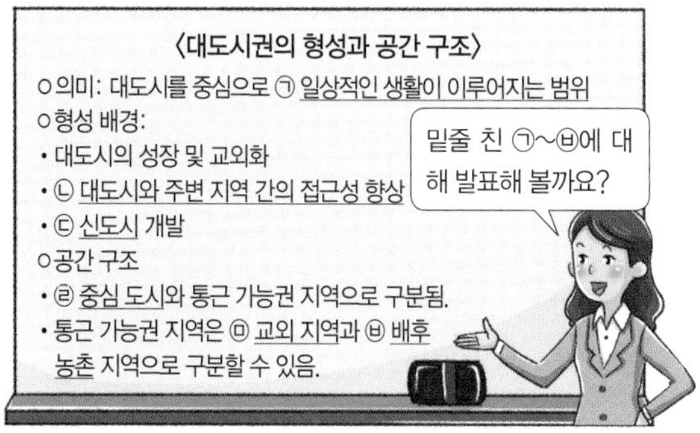
〈대도시권의 형성과 공간 구조〉
ㅇ의미: 대도시를 중심으로 ㉠ 일상적인 생활이 이루어지는 범위
ㅇ형성 배경:
• 대도시의 성장 및 교외화
• ㉡ 대도시와 주변 지역 간의 접근성 향상
• ㉢ 신도시 개발
ㅇ공간 구조
• ㉣ 중심 도시와 통근 가능권 지역으로 구분됨.
• 통근 가능권 지역은 ㉤ 교외 지역과 ㉥ 배후 농촌 지역으로 구분할 수 있음.
밑줄 친 ㉠~㉥에 대해 발표해 볼까요?

보기
갑: ㉠은 중심 도시로의 통근·통학권이 해당돼요.
을: ㉡은 지하철·시내버스 노선의 연장 영향이 커요.
병: ㉢은 거주자가 지역 내에서 일자리를 찾기 어려운 경우가 많아요.
정: ㉣이 대도시권에서 차지하는 인구 비중은 지속적으로 높아져요.
무: ㉤은 ㉥보다 시가지, 공장의 면적 비중이 높아요.

① 갑 ② 을 ③ 병 ④ 정 ⑤ 무

7 다음은 도시별 시외버스 운행 횟수를 나타낸 지도이다. 이에 대한 설명으로 옳지 않은 것은?

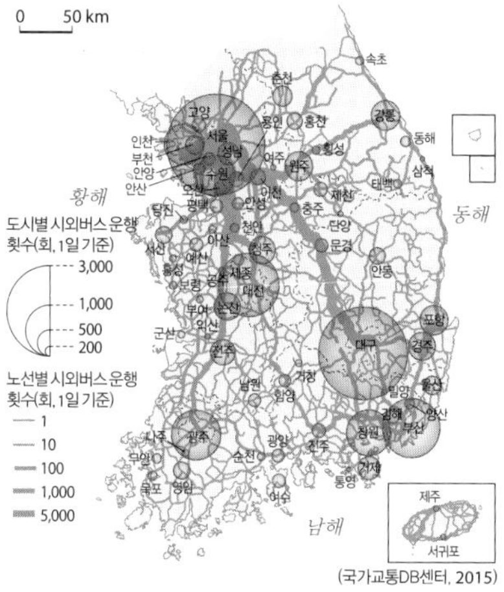
0 50 km
황해
동해
남해
도시별 시외버스 운행 횟수(회, 1일 기준)
3,000
1,000
500
200
노선별 시외버스 운행 횟수(회, 1일 기준)
1
10
100
1,000
5,000
서울
대구
광주
부산
제주
서귀포
(국가교통DB센터, 2015)

① 서울은 가장 큰 고차 중심지이다.
② 저차 중심지일수록 중심지 간 거리가 멀다.
③ 교통망을 통해 도시 간 계층 구조를 파악할 수 있다.
④ 고차 중심지일수록 다양한 중심지 기능을 가지고 있다.
⑤ 시외버스 운행 횟수가 많은 도시일수록 고차 중심지이다.

8 다음은 한국 지리 수업 장면의 일부이다. 교사의 질문에 대한 학생들의 대답으로 옳지 않은 것은?

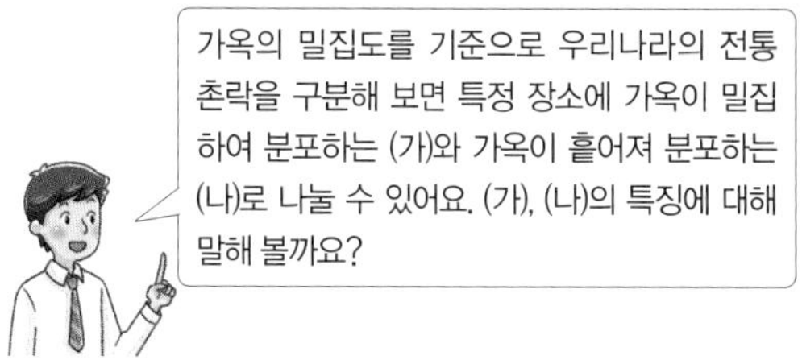
가옥의 밀집도를 기준으로 우리나라의 전통 촌락을 구분해 보면 특정 장소에 가옥이 밀집하여 분포하는 (가)와 가옥이 흩어져 분포하는 (나)로 나눌 수 있어요. (가), (나)의 특징에 대해 말해 볼까요?

① 갑: (가)는 집촌, (나)는 산촌입니다.
② 을: (가)는 벼농사와 같이 협동 노동이 필요한 지역에 형성됩니다.
③ 병: (나)는 가옥과 경지의 거리가 가까워 경지 관리에 유리합니다.
④ 정: (가)는 (나)보다 가옥 간의 거리가 가깝습니다.
⑤ 무: (나)는 (가)보다 주민 간의 공동체 의식이 강합니다.

2 주

1. 화산 지형

▲ 주상 절리

화산 지형은 화산, 화구호, 칼데라, 칼데라호, 용암 대지, 주상 절리 등 형태가 다양하다.

2. 카르스트 지형

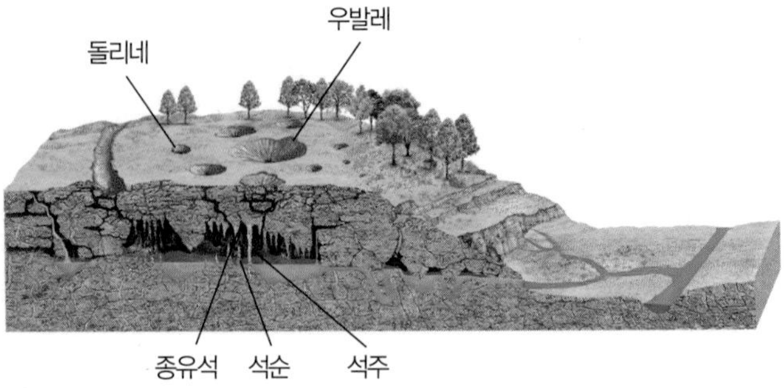
우발레
돌리네
종유석
석순
석주

▲ 카르스트 지형 모식도

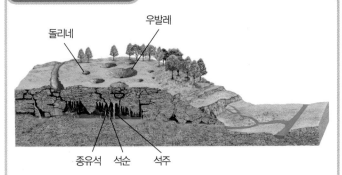

카르스트 지형은 석회암의 주성분인 탄산칼슘이 빗물과 지하수의 용식 작용을 받아 형성된 지형이다.

3. 기온과 강수

0 100 km
~ 등온선(℃)
중강진
삼지연
풍산
웅기
청진
성진
신의주
구성
함흥
평양
남포
원산
장전
해주
개성
춘천
속초
강릉
인천
서울
홍천
대관령
울릉도
독도
수원
울진
청주
문경
대전
추풍령
대구
포항
전주
진주
울산
광주
부산
목포
여수
통영
황해
동해
남해
제주
서귀포
이어도
(*1981~2010년 평균값임.)
(남한 : 기상청, 2012 /
북한 : 기상청, 2017)

▲ 1월 평균 기온

0 100 km
~ 등온선(℃)
중강진
삼지연
풍산
웅기
청진
성진
신의주
구성
함흥
평양
남포
원산
장전
해주
개성
춘천
속초
강릉
인천
서울
홍천
대관령
울릉도
독도
수원
울진
청주
문경
대전
추풍령
대구
포항
전주
진주
울산
광주
부산
목포
여수
통영
황해
동해
남해
제주
서귀포
이어도
(*1981~2010년 평균값임.)
(남한 : 기상청, 2012 /
북한 : 기상청, 2017)

▲ 8월 평균 기온

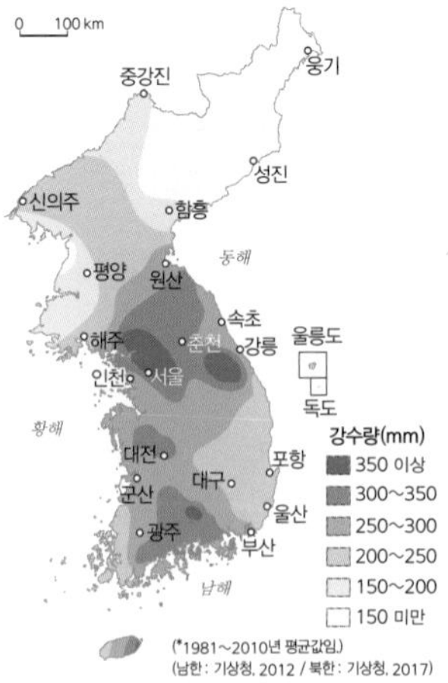
0 100 km
중강진
웅기
성진
신의주
함흥
평양
원산
동해
해주
속초
춘천
강릉
울릉도
인천
서울
독도
황해
대전
포항
대구
군산
울산
광주
부산
남해
강수량(mm)
350 이상
300~350
250~300
200~250
150~200
150 미만
(*1981~2010년 평균값임.)
(남한 : 기상청, 2012 / 북한 : 기상청, 2017)

▲ 8월 강수량

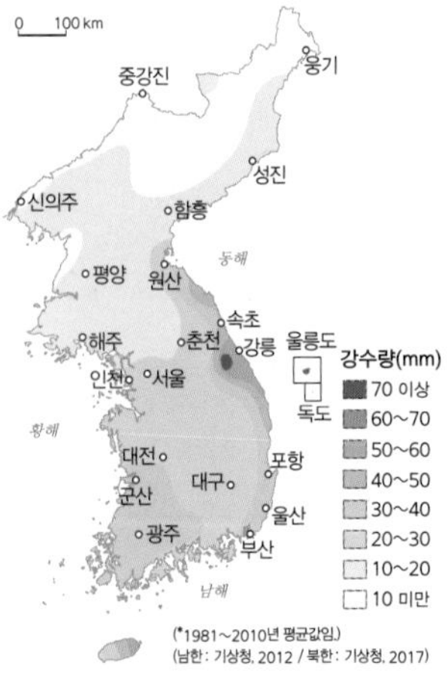
0 100 km
중강진
웅기
성진
신의주
함흥
평양
원산
동해
해주
속초
춘천
강릉
울릉도
인천
서울
독도
황해
대전
포항
대구
군산
울산
광주
부산
남해
강수량(mm)
70 이상
60~70
50~60
40~50
30~40
20~30
10~20
10 미만
(*1981~2010년 평균값임.)
(남한 : 기상청, 2012 / 북한 : 기상청, 2017)

▲ 1월 강수량

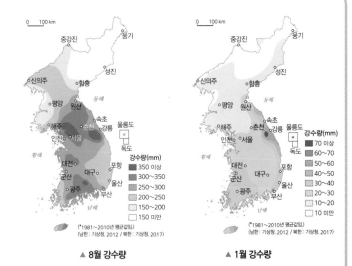

최난월 평균 기온
- 지역 차: 인천 > 강릉 > 홍천 > 울릉도

최한월 평균 기온
- 지역 차: 울릉도 > 강릉 > 인천 > 홍천

기온의 연교차
- 지역 차: 홍천 > 인천 > 강릉 > 울릉도

지역별 강수 특징
- 남해안, 제주도, 한강 중·상류: 다습한 공기의 바람받이에 해당하는 지역으로 강수량이 많다. 특히 남해안과 제주도는 태풍의 내습 빈도가 잦아 강수량이 많다.
- 서해안: 산지가 높지 않아 구름 형성이 어려워 강수량이 적다.
- 영남 내륙: 높은 산지로 둘러싸여 다습한 공기가 유입되기 어려워 강수량이 적다.

4. 계절별 기후 특성

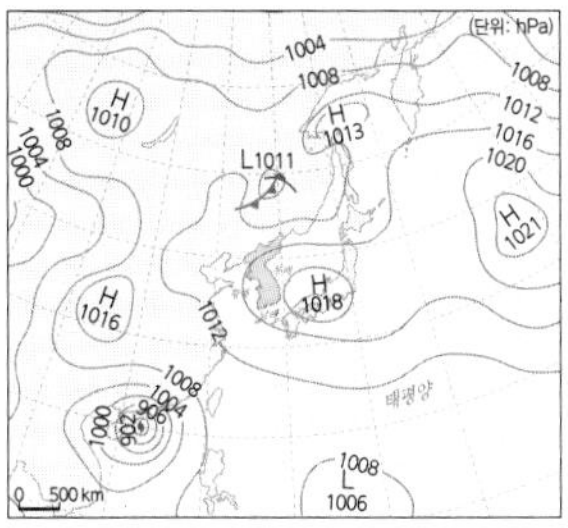
(단위: hPa)
500 km
태평양

▲ 여름 일기도

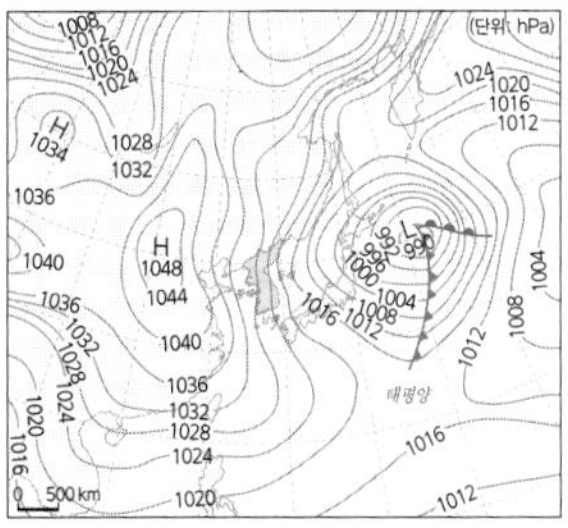
(단위: hPa)
500 km
태평양

▲ 겨울 일기도

여름에는 남고북저형 기압 배치가 나타나고, 겨울에는 서고동저형 기압 배치가 나타난다.

5. 자연재해

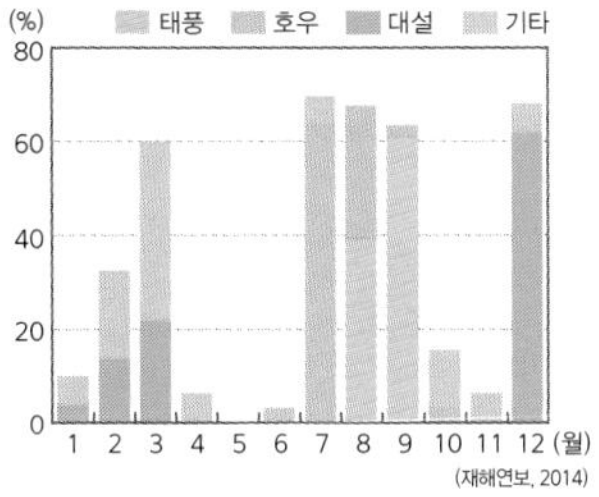
(%)
태풍
호우
대설
기타
(월)
(재해연보, 2014)

▲ 월별 자연재해 피해 발생률

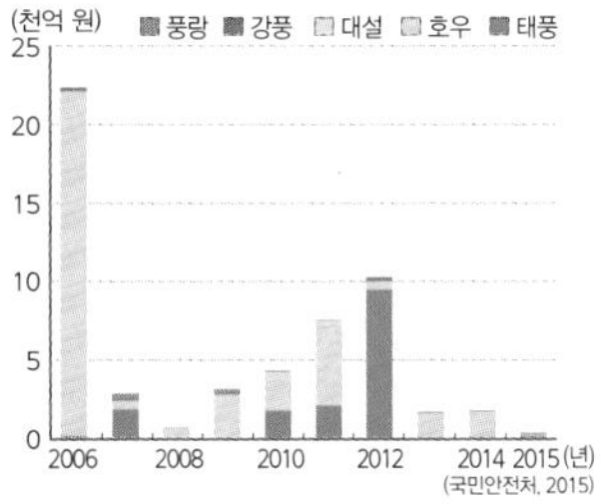
(천억 원)
풍랑
강풍
대설
호우
태풍
(년)
(국민안전처, 2015)

▲ 도별 자연재해 피해액

7~8월에는 호우, 8~10월에는 태풍, 12~3월에는 대설에 의한 피해가 크게 나타난다. 호우는 여름 강수 집중률이 높은 경기도, 강원도 등 중부 지방에서 피해액 비중이 많다. 태풍은 적도 부근에서 올라오다가 육지에서는 그 힘이 약해지기 때문에 남부 지방에서 피해액 비중이 많다. 대설은 강원도에서 피해액 비중이 높지만, 지역 간 차이가 크지 않은 편이다.

6. 도시 체계

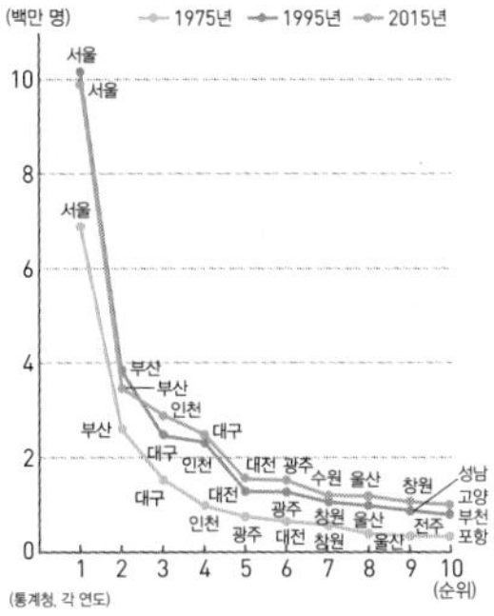
(백만 명)
1975년
1995년
2015년
서울
부산
(순위)
(통계청, 각 연도)

▲ 인구 성장에 따른 도시 순위 변화

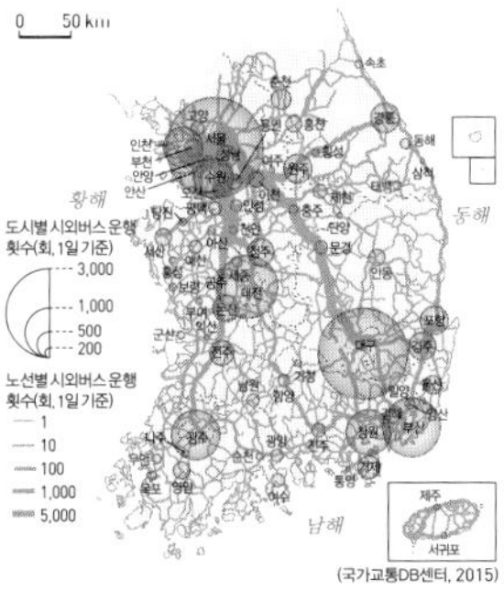
황해
동해
남해
(국가교통DB센터, 2015)

▲ 시외버스 운행 횟수(2015년)

도시 체계란 기능적 상호 의존으로 형성되는 도시 간의 계층 질서를 말한다. 2015년 도시 인구는 서울이 가장 많고, 다음으로 부산이 많다. 그리고 공업 도시인 울산과 창원, 위성 도시인 고양, 성남 등의 도시 순위가 높아졌다. 이는 서울의 과도한 인구 집중으로 종주 도시화 현상이 나타나고 있으며, 대도시, 공업 도시, 위성 도시의 성장이 두드러짐을 보여 준다.

7. 대도시권

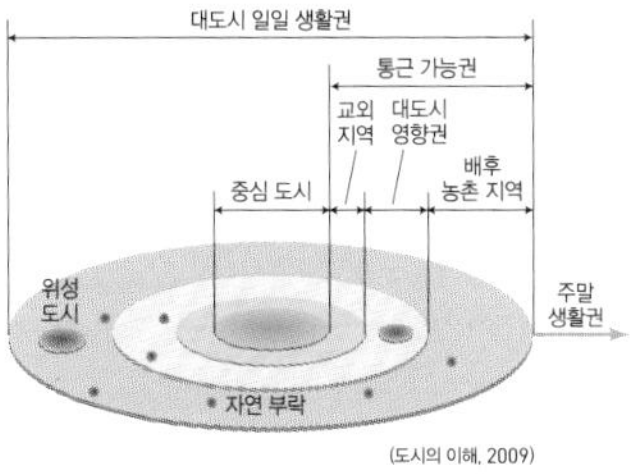
대도시 일일 생활권
통근 가능권
교외 지역
대도시 영향권
중심 도시
배후 농촌 지역
위성 도시
주말 생활권
자연 부락
(도시의 이해, 2009)

▲ 대도시권의 공간 구조

(2013년 기준)
120 이상
110~120
100~110
90~100
90 미만
20 km
(통계청, 2016)

▲ 수도권의 주간 인구 지수

대도시권은 대도시를 중심으로 일상적인 생활이 이루어지는 범위로, 중심 도시로의 통근·통학이 가능한 일일 생활권을 의미한다. 대도시 과밀화에 따른 교외화 현상, 광역 교통망 확충 등으로 인해 대도시와 주변 지역이 기능적으로 연결된 대도시권이 형성되었다.

빈출 자료 1 화산 지형

A는 기생 화산의 소규모 분화구이다.

C는 용암 대지가 형성되기 이전의 산지로 변성암으로 이루어진 경우가 많다. C의 기반암이 신생대의 화산 활동에 의해 형성된 D의 기반암보다 형성 시기가 훨씬 더 이르다.

E는 한탄강 일대의 현무암질 용암 대지이다.

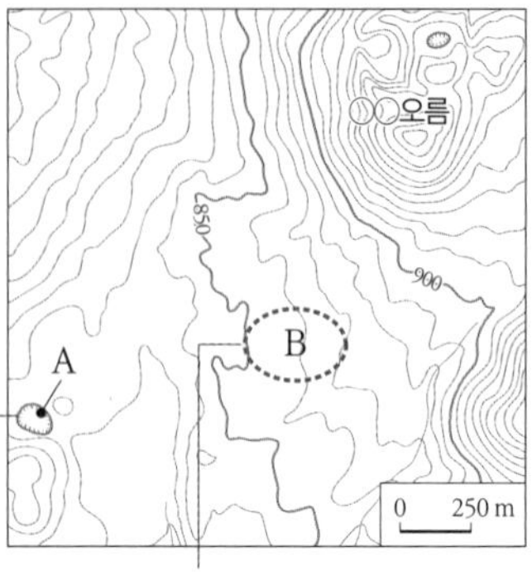

○○오름
850
900
A
B
0 250 m

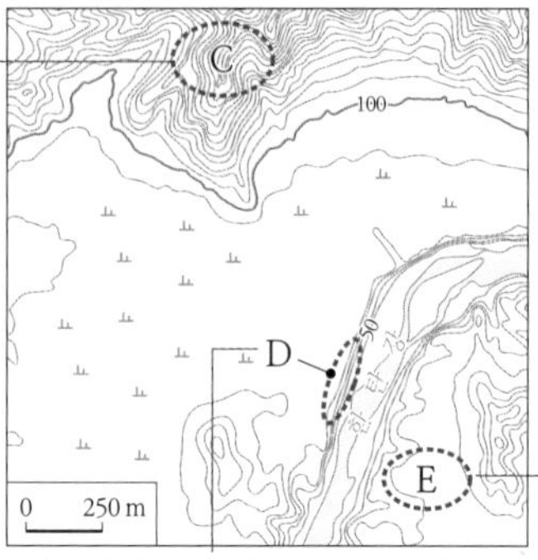

C
100
D
E
0 250 m

B는 점성이 작은 용암이 분출한 후 굳어서 만들어진 완만한 경사로이다.

D는 주상 절리로 이루어진 수직 절벽이다. 용암 대지가 형성된 후 한탄강이 골짜기를 깊게 파면서 하천 양안에 절벽이 발달하게 되었다.

자료 분석

A, B가 포함된 왼쪽 지도에는 오름이 있는 것으로 보아 제주도라는 것을 알 수 있다. C, D, E가 포함된 오른쪽 지도는 한탄강 유역의 용암 대지이다.

지형도를 보고 화산 지형의 특징과 토지 이용 등을 파악하는 문제가 자주 출제됩니다.

대표 예제와 기출 선택지

A, B가 포함된 지도의 지역에 대한 설명으로 옳은 것에 모두 ○표 하시오.

① 주로 논농사가 이루어진다. ( )
② 화구호가 형성되어 있는 산이 있다. ( )
③ 기반암의 특성으로 인해 건천이 나타난다. ( )
④ 현무암이 풍화된 붉은색의 토양이 나타난다. ( )
⑤ 기반암의 용식으로 인한 지형이 잘 발달해 있다. ( )

답 ②, ③

빈출 자료 2 카르스트 지형

제주도 한라산의 사면에 발달한 완경사의 순상 화산체 → 등고선 간격 넓음

석회암이 용식 작용을 받아 형성된 돌리네 → 저하 등고선으로 표현

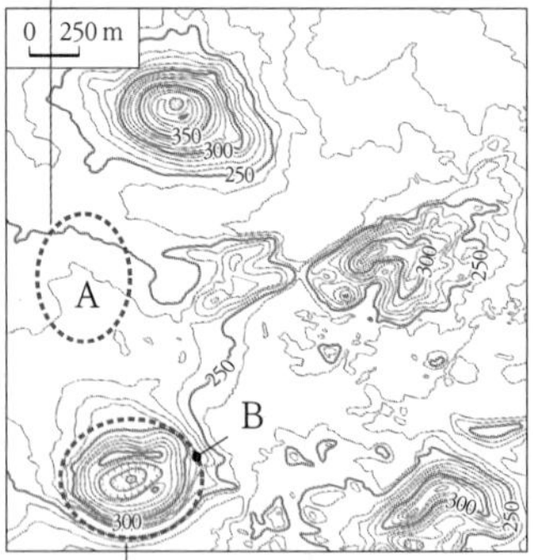

0 250 m
350
300
250
A
B

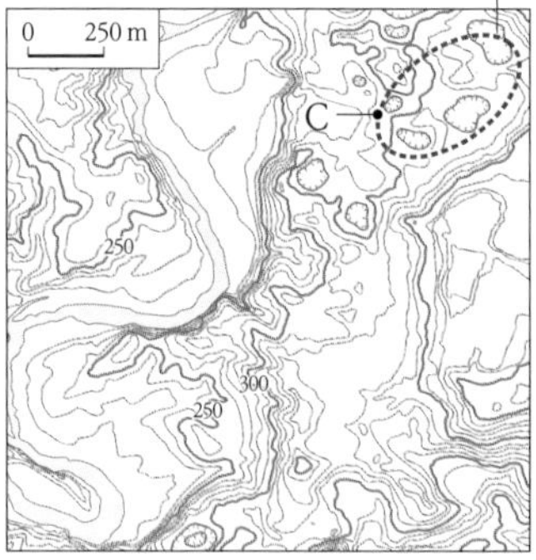

0 250 m
C
250
300

소규모 용암 분출이나 화산 쇄설물에 의해 형성된 기생 화산

자료 분석

왼쪽 자료는 제주도 한라산, 오른쪽 자료는 석회암 분포 지역의 지형도이다. 제주도는 전반적으로 순상 화산체이기 때문에 완만한 경사가 나타나다가 오름이 있는 부분에서만 등고선이 조밀하고, 화구로 인해 정상부에서만 저하 등고선이 나타난다. 반면 석회암 분포 지역은 강원 남부, 충북 북동부 등 산지가 많기 때문에 대부분이 조밀한 등고선이고 돌리네 등 와지 부분에서 저하 등고선이 나타난다.

화산 지형과 카르스트 지형의 형성 원리, 특징 등을 비교하는 문제가 자주 출제됩니다.

대표 예제와 기출 선택지

지도의 A~C에 대한 설명으로 옳은 것에 모두 ○표 하시오.

① C에는 석회암이 풍화된 붉은색의 토양이 나타난다. ( )
② A는 신생대 화성암, C는 고생대 퇴적암이 기반암을 이룬다. ( )
③ A와 C에서는 논농사보다 밭농사가 주로 이루어진다. ( )
④ C는 주변보다 낮고, 움푹하게 꺼진 모습이다. ( )
⑤ A에는 흑갈색의 토양이 널리 분포한다. ( )

답 ①, ②, ③, ④, ⑤

빈출 자료 3 우리나라 기후 특성

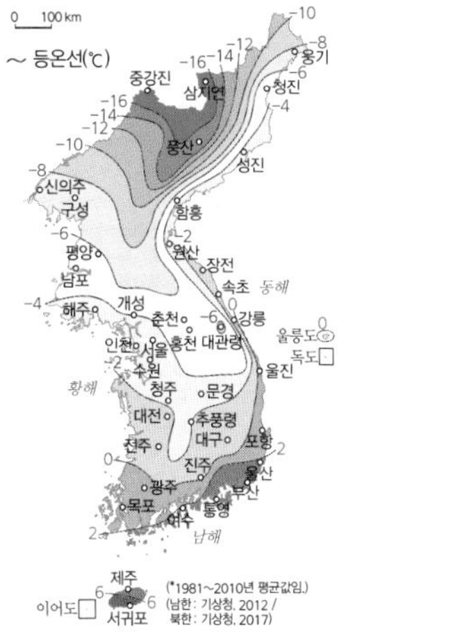
0 100 km
~ 등온선(℃)
중강진
삼지연
웅기
청진
풍산
성진
신의주
구성
함흥
평양
원산
남포
장전
속초
동해
해주
개성
춘천
강릉
인천
서울
홍천
대관령
울릉도
독도
수원
울진
황해
청주
문경
대전
추풍령
대구
포항
전주
진주
울산
광주
부산
목포
통영
여수
남해
제주
이어도
서귀포
(*1981~2010년 평균값임.)
(남한: 기상청, 2012 / 북한: 기상청, 2017)

▲ 1월 평균 기온

1월에는 남북 간의 기온 차이가 매우 크게 나타난다. 또한 동해안이 비슷한 위도의 서해안에 비해 기온이 높은데, 이는 동해의 수심이 깊고 난류의 영향을 받으며, 태백산맥이 차가운 북서 계절풍을 막아주기 때문이다.

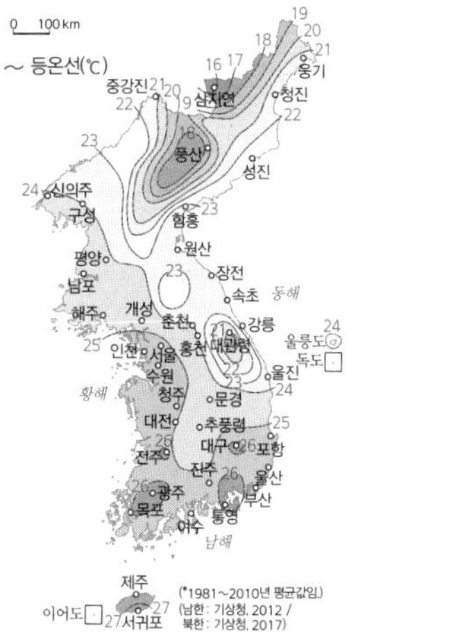
0 100 km
~ 등온선(℃)
중강진
삼지연
웅기
청진
풍산
성진
신의주
구성
함흥
평양
원산
남포
장전
속초
동해
해주
개성
춘천
강릉
인천
서울
홍천
대관령
울릉도
독도
수원
울진
황해
청주
문경
대전
추풍령
대구
포항
전주
진주
울산
광주
부산
목포
통영
여수
남해
제주
이어도
서귀포
(*1981~2010년 평균값임.)
(남한: 기상청, 2012 / 북한: 기상청, 2017)

▲ 8월 평균 기온

8월에는 남북 및 동서 간 기온 차가 1월에 비해 상대적으로 크지 않다. 북부 지방 일부와 태백 산지는 해발 고도가 높아 기온이 낮게 나타난다.

자료는 우리나라의 1월과 8월 평균 기온 분포를 나타낸 지도입니다. 서로 같은 위도나 다른 위도에 위치한 여러 도시의 1월 평균 기온, 기온의 연교차를 통해 특정 도시를 찾는 문제가 자주 출제됩니다.

대표 예제와 기출 선택지

지도를 보고 우리나라 기후 특성으로 옳은 것에 모두 ○표 하시오.

① 동해안은 서해안보다 1월 평균 기온이 낮다. ( )

② 기온의 남북 차가 동서 차보다 크게 나타난다. ( )

③ 기온의 지역 차가 여름보다 겨울에 크게 나타난다. ( )

④ 남쪽에서 북부 지역으로 갈수록 기온의 연교차가 작아진다. ( )

⑤ 해안 지역에서 내륙 지역으로 갈수록 기온의 연교차가 커진다. ( )

답 ②, ③, ⑤

2주

빈출 자료 4 자연재해

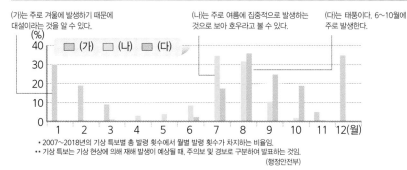

(가)는 주로 겨울에 발생하기 때문에 대설이라는 것을 알 수 있다.

(나)는 주로 여름에 집중적으로 발생하는 것으로 보아 호우라고 볼 수 있다.

(다)는 태풍이다. 6~10월에 주로 발생한다.

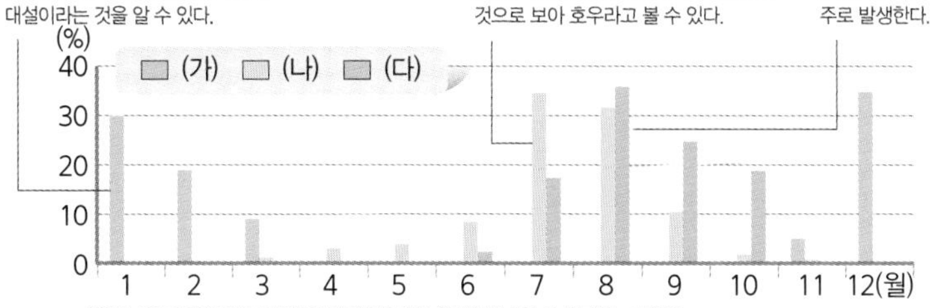
(%)
40
30
20
10
0
(가) (나) (다)
1 2 3 4 5 6 7 8 9 10 11 12(월)

• 2007~2018년의 기상 특보별 총 발령 횟수에서 월별 발령 횟수가 차지하는 비율임.
•• 기상 특보는 기상 현상에 의해 재해 발생이 예상될 때, 주의보 및 경보로 구분하여 발표하는 것임.
(행정안전부)

자료 분석

자료는 월별 자연재해 기상 특보 발령 현황이다. (가)~(다)는 각각 순서대로 대설, 호우, 태풍이다. 우리나라는 특히 여름철 태풍과 호우에 의한 피해가 크게 나타난다.

월별 자연재해 발생률, 피해액 등의 그래프를 보고 자연재해를 구분하는 문제가 자주 출제됩니다.

대표 예제와 기출 선택지

(다) 자연재해에 대한 설명으로 옳은 것에 모두 ○표 하시오.

① 이를 대비하기 위한 시설로 우데기가 있다. ( )

② 시베리아 기단이 강하게 영향을 미칠 때 발생한다. ( )

③ 장마 전선이 한반도에 장기간 정체할 때 발생한다. ( )

④ 주로 열대 해상에서 발생하여 강풍과 많은 비를 동반한다. ( )

⑤ 우리나라에서 대체로 진행 방향의 오른쪽이 왼쪽보다 바람 세기가 강하다. ( )

답 ④, ⑤

빈출 자료 5 전통 촌락의 입지 특징

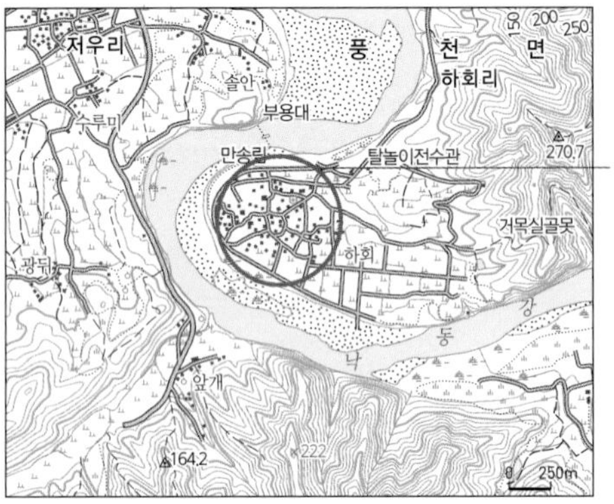
저우리
풍
천
면
하회리
솔안
부용대
수루미
만송림
탈놀이전수관
270.7
거목실골목
광덕
하회
안개
164.2
222
200
250
0 250m

표시된 지역은 범람원의 자연 제방에 입지하고 있는 전통 촌락이다. 자연 제방은 주변보다 해발 고도가 높아 홍수를 피할 수 있는 곳이다. 또 하천 양안에 입지하고 있어 농업용수 및 생활용수 확보에 유리한 곳이다. 이곳의 촌락 주민들은 범람원의 배후 습지를 이용하여 주로 논농사에 종사한다.

자료 분석

지도에 표시된 지역은 안동 하회 마을이다. 안동 하회 마을은 풍산 류씨의 동족 촌락이며, 가옥 대부분이 자연 제방에 밀집해 있는 집촌에 해당한다. 전통 촌락의 입지는 주로 용수 및 연료 확보, 침수 예방 등 자연적 요인의 영향을 크게 받는다.

지도를 보고 전통 촌락의 특징과 입지 요인을 파악하는 문제가 자주 출제됩니다.

대표 예제와 기출 선택지

지도의 표시된 지역에 대한 설명으로 옳은 것에 모두 ○표 하시오.

① 각종 용수 확보에 유리하다. ( )
② 가옥과 경지의 거리가 매우 가깝다. ( )
③ 가옥의 밀집도가 낮은 산촌에 해당한다. ( )
④ 홍수를 피할 수 있는 곳에 촌락이 입지하였다. ( )
⑤ 촌락 주민들이 주로 밭농사와 임업에 종사한다. ( )

답 ①, ④

빈출 자료 6 도시 간 계층 구조

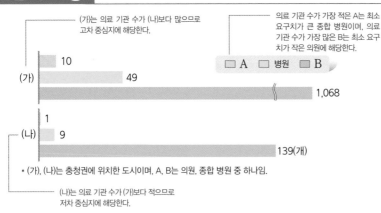

(가)는 의료 기관 수가 (나)보다 많으므로 고차 중심지에 해당한다.

의료 기관 수가 가장 적은 A는 최소 요구치가 큰 종합 병원이며, 의료 기관 수가 가장 많은 B는 최소 요구치가 작은 의원에 해당한다.

A
병원
B
(가)
10
49
1,068
(나)
1
9
139(개)

* (가), (나)는 충청권에 위치한 도시이며, A, B는 의원, 종합 병원 중 하나임.

(나)는 의료 기관 수가 (가)보다 적으므로 저차 중심지에 해당한다.

자료 분석

제시된 자료의 (가)는 대전광역시, (나)는 충청남도 아산시이고, A는 종합 병원, B는 의원에 해당한다. 지역별 의료 기관의 수를 통해 도시 간 계층 구조를 파악할 수 있다.

도시별 의료 기관 수, 시외버스 운행 횟수, 초·중·고등학교 수 등을 통해 도시 간 계층 구조를 파악하는 문제가 자주 출제됩니다.

대표 예제와 기출 선택지

그래프를 보고 추론한 내용으로 옳은 것에 모두 ○표 하시오.

① (가)는 (나)보다 인구가 적을 것이다. ( )
② (가)는 (나)보다 중심지 간 거리가 멀 것이다. ( )
③ (나)는 (가)보다 중심지 기능이 다양할 것이다. ( )
④ A는 B보다 방문 환자들의 평균 이동 거리가 멀 것이다. ( )
⑤ A는 B보다 의료 기관을 운영하기 위한 최소 요구치가 클 것이다. ( )

답 ②, ④, ⑤

빈출 자료 7 도시 내부 구조

(가)는 아파트 수가 가장 많지만, 생산자 서비스업인 금융·보험업 종사자 수가 가장 적은 것으로 보아 주거 지역에 해당하는 노원구이다.

(다)는 아파트 수가 두 번째로 많고, 금융·보험업 종사자 수도 두 번째로 많으므로 부도심에 해당하는 강남구이다.

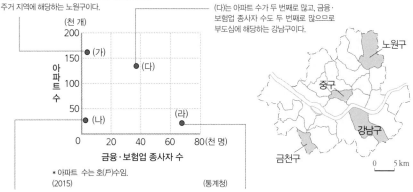

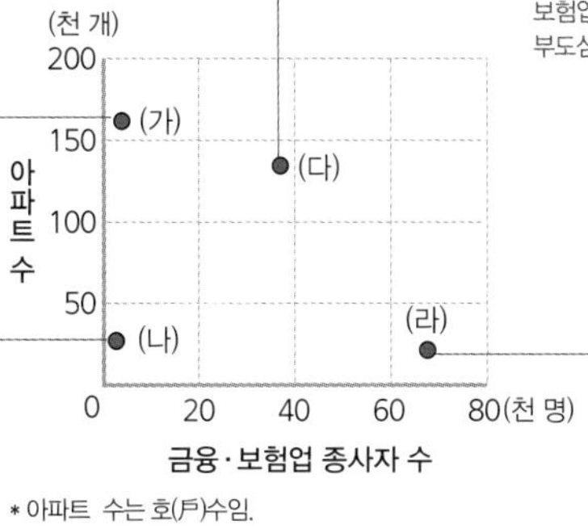
(천 개)
200
150
100
50
0
아파트 수
(가)
(다)
(나)
(라)
20
40
60
80(천 명)
금융·보험업 종사자 수
* 아파트 수는 호(戶)수임.
(2015)
(통계청)

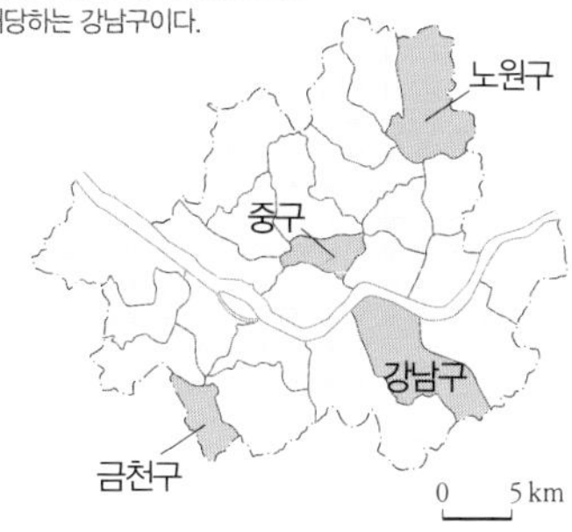
노원구
중구
강남구
금천구
0 5 km

(나)는 아파트 수와 금융·보험업 종사자 수가 가장 적은 것으로 보아 제조업체가 많은 준공업 지역인 금천구이다.

(라)는 네 지역 중 아파트 수는 가장 적지만 금융·보험업 종사자 수가 가장 많으므로 도심에 해당하는 중구이다.

자료 분석

제시된 지도에 표시된 지역은 서울의 노원구, 중구, 강남구, 금천구이다. 서울의 경우 중구와 종로구 일부가 도심이다.

실제 도시의 지역별 특징을 통해 도시 내부 구조를 파악하는 문제가 자주 출제됩니다.

대표 예제와 기출 선택지

그래프의 (가)~(라) 지역에 대한 설명으로 옳은 것에 모두 ○표 하시오.

① (가)는 중심 업무 기능을 담당한다. ( )
② (라)는 접근성이 낮아 지가가 낮다. ( )
③ (가)는 (라)보다 주간 인구 지수가 높다. ( )
④ (다)는 (나)보다 상업지 평균 지가가 높다. ( )
⑤ (나) 지역에 아파트형 공장 수가 가장 많다. ( )

답 ④, ⑤

빈출 자료 8 대도시권의 공간 구조

A는 중심 도시 지역으로 주변 지역에 재화와 서비스를 제공하고, 대도시권의 중심지 기능을 수행한다.

B는 중심 도시와 인접한 교외 지역으로 주거·공업·상업 기능을 수행한다.

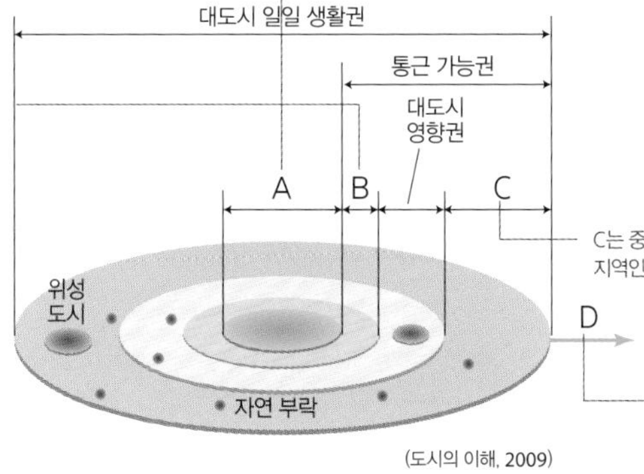
대도시 일일 생활권
통근 가능권
대도시 영향권
A
B
C
D
위성 도시
자연 부락
(도시의 이해, 2009)

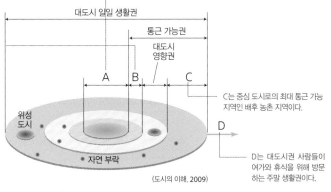

C는 중심 도시로의 최대 통근 가능 지역인 배후 농촌 지역이다.

D는 대도시권 사람들이 여가와 휴식을 위해 방문하는 주말 생활권이다.

자료 분석

대도시권은 중심지 기능을 하는 중심 도시와 중심 도시로 통근이 가능한 주변 지역으로 구성된다. 중심 도시에서부터 거리가 멀어질수록 중심 도시의 영향력은 감소한다. 배후 농촌 지역은 서울로 통근·통학하는 인구가 매우 적고, 인구 밀도도 매우 낮다.

대도시권 공간 구조와 각 지역의 특징을 파악하는 문제가 자주 출제됩니다.

대표 예제와 기출 선택지

자료의 A~D 지역에 대한 설명으로 옳은 것에 모두 ○표 하시오.

① A는 대도시권의 중심지 기능을 수행한다. ( )
② B는 중심 도시와 인접한 지역으로, 농촌 경관이 우세하게 나타난다. ( )
③ C는 주변 지역에 재화와 서비스를 공급한다. ( )
④ C는 중심 도시로의 통근이 불가능한 지역이다. ( )
⑤ C는 배후 농촌 지역으로, 상업적 농업이 발달한다. ( )

답 ①, ⑤

2주

Week 3

3주에는 무엇을 공부할까? ①

우리의 일상생활을 지리와 연관시킬 수 있다는 거 알고 있나요?
우리 일상생활을 지리와요? 어떻게요?
자, 여러분이 오늘 아침에 일어나서 학교에 오기까지의 과정을 떠올려 보세요.
음…
우선 일어나서 다양한 농산물로 구성된 아침밥을 먹었고,
사람들이 많은 출근길 버스를 타고 등교를 했어요.
학교 오기 전에 편의점에 들러서 과자도 샀어요.
3000원 입니다
띡
과자
그리고 보일러가 나오는 따뜻한 교실에 도착했어요.

전체 내용 파악하기

여러분이 일상생활에서 접하는 밥, 교통수단, 옷, 상점, 서비스, 에너지 자원 모두 지리적으로 설명할 수 있어요.
우아, 몰랐어요!
편의점
지리에서는 우리가 일상생활에서 접하는 것들이 주로 어디에 위치해 있는지, 왜 그곳에 위치하는지, 그 특징은 무엇인지 파악하는 것이 중요해요. 우리 같이 알아볼까요?
네! 우리 일상생활과 관련 있다고 생각하니 어서 알아보고 싶어요!

[관련 단원] Ⅳ. 거주 공간의 변화와 지역 개발 ~ Ⅴ. 생산과 소비의 공간

배울 내용

1일 | 도시 계획과 재개발 _94
2일 | 자원의 의미와 자원 문제 _100
3일 | 농업의 변화와 농촌 문제~ 공업의 발달과 지역 변화 _106
4일 | 서비스업 변화와 교통·통신 발달 ❶ _112
5일 | 서비스업 변화와 교통·통신 발달 ❷ _118

Week 3

3주에는 무엇을 공부할까? ②

수능 한국지리 빈출 키워드#

1일

키워드#21 지역 개발

키워드#22 우리나라의 국토 개발

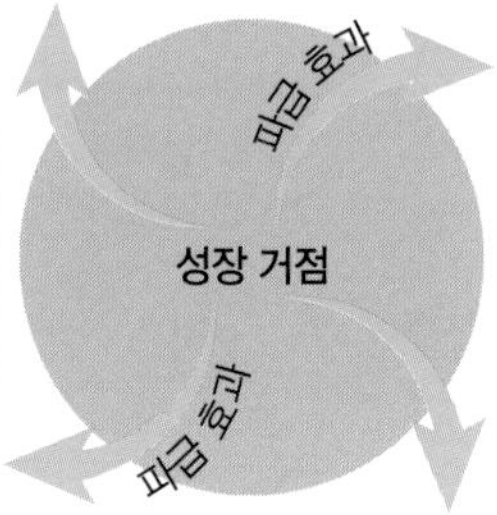

파급 효과
성장 거점
파급 효과

▲ 성장 거점 개발 방식

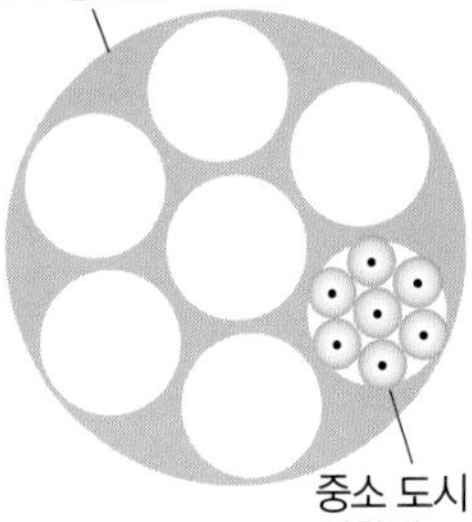

전국 생활권
중소 도시 생활권

▲ 균형 개발 방식

공부할 내용 추측해 보기 관련 페이지 94쪽

지역 개발을 어느 방식으로 하는 것이 바람직할지 자신의 생각을 적어 보자.

2일

키워드#23 에너지 자원

키워드#24 전력 생산

▲ 동해-1 가스전

공부할 내용 추측해 보기 관련 페이지 100쪽

우리나라에서 사용량이 많은 에너지 자원과 생산량이 많은 에너지 자원을 각각 아는 대로 적어 보자.

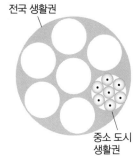

3일

키워드 #25 농산물의 생산과 변화

키워드 #26 공업의 입지

공부할 내용 추측해 보기 관련 페이지 106쪽

자주 먹는 농산물을 적어 보고, 그 농산물이 어느 지역에서 주로 재배되는지 아는 대로 적어 보자.

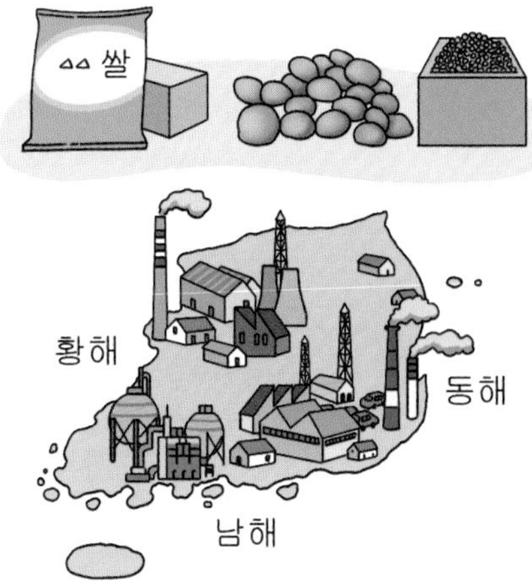
쌀
황해
동해
남해

4일

키워드 #27 상업의 입지

키워드 #28 상업 공간의 변화

공부할 내용 추측해 보기 관련 페이지 112쪽

백화점과 편의점 이용 빈도수와 같은 범위 내에서의 각각의 상점 수를 비교해 보자.

특별세일

5일

키워드 #29 서비스업의 변화

키워드 #30 교통수단의 특징

공부할 내용 추측해 보기 관련 페이지 120쪽

자동차, 지하철, 배, 비행기 네 가지 교통수단의 특징을 비교해 보자.

00역
24시 사우나
법률사무소
Ch mart
Ch mart

1 일

도시 계획과 재개발

키워드 #21 지역 개발

◘ 지역 개발은 지역의 잠재력을 살려 지역 주민의 삶의 질을 높이는 다양한 활동입니다. 지역 개발에는 대표적으로 성장 거점 개발 방식과 균형 개발 방식이 있습니다. 두 방식의 특징을 알아봅시다.

투자 효과가 큰 지역을 선정하여 집중 투자를 해서 경제적 효율성을 추구하는 성장 거점 개발 방식으로 지역 개발을 해야 합니다.
성장 거점 개발
낙후 지역에 우선적으로 투자해서 지역 간 균형 발전을 유도하여 경제적 형평성을 추구하는 균형 개발 방식으로 지역 개발을 해야 합니다.
균형 개발

1 지역 개발의 목적

지역 발전 극대화, 지역 격차 완화 → 주민 복지 향상, 국토 균형 발전

2 지역 개발의 방식

성장 거점 개발 방식	구분	균형 개발 방식
하향식 개발 → 개발 주체: 중앙 정부	추진 방식	상향식 개발 → 개발 주체: 지방 자치 단체, 지역 주민
• 투자 효과가 큰 지역을 선정하여 집중 투자 → 파급 효과❶ 기대 • 불균형 개발 방식, 개발 도상국에서 시행	개발 방법	• 낙후 지역에 우선 투자 • 균형 개발 방식, 주로 선진국에서 추진
• 경제 성장의 극대화 • 경제적 □□□ 추구	개발 목표	• 지역 간 균형 발전 • 경제적 □□□ 추구
• 자원의 효율적 투자 가능 • 단기간에 높은 성장 가능	장점	• 지역 간 균형 성장 가능 • 지역 주민의 의사 결정 존중
• 역류 효과❷ 클 경우 지역 격차 심화 • 지역 주민의 낮은 참여도	단점	• 낮은 투자 효율성 → 느린 성장 속도 • 지역 이기주의 초래

님비(NIMBY) 현상, 핌피(PIMFY) 현상 등

답 효율성, 형평성

❶ 파급 효과 ❷ 역류 효과

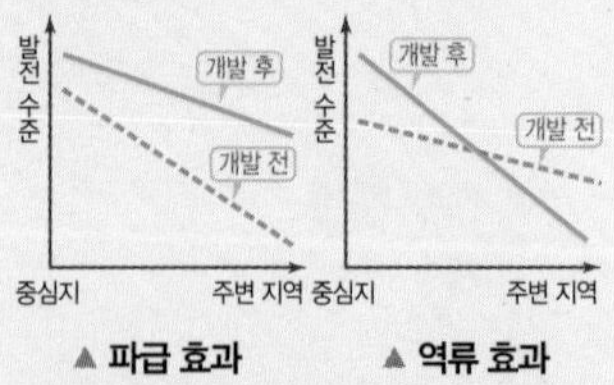

발전 수준
개발 후
개발 전
중심지
주변 지역
발전 수준
개발 후
개발 전
중심지
주변 지역

▲ 파급 효과 ▲ 역류 효과

파급 효과는 중심지의 성장이 주변의 자원 개발과 기술의 발달을 촉진하여 주변 지역의 산업을 발전시키는 효과로 성장 거점 개발이 추구하는 효과이다. **역류 효과**는 중심지의 성장을 유지하기 위해 주변의 노동력과 자본을 흡수하고, 중심지의 산업이 주변 지역의 산업을 잠식하여 주변 지역의 발전을 저해하는 효과를 말하며, 지역 격차를 심화시킨다.

개념 확인

1 **다음 내용이 성장 거점 개발 방식에 해당하면 '성', 균형 개발 방식에 해당 하면 '균'이라 고 쓰시오.**

(1) 낙후 지역에 우선 투자한다. ………………………………………………………………( )

(2) 단기간에 높은 성장이 가능하다. ……………………………………………………( )

(3) 지역 주민의 의사 결정을 존중하지만 지역 이기주의를 초래할 수 있다.( )

2 **그림은 두 지역의 개발 방식을 나타낸 것이다. (나)와 비교한 (가)의 상대적 특징을 그림의 A~E에서 고르시오.** ( )

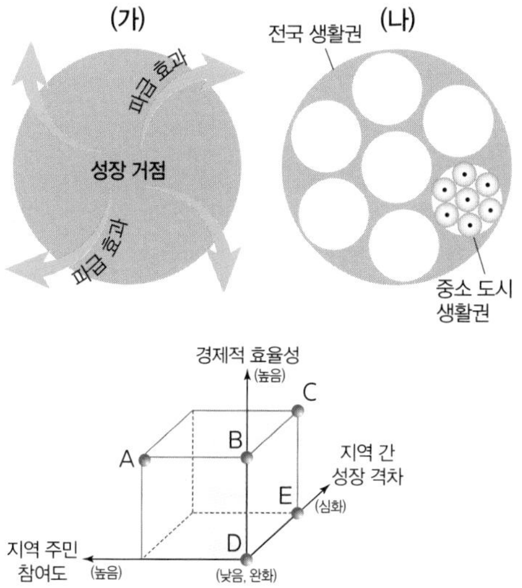

(가)
파급 효과
성장 거점
파급 효과
(나)
전국 생활권
중소 도시 생활권
경제적 효율성 (높음)
지역 간 성장 격차 (심화)
지역 주민 참여도 (높음)
(낮음, 완화)
A
B
C
D
E

지역 개발 관련하여 성장 거점 개발 방식과 균형 개발 방식을 비교하는 문제들이 주로 출제되고 있어.

3 **다음 표의 (가), (나) 지역 개발 방식에 대한 설명으로 옳지 <u>않은</u> 것을 고르시오.** ( )

지역 개발 방식	(가)	(나)
개발 목표	지역 간 균형 발전 추구	파급 효과의 극대화
개발 주체	지방 정부 및 지역 주민	중앙 정부
개발 초점	지역 격차 해소	성장 거점의 집중 육성

① (가)는 우리나라의 3차 국토 종합 개발 계획에서 채택되었다.

② (나)는 역류 효과의 발생 가능성이 높다.

③ (가)는 (나)보다 투자의 효율성이 낮다.

④ (가)는 (나)보다 지역 주민의 참여도가 높다.

⑤ (나)는 (가)보다 지역 간 분배의 형평성이 높다.

답 1. (1) 균 (2) 성 (3) 균 2. C 3. ⑤

1 일

도시 계획과 재개발

키워드 #22 우리나라의 국토 개발

제1차 국토 종합 개발 계획
·성장 거점 개발
·사회 간접 자본 확충
제2차 국토 종합 개발 계획
·광역 개발
·개발 가능성의 전국적 확대
·국토 다핵 구조 형성
제3차 국토 종합 개발 계획
·균형 개발
·지방 분산형 국토 골격 형성
·수도권 집중 억제
제4차 국토 종합 개발 계획
·균형 개발
·지역별 경쟁력 고도화
·혁신 도시·기업 도시 조성

1 우리나라의 국토 개발

구분	제1차 국토 종합 개발 계획	제2차 국토 종합 개발 계획	제3차 국토 종합 개발 계획	제4차 국토 종합 개발 계획❶
시기	1972~1981년	1982~1991년	1992~1999년	2000~2020년
방식	성장 거점 개발	광역 개발	균형 개발	□□ 개발
기본 목표	• □□□□□□ 확충 • 국민 생활 환경 개선 • 국토 이용 관리 효율화	• 인구의 지방 정착 유도 • 개발 가능성의 전국적 확대	• 지방 분산형 국토 골격 형성 • 국민 복지 향상 • 남북통일 대비 기반 조성	• 21세기 통합 국토 실현 • 균형 국토, 녹색 국토, 개방 국토, 통일 국토❷
주요 개발 전략	• 대규모 공업 기반 구축 • 교통, 통신, 수자원, 에너지 공급망 정비 → 사회 간접 자본 확충 (└경제 발전의 기초가 되는 도로, 통신, 수도 등 공공시설)	• 국토의 다핵 구조 형성 • 지역 생활권 조성 • 지역 기능 강화를 위한 사회 간접 자본 확충	• 수도권 집중 억제 • 국민 생활, 환경 부문 투자 증대 • 남북 교류 지역 개발, 관리	• 개방형 통합 국토축 형성 • 지역별 경쟁력 고도화 → 혁신 도시, 기업 도시 조성

❶ 제4차 국토 종합 계획 수정 계획
제4차 국토 종합 계획 수정 계획은 유라시아-태평양 지역을 선도한다는 '글로벌 국토'의 실현과 저탄소 녹색 성장 기반을 마련하는 '녹색 국토'의 실현이라는 목표를 담고 있다.

❷ 지속 가능한 국토 공간

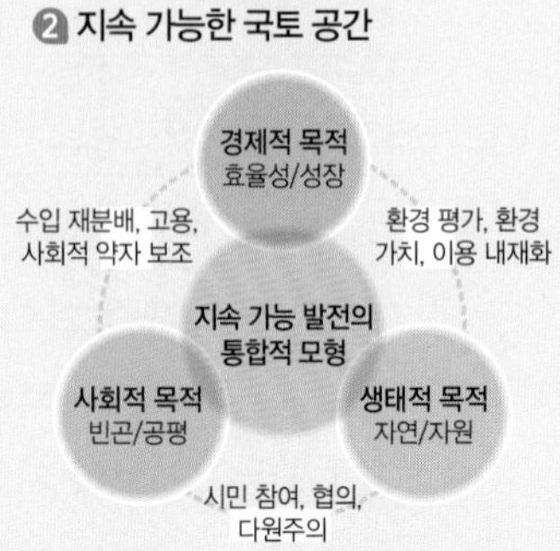

경제적 목적
효율성/성장
수입 재분배, 고용, 사회적 약자 보조
환경 평가, 환경 가치, 이용 내재화
지속 가능 발전의 통합적 모형
사회적 목적
빈곤/공평
생태적 목적
자연/자원
시민 참여, 협의, 다원주의

(세종지속가능발전협의회, 2016)

답 사회 간접 자본, 균형

개념 확인

1 **다음 설명에 해당하는 국토 종합 개발 계획 단계에 ✔표 하시오.**

(1) 성장 거점 개발 방식으로 국토 개발을 시행한다.

☐ 제1차　　☐ 제2차

(2) 혁신 도시와 기업 도시를 조성한다.

☐ 제3차　　☐ 제4차

(3) 광역 개발 방식으로 국토 개발을 시행한다.

☐ 제2차　　☐ 제3차

2 **(가) 시기와 비교한 (나) 시기 지역 개발 방식의 상대적 특성을 그림의 A~E 중 고르시오.**

(　　　　　　　)

국토 개발 예시를 주고 어떤 단계의 국토 개발 예시인지 묻는 문제가 출제되고 있어. 주로 1차 개발과 3, 4차 개발을 비교하여 묻는 문제가 자주 나와.

(가)

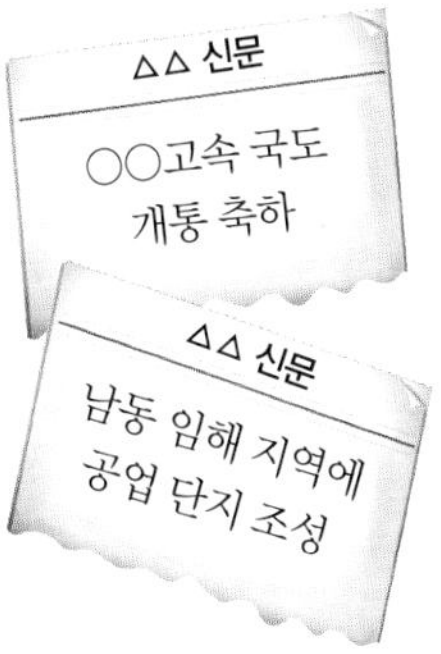
△△ 신문
○○고속 국도 개통 축하
△△ 신문
남동 임해 지역에 공업 단지 조성

(나)

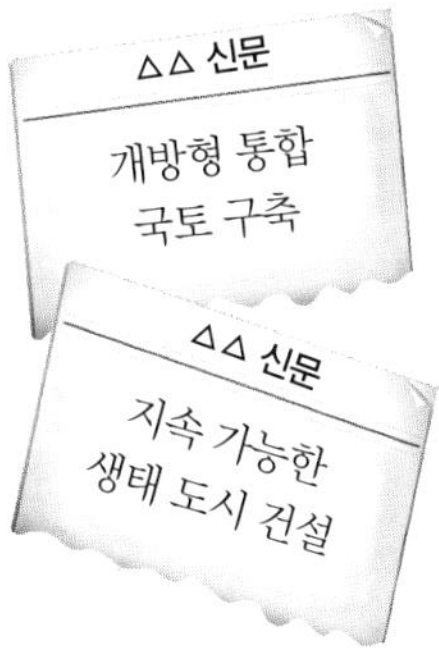
△△ 신문
개방형 통합 국토 구축
△△ 신문
지속 가능한 생태 도시 건설

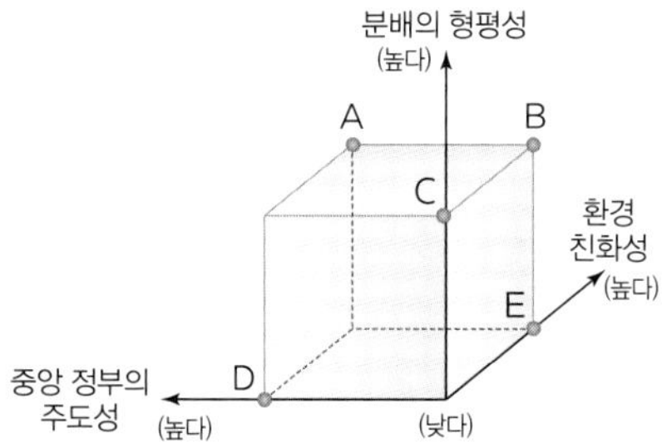
분배의 형평성
(높다)
A
B
C
환경 친화성
(높다)
E
D
중앙 정부의 주도성
(높다)
(낮다)

3 **☐ 안에 들어갈 알맞은 말을 쓰시오.**

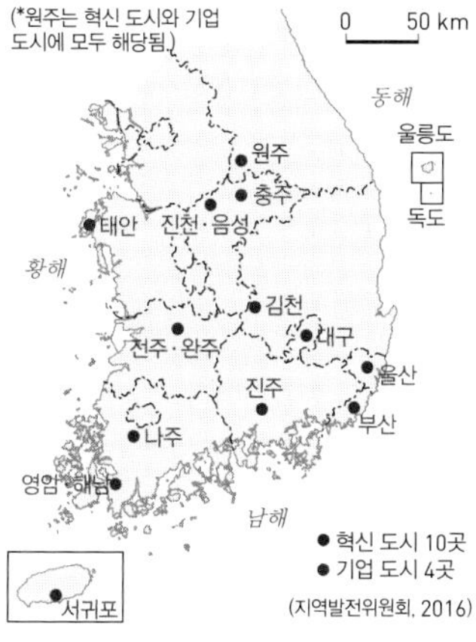
(*원주는 혁신 도시와 기업 도시에 모두 해당됨.)
0 50 km
동해
울릉도
독도
원주
충주
태안
진천·음성
황해
김천
대구
전주·완주
울산
진주
부산
나주
영암·해남
남해
서귀포
● 혁신 도시 10곳
● 기업 도시 4곳
(지역발전위원회, 2016)

▲ 혁신·기업 도시 분포

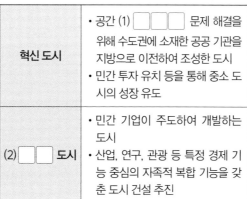

혁신 도시	• 공간 (1) ☐☐☐ 문제 해결을 위해 수도권에 소재한 공공 기관을 지방으로 이전하여 조성한 도시 • 민간 투자 유치 등을 통해 중소 도시의 성장 유도
(2) ☐☐ 도시	• 민간 기업이 주도하여 개발하는 도시 • 산업, 연구, 관광 등 특정 경제 기능 중심의 자족적 복합 기능을 갖춘 도시 건설 추진

혁신 도시와 기업 도시가 제4차 국토 개발에 조성되었다는 점과 각각의 특징과 분포를 잘 알아 두자.

답 1. (1) 제1차 (2) 제4차 (3) 제2차　2. B　3. (1) 불평등 (2) 기업

1일 도시 계획과 재개발

| 학평 응용 |

1 다음 자료의 ㉠~㉣에 대한 옳은 설명을 〈보기〉에서 고른 것은?

> • ㉠ 제1차 국토 종합 개발 계획에서는 ㉡ 성장 가능성이 큰 지역에 집중 투자하는 지역 개발 방식을 채택하였다.
> • ㉢ 제3차 국토 종합 개발 계획부터는 형평성을 고려하여 ㉣ 낙후 지역에 우선적으로 투자하는 지역 개발 방식을 채택하였다.

보기
ㄱ. ㉠의 시행 결과 경부축 중심의 발전이 두드러졌다.
ㄴ. ㉡은 경제적 효율성에 중점을 둔다.
ㄷ. ㉣은 불균형 개발 방식에 속한다.
ㄹ. ㉠은 상향식 개발, ㉢은 하향식 개발로 추진되었다.

① ㄱ, ㄴ ② ㄱ, ㄷ ③ ㄴ, ㄷ
④ ㄴ, ㄹ ⑤ ㄷ, ㄹ

| 학평 응용 |

2 다음 글의 ㉠~㉣에 대한 옳은 설명을 〈보기〉에서 고른 것은?

> 1970년대 ㉠ 거점 개발 방식으로 진행된 국토 종합 개발 계획을 통해 ㉡ 수도권과 비수도권 간의 격차는 심화되었다. 이러한 지역 격차 문제를 해소하고자 1990년대 이후 국토 종합 개발 계획이 ㉢ 균형 개발 방식으로 전환되었다. 2000년대 이후에도 지방 분권 및 균형 발전 정책의 일환으로 행정 중심 복합 도시, ㉣ 혁신 도시, 기업 도시 등의 건설이 추진되었다.

보기
ㄱ. ㉠-주로 상향식 개발 방식으로 추진되었다.
ㄴ. ㉡-해결 방안으로는 수도권 규제 완화 정책이 있다.
ㄷ. ㉢-투자의 효율성보다 지역 간 형평성을 강조한다.
ㄹ. ㉣-정부 주도로 공공 기관을 지방으로 이전하였다.

① ㄱ, ㄴ ② ㄱ, ㄷ ③ ㄴ, ㄷ
④ ㄴ, ㄹ ⑤ ㄷ, ㄹ

| 학평 응용 |

3 (가), (나) 지역 개발 방식에 대한 옳은 설명을 〈보기〉에서 고른 것은?

(가)	성장 가능성과 파급 효과가 큰 성장 거점을 선정하여 집중 개발함으로써 거점 개발의 효과가 주변 지역으로 확산되도록 유도하는 방식
(나)	경제 활동 기반이 약한 낙후 지역을 우선 개발하여 주민의 기본 수요를 직접 충족시켜 주고, 다른 지역과의 격차를 줄여 균형 발전을 추구하는 방식

보기
ㄱ. (가)는 상향식 의사 결정 방식으로 추진된다.
ㄴ. (나)의 추진으로 남동 임해 공업 지역이 조성되었다.
ㄷ. (나)는 (가)보다 개발 과정에서 지역 이기주의가 나타날 가능성이 높다.
ㄹ. (가)는 제1차 국토 종합 개발 계획, (나)는 제3차 국토 종합 개발 계획에서 채택되었다.

① ㄱ, ㄴ ② ㄱ, ㄷ ③ ㄴ, ㄷ
④ ㄴ, ㄹ ⑤ ㄷ, ㄹ

| 모평 응용 |

4 다음 글의 밑줄 친 ㉠~㉤에 대한 설명으로 옳은 것은?

> 우리나라는 산업화 과정에서 ㉠ 특정 지역에 자본을 집중 투자하여 효율성을 높이는 개발 방식을 채택하였다. 그 결과, ㉡ 자본이 집중 투자된 지역과 주변 지역 간 격차가 커지는 문제가 발생하였다. 이러한 문제를 해결하고자 ㉢ 수도권과 비수도권 간의 불균형을 완화하기 위해 노력하였으나, ㉣ 수도권 집중 현상은 지속되고 있다. 또한 환경 파괴 등의 문제점이 발생함에 따라 ㉤ 지속 가능한 발전에 대한 논의가 확산되고 있다.

① ㉠은 지역 주민의 참여를 바탕으로 개발 지역이 선정된다.
② ㉡은 역류 효과보다 파급 효과가 클 때 발생한다.
③ ㉢의 사례로 농공 단지 조성을 들 수 있다.
④ ㉣은 제조업보다 농업 부문에서 더 뚜렷하다.
⑤ ㉤의 사례로 신·재생 에너지 개발을 들 수 있다.

정답과 해설 12쪽

| 수능 응용 |

5 (가)~(라)에 대한 옳은 설명을 〈보기〉에서 고른 것은?

구분	제1차 국토 종합 개발 계획 (1972~1981년)	제2차 국토 종합 개발 계획 (1982~1991년)	제3차 국토 종합 개발 계획 (1992~1999년)	제4차 국토 종합 개발 계획 (2000~2020년)
개발 방식	거점 개발	광역 개발	(가)	
기본 목표	사회 간접 자본 확충	인구의 지방 정착 유도	지방 분산형 국토 골격 형성	균형, 녹색, 개방, 통일 국토
개발 전략	(나)	(다)	(라)	개방형 통합 국토축 형성

보기

ㄱ. (가)–투자 효과가 큰 지역에 집중 투자한다.
ㄴ. (나)–고속 국도, 항만, 다목적 댐 등을 건설하여 산업 기반을 조성하였다.
ㄷ. (다)–지방의 주요 도시와 배후 지역을 포함한 지역 생활권을 설정하였다.
ㄹ. (라)–혁신 도시와 기업 도시를 지정 및 육성하였다.

① ㄱ, ㄴ ② ㄱ, ㄷ ③ ㄴ, ㄷ
④ ㄴ, ㄹ ⑤ ㄷ, ㄹ

| 학평 응용 |

6 다음은 국토 종합 개발 계획에 대한 내용이다. (가), (나)에 대한 옳은 설명을 〈보기〉에서 고른 것은?

- 1970년대 (가)에서는 공업 기반 조성을 위해 사회 기반 시설을 건설하고, 남동 임해 공업 지역을 중심으로 공단을 건설하였다.
- 1990년대 (나)에서는 신산업 지대 조성과 지방 도시 육성, 국민 생활과 환경 부문의 투자 증대를 주요 정책으로 하였다.

보기

ㄱ. (가)의 의사 결정 방식은 주로 상향식이다.
ㄴ. (나)의 주요 개발 방식은 균형 개발이다.
ㄷ. (가)는 (나)보다 효율성을 추구하였다.
ㄹ. (가), (나) 모두 생산 환경보다 생활 환경 개선을 우위에 두었다.

① ㄱ, ㄴ ② ㄱ, ㄷ ③ ㄴ, ㄷ
④ ㄴ, ㄹ ⑤ ㄷ, ㄹ

| 학평 기출 |

7 지도의 A~C 도시에 대한 옳은 설명을 〈보기〉에서 고른 것은? (단, A~C는 공업 도시, 신도시, 혁신 도시 중 하나임.)

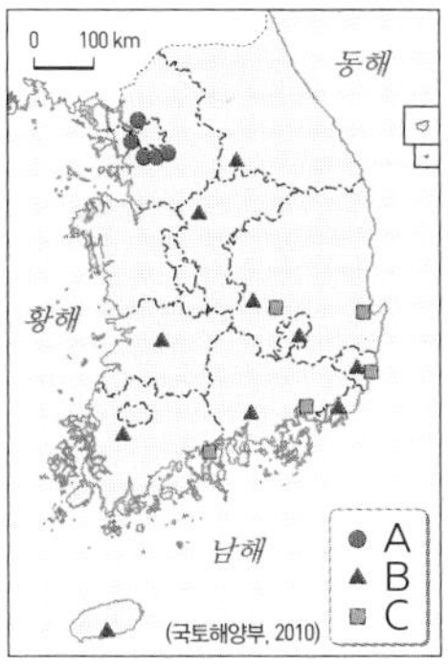
0 100 km
동해
황해
남해
● A
▲ B
■ C
(국토해양부, 2010)

보기

ㄱ. A는 서울의 주택 부족을 해결하기 위해 건설되었다.
ㄴ. B는 공공 기관의 이전을 통한 발전을 추구한다.
ㄷ. C는 지역 주민들이 주도하는 개발 방식으로 건설되었다.
ㄹ. A는 C보다 도시의 조성 시기가 이르다.

① ㄱ, ㄴ ② ㄱ, ㄷ ③ ㄴ, ㄷ
④ ㄴ, ㄹ ⑤ ㄷ, ㄹ

| 모평 응용 |

8 다음 지도에 나타난 '○○ 도시' 정책에 대한 옳은 설명을 〈보기〉에서 고른 것은?

〈○○ 도시의 분포〉

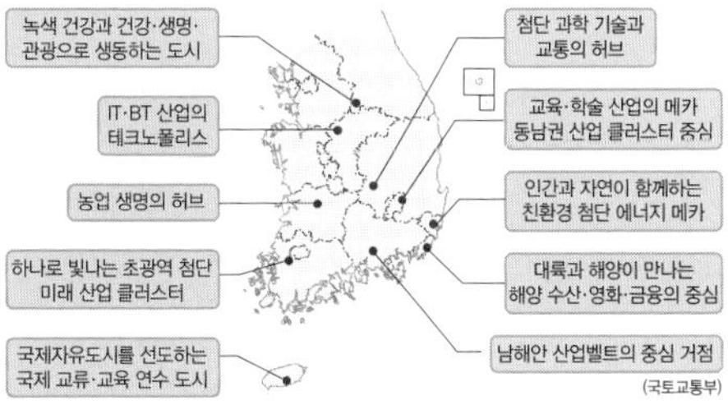
녹색 건강과 건강·생명·관광으로 생동하는 도시
IT·BT 산업의 테크노폴리스
농업 생명의 허브
하나로 빛나는 초광역 첨단 미래 산업 클러스터
국제자유도시를 선도하는 국제 교류·교육 연수 도시
첨단 과학 기술과 교통의 허브
교육·학술 산업의 메카 동남권 산업 클러스터 중심
인간과 자연이 함께하는 친환경 첨단 에너지 메카
대륙과 해양이 만나는 해양 수산·영화·금융의 중심
남해안 산업벨트의 중심 거점

(국토교통부)

보기

ㄱ. 공공 기관 이전과 산·학·연 협력 체계를 통한 지역 발전을 추구한다.
ㄴ. 수도권 집중을 해소하기 위한 정책이다.
ㄷ. 성장 거점형 도시 육성 정책이다.
ㄹ. 2차 산업 육성을 위한 산업 용지 공급을 통해 자족적 복합 기능을 갖춘 도시를 육성한다.

① ㄱ, ㄴ ② ㄱ, ㄷ ③ ㄴ, ㄷ
④ ㄴ, ㄹ ⑤ ㄷ, ㄹ

3주 1일

2일 자원의 의미와 자원 문제

키워드 #23 에너지 자원

◎ 1차 에너지란 오랜 세월 형성된 천연 상태의 가공되지 않은 상태에서 공급되는 에너지로 석탄, 석유, 천연가스, 수력, 원자력, 태양열, 지열 등을 포함합니다. 1차 에너지는 도시 가스, 열에너지, 전력 등으로 전환되어 최종 에너지로 소비됩니다.

석유

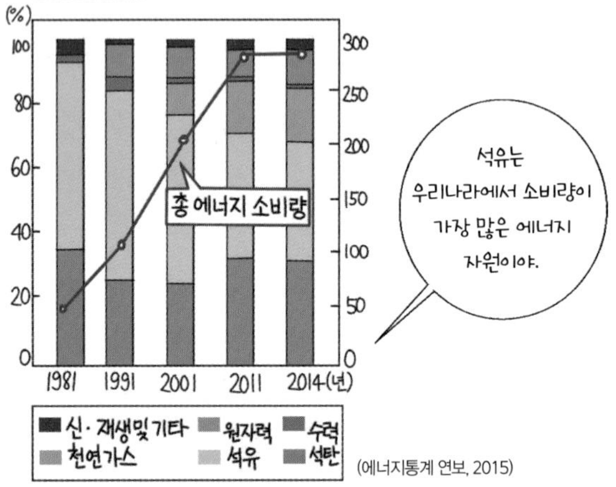

(%)
100
80
60
40
20
0
300
250
200
150
100
50
0
총 에너지 소비량
1981 1991 2001 2011 2014(년)
신·재생 및 기타
원자력
수력
천연가스
석유
석탄
(에너지통계 연보, 2015)
석유는 우리나라에서 소비량이 가장 많은 에너지 자원이야.

▲ 1차에너지 소비 구조의 변화

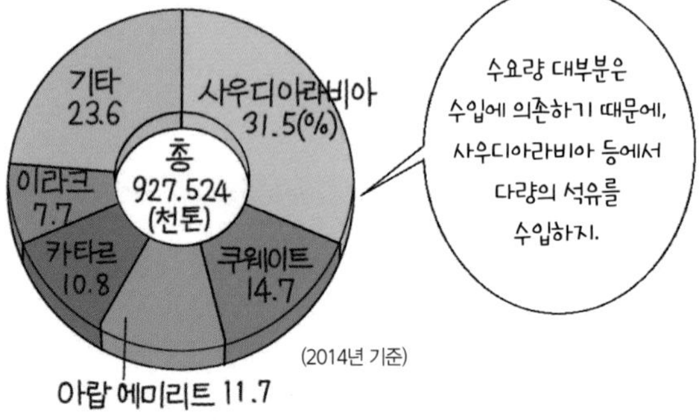

기타 23.6
사우디아라비아 31.5(%)
총 927.524 (천톤)
이라크 7.7
카타르 10.8
쿠웨이트 14.7
아랍 에미리트 11.7
(2014년 기준)
수요량 대부분은 수입에 의존하기 때문에, 사우디아라비아 등에서 다량의 석유를 수입하지.

▲ 석유 수입국

석탄

동해
갈탄
무연탄
석탄산지 분포
고생대 평안 누층군에 주로 매장된 무연탄은 석탄 산업 합리화 정책으로 인해 생산량이 감소했어.

천연가스

천연가스는 주로 가정용 연료로 이용되고 있어. 울산 해상에서 소량 생산되고 있으나, 대부분을 수입에 의존하지.

1 에너지 자원

석탄	• 주로 산업용·발전용 원료로 이용 • 탄화 정도에 따라 무연탄, 역청탄, 갈탄❶으로 구분 – 무연탄: 고생대 평안 누층군에 매장, 정부의 석탄 산업 합리화 정책❷ → 대부분 폐광 – 역청탄: 제철 공업 및 화력 발전의 원료로 이용 → 오스트레일리아, 인도네시아 등에서 전량 수입 • 연소 시 대기 오염 물질의 배출량 많음.
□□	• 우리나라에서 소비량이 가장 많은 에너지 자원으로 주로 수송용 연료 및 석유 화학 공업의 원료로 이용 └ 에너지는 보통 소비량에 비례하여 공급됨. • 국내 생산 미미 → 수요량 대부분 수입(사우디아라비아 등)에 의존
천연가스	• 주로 □□□ 연료로 이용, 발전용·수송용 이용도 증가 추세 • 울산광역시 해상에서 소량 생산되나 대부분 수입(동남아시아 및 서남아시아 등)에 의존 • 연소 시 대기 오염 물질 배출이 적음. • 냉동 액화 기술 및 수송 기술 발달로 소비량 급증
신·재생 에너지	기존의 화석 연료를 재활용하거나 태양, 바람, 물 등 재생 가능한 에너지를 변환시켜 이용하는 차세대 에너지원

답 석유, 가정용

❶ 갈탄
갈탄은 주로 신생대 지층에 분포하며 석탄 액화 공업용으로 이용된다.

❷ 석탄 산업 합리화 정책
석탄 소비가 줄고 석탄 산업의 채산성 악화로 인해 경제성이 낮은 탄광을 폐광하는 정책으로, 1989년에 추진되었다.

개념 확인

1 **괄호 안의 내용 중 옳은 것에 ○표 하시오.**

(1) (석유, 천연가스)의 소비량은 대도시 및 인구 밀집 지역에서 높게 나타난다.

(2) (석유, 천연가스)은/는 울산광역시 해상에서 소량 생산된다.

(3) 석탄은 천연가스에 비해 대기 오염 물질의 배출량이 (적다, 많다).

2 **1차 에너지의 소비 과정을 나타낸 그림을 보고, □ 안에 알맞은 말을 쓰시오.**

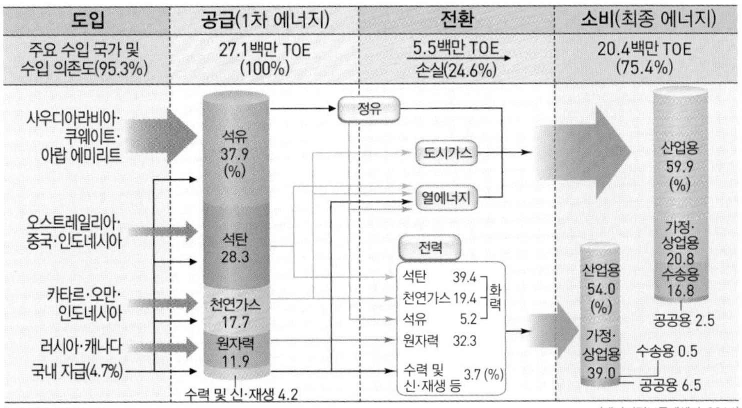
도입
공급(1차 에너지)
전환
소비(최종 에너지)
주요 수입 국가 및 수입 의존도(95.3%)
27.1백만 TOE (100%)
5.5백만 TOE 손실(24.6%)
20.4백만 TOE (75.4%)
사우디아라비아·쿠웨이트·아랍 에미리트
오스트레일리아·중국·인도네시아
카타르·오만·인도네시아
러시아·캐나다
국내 자급(4.7%)
석유 37.9 (%)
석탄 28.3
천연가스 17.7
원자력 11.9
수력 및 신·재생 4.2
정유
도시가스
열에너지
전력
석탄 39.4
천연가스 19.4
석유 5.2
화력
원자력 32.3
수력 및 신·재생 등 3.7 (%)
산업용 59.9 (%)
가정·상업용 20.8
수송용 16.8
공공용 2.5
산업용 54.0 (%)
가정·상업용 39.0
수송용 0.5
공공용 6.5

*2015년 12월 기준 (에너지정보통계센터, 2016)

❶ 공급량: (1) □□ > (2) □□ > 천연가스 > 원자력

❷ 소비량: 석유 > 석탄 > 천연가스 > 원자력

❸ 발전량: (3) □□ > 원자력 > 천연가스 > (4) □□ > 신·재생 에너지 및 기타 > 수력

1차 에너지의 공급량, 소비량, 발전량을 비교하고, 최종 에너지의 사용 용도를 묻는 문제가 자주 출제되고 있어.

신·재생 에너지

풍력	바람이 강하고 지속적으로 부는 해안이나 산간, 도서 지역 예 대관령, 영덕, 제주 등
태양광	일조량이 풍부한 지역 예 신안, 진도 등
해양 에너지	• 조력 발전: 조수 간만의 차가 큰 만입부 예 서해안, 시화호 등 • 조류 발전: 바닷물 흐름이 빠른 해협 등 예 울돌목 등 • 파력 발전: 파도가 센 곳 예 제주 등

3 **그래프를 보고, □ 안에 들어갈 알맞은 말을 쓰시오.**

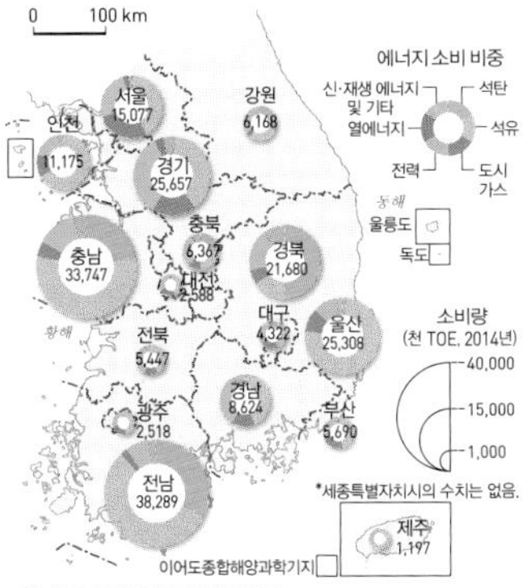
0 100 km
에너지 소비 비중
신·재생 에너지 및 기타
석탄
열에너지
석유
전력
도시가스
서울 15,077
인천 11,175
강원 6,168
경기 25,657
충북 6,367
충남 33,747
대전 2,588
경북 21,680
대구 4,322
울산 25,308
전북 5,447
광주 2,518
경남 8,624
부산 5,690
전남 38,289
제주 1,197
울릉도
독도
소비량 (천 TOE, 2014년)
40,000
15,000
1,000
*세종특별자치시의 수치는 없음.
이어도종합해양과학기지
(국가에너지통계종합정보시스템, 2014)

▲ 지역별 최종 에너지 소비 구조

(1) □□	대규모의 화력 발전소가 입지한 충남과 제철 공업이 발달한 경북, 전남에서 높게 나타남.
(2) □□	대부분의 시·도에서 높게 나타나고, 석유 화학 공업이 발달한 울산, 전남에서 높게 나타남.
(3) □□□□	대도시 및 인구 밀집 지역에서 높게 나타남.

1차 에너지의 소비 비중을 묻는 문제와 최종 에너지가 어디서 주로 소비되는지 묻는 문제가 자주 출제되고 있어.

우리나라의 1차 에너지 소비 비중

석유 > 석탄 > 천연가스 > 원자력 > 신·재생 에너지 및 기타 > 수력

답 1. (1) 천연가스 (2) 천연가스 (3) 많다 2. (1) 석유 (2) 석탄 (3) 석탄 (4) 석유 3. (1) 석탄 (2) 석유 (3) 천연가스

2일 자원의 의미와 자원 문제

키워드 #24 전력 생산

화력 화력 발전소는 주로 대도시나 공업 지역에 입지해 있습니다.

건설비와 송전비는 저렴하지만 발전하는 데 돈이 많이 들어.
석탄·석유를 태워서 발전하기 때문에 대기 오염을 유발한다는 단점도 있어.

원자력 원자력 발전소는 주로 해안 지역에 입지해 있습니다.

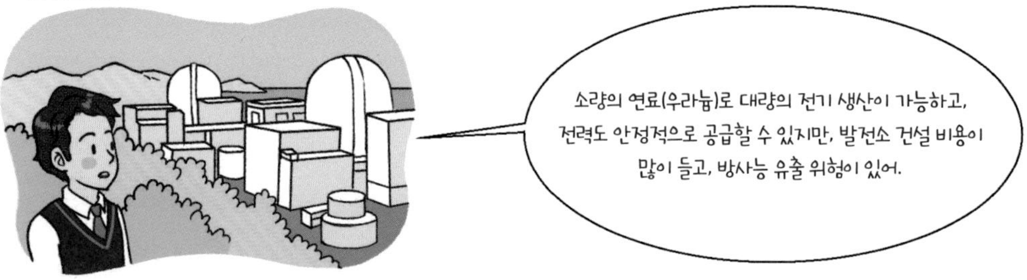
소량의 연료(우라늄)로 대량의 전기 생산이 가능하고, 전력도 안정적으로 공급할 수 있지만, 발전소 건설 비용이 많이 들고, 방사능 유출 위험이 있어.

수력 수력 발전소는 유량이 풍부하고 낙차가 큰 하천 중·상류 지역에 입지해 있습니다.

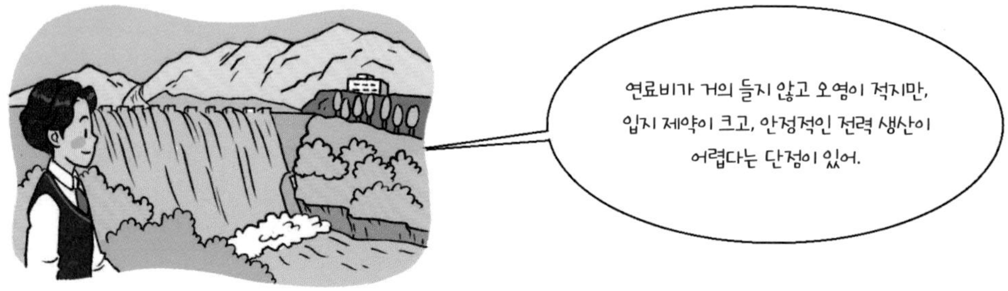
연료비가 거의 들지 않고 오염이 적지만, 입지 제약이 크고, 안정적인 전력 생산이 어렵다는 단점이 있어.

1 전력 생산

화력 발전	입지	연료 수입에 유리하고 전력 소비가 많은 대소비지와 가까운 지역 → 수도권, 충남 서해안, 남동 임해 공업 지역
	장점	저렴한 건설 비용과 송전 비용
	단점	대기 오염 물질 및 온실가스 배출량이 많음, 화석 연료를 사용하여 연료비가 많이 듦.
원자력 발전	입지	지반이 견고하고 냉각 용수 획득이 유리한 □□ 지역 → 경북(경주, 울진), 전남(영광), 부산
	장점	소량의 연료(우라늄)로 대량의 전기를 생산하여 저렴한 단가, 온실가스 배출량이 적음.
	단점	건설 비용이 많이 들고 방사능 유출 위험이 있으며, 방사성 폐기물의 처리 비용이 많이 듦.
수력 발전	입지	유량이 풍부하고 □□를 크게 얻을 수 있는 하천 중·상류 지역 → 강원, 충북, 경남, 경북, 경기 등
	장점	연료비가 거의 들지 않고, 대기 오염 물질의 배출이 적음.
	단점	입지 제약이 크며, 송전 비용이 비싸고 안정적인 전력 생산이 어려워 발전 유형별 발전량 비중이 가장 낮음, 생태 환경에 미치는 영향이 큼.

└ 댐 건설로 수몰 지역이 발생하기 때문에

답 해안, 낙차

❶ 발전 유형별 발전량 비중

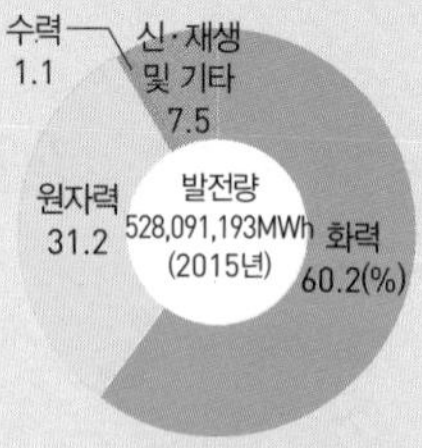
수력 1.1
신·재생 및 기타 7.5
원자력 31.2
발전량 528,091,193MWh (2015년)
화력 60.2(%)

(한국전력거래소, 2016)

2016년 기준 발전 유형별 발전량 비중을 살펴보면 화력>원자력>신·재생 에너지 및 기타>수력 발전 순으로 나타난다. 1차 에너지원별 발전량은 석탄>원자력>천연가스>석유>신·재생 에너지 및 기타>수력 발전 순으로 나타난다.

개념 확인

1 다음 내용이 화력 발전에 해당하면 '화', 원자력 발전에 해당하면 '원', 수력 발전에 해당하면 '수'라고 쓰시오.

(1) 전력 소비가 많은 대소비지와 가까운 지역에 입지한다. ( )

(2) 경주, 울진, 영광, 부산 등에 입지한다. ( )

(3) 하천 중·상류 지역에 입지한다. ( )

2 우리나라 주요 발전소의 분포를 나타낸 지도를 보고, ▢ 안에 들어갈 알맞은 말을 쓰시오.

각 전력 생산의 특징을 기반으로 주로 어디에 발전소가 입지하는지 묻는 문제가 자주 출제되고 있어.

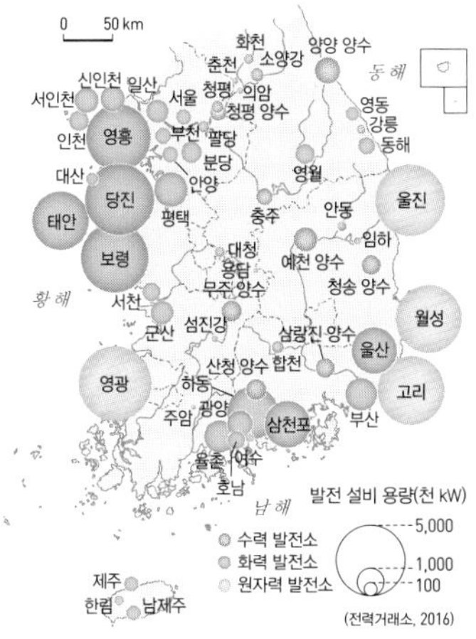

0 50 km
화천
양양 양수
춘천
소양강
동해
신인천
일산
서울
청평
의암
서인천
청평 양수
영동
강릉
인천
영흥
부천
팔당
동해
분당
대산
영월
당진
안양
태안
평택
충주
안동
울진
임하
대청
보령
용담
예천 양수
청송 양수
황해
무주 양수
서천
월성
군산
섬진강
삼랑진 양수
울산
산청 양수
합천
영광
하동
고리
광양
주암
삼천포
부산
율촌
여수
호남
남해
발전 설비 용량(천 kW)
5,000
수력 발전소
화력 발전소
1,000
원자력 발전소
100
제주
한림
남제주
(전력거래소, 2016)

▲ 주요 발전소 분포

(1) ▢▢ 발전	수도권과 충남 서해안, 남동 임해 공업 지역 등에 주로 입지
(2) ▢▢▢ 발전	울진, 경주(월성), 부산(고리), 영광에 분포
(3) ▢▢ 발전	한강, 낙동강, 금강과 같은 대하천의 중·상류 지역에 분포

3 그래프는 에너지 생산량 상위 4개 지역의 에너지원별 생산량을 나타낸 것이다. (가)~(라)에 해당하는 지역을 지도의 A~D와 알맞게 연결하시오.

전력 발전소의 입지를 잘 정리해 두면 쉽게 해결할 수 있는 문제야. 수력 발전이 이루어지고, 석탄 생산량이 가장 높은 (라)부터 해결해 보자.

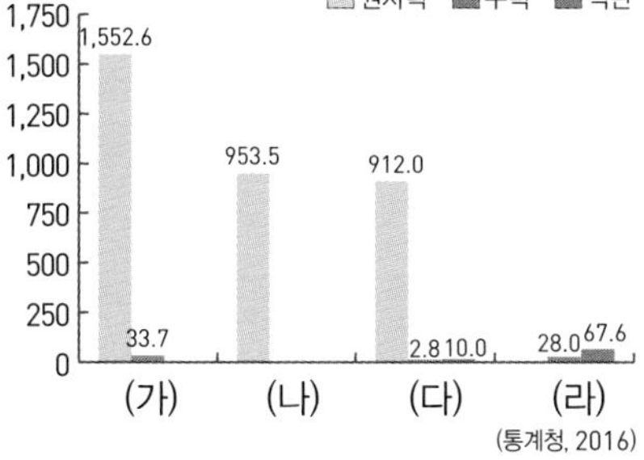

(GWh)
1,750
1,500
1,250
1,000
750
500
250
0
원자력
수력
석탄
1,552.6
33.7
953.5
912.0
2.8
10.0
28.0
67.6
(가)
(나)
(다)
(라)
(통계청, 2016)

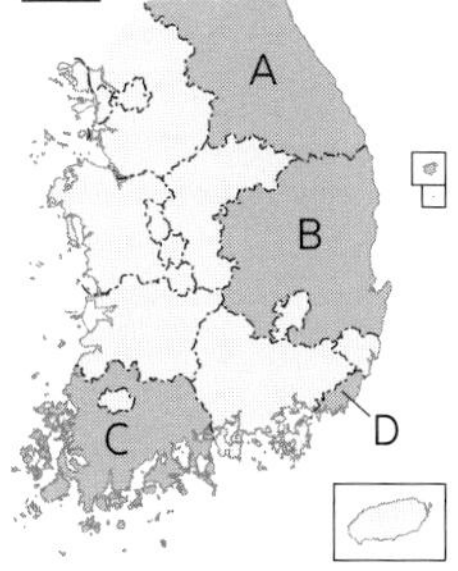

0 50 km
A
B
C
D

(가)-( ) (나)-( ) (다)-( ) (라)-( )

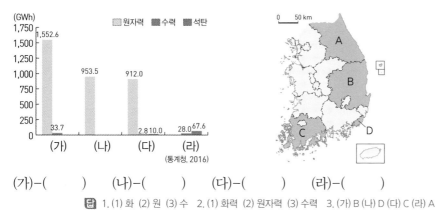

답 1. (1) 화 (2) 원 (3) 수 2. (1) 화력 (2) 원자력 (3) 수력 3. (가) B (나) D (다) C (라) A

3주 2일

2일 자원의 의미와 자원 문제

| 학평 응용 |

1 자료에 대한 옳은 설명을 〈보기〉에서 고른 것은? (단, (가)~(라)는 석유, 석탄, 원자력, 천연가스 중 하나임.)

〈1차 에너지원별 공급 비중〉

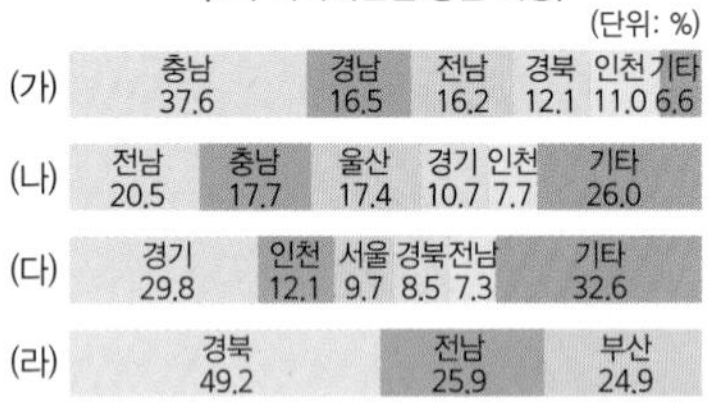

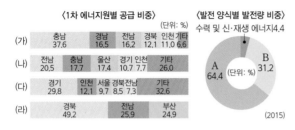

(단위: %)
(가) 충남 37.6 경남 16.5 전남 16.2 경북 12.1 인천 11.0 기타 6.6
(나) 전남 20.5 충남 17.7 울산 17.4 경기 10.7 인천 7.7 기타 26.0
(다) 경기 29.8 인천 12.1 서울 9.7 경북 8.5 전남 7.3 기타 32.6
(라) 경북 49.2 전남 25.9 부산 24.9

〈발전 양식별 발전량 비중〉

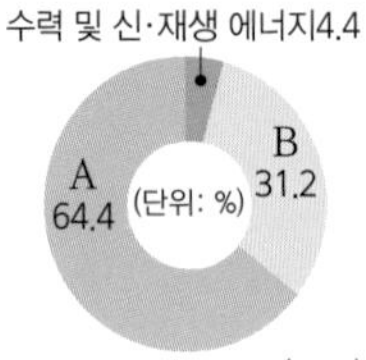

수력 및 신·재생 에너지4.4
A 64.4
(단위: %)
B 31.2

(2015)

보기

ㄱ. (가)는 (나)보다 수송용 연료 이용 비중이 높다.
ㄴ. (나)는 (다)보다 대기 오염 물질 배출량이 적다.
ㄷ. A는 발전 시 (가)의 사용 비중이 가장 높다.
ㄹ. B는 (라)에 해당되며, 입지 조건의 제약이 크다.

① ㄱ, ㄴ ② ㄱ, ㄷ ③ ㄴ, ㄷ
④ ㄴ, ㄹ ⑤ ㄷ, ㄹ

| 학평 기출 |

2 그래프는 지도에 표시된 네 지역의 1차 에너지원별 공급량을 나타낸 것이다. 이에 대한 설명으로 옳은 것은? (단, A~D는 석유, 석탄, 원자력, 천연가스 중 하나임.)

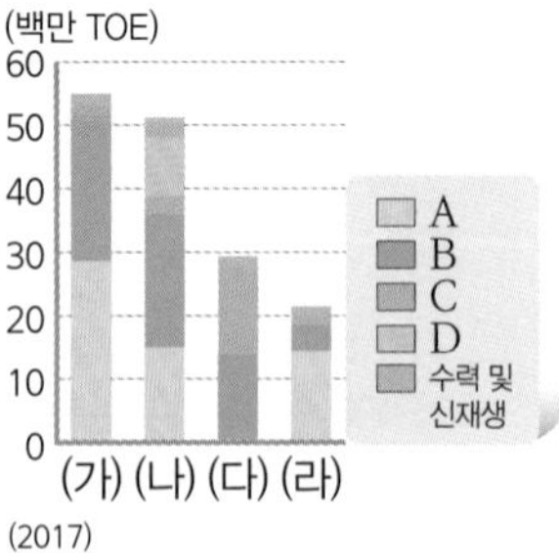

(백만 TOE)
60
50
40
30
20
10
0
(가) (나) (다) (라)
A
B
C
D
수력 및 신재생

(2017)

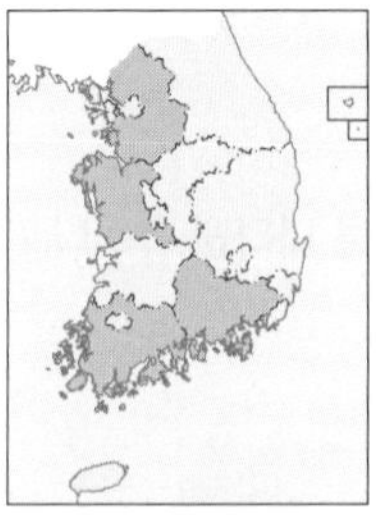

(에너지통계연보)

① (가)는 경남, (나)는 충남, (다)는 전남에 해당한다.
② A는 주로 수송용 연료 및 화학 공업 연료로 이용된다.
③ B는 고생대 평안계 지층에 주로 매장되어 있다.
④ A는 C보다 연소 시 대기 오염 물질 배출량이 많다.
⑤ 우리나라 1차 에너지 소비 구조에서 차지하는 비중은 A>B>C>D 순으로 높다.

| 수능 기출 |

3 다음 그래프의 (가)~(다)는 지도에 표시된 세 지역의 1차 에너지원별 공급량을 나타낸 것이다. 이에 대한 설명으로 옳지 않은 것은? (단, A~C는 석유, 석탄, 천연가스 중 하나임.)

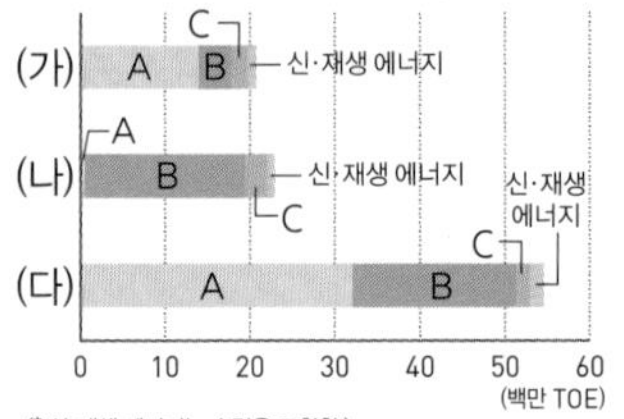

(가) A B C 신·재생 에너지
(나) A B 신·재생 에너지 C
(다) A B C 신·재생 에너지
0 10 20 30 40 50 60
(백만 TOE)

(* 신·재생 에너지는 수력을 포함함.)

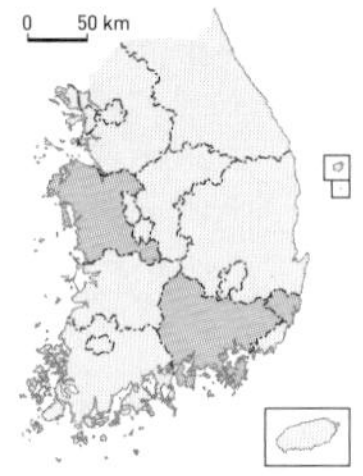

0 50 km

(에너지경제연구원, 2015)

① 경남은 충남보다 석탄 공급량 지역 내 비중이 작다.
② A는 제철 공업의 주요 연료로 이용된다.
③ B는 울산의 1차 에너지원별 공급량에서 가장 큰 비중을 차지한다.
④ C는 B보다 가정용으로 이용되는 비중이 크다.
⑤ 발전에 이용되는 1차 에너지의 비중은 A>C>B 순이다.

| 모평 응용 |

4 그래프는 지도에 표시된 네 지역의 1차 에너지원별 공급량을 나타낸 것이다. 이에 대한 설명으로 옳지 않은 것은? (단, A~C는 석유, 원자력, 천연가스 중 하나임.)

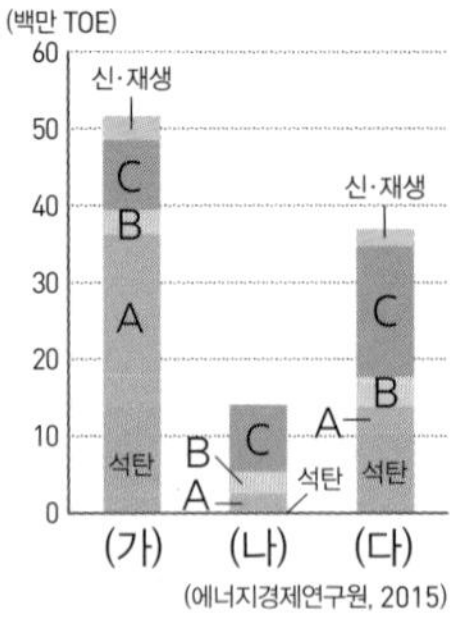

(백만 TOE)
60
50
40
30
20
10
0
신·재생
C
B
A
석탄
B
A
C
석탄
신·재생
C
B
A
석탄
(가) (나) (다)

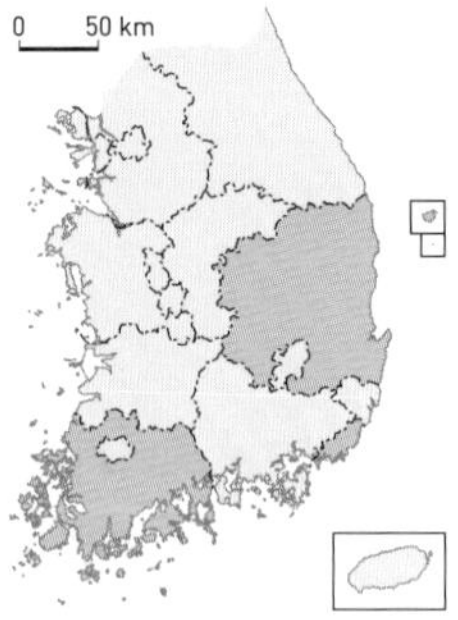

0 50 km

(에너지경제연구원, 2015)

① (가)에서 A의 공급량이 많은 주된 이유는 대규모 석유 화학 단지가 입지하고 있기 때문이다.
② 1차 에너지원별 공급량에서 원자력이 차지하는 지역 내 비중이 가장 높은 지역은 부산이다.
③ A는 B보다 수송용으로 많이 이용된다.
④ C 발전소는 해안 지역에 입지한다.
⑤ 우리나라의 1차 에너지 소비 구조에서 차지하는 비중은 B가 가장 높다.

정답과 해설 13쪽

| 모평 응용 |

5 그림은 우리나라의 에너지 도입에서 소비에 이르는 과정을 나타낸 것이다. 이에 대한 옳은 설명을 〈보기〉에서 고른 것은?

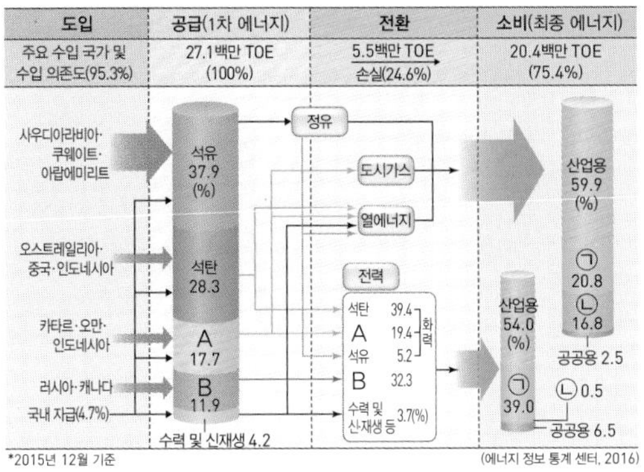
도입
공급(1차 에너지)
전환
소비(최종 에너지)
주요 수입 국가 및 수입 의존도(95.3%)
27.1백만 TOE (100%)
5.5백만 TOE 손실(24.6%)
20.4백만 TOE (75.4%)
사우디아라비아·쿠웨이트·아랍에미리트
오스트레일리아·중국·인도네시아
카타르·오만·인도네시아
러시아·캐나다
국내 자급(4.7%)
석유 37.9 (%)
석탄 28.3
A 17.7
B 11.9
수력 및 신재생 4.2
정유
도시가스
열에너지
전력
석탄 39.4
A 19.4
석유 5.2
화력
B 32.3
수력 및 신재생 등 3.7(%)
산업용 59.9 (%)
㉠ 20.8
㉡ 16.8
공공용 2.5
산업용 54.0 (%)
㉠ 39.0
㉡ 0.5
공공용 6.5
*2015년 12월 기준 (에너지 정보 통계 센터, 2016)

보기

ㄱ. 석유와 A는 주로 오세아니아에서 수입한다.
ㄴ. B는 A보다 여름과 겨울의 공급량 변화 폭이 크다.
ㄷ. 석탄은 1차 에너지에서 차지하는 비중보다 전력 생산에서 차지하는 비중이 높다.
ㄹ. ㉠은 가정·상업용, ㉡은 수송용이다.

① ㄱ, ㄴ ② ㄱ, ㄷ ③ ㄴ, ㄷ
④ ㄴ, ㄹ ⑤ ㄷ, ㄹ

| 모평 응용 |

6 그래프는 우리나라의 1차 에너지에 관한 것이다. (가)~(라)에 대한 설명으로 옳지 않은 것은?

〈월별 1차 에너지 소비 구조 변화〉 〈1차 에너지별 발전량 비중〉

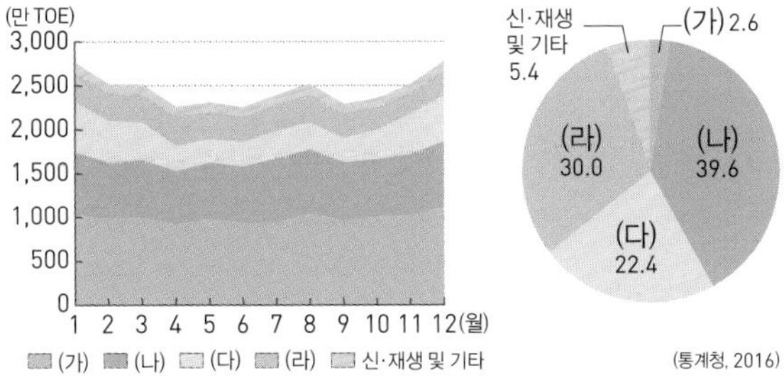
(만 TOE)
3,000
2,500
2,000
1,500
1,000
500
0
1 2 3 4 5 6 7 8 9 10 11 12(월)
(가) (나) (다) (라) 신·재생 및 기타
신·재생 및 기타 5.4
(가) 2.6
(라) 30.0
(나) 39.6
(다) 22.4
(통계청, 2016)

① (가)는 주로 수송용 및 화학 공업의 원료로 이용된다.
② (나)는 정부 정책과 에너지 소비 구조 변화로 생산량이 감소하였다.
③ (다)를 이용한 발전은 대기 오염 물질의 배출량은 적지만, 발전소 입지는 제한적이다.
④ (라)를 이용한 발전소는 호남 지방보다 영남 지방에 많다.
⑤ (나)를 이용한 발전량이 가장 많다.

| 수능 응용 |

7 그래프는 1차 에너지 A~D의 전국 대비 권역별 생산 비중을 나타낸 것이다. A~D에 대한 설명으로 옳지 않은 것은? (단, A~D는 수력, 무연탄, 원자력, 천연가스 중 하나임.)

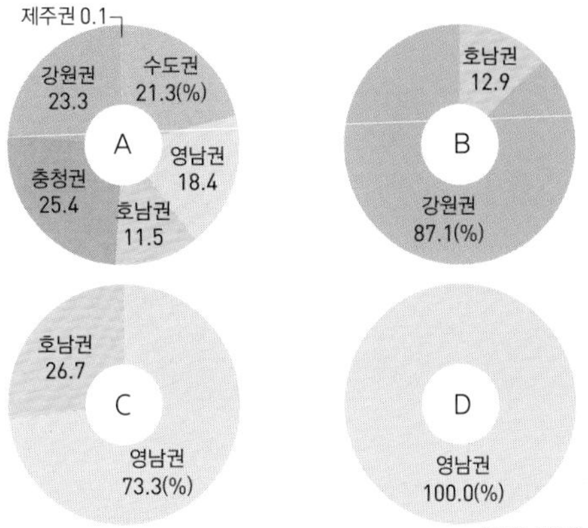
제주권 0.1
강원권 23.3
수도권 21.3(%)
A
영남권 18.4
충청권 25.4
호남권 11.5
호남권 12.9
B
강원권 87.1(%)
호남권 26.7
C
영남권 73.3(%)
D
영남권 100.0(%)
(통계청, 2016)

① B는 주로 평안 누층군에서 채굴된다.
② C를 이용하는 발전소는 주로 해안에 입지한다.
③ 우리나라 1차 에너지 소비 구조에서 차지하는 비중은 A가 D보다 높다.
④ B는 D보다 대기 오염 물질 배출량이 많다.
⑤ C는 D보다 상용화된 시기가 이르다.

| 모평 기출 |

8 다음 글의 (가), (나)에 해당하는 지역으로 옳은 것은?

• 화석 에너지 중에서 대기 오염 물질의 배출량이 상대적으로 적은 천연가스는 (가) 앞바다에서 2018년 기준 소량 생산된다.
• 조력 발전은 조차가 큰 해안이 유리하며, (나)의 시화호 조력 발전소가 대표적이다.

	(가)	(나)
①	강원	경기
②	경기	강원
③	경기	울산
④	울산	강원
⑤	울산	경기

3주 2일

3일 농업의 변화와 농촌 문제 ~ 공업의 발달과 지역 변화

키워드 #25 농산물의 생산과 변화

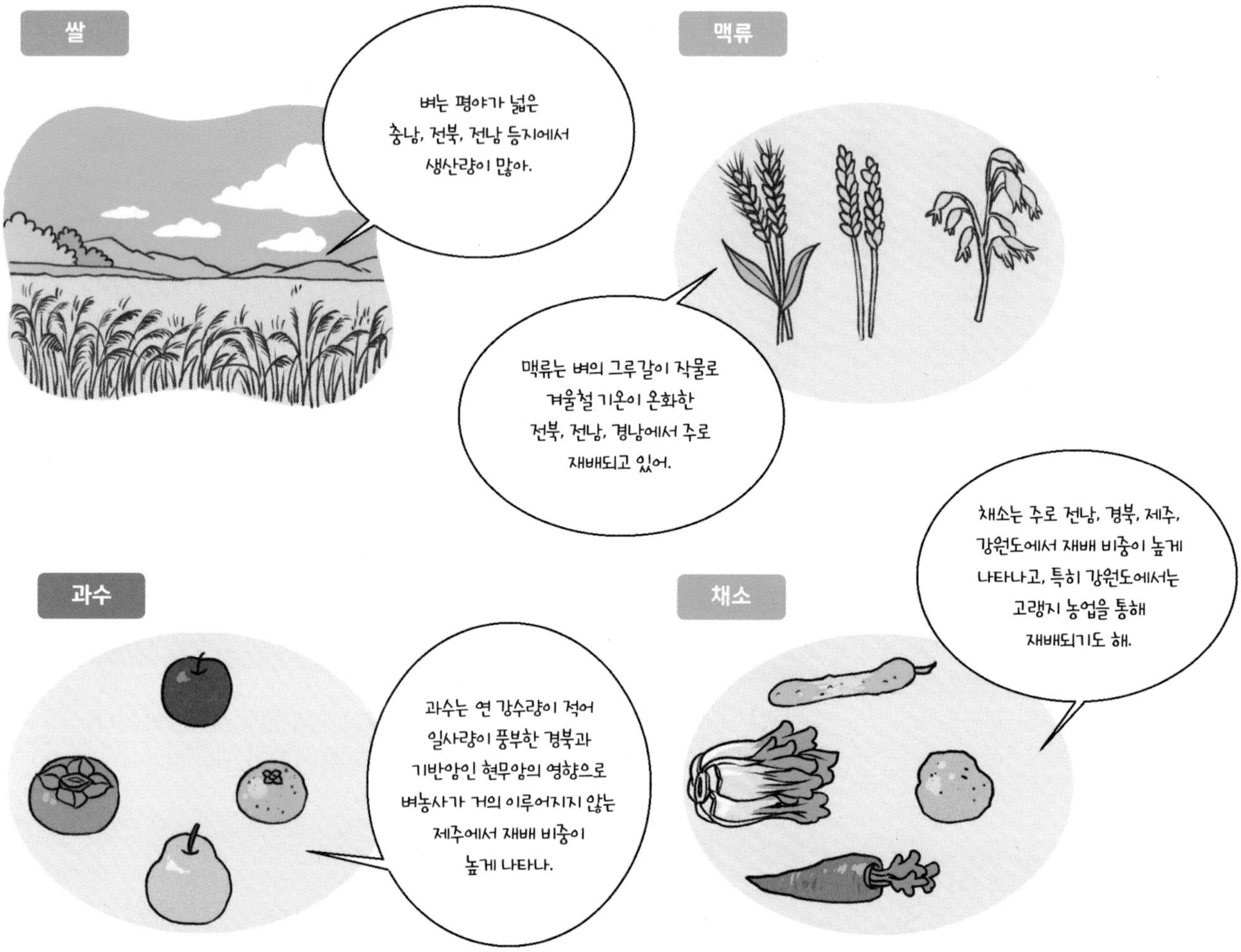

쌀
벼는 평야가 넓은 충남, 전북, 전남 등지에서 생산량이 많아.
맥류
맥류는 벼의 그루갈이 작물로 겨울철 기온이 온화한 전북, 전남, 경남에서 주로 재배되고 있어.
과수
과수는 연 강수량이 적어 일사량이 풍부한 경북과 기반암인 현무암의 영향으로 벼농사가 거의 이루어지지 않는 제주에서 재배 비중이 높게 나타나.
채소
채소는 주로 전남, 경북, 제주, 강원도에서 재배 비중이 높게 나타나고, 특히 강원도에서는 고랭지 농업을 통해 재배되기도 해.

1 주요 농산물의 생산과 변화

구분	특징
쌀	• 다수확 품종 개발, 수리 시설 확충, 재배 기술 발달 → 자급률이 매우 높음. • 식생활 변화로 소비 감소, 시장 개방 → 재배 면적 감소 • 시·도별 작물 재배 면적 비중: □□가 넓은 서부 평야 지역에서 재배 면적이 넓음. → 전남 > 충남 > 전북
맥류	• 벼의 그루갈이❶ 작물로 주로 남부 지방에서 재배 • 식생활 변화와 수익성 감소 → 재배 면적과 생산량 감소 • 시·도별 작물 재배 면적 비중: 벼의 그루갈이 작물로 재배하여 주로 남부 지방에서 재배 → 전남 > 전북 > 경남
원예 작물❷	• 식생활 변화, 소득 증대, 교통 발달 → 재배 면적 증가 • 근교 농업 지역: 시설 재배를 통해 집약적으로 재배 • 원교 농업 지역: 기후 조건이 유리하고 교통이 발달한 지역에서는 노지 재배 • 시·도별 작물 재배 면적 비중 – 과수: 연 강수량이 적어 일사량이 풍부한 □□과 벼농사가 거의 이루어지지 않는 제주에서 재배 비중이 높게 나타남. – 채소: 전남, 경북, 제주(당근), 강원(고랭지 채소)에서 높게 나타나며, 대도시 주변에서는 시설 재배 비중이 높음.

답 평야, 경북

❶ 그루갈이
한 해에 같은 땅에서 다른 종류의 농작물을 두 번 농사 짓는 것을 말한다.

❷ 원예 작물
경제성이 큰 작물로 채소, 과수, 화훼가 속한다.

개념 확인

1 □ 안에 알맞은 말을 쓰시오.

(1) 맥류는 벼의 □□□□ 작물로 재배하여 주로 남부 지방에서 재배된다.

(2) 벼는 평야가 넓은 □□ □□ 지역에서 재배 면적이 넓다.

(3) 원예 작물의 재배 면적은 □□하고 있다.

2 빈칸에 들어갈 알맞은 작물을 쓰시오. (쌀, 맥류, 채소, 과수 중 하나임.)

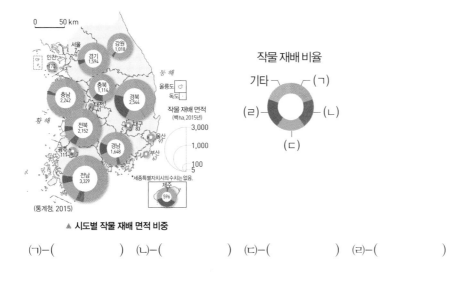

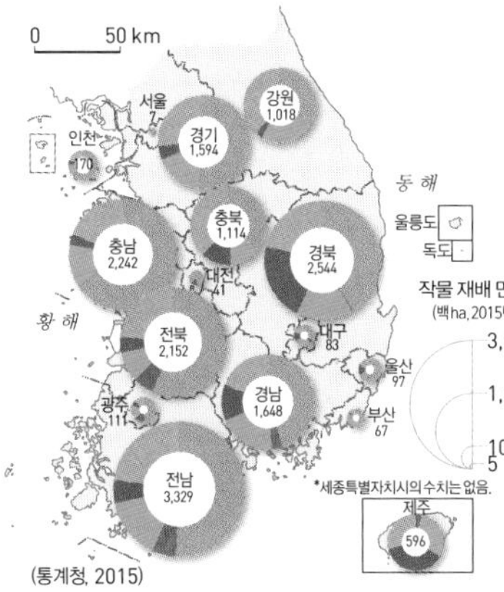
0 50 km
서울 7
강원 1,018
인천 170
경기 1,594
충북 1,114
충남 2,242
경북 2,544
대전 41
전북 2,152
대구 83
울산 97
경남 1,648
부산 67
광주 111
전남 3,329
제주 596
동해
황해
울릉도
독도
작물 재배 면적 (백ha, 2015년)
3,000
1,000
100
5
*세종특별자치시의 수치는 없음.
(통계청, 2015)

▲ 시도별 작물 재배 면적 비중

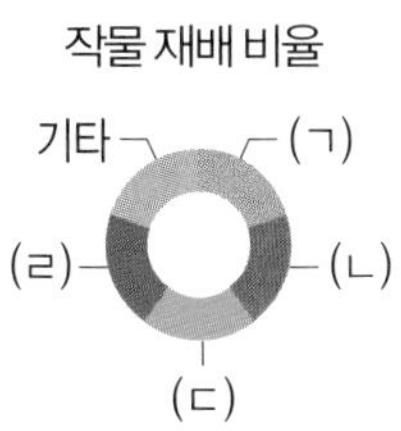
작물 재배 비율
기타
(ㄱ)
(ㄴ)
(ㄷ)
(ㄹ)

(ㄱ)-(　　　) (ㄴ)-(　　　) (ㄷ)-(　　　) (ㄹ)-(　　　)

각 작물의 시도별 재배 면적 비중을 비교하는 문제가 자주 출제되고 있어. 각 지역의 특성과 작물 재배 면적을 연결하여 정리해 두자.

주요 농업 지표의 시·도별 순위

농가 수	경북 > 전남 > 충남 > 경남
전업농가 비율	전북 > 경북 > 경남 > 전남 (촌락의 비중이 높은 지역)
겸업농가 비율	제주 > 경기 > 강원 > 충북 (관광 산업 종사자 비율이 높아서)
밭 면적 비율	제주 > 강원 > 충북 > 경북 (제주는 기반암인 현무암의 영향으로, 강원과 충북은 산지가 많아 밭 면적 비율이 높다.)

3 다음 그래프를 보고 (ㄱ)~(ㄷ)에 들어갈 알맞은 작물을 써 넣으시오. (쌀, 맥류, 채소·과수 중 하나임.)

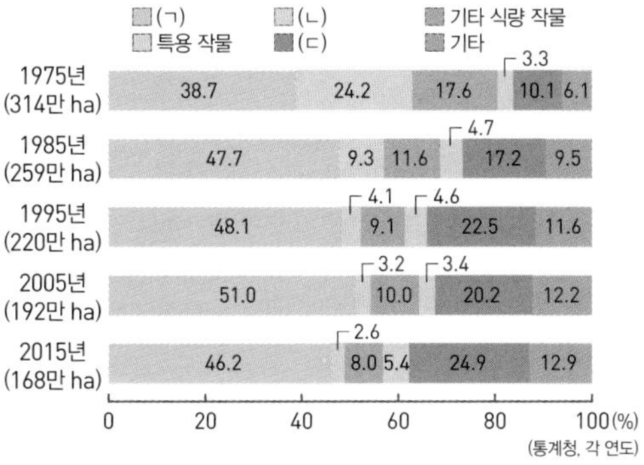
(ㄱ)
(ㄴ)
기타 식량 작물
특용 작물
(ㄷ)
기타
1975년 (314만 ha) 38.7 24.2 17.6 3.3 10.1 6.1
1985년 (259만 ha) 47.7 9.3 11.6 4.7 17.2 9.5
1995년 (220만 ha) 48.1 4.1 9.1 4.6 22.5 11.6
2005년 (192만 ha) 51.0 3.2 10.0 3.4 20.2 12.2
2015년 (168만 ha) 46.2 2.6 8.0 5.4 24.9 12.9
0 20 40 60 80 100(%)
(통계청, 각 연도)

(ㄱ)-(　　　) (ㄴ)-(　　　) (ㄷ)-(　　　)

작물별 재배 비중의 변화를 비교하는 문제가 종종 출제되고 있어. 비중 변화와 함께 농촌 및 농업 구조의 변화도 알아 두자.

농촌 및 농업 구조의 변화

인구 변화	• 전체 농가 인구 감소 • 노년층 인구 비중 증가 • 유소년층 인구 비중 감소
경지 변화	• 전체 경지 면적 감소 • 농가 1호당 경지 면적 증가 • 경지 이용률 감소
영농 방식의 변화	• 영농의 다각화·상업화 • 영농의 기계화 • 시설 재배 증가

답 1. (1) 그루갈이 (2) 서부 평야 (3) 증가 2. (ㄱ) 쌀 (ㄴ) 맥류 (ㄷ) 채소 (ㄹ) 과수 3. (ㄱ) 쌀 (ㄴ) 맥류 (ㄷ) 채소·과수

3일 농업의 변화와 농촌 문제 ~ 공업의 발달과 지역 변화

키워드 #26 공업의 입지

시장 지향형

시장 지향형 공업은 제품의 부피가 크거나 파손 위험이 있어 공장이 시장에 가까이 위치하는 공업을 의미해.

적환지 지향형

원료의 부피와 무게가 너무 커. 그냥 원료가 들어오는 항구 근처에 공장을 짓자.

노동 지향형

우리 공업은 많은 사람의 노동력을 필요로 하는 노동 지향형 공업이야.

집적 지향형

자동차 생산에는 많은 부품이 필요해서 산업들이 집적하는 게 유리해!
기계 공업
정유 공업
제철 공업

1 공업의 입지 유형

구분	특징	사례
□□ 지향형	• 제조 과정에서 제품의 무게·부피가 증가하는 공업 • 소비자와의 잦은 접촉이 필요한 공업	가구, 인쇄, 음료
적환지 지향형 (운송 수단이 바뀌는 지점)	무게나 부피가 큰 원료를 해외에서 수입하고 제품을 수출하는 공업	제철, 정유
노동 지향형	생산비에서 노동비가 차지하는 비중이 큰 공업	섬유, 전자 조립
집적 지향형	• 한 가지 원료에서 다양한 제품을 생산하는 계열화된 공업 • 제품 생산에 많은 부품이 필요한 조립형 공업	석유 화학, □□□

2 우리나라 공업의 입지

섬유 공업	• 수도권, 대구, 경북 부산 등 • 출하액: 경기>경북>대구	1차 금속 공업❶	• 포항, 광양, 당진 등 • 출하액: 경북>전남>충남
자동차 공업❷	• 울산, 아산, 광주 등 • 출하액: 경기>울산>충남	조선 공업❸	• 울산, 거제, 목포, 영암 등 • 출하액: 경남>울산>전남
화학 공업	• 울산, 여수, 서산 등 • 출하액: 전남>울산>충남	정보 통신 제조업	• 수도권, 경북 구미 등 • 출하액: 경기>경북>충남

답 시장, 자동차

❶ 1차 금속 공업
1차 금속 공업은 무게나 부피가 큰 원료를 해외에서 수입하고, 제품의 일부를 수출하므로 항만 발달에 유리한 곳에 입지한다.

❷ 자동차 공업
자동차 공업은 다양한 부품을 모아 조립하는 생산 공정을 거치기 때문에 관련 업체들이 밀집해 있는 곳에 입지한다.

❸ 조선 공업
조선 공업은 주원료가 철강이고 주문형 생산 방식으로 제작하며 해외 수주율이 높고, 완제품의 특성상 해안가에 입지한다.

개념 확인

1 **다음 설명에 해당하는 공업에 ✔표 하시오.**

(1) 생산비에서 노동비가 차지하는 비중이 높아 시장이 넓고, 노동력이 풍부한 지역에 입지한다.

□ 섬유 공업 □ 1차 금속 공업

(2) 주문형 생산 방식으로 제작하며, 완제품의 특성상 항만을 통해 수출하기 때문에 해안가에 입지한다.

□ 1차 금속 공업 □ 조선 공업

2 **다음은 주요 공업별로 입지 및 출하액·종사자를 정리한 자료이다. 빈칸에 들어갈 알맞은 말을 쓰시오.**

섬유 공업

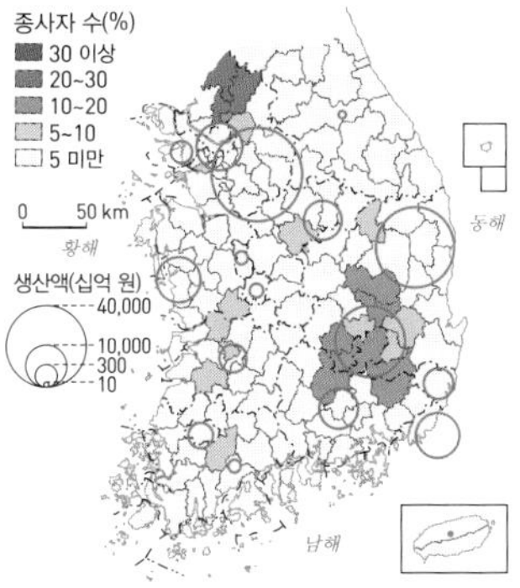
종사자 수(%)
30 이상
20~30
10~20
5~10
5 미만
0 50 km
황해
동해
생산액(십억 원)
40,000
10,000
300
10
남해

(통계청, 2014)

- 출하액: (1) (   )>경북>대구
- 종사자: 경기>대구>경북

1차 금속 공업

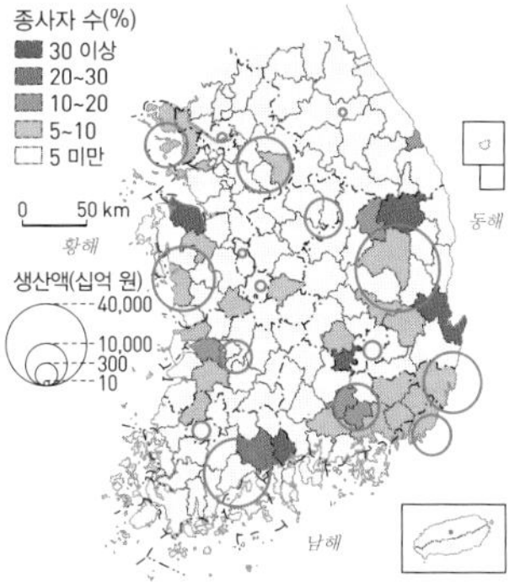
종사자 수(%)
30 이상
20~30
10~20
5~10
5 미만
0 50 km
황해
동해
생산액(십억 원)
40,000
10,000
300
10
남해

(통계청, 2014)

- 출하액: (2) (   )>전남>충남
- 종사자: 경북>경기>경남

자동차 공업

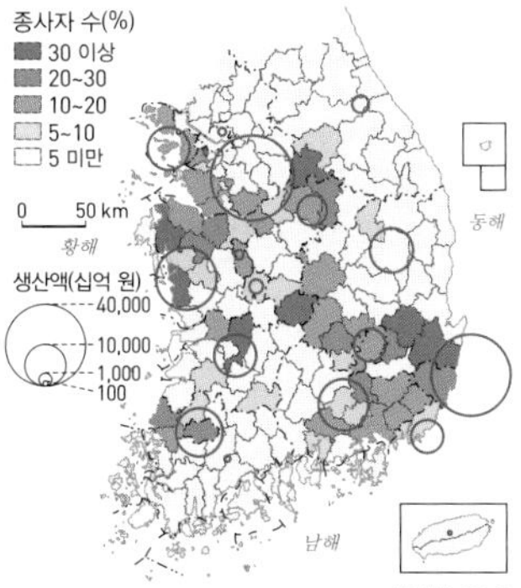
종사자 수(%)
30 이상
20~30
10~20
5~10
5 미만
0 50 km
황해
동해
생산액(십억 원)
40,000
10,000
1,000
100
남해

(통계청, 2014)

- 출하액: 경기>(3) (   )>충남
- 종사자: 경기>울산>충남

조선 공업

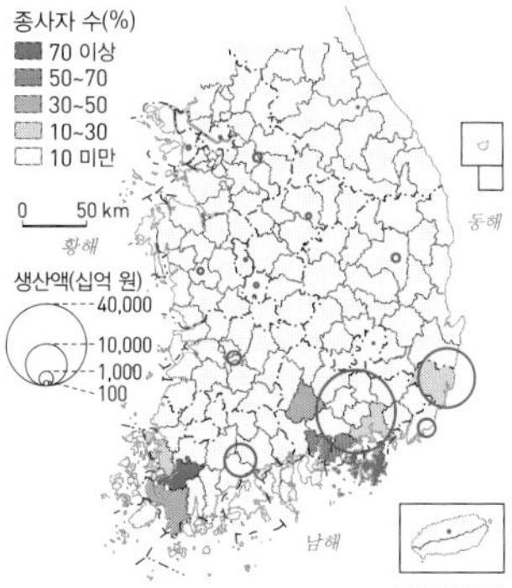
종사자 수(%)
70 이상
50~70
30~50
10~30
10 미만
0 50 km
황해
동해
생산액(십억 원)
40,000
10,000
1,000
100
남해

(통계청, 2014)

- 출하액: (4) (   )>울산>전남
- 종사자: 경남>울산>전남

주요 공업의 입지와 출하액 및 종사자를 묻는 문제가 자주 출제되고 있어.

우리나라 공업 특징

공업 구조의 고도화	경공업 비중 감소, 중화학 공업 및 첨단 산업 비중 증가
지역적 편재	수도권과 영남권 중심으로 공업 기능 집중 → 국토 성장 불균형 초래
이중 구조	사업체 수와 종사자 수는 중소기업이 높지만 생산액 비중은 대기업이 높은 현상 → 대기업과 중소기업 간의 격차 심화
높은 해외 의존도	천연자원의 부족으로 원료 또는 반제품을 수입하여 완제품을 만든 후 다시 수출하는 가공 무역 발달 → 임해 지역에 공업 발달

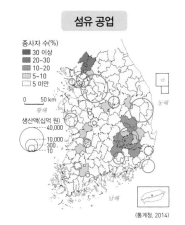

답 1. (1) 섬유 공업 (2) 조선 공업 2. (1) 경기 (2) 경북 (3) 울산 (4) 경남

3일 농업의 변화와 농촌 문제 ~ 공업의 발달과 지역 변화

| 학평 기출 |

1 표는 세 도의 영농 형태별 농가 수를 나타낸 것이다. (가)~(다) 지역으로 옳은 것은?

(단위: 천 가구)

구분	전·겸업별 농가 수		재배 작물별 농가 수			
	전업	겸업	벼	채소	과수	기타
(가)	52	68	55	31	9	25
(나)	90	62	65	42	22	23
(다)	117	64	57	34	56	34

(*재배 작물별 농가는 판매 금액이 많은 작물을 기준으로 함.) (2016)

	(가)	(나)	(다)
①	경기	경북	전남
②	경기	전남	경북
③	경북	경기	전남
④	경북	전남	경기
⑤	전남	경기	경북

| 학평 기출 |

2 그래프는 세 작물의 지역별 재배 면적 비중을 나타낸 것이다. (가)~(다) 작물에 대한 옳은 설명을 〈보기〉에서 고른 것은? (단, (가)~(다)는 쌀, 과실, 맥류 중 하나이다.)

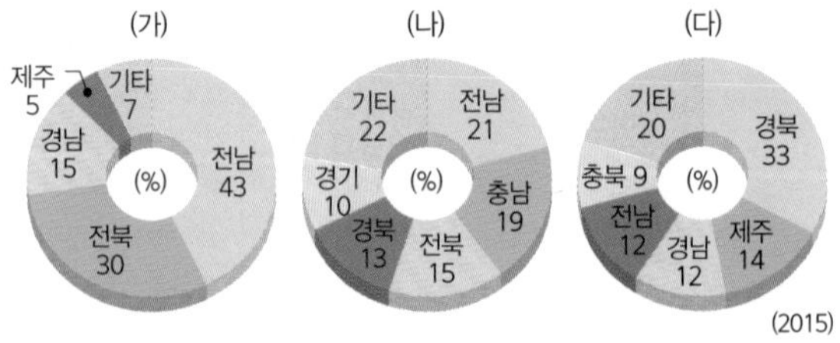

(가)
제주 5
기타 7
전남 43
전북 30
경남 15
(%)
(나)
기타 22
전남 21
충남 19
전북 15
경북 13
경기 10
(%)
(다)
기타 20
경북 33
제주 14
경남 12
전남 12
충북 9
(%)

(2015)

보기

ㄱ. (가)는 이천, 여주의 지리적 표시제 상품이다.
ㄴ. (나)는 식생활 변화로 1인당 소비량 감소 추세이다.
ㄷ. (가)는 (나)보다 전국 생산량이 많다.
ㄹ. (나)는 (다)보다 전국 재배 면적이 넓다.

① ㄱ, ㄴ ② ㄱ, ㄷ ③ ㄴ, ㄷ
④ ㄴ, ㄹ ⑤ ㄷ, ㄹ

| 모평 기출 |

3 (가)~(다)에 해당하는 농업 관련 지표로 옳은 것은?

(단위: %)

지역	(가)	(나)	(다)
경기	13.6	4.8	57.9
경북	16.0	33.4	35.6
전북	8.9	6.1	40.1

(*겸업농가 비율은 해당 지역 내이고, 과수 재배 면적 비율과 농가 인구 비율은 전국 대비임.) (통계청, 2015)

	(가)	(나)	(다)
①	겸업농가 비율	과수 재배 면적 비율	농가 인구 비율
②	과수 재배 면적 비율	겸업농가 비율	농가 인구 비율
③	과수 재배 면적 비율	농가 인구 비율	겸업농가 비율
④	농가 인구 비율	겸업농가 비율	과수 재배 면적 비율
⑤	농가 인구 비율	과수 재배 면적 비율	겸업농가 비율

| 수능 기출 |

4 그래프는 각 도의 작물별 재배 면적 비중을 나타낸 것이다. A~C에 해당하는 지역으로 옳은 것은? (단, (가)~(다)는 과수, 벼, 채소 중 하나임.)

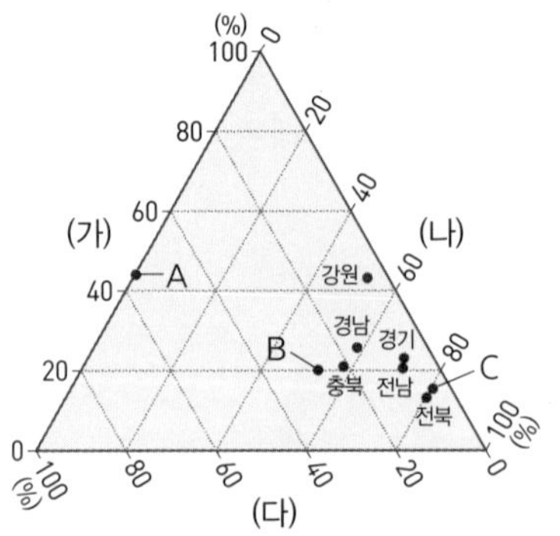

(%)
100
80
60
40
20
0
(가)
(나)
(다)
A
B
C
강원
경남
경기
충북
전남
전북
(%)

(*각 도의 세 작물 재배 면적의 합을 100%로 하여 작물별 재배 면적 비중을 나타낸 것임.) (통계청, 2015)

	A	B	C
①	경북	제주	충남
②	경북	충남	제주
③	제주	경북	충남
④	제주	충남	경북
⑤	충남	경북	제주

정답과 해설 14쪽

| 학평 응용 |

5 그래프는 세 제조업의 생산액 비중 상위 5개 시·도를 나타낸 것이다. (가)~(다) 제조업 특성에 대한 설명으로 옳은 것은? (단, 제조업은 1차 금속, 섬유, 자동차 제조업 중 하나임.)

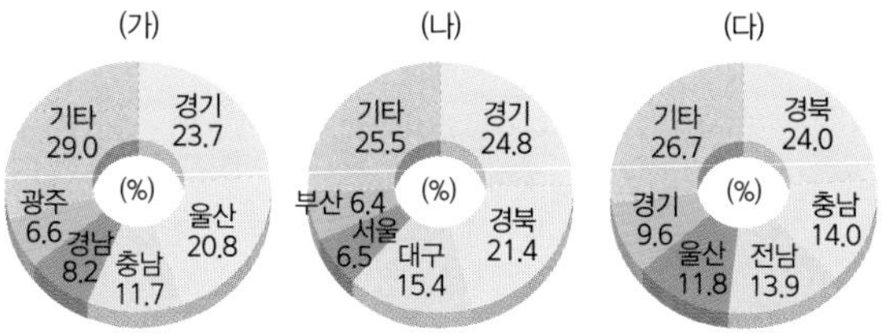
(가)
기타 29.0
경기 23.7
(%)
광주 6.6
경남 8.2
충남 11.7
울산 20.8
(나)
기타 25.5
경기 24.8
(%)
부산 6.4
서울 6.5
대구 15.4
경북 21.4
(다)
기타 26.7
경북 24.0
(%)
경기 9.6
울산 11.8
전남 13.9
충남 14.0
(통계청, 2013)

① (가)는 1960년대 우리나라 공업화를 주도하였다.
② (나)는 집적 지향형 공업이다.
③ (가)는 (나)보다 최종 생산품의 단위당 평균 중량이 크다.
④ (가)에서 생산된 제품은 (다)의 주요 원료로 이용된다.
⑤ (다)는 (나)보다 노동 집약적인 공업이다.

| 학평 기출 |

6 A~C 제조업에 대한 옳은 설명을 〈보기〉에서 고른 것은? (단, A~C는 1차 금속, 화학 물질 및 화학 제품(의약품 제외), 전자 부품·컴퓨터·영상·음향 및 통신 장비 제조업 중 하나임.)

〈세 도(道)의 제조업 업종별 출하액 비중〉

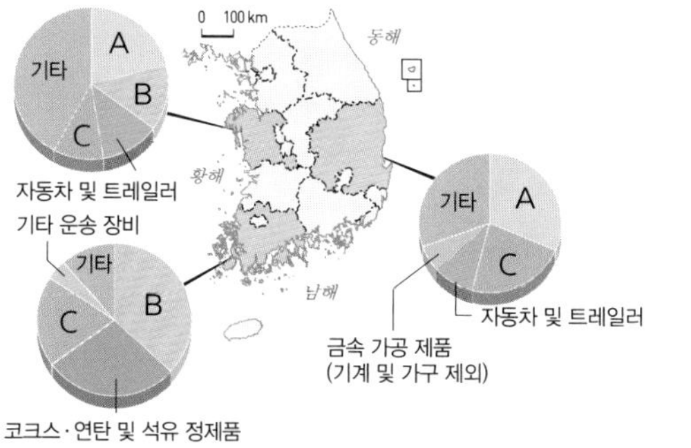
0 100 km
동해
황해
남해
A
기타
B
C
자동차 및 트레일러
기타 운송 장비
기타
B
C
기타
A
C
자동차 및 트레일러
금속 가공 제품
(기계 및 가구 제외)
코크스·연탄 및 석유 정제품
* 도(道)별 상위 4개 업종만을 제시하였으며, 종사자 수 10인 이상 사업체만 고려함. (2017)

> **보기**
> ㄱ. A는 대량의 원료를 수입하는 적환지 지향형 공업이다.
> ㄴ. B는 1960년대 우리나라 수출을 주도하였다.
> ㄷ. C의 최종 제품은 자동차 공업의 주요 재료로 이용된다.
> ㄹ. A는 B보다 사업체당 종사자 수가 많다.

① ㄱ, ㄴ ② ㄱ, ㄷ ③ ㄴ, ㄷ
④ ㄴ, ㄹ ⑤ ㄷ, ㄹ

| 수능 응용 |

7 그래프는 세 지역의 제조업 업종별 생산액 비중을 나타낸 것이다. (가)~(다)에 해당하는 지역을 지도의 A~C에서 고른 것은?

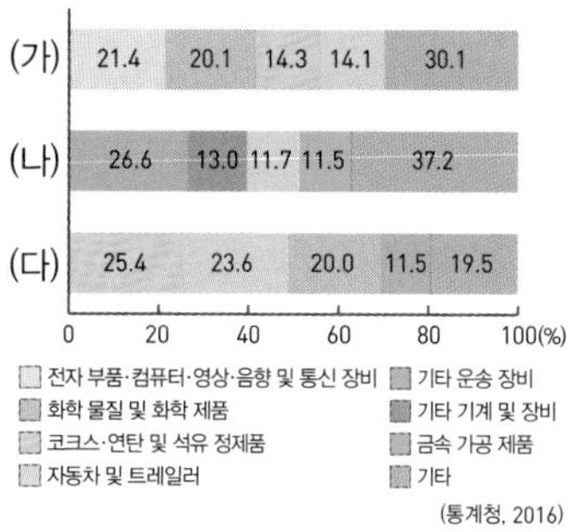
(가) 21.4 20.1 14.3 14.1 30.1
(나) 26.6 13.0 11.7 11.5 37.2
(다) 25.4 23.6 20.0 11.5 19.5
0 20 40 60 80 100(%)
전자 부품·컴퓨터·영상·음향 및 통신 장비
화학 물질 및 화학 제품
코크스·연탄 및 석유 정제품
자동차 및 트레일러
기타 운송 장비
기타 기계 및 장비
금속 가공 제품
기타
(통계청, 2016)

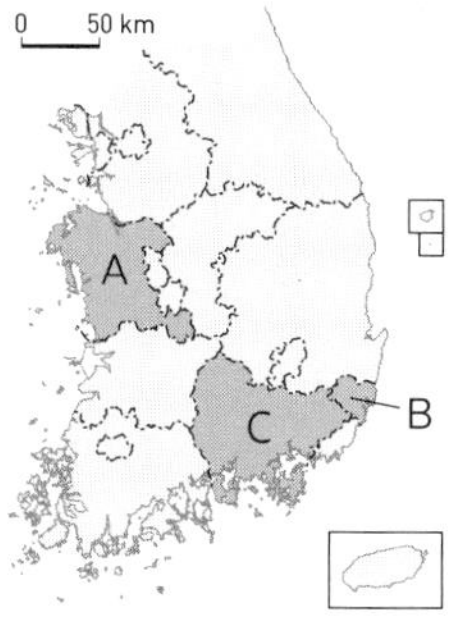
0 50 km
A
B
C

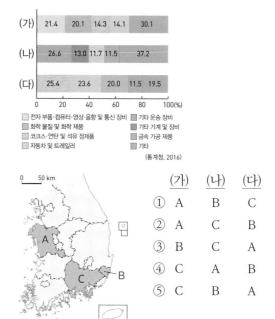

	(가)	(나)	(다)
①	A	B	C
②	A	C	B
③	B	C	A
④	C	A	B
⑤	C	B	A

| 학평 기출 |

8 그래프는 세 제조업의 시·도별 생산액 비중을 나타낸 것이다. (가)~(다)에 대한 설명으로 옳은 것은? (단, 섬유(의복 제외), 화학, 자동차만 고려함.)

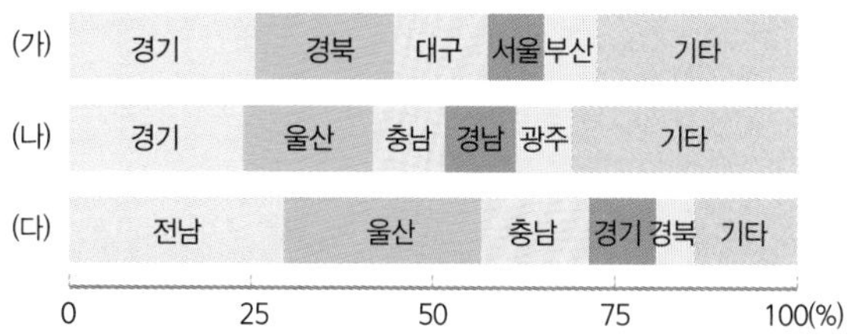
(가) 경기 경북 대구 서울 부산 기타
(나) 경기 울산 충남 경남 광주 기타
(다) 전남 울산 충남 경기 경북 기타
0 25 50 75 100(%)
(2013)

① (가)는 계열화된 조립 공정을 필요로 한다.
② (나)는 1960년대 우리나라의 공업화를 주도하였다.
③ (다)는 생산비에서 노동비가 차지하는 비중이 가장 높다.
④ (나)는 (가)보다 공장의 평균 부지 면적이 넓다.
⑤ (다)는 (가)보다 초기 설비 투자 비용이 적게 든다.

3주 3일

4일 서비스업의 변화와 교통·통신 발달 ①

키워드 #27 상업의 입지

상점의 유지 조건

쇼핑
최소 요구치
최소한 이 정도에 사는 사람들은 반드시 방문해야 이익은 못 보더라도 손해는 안 봐.
재화의 도달 범위
이 정도에 사는 사람들까지도 쇼핑몰에 방문할 수 있어. 교통이 발달하고 인구가 많아질수록 재화의 도달 범위는 넓어져.

상품의 입지 특성

샴푸
생활용품을 판매하는 상점의 수는 상대적으로 많고, 소비자 분포에 따라 분산 입지해.
전문 용품을 판매하는 상점의 수는 상대적으로 적고, 특정 지역에 집중하여 입지해.
생활용품
전문용품

1 상점의 유지·존속 조건

최소 요구치 ≦ 재화의 도달 범위	
□□ □□□❶	중심지(상점)와 그 기능을 유지하기 위한 최소한의 수요
재화의 도달 범위	• 중심지(상점) 기능이 영향을 미치는 최대한의 공간 범위 • 교통이 발달할수록 범위가 □□짐.

2 상품 종류에 따른 입지❷ 특성

생활용품	이동 거리를 최소화하기 위해 주거지와 가까운 주변 상점 이용 (전문 용품보다 자가용 이용 고객의 비율이 낮음.) → 상대적으로 상점의 수가 많고, 상점 간 거리가 가까우며, 소비자 분포에 따라 분산하여 입지 ㉮ 식품
전문 용품	이동 거리가 멀더라도 감수하는 경향 → 상대적으로 상점의 수가 적고, 상점 간 거리가 멀거나 특정 지역에 집중하여 입지 ㉮ 귀금속, 자동차

답 최소 요구치, 넓어

❶ **최소 요구치**
상점이 유지되는 데 필요한 최소한의 수요를 최소 요구치라고 한다. 최소 요구치가 동일할 경우, 해당 지역의 인구 밀도나 소비자의 구매력이 높을수록 범위가 좁다.

❷ **상업의 입지 요인**
상업의 입지는 접근성, 지가, 유동 인구, 집적 이익 등 경제적 요인과 도시 성장, 소비자의 생활 방식, 교통·통신의 발달 등 사회적 요인에 영향을 받는다.

1 □ 안에 알맞은 말을 쓰시오.

(1) 중심지를 유지하기 위한 최소한의 수요를 □□ □□□(이)라고 한다.
(2) 재화의 도달 범위는 □□이/가 발달할수록 범위가 넓어진다.
(3) 백화점은 유동 인구가 많고 접근성이 높은 □□(이)나 부도심에 주로 입지 한다.

2 다음의 백화점과 편의점의 입지 특성을 나타내는 그림을 참고하여 표를 채우시오.

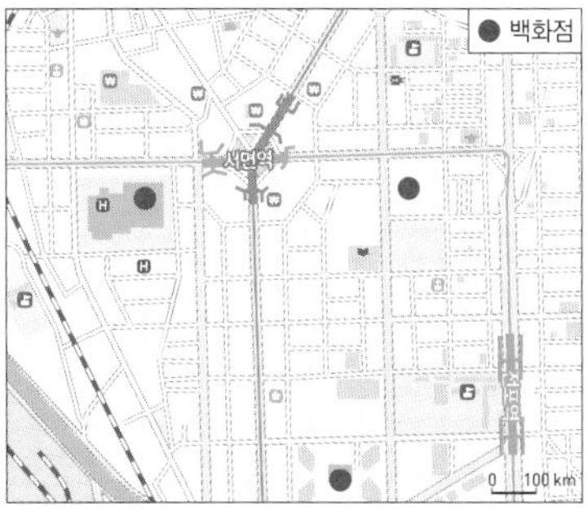
백화점
서면역
0 100 km

▲ 백화점의 입지 특성

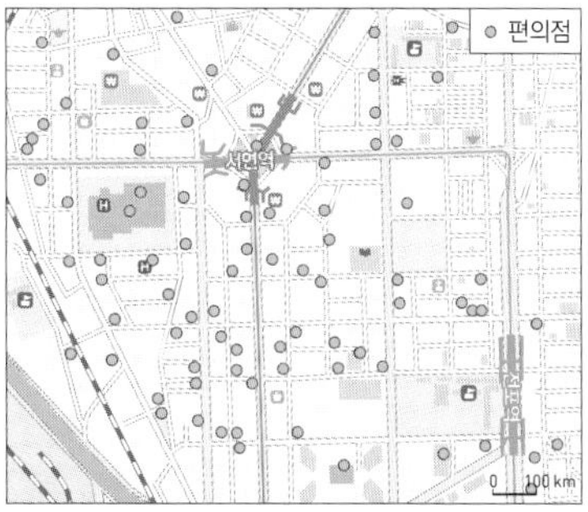
편의점
서면역
0 100 km

▲ 편의점의 입지 특성

구분	상점 수	최소 요구치	재화의 도달 범위	1일 평균 매출액	평균 이용 빈도	취급하는 재화의 종류
백화점	적음	(1)	(3)	많음	낮음	고급 상품
편의점	많음	(2)	(4)	적음	높음	생활용품

고차 중심지인 백화점과 저차 중심지인 편의점의 입지 특성을 비교하는 문제가 종종 출제되고 있어.

3 다음과 같은 변화가 나타날 수 있는 조건을 바르게 말한 학생을 모두 고르시오.

( )

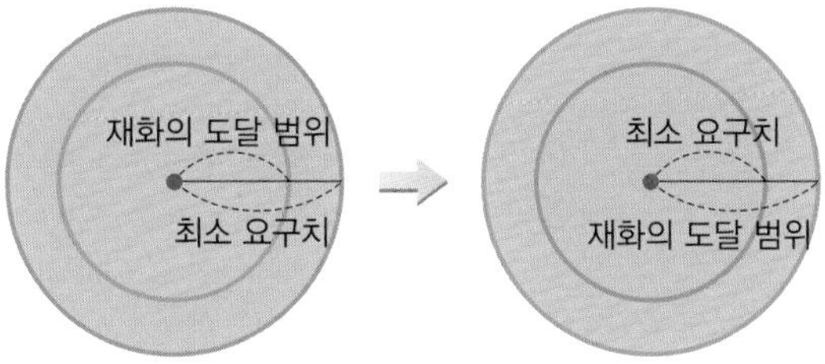
재화의 도달 범위
최소 요구치
최소 요구치
재화의 도달 범위

새로운 도로 건설로 교통이 편리해졌어요.
전입 인구보다 전출 인구가 많아졌어요.
생활 수준의 향상으로 수요가 늘어났어요.
실업률이 낮아지고 소득 수준이 높아졌어요.
갑
을
병
정

상설 시장의 발달에는 인구 증가, 교통 발달, 생활 수준의 향상 등이 영향을 주었다는 것을 알아 두자.

3 주
4일

답 1. (1) 최소 요구치 (2) 교통 (3) 도심 2. (1) 큼 (2) 작음 (3) 넓음 (4) 좁음 3. 갑, 병, 정

4일 서비스업의 변화와 교통·통신 발달 ❶

키워드 #28 상업 공간의 변화

○ 자동차 보급률이 증가하고 맞벌이 부부가 늘어나면서 소비자의 구매 행동이 변화함에 따라 상업 공간의 변화가 나타났습니다. 상업 공간의 변화를 알아봅시다.

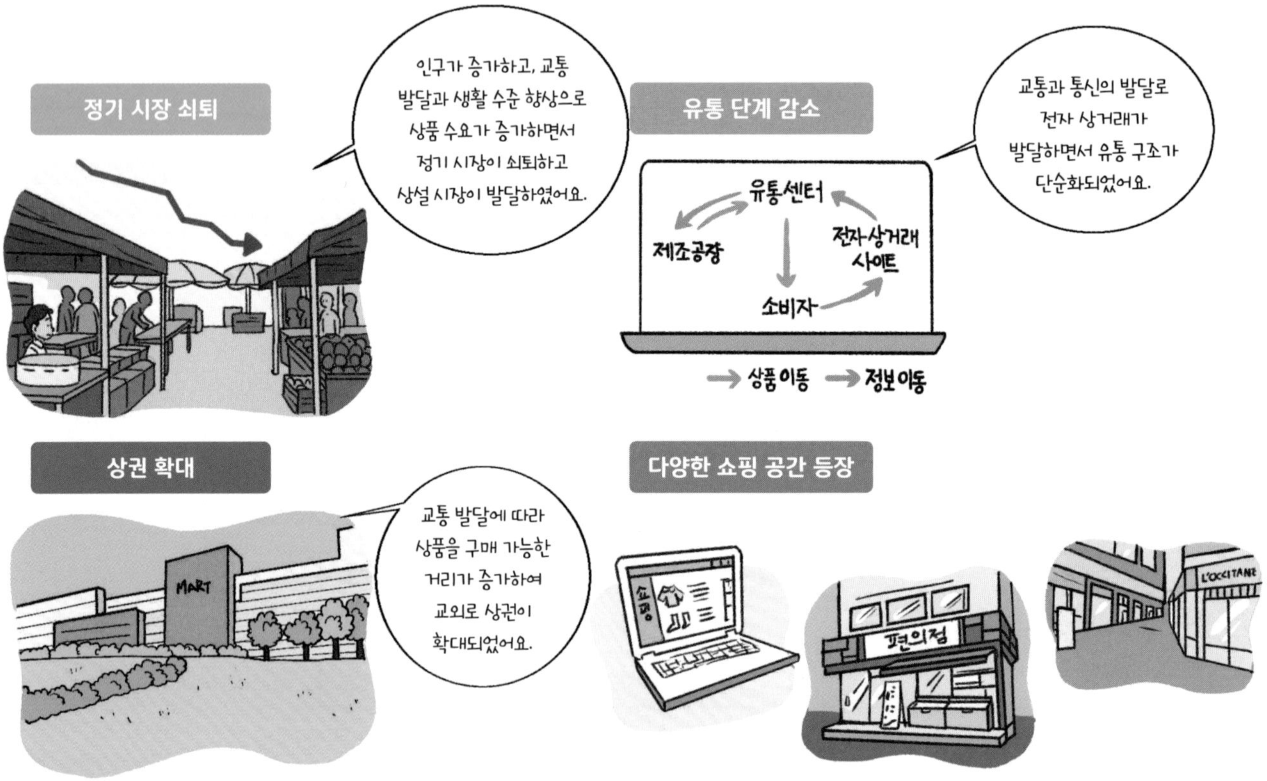

정기 시장 쇠퇴
인구가 증가하고, 교통 발달과 생활 수준 향상으로 상품 수요가 증가하면서 정기 시장이 쇠퇴하고 상설 시장이 발달하였어요.
유통 단계 감소
유통센터
제조공장
전자 상거래 사이트
소비자
→ 상품 이동 → 정보 이동
교통과 통신의 발달로 전자 상거래가 발달하면서 유통 구조가 단순화되었어요.
상권 확대
MART
교통 발달에 따라 상품을 구매 가능한 거리가 증가하여 교외로 상권이 확대되었어요.
다양한 쇼핑 공간 등장
쇼핑
편의점
L'OCCITANE

1 상업 공간의 변화

□□ 시장의 쇠퇴	인구 증가, 교통 발달 ➡ 상설 시장 발달
유통 단계의 □□	정보 통신망 확충에 따라 전자 상거래 활성화 ➡ 도매업 기능 약화, 택배업 및 물류업 발달
상권의 확대	교통 발달에 따라 상품 구매 가능 거리 증가 ➡ 교외 지역에 전문 쇼핑몰 등장, 대형 복합 상업 시설의 성장
다양한 쇼핑 공간 등장	편의점, 무점포 상점, 대형 복합 쇼핑몰, 기업형 슈퍼마켓(SSM) 등

└ 기업형 슈퍼마켓(SSM): 대규모 유통 기업에서 가맹점 형태로 운영하는 상점

2 다양한 소매 업태별 특징

편의점	도시 곳곳 분포, 일상생활에 필요한 기본 생활용품을 24시간 판매
대형 마트	생활용품을 저렴한 가격으로 대량 판매, 넓은 매장과 편리한 주차장
대형 복합 쇼핑몰	쇼핑 시설, 여가 시설, 식당 등이 결합된 시설 ➡ 교외 지역으로 확산
백화점❶	주로 고급 상품을 판매하며 접근성이 높은 도심이나 부도심에 위치
무점포 상점❷	TV 홈쇼핑, 인터넷 쇼핑, 소셜 커머스 등을 통해 거래하며 시공간 제약이 적어 입지가 자유로움.

답 정기, 감소

❶ 백화점의 판매액
소매 업태별 판매액을 비교하였을 때 백화점은 전국의 사업체 수가 적어 백화점의 판매액은 적은 편에 해당한다. 그러나 백화점은 고가의 재화를 주로 판매하기 때문에 사업체당 판매액은 가장 많다.

❷ 무점포 상점의 발달
교통·통신의 발달에 따라 시·공간적 제약이 감소하면서 인터넷 쇼핑몰과 TV 홈쇼핑, 소셜 커머스 등과 같은 다양한 소비 공간이 활성화되고 있다. 특히 유통 단계의 감소로 전자 상거래가 활성화되고, 스마트폰 보급 확대와 모바일 결제 수단이 발전하면서 무점포 상점의 사업체 수 및 판매액의 성장이 매우 빠르게 이루어지고 있다.

개념 확인

1 다음 설명에 해당하는 소매 업태에 ✓표 하시오.

(1) 교통과 정보 통신 기술의 발달로 시공간 제약이 적어 입지가 자유롭다.

□ 무점포 상점　　□ 편의점

(2) 쇼핑 시설, 여가 활동 시설, 식당 등이 결합된 시설로 최근 교외 지역으로 확산되고 있다.

□ 대형 마트　　□ 백화점

2 학생의 설명을 참고하여 그래프의 (가)~(다)에 들어갈 소매 업태를 빈칸 안에 적으시오. (단, (가)~(다)는 무점포 상점, 백화점, 편의점 중 하나임.)

소매 업태별 매출액과 사업체 수 변화를 비교하는 문제가 자주 출제되고 있어.

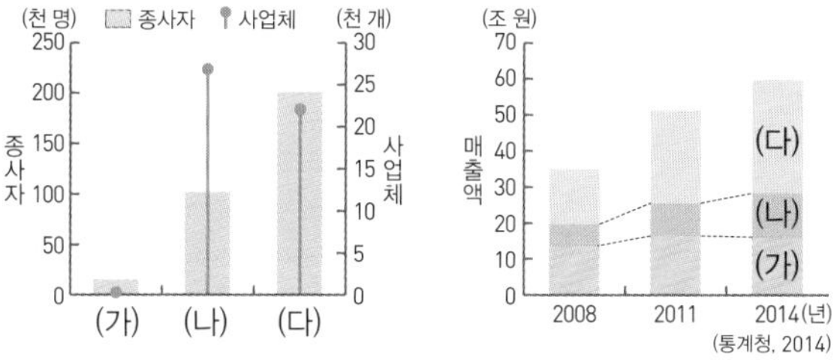

(천 명)
종사자
사업체
(천 개)
250
200
150
100
50
0
종사자
사업체
30
25
20
15
10
5
(가)
(나)
(다)
(조 원)
70
60
50
40
30
20
10
매출액
(다)
(나)
(가)
2008
2011
2014(년)
(통계청, 2014)

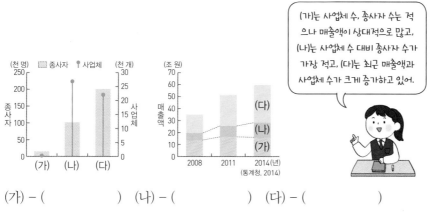

(가)는 사업체 수, 종사자 수는 적으나 매출액이 상대적으로 많고, (나)는 사업체 수 대비 종사자 수가 가장 적고, (다)는 최근 매출액과 사업체 수가 크게 증가하고 있어.

(가) – (　　　　　) (나) – (　　　　　) (다) – (　　　　　)

3 (가), (나) 상거래 유형에 대해 바르게 말한 학생을 모두 고르시오. (단, (가)와 (나)는 전통적 상거래, 전자 상거래 중 하나임.) (　　　　　)

최근 교통 및 정보 통신 기술의 발달로 인해 유통 구조가 단순화되고 전자 상거래가 활성화되고 있어.

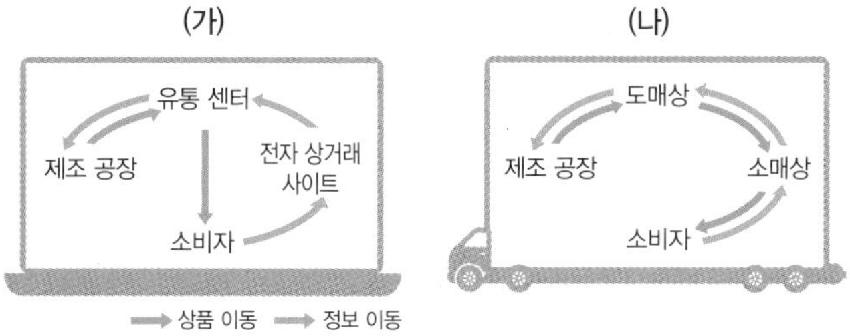

(가)
유통 센터
제조 공장
전자 상거래 사이트
소비자
(나)
도매상
제조 공장
소매상
소비자
상품 이동
정보 이동

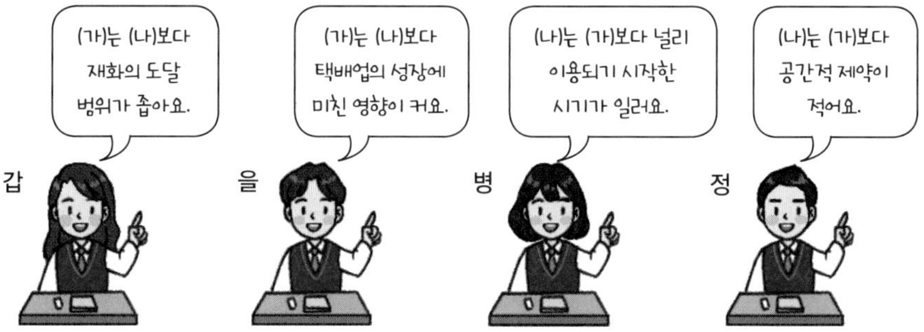

(가)는 (나)보다 재화의 도달 범위가 좁아요.
(가)는 (나)보다 택배업의 성장에 미친 영향이 커요.
(나)는 (가)보다 널리 이용되기 시작한 시기가 일러요.
(나)는 (가)보다 공간적 제약이 적어요.
갑
을
병
정

답 1. (1) 무점포 상점 (2) 대형 마트 2. (가) 백화점 (나) 편의점 (다) 무점포 상점 3. 을, 병

4일 서비스업의 변화와 교통·통신 발달 ❶

| 수능 기출 |

1 그래프의 (가)~(다) 소매 업태에 대한 설명으로 옳은 것은? (단, (가)~(다)는 무점포 소매, 백화점, 편의점 중 하나임.)

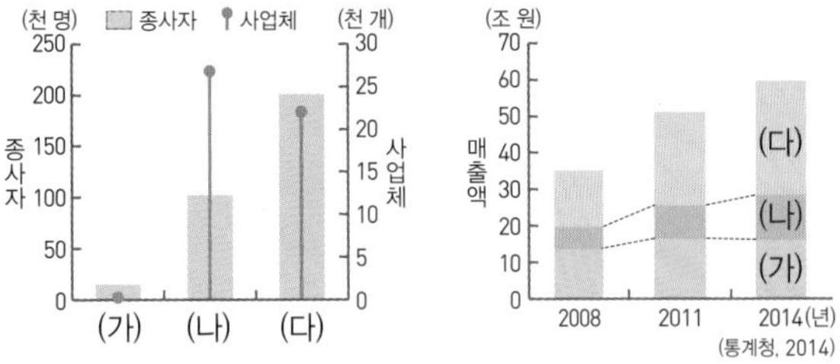

(천 명)
종사자
사업체
(천 개)
종사자
사업체
250
200
150
100
50
0
30
25
20
15
10
5
(가)
(나)
(다)
(조 원)
매출액
70
60
50
40
30
20
10
2008
2011
2014(년)

(통계청, 2014)

① (가)는 (나)보다 사업체 간 평균 거리가 멀다.
② (가)는 (다)보다 2008년부터 2014년까지 매출액 증가율이 높다.
③ (나)는 (가)보다 고가 제품의 판매 비중이 높다.
④ (나) 사업체는 (가) 사업체보다 2014년에 전국 대비 특별·광역시에 분포하는 비중이 높다.
⑤ (가)~(다) 중 2014년에 종사자당 매출액은 (다)가 가장 많다.

| 수능 응용 |

2 (가), (나) 소매 업태에 대한 설명으로 옳지 않은 것은? (단, 슈퍼마켓과 대형 마트만 고려함.)

(가) 은/는 일상생활에 필요한 기본적인 생필품을 가까이에서 손쉽게 살 수 있는 곳이에요.
(나) 은/는 넓은 주차 공간을 갖추고 있고, 다양한 상품을 대량으로 구매할 수 있는 곳이에요.

① (가)는 (나)보다 상점 간 평균 거리가 가깝다.
② (가)는 (나)보다 소비자의 1회 구매당 평균 구매액이 적다.
③ (나)는 (가)보다 최소 요구치의 범위가 넓다.
④ (나)는 (가)보다 판매하는 상품의 종류가 다양하다.
⑤ (가), (나) 모두 교통이 편리한 도심에 주로 입지한다.

| 학평 기출 |

3 표의 A~C에 대한 옳은 설명을 〈보기〉에서 고른 것은? (단, A~C는 백화점, 편의점, 대형 마트 중 하나임.)

소매 업태	항목별 매출 비율(%)		1회당 구매액(원)
	식품	비식품	
A	56.3	43.7	42,155
B	14.7	85.3	73,004
C	51.6	48.4	5,119

(2016)

보기
ㄱ. A는 B보다 대도시의 도심에 입지하는 경향이 높다.
ㄴ. A는 C보다 자가용 이용 고객의 비율이 높다.
ㄷ. B는 C보다 고가 제품의 판매 비율이 높다.
ㄹ. C는 A보다 상점 간 평균 거리가 멀다.

① ㄱ, ㄴ ② ㄱ, ㄷ ③ ㄴ, ㄷ
④ ㄴ, ㄹ ⑤ ㄷ, ㄹ

| 학평 응용 |

4 그래프는 세 지역의 A, B 사업체 수 비율 및 백화점 수를 나타낸 것이다. 이에 대한 설명으로 옳은 것은? (단, (가)~(다)는 각각 경기, 서울, 인천 중 하나이고, A, B는 각각 편의점, 경영 컨설팅업 중 하나임.)

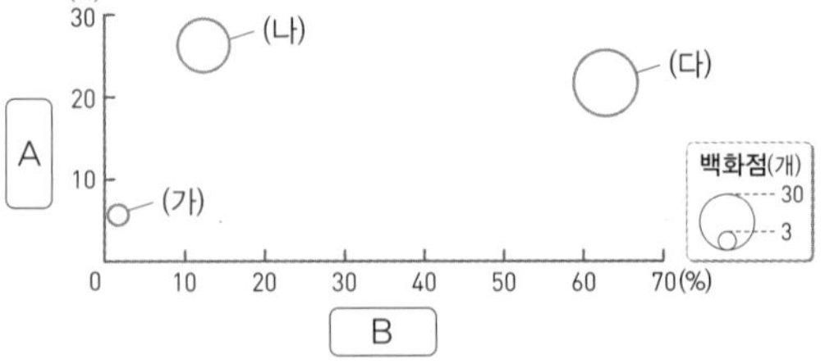

(%)
30
20
10
0
A
(나)
(다)
(가)
10
20
30
40
50
60
70(%)
B
백화점(개)
30
3

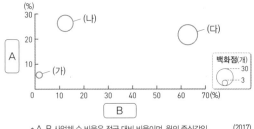

* A, B 사업체 수 비율은 전국 대비 비율이며, 원의 중심값임. (2017)

① 경기는 서울보다 백화점 수가 많다.
② 서비스업 종사자 수는 (가)>(나)>(다) 순으로 많다.
③ A는 B보다 사업체당 매출액이 많다.
④ B는 A보다 수도권의 사업체 수 집중도가 높다.
⑤ A는 생산자 서비스업, B는 소비자 서비스업이다.

정답과 해설 15쪽

| 모평 기출 |

5 소매 업태 (가)와 비교한 (나)의 상대적 특성을 그림의 A~E에서 고른 것은? (단, (가), (나)는 대형 마트, 편의점 중 하나임.)

(가) 은/는 일상생활에 필요한 기본적인 생필품을 가까이에서 손쉽게 살 수 있는 곳이에요.
(나) 은/는 넓은 주차 공간을 갖추고 있고, 다양한 상품을 대량으로 구매할 수 있는 곳이에요.

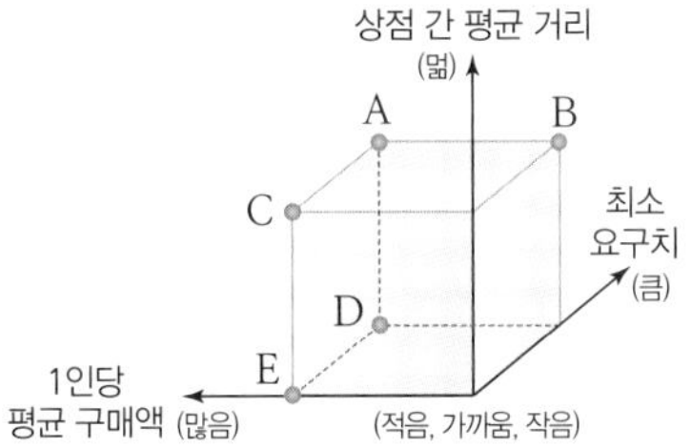
상점 간 평균 거리 (멂)
A
B
C
D
E
최소 요구치 (큼)
1인당 평균 구매액 (많음)
(적음, 가까움, 작음)

① A ② B ③ C ④ D ⑤ E

| 학평 기출 |

6 다음 자료는 두 소매 업태의 광고이다. (가), (나) 소매 업태에 대한 옳은 설명만을 〈보기〉에서 있는 대로 고른 것은?

(가)
(나)
OO 백화점 정기 세일
○ 스포츠·레저 용품 대전
○ 가구 구매 시 상품권 증정
□□ 슈퍼마켓 대박 세일
무더위를 날리는 시원한 여름 특가
6000원
4900원
5000원
9900원
4900원

보기
ㄱ. (가)는 (나)보다 사업체당 매출액이 많다.
ㄴ. (가)는 (나)보다 고가 상품의 판매 비중이 높다.
ㄷ. (나)는 (가)보다 전체 사업체 수가 많다.
ㄹ. (나)는 (가)보다 대도시 도심에 입지하는 경향이 강하다.

① ㄱ, ㄴ ② ㄷ, ㄹ ③ ㄱ, ㄴ, ㄷ
④ ㄱ, ㄴ, ㄹ ⑤ ㄴ, ㄷ, ㄹ

| 학평 기출 |

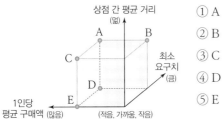

7 그래프의 A~C 소매 업태에 대한 옳은 설명을 〈보기〉에서 고른 것은?

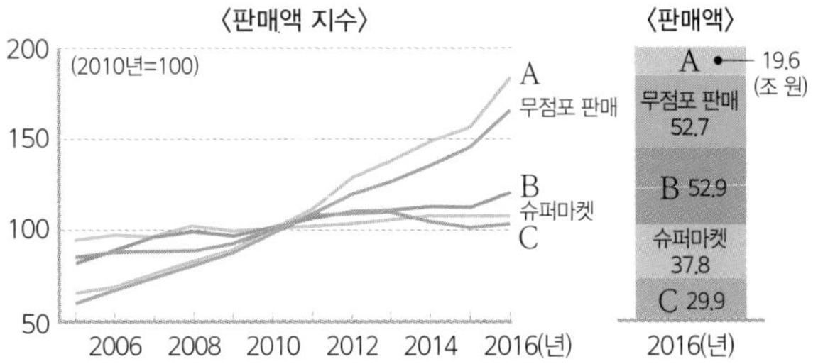
〈판매액 지수〉
(2010년=100)
200
150
100
50
2006 2008 2010 2012 2014 2016(년)
A
무점포 판매
B
슈퍼마켓
C
〈판매액〉
A 19.6 (조 원)
무점포 판매 52.7
B 52.9
슈퍼마켓 37.8
C 29.9
2016(년)

보기
ㄱ. A는 B보다 최소 요구치가 크다.
ㄴ. A는 C보다 고가 제품의 판매 비중이 높다.
ㄷ. B는 A보다 점포당 종사자 수가 많다.
ㄹ. C는 B보다 도심이나 부도심에 입지하는 경향이 크다.

① ㄱ, ㄴ ② ㄱ, ㄷ ③ ㄴ, ㄷ
④ ㄴ, ㄹ ⑤ ㄷ, ㄹ

| 수능 기출 |

8 다음 자료는 국내 소매업의 주요 유형별 현황이다. A~C 유형의 일반적 특성으로 옳은 내용을 〈보기〉에서 고른 것은? (단, A~C는 백화점, 대형 마트, 편의점 중 하나임.)

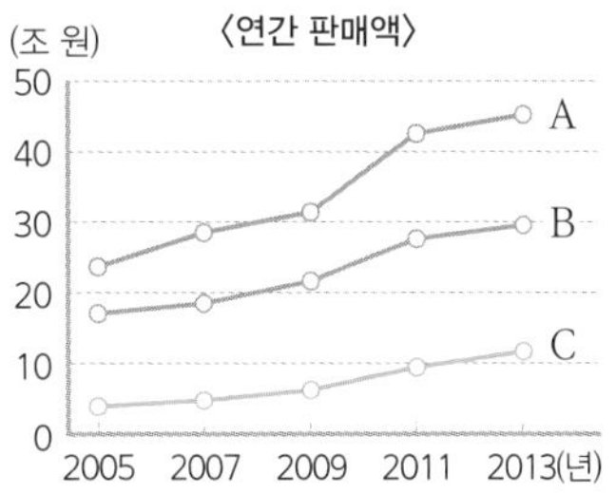
〈연간 판매액〉
(조 원)
50
40
30
20
10
0
2005 2007 2009 2011 2013(년)
A
B
C

〈사업체 수〉

(단위: 개)

소매업 유형	2005년	2012년
A	307	501
B	79	95
C	9,085	24,559

(대한상공회의소)

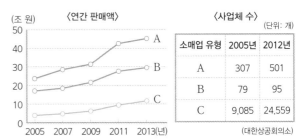

보기
ㄱ. A는 B보다 도심에 입지하는 경향이 강하다.
ㄴ. B는 C보다 고가 제품의 판매 비중이 높다.
ㄷ. C는 A보다 자가용 이용 고객의 비율이 높다.
ㄹ. A~C 중 재화의 도달 범위가 가장 좁은 것은 C이다.

① ㄱ, ㄴ ② ㄱ, ㄷ ③ ㄴ, ㄷ
④ ㄴ, ㄹ ⑤ ㄷ, ㄹ

5일 서비스업 변화와 교통·통신 발달 ②

키워드 #29 서비스업의 변화

◎ 서비스업은 다른 산업이나 일반 소비자에게 재화와 서비스를 제공하는 활동입니다. 한 국가의 산업 구조가 고도화될수록 1차 산업의 비중은 감소하고 3차 산업의 비중은 높아집니다. 서비스업의 발달로 인한 변화를 알아봅시다.

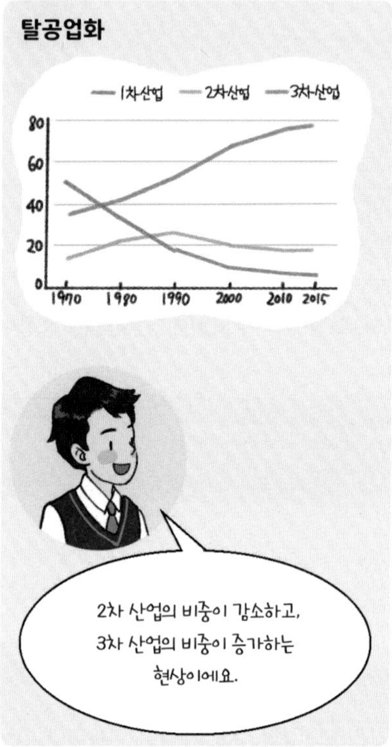
탈공업화
1차산업
2차산업
3차산업
0
20
40
60
80
1970
1980
1990
2000
2010
2015
2차 산업의 비중이 감소하고, 3차 산업의 비중이 증가하는 현상이에요.

서비스업의 고도화
법무사
법률 사무소
회계사무소
투자
보험
변호사
서비스업이 고도화됨에 따라 생산자 서비스업의 성장이 두드러져요.

지식 기반 산업 발달
최근에는 지식과 정보를 이용해 상품과 서비스의 부가 가치를 창출하는 일이 산업을 주도하고 있어요.

1 □□□□

의미	산업 전체에서 2차 산업 비중이 감소하고, 3차 산업의 비중이 증가하는 현상
특징	지식 기반 산업과 전문직·관리직·연구직 종사자 수의 비중 증가

2 서비스업의 고도화

서비스업이 세분화·전문화되면서 부가 가치가 높은 서비스업의 비중이 증가하는 현상❶

→ □□□ 서비스업의 성장이 두드러짐.

구분	소비자 서비스업	생산자 서비스업
정의	개인의 일상적인 활동을 돕는 서비스업	기업의 생산 활동을 지원하는 서비스업
입지	소비자의 이동 거리를 최소화하고, 업체 간 일정 거리 유지를 위해 분산 입지	고객과의 접근성이 높고, 관련 정보 습득이 용이한 대도시의 도심, 부도심에 집적하여 입지
사례	도·소매업, 음식업, 숙박업 등	금융업, 법률, 회계, 마케팅, 광고업 등

3 지식 기반 산업❷ 발달

지식과 정보를 기반으로 부가 가치를 창출하는 연구·개발, 정보 통신 기술 등과 관련된 서비스업

❶ 서비스업 종사자 수 변화

생산자 서비스업 종사자 수 비중은 증가하고, 소비자 서비스업 종사자 수 비중은 감소하는 경향이 나타난다.

❷ 지식 기반 산업

입지 특성	• 대도시에 집중, 수도권 집중도 높음. ― 편리한 교통, 고급 인력 확보 용이 등 • 서울은 지식 기반 서비스업, 경기도는 지식 기반 제조업 비중이 높음.

답 탈공업화, 생산자

개념 확인

1 **다음 내용이 생산자 서비스업에 해당하면 '생', 소비자 서비스업에 해당 하면 '소'라고 쓰시오.**

(1) 탈공업화 현상이 진행되고 서비스업이 고도화되면서 성장이 두드러진다. ……( )

(2) 다른 재화, 용역의 생산 과정에 투입되는 서비스업이다. ……………………( )

2 **□ 안에 들어갈 알맞은 말을 쓰시오.**

> 수요자의 유형에 따라 서비스업을 생산자 서비스업과 소비자 서비스업으로 분류할 수 있어. 두 서비스업의 입지 특성을 잘 비교해 두자.

(1) □□□ 서비스업	(2) □□□ 서비스업
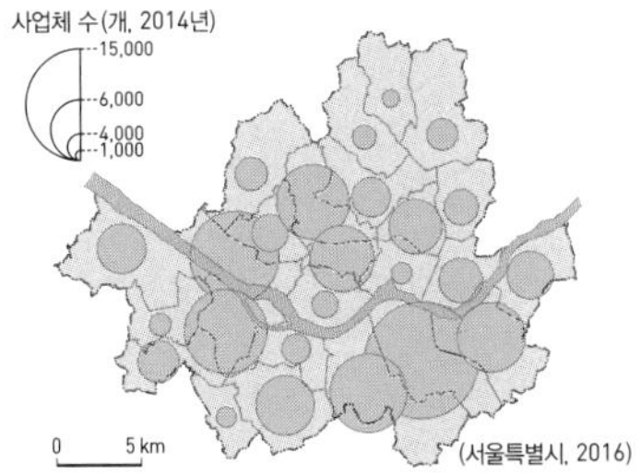사업체 수(개, 2014년) 15,000 6,000 4,000 1,000 0 5 km (서울특별시, 2016)	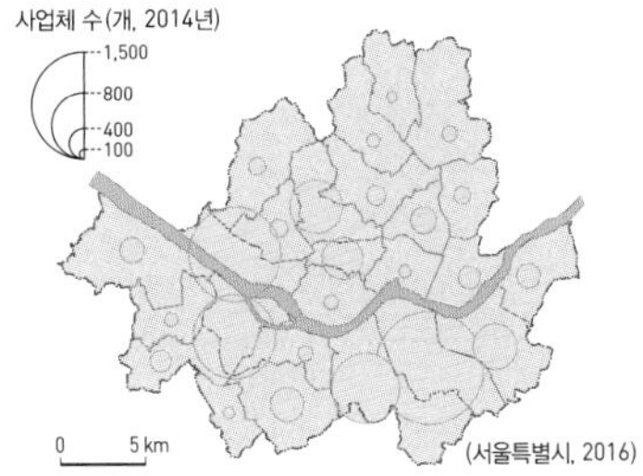사업체 수(개, 2014년) 1,500 800 400 100 0 5 km (서울특별시, 2016)

소비자 서비스업은 인구 분포에 따라 (3) □□ 입지하며, 생산자 서비스업은 기업과의 접근성이 우수하고 정보 획득에 유리한 대도시의 (4) □□ 및 부도심과 같은 핵심 지역에 집중적으로 입지한다.

3 **다음 그래프는 서비스업의 업종별 종사자 수 비중 변화를 나타낸 것이다. □ 안에 알맞은 부등호를 쓰시오. (단, (가), (나)는 도매 및 소매업, 사업 서비스업 중 하나임.)**

> 생산자 서비스업과 소비자 서비스업의 특징을 비교하는 문제가 종종 출제되고 있어.

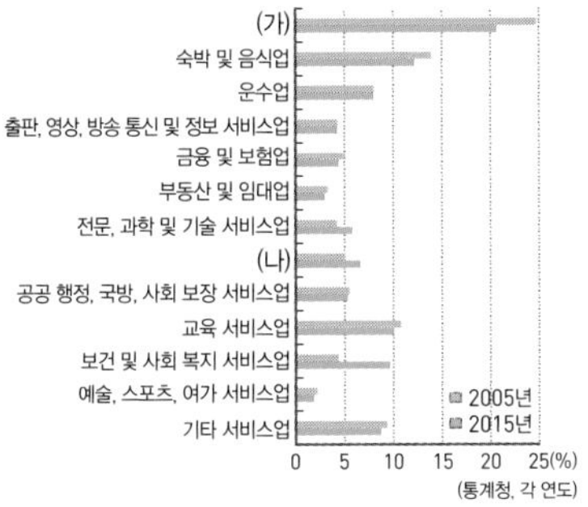

(가)
숙박 및 음식업
운수업
출판, 영상, 방송 통신 및 정보 서비스업
금융 및 보험업
부동산 및 임대업
전문, 과학 및 기술 서비스업
(나)
공공 행정, 국방, 사회 보장 서비스업
교육 서비스업
보건 및 사회 복지 서비스업
예술, 스포츠, 여가 서비스업
기타 서비스업
2005년
2015년
0 5 10 15 20 25(%)
(통계청, 각 연도)

(1) 종사자 수 증가율
(가) □ (나)

(2) 기업과의 거래 비중
(가) □ (나)

(3) 대도시에 집중하는 경향
(가) □ (나)

답 1. (1) 생 (2) 생 2. (1) 소비자 (2) 생산자 (3) 분산 (4) 도심 3. (1) < (2) < (3) <

3주 5일

5일 서비스업 변화와 교통·통신 발달 ❷

키워드 #30 교통수단의 특징

도로 교통

도로 교통은 기동성과 문전 연결성이 높고, 기종점 비용이 낮지만, 주행 비용 증가율이 높아.

철도 교통

철도 교통은 대량 화물의 장거리 수송에 적합하고 정시성과 안정성이 높지만, 지형적 제약이 많아.

해운 교통

해운 교통은 기종점 비용이 높고 주행 비용 증가율은 낮아서 대량 화물의 장거리 수송에 적합하지.

항공 교통

항공 교통은 신속성이 높지만, 기종점 비용과 주행 비용이 모두 높아서 장거리 여객 수송 및 고부가 가치 제품 수송에 적합해.

1 교통수단별 특징

(문전 연결성: 사람이나 물자를 목적지까지 바로 연결해 주는 정도)

도로	• 지형적 제약이 적음, 기동성·문전 연결성이 높음. • □□□ 비용은 가장 낮지만, 주행 비용❶ 증가율이 높음 ➞ 단거리 수송에 적합
철도	• 지형적 제약이 많음, □□□·안전성이 높음. • 기종점 비용·주행 비용이 도로와 해운의 중간 ➞ 중거리 수송에 적합
해운	• 기상 조건의 제약이 많음, 무역량 증가로 화물 수송 비중 증가 • 기종점 비용이 높고, 주행 비용 증가율이 낮음. ➞ 대량 화물의 장거리 수송에 적합
항공	• 기상 조건의 제약이 많음, 신속성이 높음. • 기종점 비용·주행 비용이 모두 높아 장거리 여객 수송에 적합

2 교통수단별 수송 분담률

- 국내 여객 수송 분담률: 도로 > 지하철 > 철도 > 해운·항공
- 국내 화물 수송 분담률: 도로 > 해운 > 철도 > 항공
- 국제 여객 수송 분담률: 항공이 대부분을 차지
- 국제 화물 수송 분담률: 해운이 대부분을 차지

❶ 운송비 구조

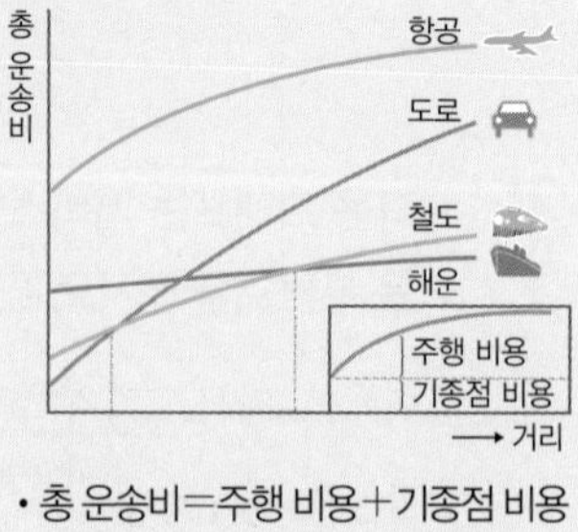
총 운송비
항공
도로
철도
해운
주행 비용
기종점 비용
거리

- 총 운송비 = 주행 비용 + 기종점 비용
- 주행 비용: 거리에 따라 증가하는 운송 비용 → 증가율: 도로 > 철도 > 해운
- 기종점 비용(주행 거리와 관계없이 일정): 창고비, 하역비, 보험료 등 운송 업무에 관련된 모든 비용 → 항공 > 해운 > 철도 > 도로

답 기종점, 정시성

개념 확인

1 빈칸에 들어갈 말을 〈보기〉에서 골라 쓰시오.

보기

주행 비용, 가종점 비용, 항공, 도로, 철도

(1) 거리에 따라 증가하는 운송 비용을 (   )(이)라고 한다.

(2) 기종점 비용은 (   )이/가 가장 높고, (   )이/가 가장 낮다.

2 그래프의 (가)~(다) 교통수단의 상대적 특징을 오른쪽 그림의 A~C와 바르게 연결하시오. (단, (가)~(다)는 도로, 철도, 해운 중 하나임.)

화물 및 여객 분담률 그래프를 제시하고, 어떤 교통수단에 해당하는지 묻는 문제가 자주 출제되고 있어.

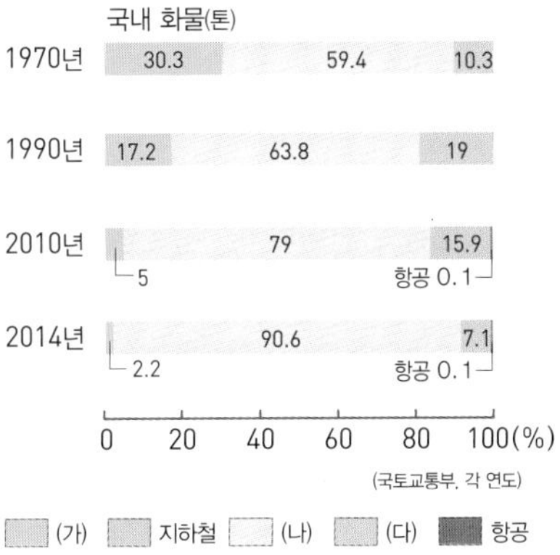

국내 화물(톤)
1970년 30.3 59.4 10.3
1990년 17.2 63.8 19
2010년 79 15.9
5
항공 0.1
2014년 90.6 7.1
2.2
항공 0.1
0 20 40 60 80 100(%)
(가) 지하철 (나) (다) 항공

(국토교통부, 각 연도)

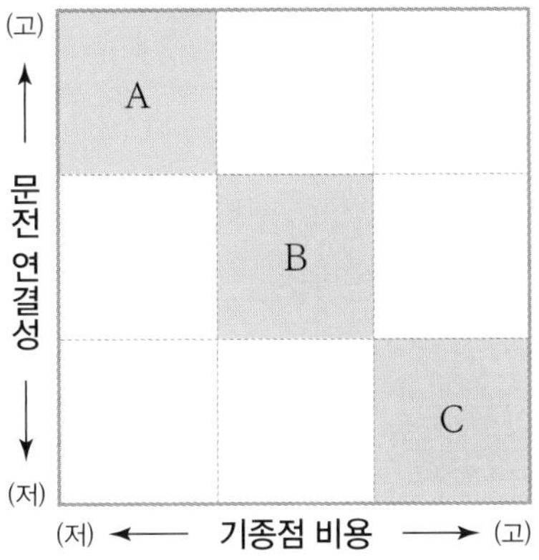

(고)
문전 연결성
(저)
A
B
C
(저) 기종점 비용 (고)

(가)-(   ) (나)-(   ) (다)-(   )

3 교통수단별 운송비 구조를 나타낸 그래프를 보고, 옳은 설명을 하는 학생을 모두 고르시오. (단, (가)~(다)는 도로, 철도, 해운 중 하나임.) (   )

총 운송비의 의미, 기종점 비용, 주행 비용 등의 용어를 정리하고 각 교통수단별 특징을 정리한다면 문제를 해결할 수 있을 거야.

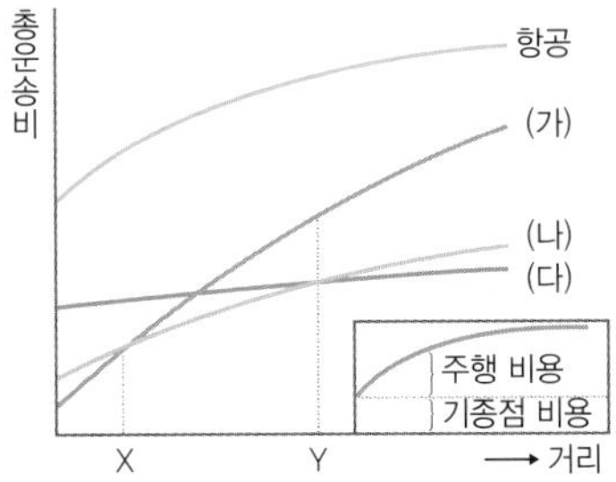

총운송비
항공
(가)
(나)
(다)
주행 비용
기종점 비용
X
Y
거리

(가)는 (다)보다 문전 연결성이 우수해요.
X-Y 구간에서는 (나)는 (다)보다 주행 비용이 비싸요.
(가)는 (나)보다 기종점 비용이 비싸요.
Y 이상의 거리를 운송할 때, (다)의 총운송비가 가장 싸요.
갑
을
병
정

답 1. (1) 주행 비용 (2) 항공, 도로 2. (가) B (나) A (다) C 3. 갑, 을, 정

서비스업 변화와 교통·통신 발달 ❷

| 학평 기출 |

1 그래프는 (가), (나) 서비스업의 시·도별 사업체 수 비중을 나타낸 것이다. 이에 대한 설명으로 옳은 것은? (단, (가), (나)는 숙박 및 음식점업, 전문 서비스업 중의 하나임.)

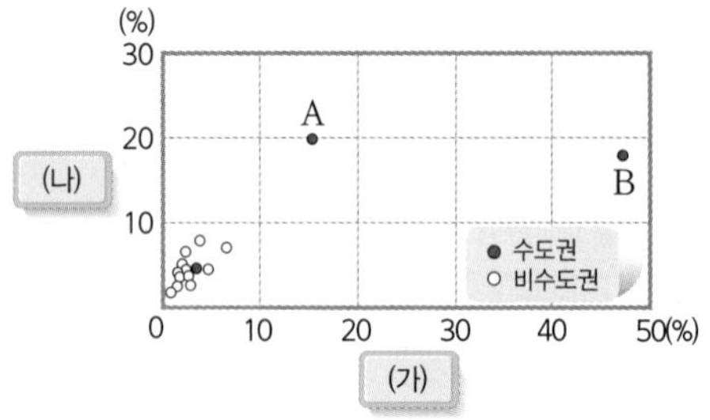
(%)
30
20
10
0
10
20
30
40
50(%)
(나)
(가)
A
B
수도권
비수도권

*전국에서 차지하는 비중을 나타낸 것이며, 전문 서비스업에는 법률, 회계, 광고업 등이 포함됨.

① A는 서울, B는 경기이다.
② (가)는 소비자 서비스업에 속한다.
③ (가)는 (나)보다 대도시에 집중하는 경향이 크다.
④ (나)는 (가)보다 사업체당 종사자 수가 많다.
⑤ (나)는 (가)보다 지식 집약적 성격이 강하다.

| 모평 기출 |

2 다음 자료에 대한 설명으로 옳은 것은? (단, (가)~(라), A~D는 서울, 울산, 전남, 제주 중 하나임.)

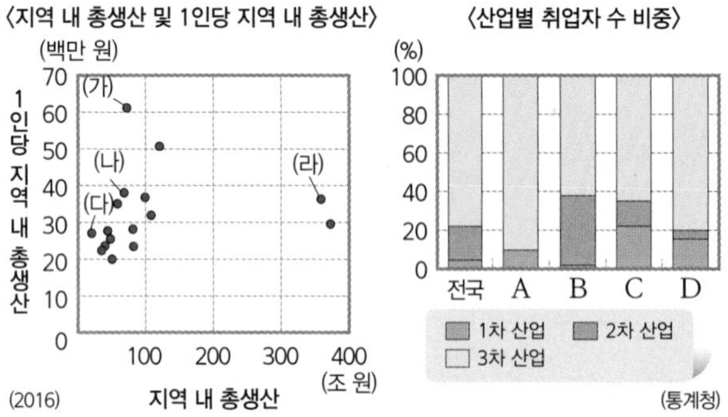
〈지역 내 총생산 및 1인당 지역 내 총생산〉
(백만 원)
1인당 지역 내 총생산
(가)
(나)
(다)
(라)
지역 내 총생산
(조 원)
(2016)
〈산업별 취업자 수 비중〉
(%)
전국
A
B
C
D
1차 산업
2차 산업
3차 산업
(통계청)

*세종특별자치시는 충북 및 충남에 포함됨.

① (다)에는 대규모 자동차 생산 공장이 위치한다.
② (다)는 (나)보다 1차 산업 취업자 수가 많다.
③ (나)와 D는 동일한 지역이다.
④ A는 B보다 생산자 서비스업의 사업체 수 비중이 낮다.
⑤ A는 특별시, B는 광역시, C는 도(道)이다.

| 학평 기출 |

3 그래프는 (가), (나) 서비스업의 광역시별 현황을 나타낸 것이다. 이에 대한 옳은 설명을 〈보기〉에서 고른 것은? (단, (가), (나)는 숙박 및 음식점업, 전문·과학 및 기술 서비스업 중 하나임.)

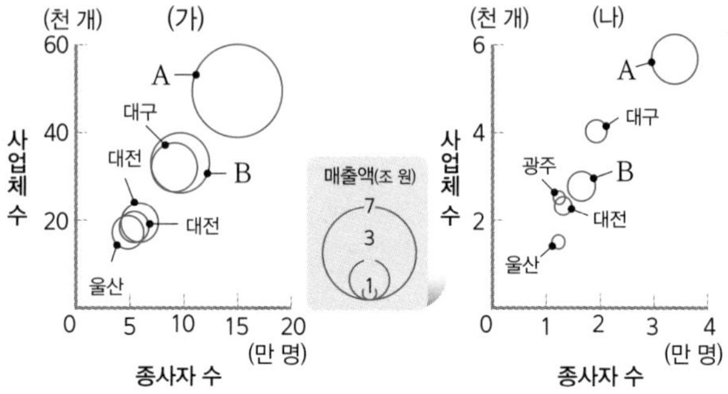
(천 개)
(가)
사업체 수
A
대구
대전
B
대전
울산
종사자 수
(만 명)
매출액(조 원)
7
3
1
(천 개)
(나)
A
대구
광주
B
대전
울산
종사자 수
(만 명)

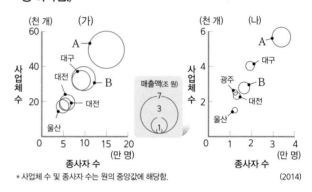

* 사업체 수 및 종사자 수는 원의 중앙값에 해당함. (2014)

보기

ㄱ. A는 부산, B는 인천이다.
ㄴ. (나)의 종사자 1인당 매출액은 광주가 대전보다 많다.
ㄷ. (가)는 (나)보다 기업과의 거래 비중이 낮다.
ㄹ. (나)는 (가)보다 사업체당 종사자 수가 적다.

① ㄱ, ㄴ　② ㄱ, ㄷ　③ ㄴ, ㄷ
④ ㄴ, ㄹ　⑤ ㄷ, ㄹ

| 학평 기출 |

4 그래프는 교통수단별 국내 여객 수송 분담률을 나타낸 것이다. A~E 교통수단에 대한 설명으로 옳은 것은?

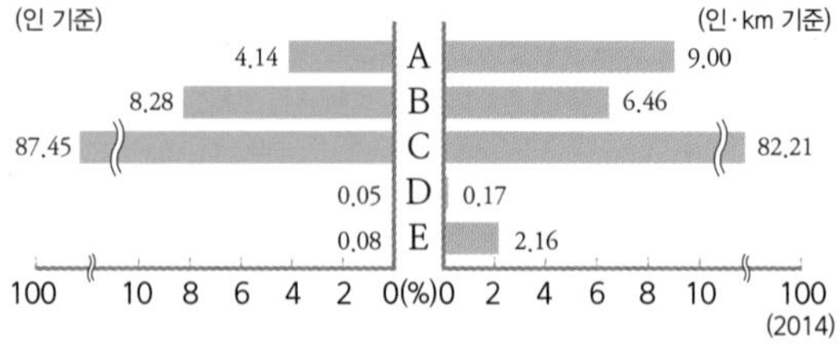
(인 기준)
(인·km 기준)
A 4.14 9.00
B 8.28 6.46
C 87.45 82.21
D 0.05 0.17
E 0.08 2.16
(2014)

① A는 기종점 비용이 가장 비싸다.
② D는 단거리 소량 화물 수송에 유리하다.
③ A는 B보다 장거리 여객 수송에 많이 이용된다.
④ D는 C보다 주행 비용 증가율이 높다.
⑤ E는 D보다 국제 화물 수송 분담률이 높다.

정답과 해설 16쪽

| 모평 기출 |

5 다음 자료에 대한 설명으로 옳은 것은?

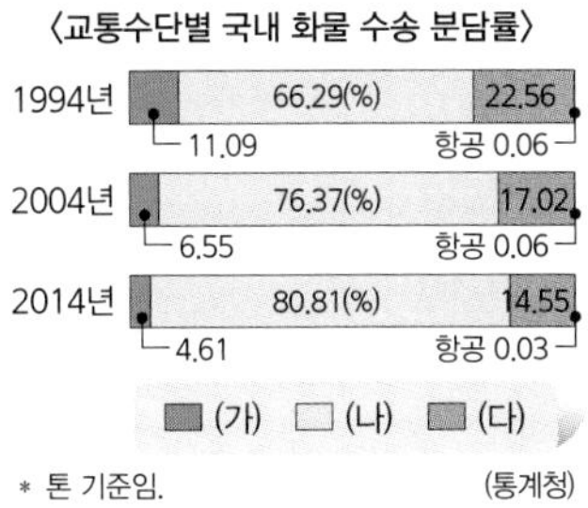
〈교통수단별 국내 화물 수송 분담률〉
1994년
66.29(%)
22.56
11.09
항공 0.06
2004년
76.37(%)
17.02
6.55
항공 0.06
2014년
80.81(%)
14.55
4.61
항공 0.03
(가) (나) (다)
* 톤 기준임.
(통계청)

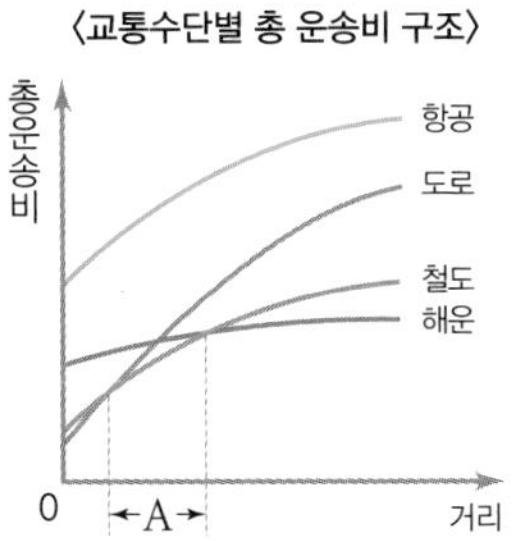
〈교통수단별 총 운송비 구조〉
총운송비
항공
도로
철도
해운
0
A
거리

① 해운은 (나)에, 철도는 (다)에 해당한다.
② A 구간에서는 (가)의 총 운송비가 가장 저렴하다.
③ (다)는 기종점 비용이 가장 저렴하다.
④ (가)는 (나)보다 국내 여객 수송에서 차지하는 비중이 높다.
⑤ (다)는 (가)보다 정시성과 안전성이 우수하다.

| 학평 기출 |

6 그림은 세 교통수단의 특성을 나타낸 것이다. (가)~(다) 교통수단을 그래프의 A~C에서 고른 것은? (단, (가)~(다)는 도로, 철도, 해운 중 하나임.)

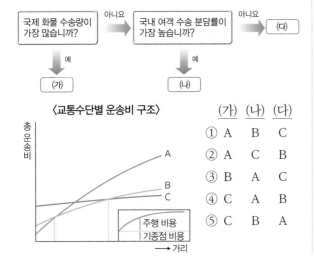

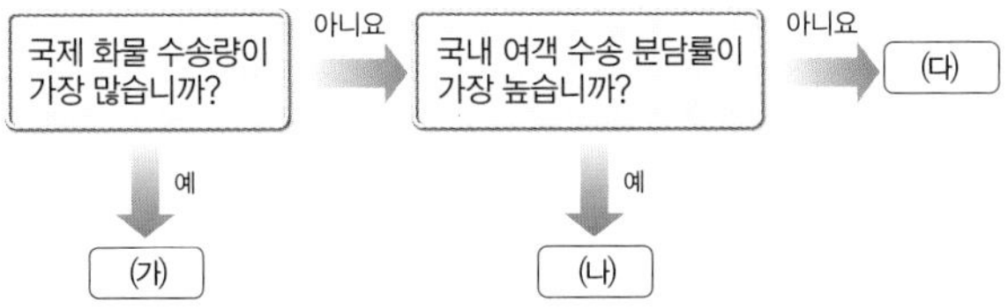
국제 화물 수송량이 가장 많습니까?
아니요
국내 여객 수송 분담률이 가장 높습니까?
아니요
(다)
예
(가)
예
(나)

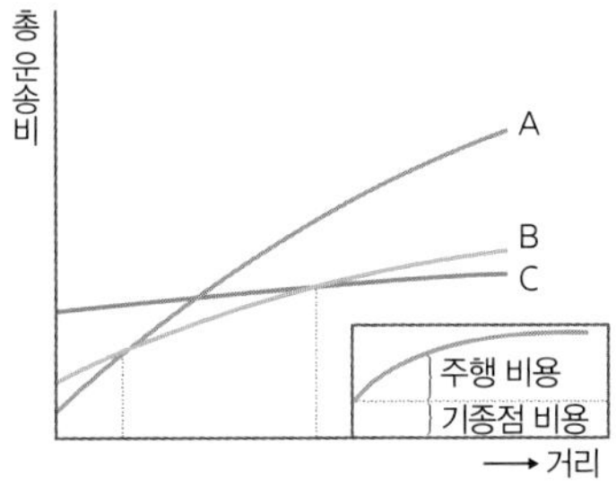
〈교통수단별 운송비 구조〉
총운송비
A
B
C
주행 비용
기종점 비용
거리

	(가)	(나)	(다)
①	A	B	C
②	A	C	B
③	B	A	C
④	C	A	B
⑤	C	B	A

| 학평 기출 |

7 그래프는 교통수단별 국내 수송 분담률을 나타낸 것이다. A~C에 대한 설명으로 옳은 것은? (단, A~C는 도로, 철도, 해운 중 하나임.)

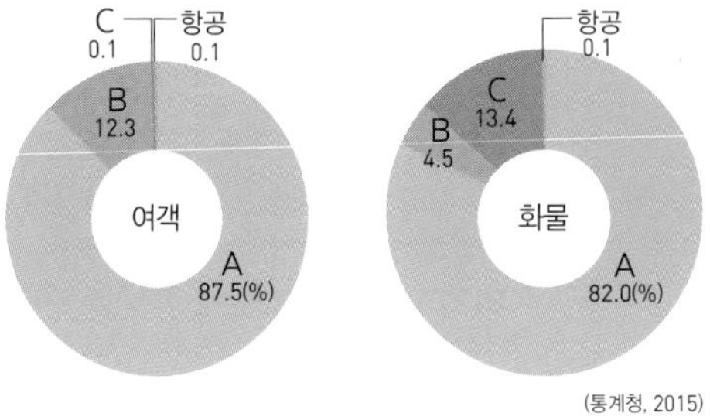
C
0.1
항공
0.1
B
12.3
여객
A
87.5(%)
항공
0.1
C
13.4
B
4.5
화물
A
82.0(%)
(통계청, 2015)

① A는 기종점 비용이 가장 비싸다.
② B는 기상 조건의 영향을 가장 크게 받는다.
③ C는 대량 화물의 장거리 수송에 유리하다.
④ A는 B보다 정시성과 안전성이 우수하다.
⑤ C는 A보다 기동성과 문전 연결성이 우수하다.

| 모평 기출 |

8 A~C 교통수단에 대한 옳은 설명을 〈보기〉에서 고른 것은?

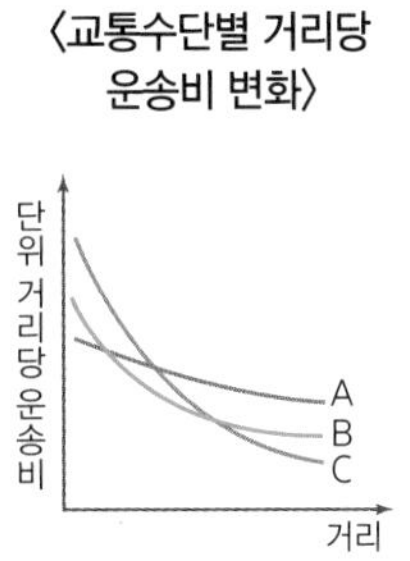
〈교통수단별 거리당 운송비 변화〉
단위 거리당 운송비
A
B
C
거리

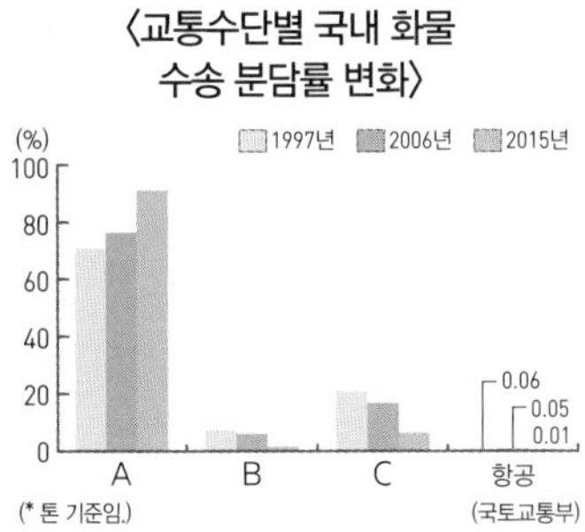
〈교통수단별 국내 화물 수송 분담률 변화〉
(%)
100
80
60
40
20
0
1997년
2006년
2015년
A
B
C
항공
0.06
0.05
0.01
(* 톤 기준임.)
(국토교통부)

보기

ㄱ. A는 B보다 기종점 비용이 높다.
ㄴ. B는 C보다 국내 여객 수송에서 차지하는 비중이 높다.
ㄷ. C는 A보다 주행 비용 증가율이 낮다.
ㄹ. C는 B보다 수송 시 기상 제약을 적게 받는다.

① ㄱ, ㄴ ② ㄱ, ㄷ ③ ㄴ, ㄷ
④ ㄴ, ㄹ ⑤ ㄷ, ㄹ

누구나 100점 테스트

1 다음 표의 (가), (나) 지역 개발 방식에 대한 설명으로 옳지 <u>않은</u> 것은?

〈지역 개발 방식의 비교〉

지역 개발 방식	(가)	(나)
개발 목표	지역 간 균형 발전 추구	파급 효과의 극대화
개발 주체	지방 정부 및 지역 주민	중앙 정부
개발 초점	지역 격차 해소	성장 거점의 집중 육성

① (가)는 우리나라의 3차 국토 종합 개발 계획에서 채택되었다.
② (나)는 역류 효과의 발생 가능성이 높다.
③ (가)는 (나)보다 투자의 효율성이 낮다.
④ (가)는 (나)보다 지역 주민이 참여도가 높다.
⑤ (나)는 (가)보다 지역 간 분배의 형평성이 높다.

2 다음은 우리나라의 주요 에너지 자원의 수입국을 나타낸 것이다. 이에 대한 설명으로 옳지 <u>않은</u> 것은?

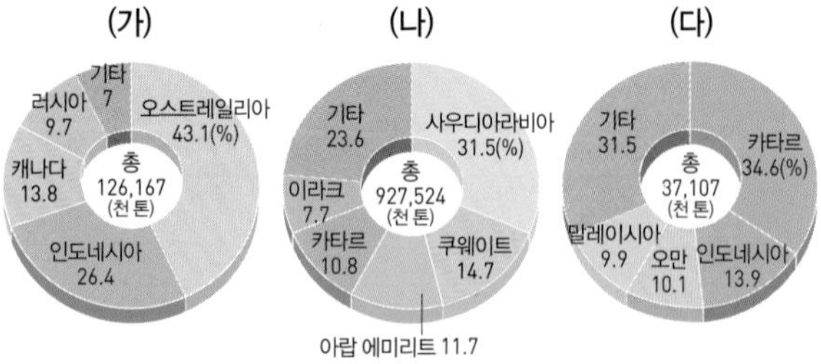

(가)
기타 7
러시아 9.7
오스트레일리아 43.1(%)
캐나다 13.8
총 126,167 (천 톤)
인도네시아 26.4
(나)
기타 23.6
사우디아라비아 31.5(%)
이라크 7.7
총 927,524 (천 톤)
카타르 10.8
쿠웨이트 14.7
아랍 에미리트 11.7
(다)
기타 31.5
카타르 34.6(%)
총 37,107 (천 톤)
말레이시아 9.9
오만 10.1
인도네시아 13.9

① (가)는 주로 산업용·발전용으로 이용된다.
② (나)는 화력 발전 중 가장 많이 소비되는 에너지원이다.
③ (다)는 1990년대 이후 소비가 급증하였다.
④ 우리나라는 에너지 자원의 수입 의존도가 높다.
⑤ 에너지 자원의 수입국을 다변화할 필요가 있다.

3 그래프는 세 작물의 권역별 생산량 비중을 나타낸 것이다. (가)~(라) 권역으로 옳은 것은?

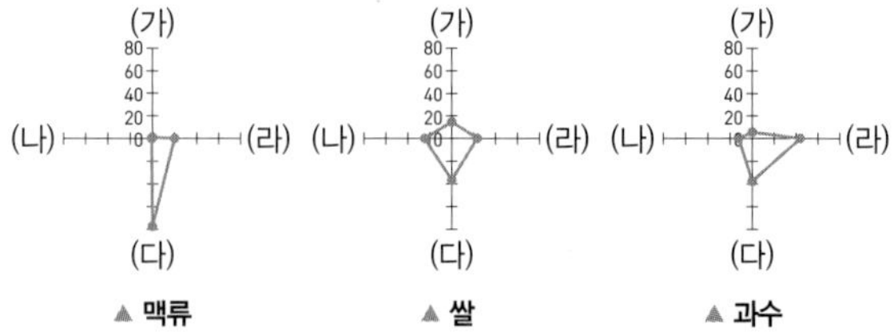

(가)
80
60
40
20
(나)
(라)
(다)
▲ 맥류
▲ 쌀
▲ 과수

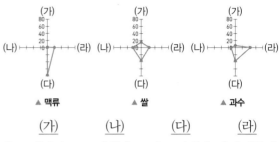

	(가)	(나)	(다)	(라)
①	영남권	충청권	수도·강원권	호남·제주권
②	영남권	수도·강원권	호남·제주권	충청권
③	수도·강원권	영남권	충청권	호남·제주권
④	수도·강원권	충청권	호남·제주권	영남권
⑤	호남·제주권	수도·강원권	충청권	영남권

4 지도는 주요 공업의 지역별 제조업 종사자 비율과 생산량을 나타낸 것이다. (가), (나)에 해당하는 공업을 바르게 연결한 것은?

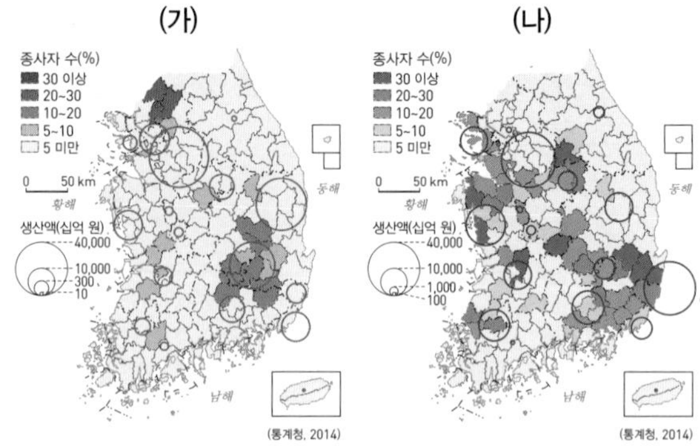

(가)
(나)
종사자 수(%)
30 이상
20~30
10~20
5~10
5 미만
0 50 km
황해
동해
남해
생산액(십억 원)
40,000
10,000
300
10
1,000
100
(통계청, 2014)

	(가)	(나)
①	IT 공업	제철 공업
②	조선 공업	IT 공업
③	제철 공업	조선 공업
④	섬유 공업	자동차 공업
⑤	자동차 공업	섬유 공업

정답과 해설 17쪽

5 그래프는 지역별 1차 에너지의 생산 비중이다. (가)~(다)의 특성을 그림의 A~I에서 골라 바르게 연결한 것은? (단, (가)~(다)는 석탄, 수력, 천연가스 중 하나임.)

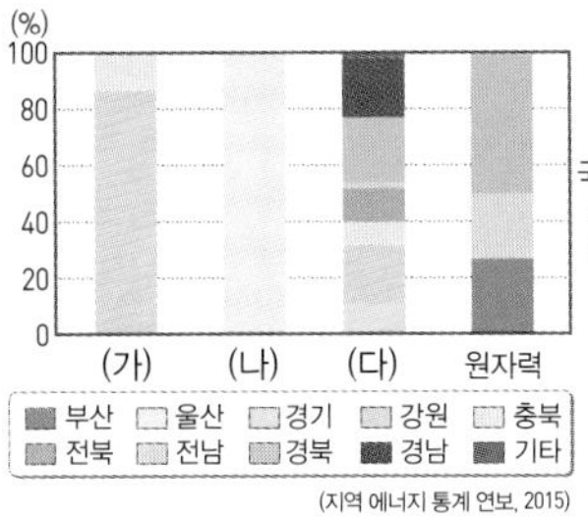
(%)
100
80
60
40
20
0
(가)
(나)
(다)
원자력
부산 울산 경기 강원 충북
전북 전남 경북 경남 기타
(지역 에너지 통계 연보, 2015)

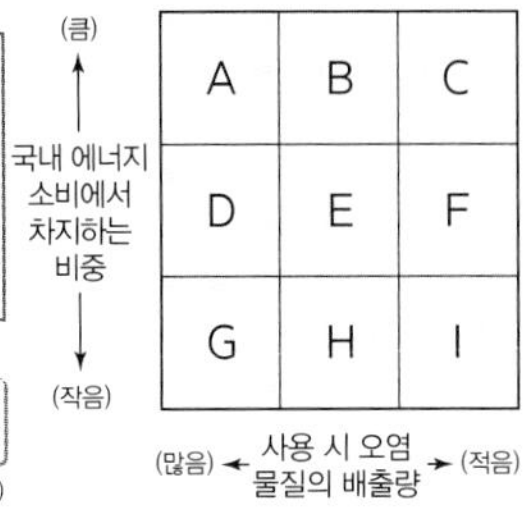
(큼)
국내 에너지 소비에서 차지하는 비중
(작음)
A B C
D E F
G H I
(많음)
사용 시 오염 물질의 배출량
(적음)

	(가)	(나)	(다)
①	A	E	I
②	B	F	G
③	C	H	D
④	D	C	H
⑤	E	I	A

6 그래프는 교통수단의 운송비 구조를 나타낸 것이다. 이에 대한 설명으로 옳지 않은 것은?

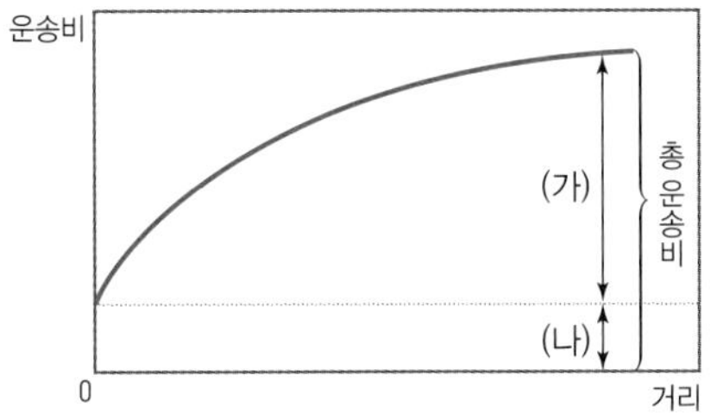
운송비
(가)
(나)
총 운송비
0
거리

① 총 운송비는 (가)와 (나)의 합이다.
② (가)는 주행 비용, (나)는 기종점 비용이다.
③ (가)는 주행 거리에 따라 증가한다.
④ (나)는 도로가 가장 높고, 항공이 가장 낮다.
⑤ (나)는 하역비, 보험료, 창고비 등으로 구성된다.

7 그래프는 (가)~(다) 지역의 겸업농가 및 전업농가 수를 나타낸 것이다. (가)~(다) 지역을 지도의 A~C에서 골라 바르게 연결한 것은?

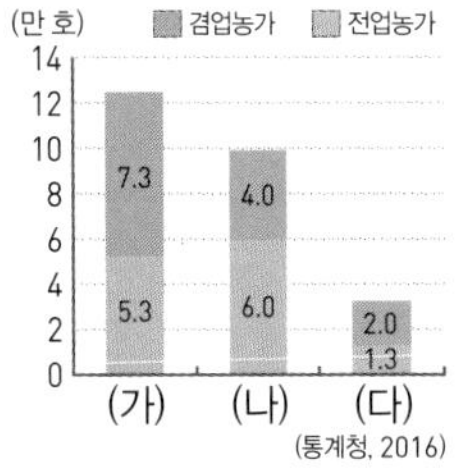
(만 호)
겸업농가
전업농가
14
12
10
8
6
4
2
0
7.3
5.3
4.0
6.0
2.0
1.3
(가)
(나)
(다)
(통계청, 2016)

▲ 도별 농가 수

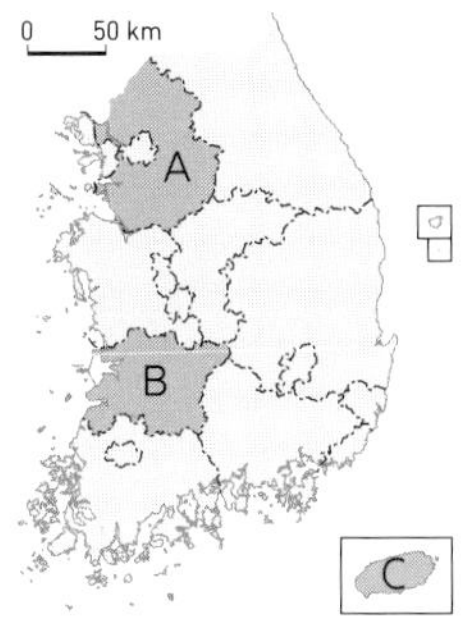
0 50 km
A
B
C

	(가)	(나)	(다)
①	A	B	C
②	A	C	B
③	B	A	C
④	B	C	A
⑤	C	A	B

8 지도는 수요자 유형에 따라 분류한 서비스업의 지역별 분포를 나타낸 것이다. (가), (나)에 대한 옳은 설명만을 〈보기〉에서 있는 대로 고른 것은?

(가)

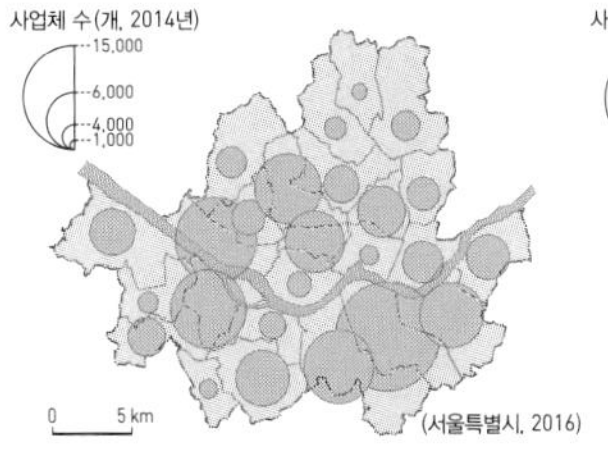
사업체 수(개, 2014년)
15,000
6,000
4,000
1,000
0 5 km
(서울특별시, 2016)

(나)

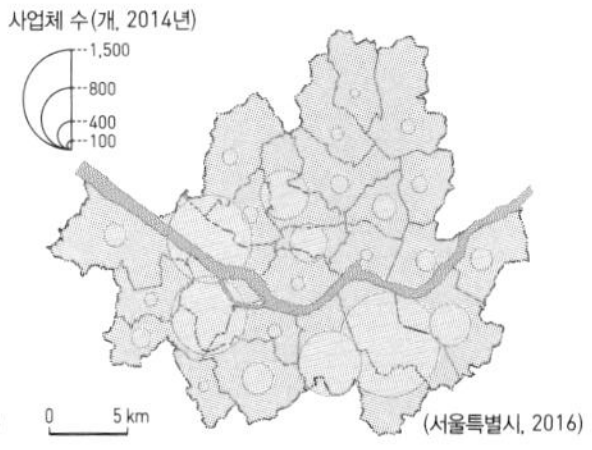
사업체 수(개, 2014년)
1,500
800
400
100
0 5 km
(서울특별시, 2016)

보기

ㄱ. 음식업, 도·소매업은 (가)에 속한다.
ㄴ. (가)는 (나)에 비해 업체당 종사자 수가 많다.
ㄷ. (나)는 (가)에 비해 지역 간 분포의 편차가 크다.
ㄹ. (나)는 (가)에 비해 관련 산업의 집적 이익이 크다.

① ㄱ, ㄴ ② ㄷ, ㄹ ③ ㄱ, ㄴ, ㄷ
④ ㄱ, ㄷ, ㄹ ⑤ ㄴ, ㄷ, ㄹ

3 주

특강 창의·융합·코딩

1. 지역 개발

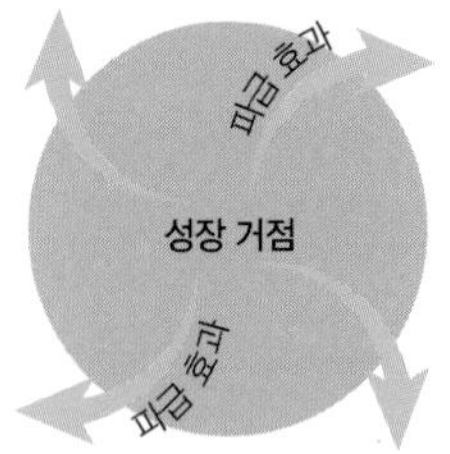
파급 효과
성장 거점
파급 효과

▲ 성장 거점 개발 방식

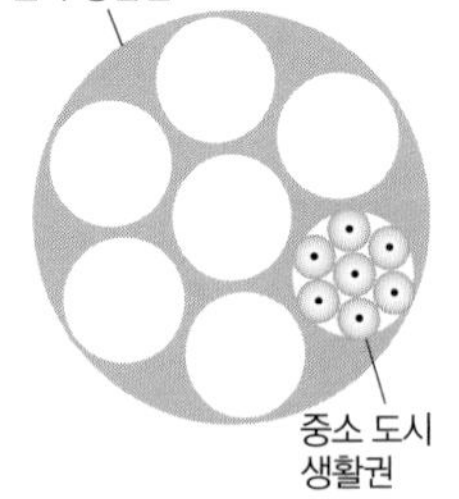
전국 생활권
중소 도시
생활권

▲ 균형 개발 방식

지역 개발 방식에는 개발 도상국에서 주로 채택하는 성장 거점 개발 방식과 선진국에서 주로 채택하는 균형 개발 방식이 있다. 성장 거점 개발은 하향식으로 이루어지고, 균형 개발은 상향식으로 이루어지고 있다.

2. 1차 에너지 발전량 및 생산량

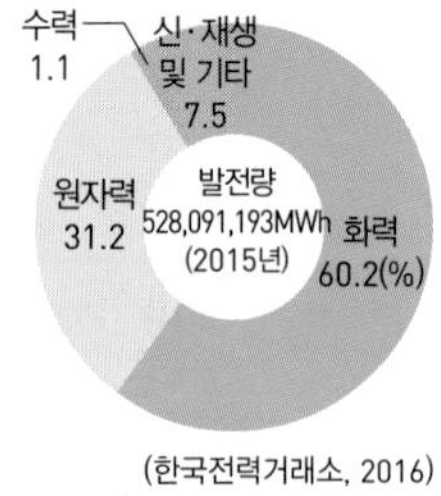
수력
1.1
신·재생
및 기타
7.5
원자력
31.2
발전량
528,091,193MWh
(2015년)
화력
60.2(%)
(한국전력거래소, 2016)

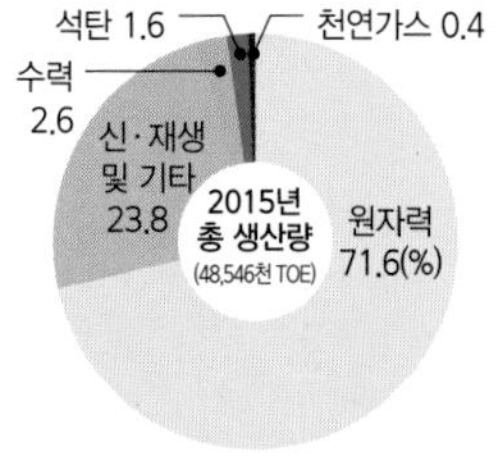
석탄 1.6
천연가스 0.4
수력
2.6
신·재생
및 기타
23.8
2015년
총 생산량
(48,546천 TOE)
원자력
71.6(%)
(한국에너지공단, 2016)

▲ 발전 유형별 발전량 비중

- 1차 에너지 발전량 비중: 화력>원자력>신·재생 에너지 및 기타>수력
- 1차 에너지원별 발전량: 석탄>원자력>천연가스>석유>신·재생 에너지 및 기타>수력
- 1차 에너지 생산량: 원자력>신·재생 에너지 및 기타>수력>석탄

3. 우리나라 1차 에너지 소비 구조

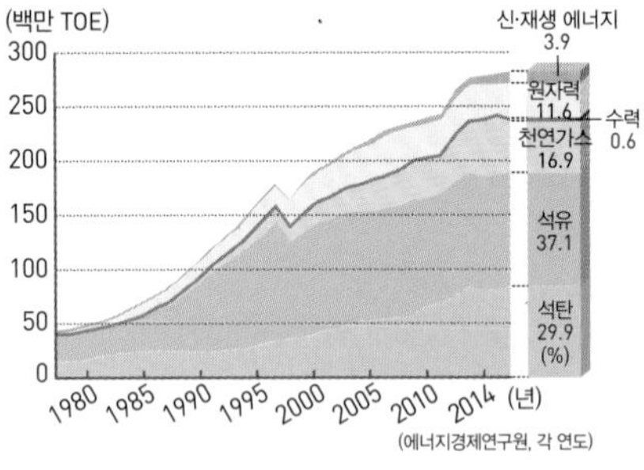
(백만 TOE)
300
250
200
150
100
50
0
1980
1985
1990
1995
2000
2005
2010
2014 (년)
신·재생 에너지
3.9
원자력
11.6
수력
0.6
천연가스
16.9
석유
37.1
석탄
29.9
(%)
(에너지경제연구원, 각 연도)

▲ 1차 에너지 소비 구조 변화

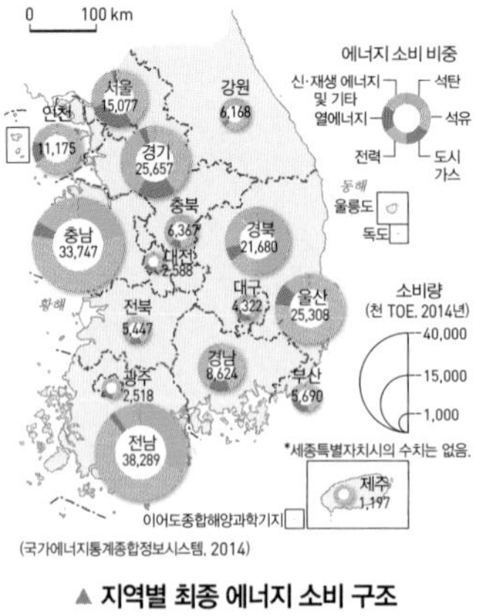
0 100 km
에너지 소비 비중
신·재생 에너지 및 기타
석탄
열에너지
석유
전력
도시가스
서울 15,077
강원 6,168
인천 11,175
경기 25,657
충북 6,367
경북 21,680
충남 33,747
대전 2,588
울릉도
독도
전북 5,447
대구 4,322
울산 25,308
소비량
(천 TOE, 2014년)
40,000
15,000
1,000
광주 2,518
경남 8,624
부산 5,690
전남 38,289
*세종특별자치시의 수치는 없음.
제주 1,197
이어도종합해양과학기지
(국가에너지통계종합정보시스템, 2014)

▲ 지역별 최종 에너지 소비 구조

- 소비 비중: 석유>석탄>천연가스>원자력>신·재생 에너지>수력
- 석탄은 대부분 산업용으로 사용되며, 석유는 산업용 및 수송용으로 사용되고, 천연가스는 가정·상업용으로 소비되는 비중이 높다.

4. 신·재생 에너지의 공급 비중

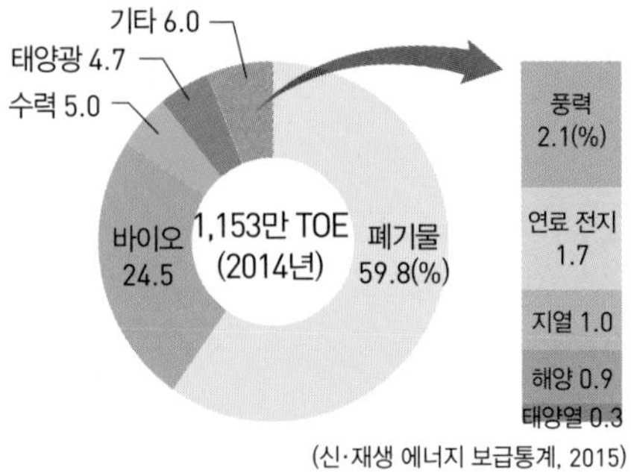
기타 6.0
태양광 4.7
수력 5.0
바이오
24.5
1,153만 TOE
(2014년)
폐기물
59.8(%)
풍력
2.1(%)
연료 전지
1.7
지열 1.0
해양 0.9
태양열 0.3
(신·재생 에너지 보급통계, 2015)

▲ 신·재생 에너지 공급 비중

- 신·재생 에너지는 기존 화석 연료를 변환시켜 이용하거나 재생 가능한 에너지를 변환시켜 이용하는 에너지원이다.
- 공급 비중: 폐기물>바이오>수력>태양광>풍력

5. 시 · 도별 작물 재배

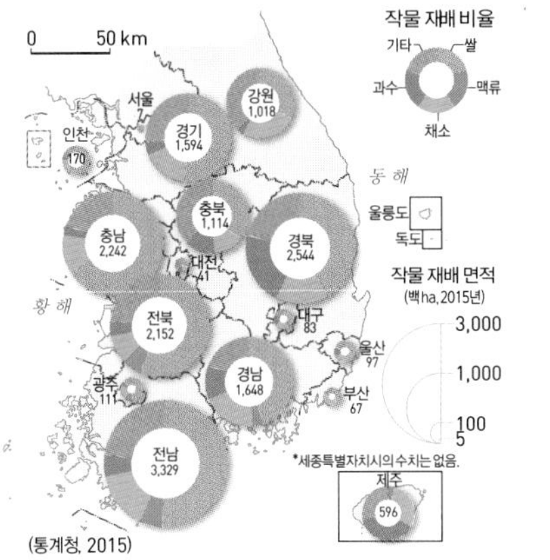
0 50 km
작물 재배 비율
기타
쌀
과수
맥류
채소
서울
인천 170
경기 1,594
강원 1,018
동해
충북 1,114
충남 2,242
대전 41
경북 2,544
울릉도
독도
작물 재배 면적 (백ha, 2015년)
3,000
1,000
100
5
황해
전북 2,152
대구 83
울산 97
광주 111
경남 1,648
부산 67
전남 3,329
*세종특별자치시의 수치는 없음.
제주 596
(통계청, 2015)

▲ 작물 재배 면적 비중

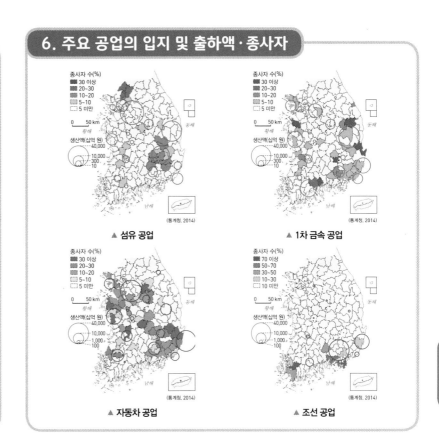

- 쌀: 전남>충남>전북
- 맥류: 전남>전북>경남
- 과수: 경북>제주
- 채소: 전남>경북

* 강원도 내에서 채소, 제주도 내에서 과수는 높은 재배 면적 비중을 차지한다.

6. 주요 공업의 입지 및 출하액 · 종사자

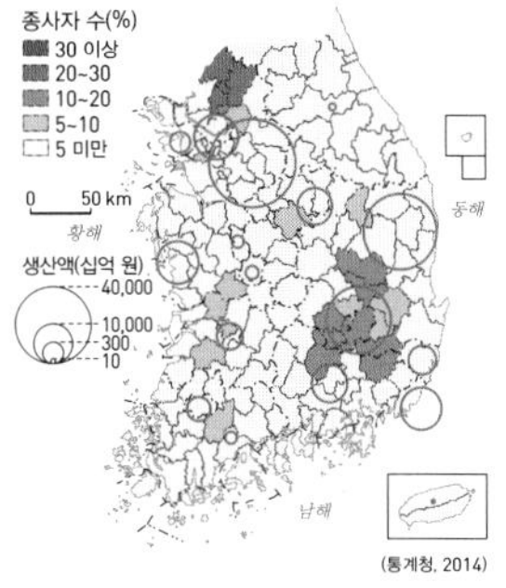
종사자 수(%)
30 이상
20~30
10~20
5~10
5 미만
0 50 km
황해
동해
생산액(십억 원)
40,000
10,000
300
10
남해
(통계청, 2014)

▲ 섬유 공업

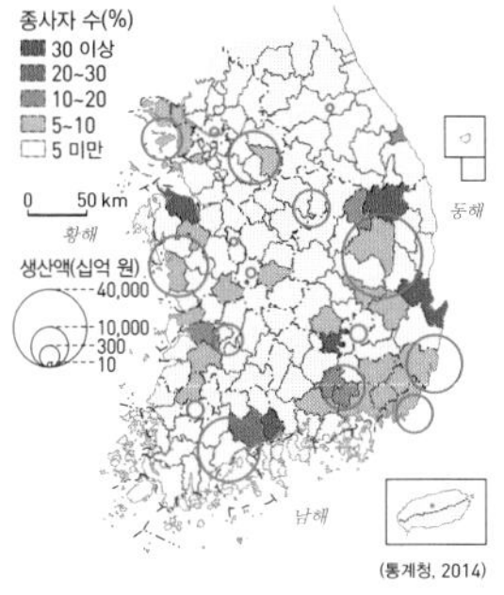
종사자 수(%)
30 이상
20~30
10~20
5~10
5 미만
0 50 km
황해
동해
생산액(십억 원)
40,000
10,000
300
10
남해
(통계청, 2014)

▲ 1차 금속 공업

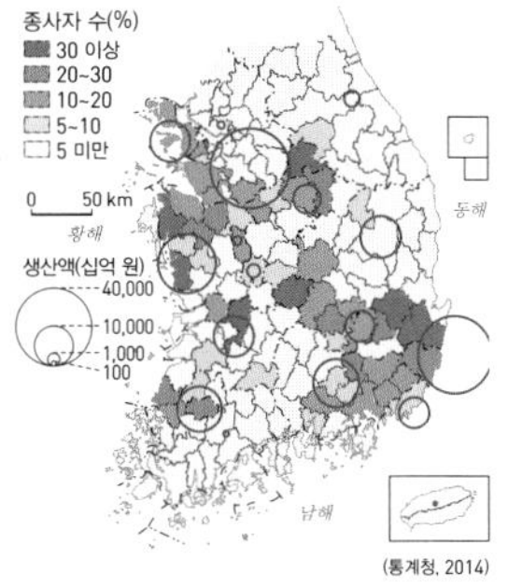
종사자 수(%)
30 이상
20~30
10~20
5~10
5 미만
0 50 km
황해
동해
생산액(십억 원)
40,000
10,000
1,000
100
남해
(통계청, 2014)

▲ 자동차 공업

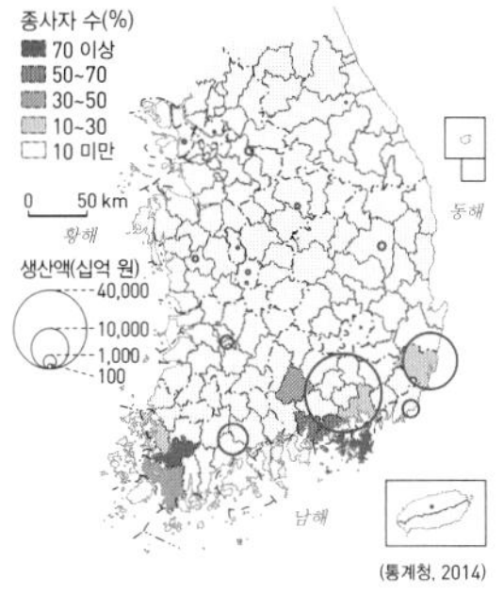
종사자 수(%)
70 이상
50~70
30~50
10~30
10 미만
0 50 km
황해
동해
생산액(십억 원)
40,000
10,000
1,000
100
남해
(통계청, 2014)

▲ 조선 공업

7. 서비스업의 변화

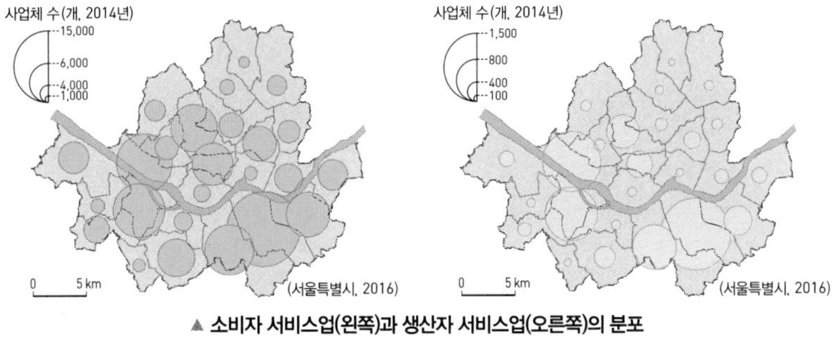
사업체 수(개, 2014년)
15,000
6,000
4,000
1,000
0 5 km
(서울특별시, 2016)
사업체 수(개, 2014년)
1,500
800
400
100
0 5 km
(서울특별시, 2016)

▲ 소비자 서비스업(왼쪽)과 생산자 서비스업(오른쪽)의 분포

소비자 서비스업은 인구 분포에 따라 분산 입지하며, 생산자 서비스업은 기업과의 접근성이 좋고 정보 획득에 유리한 대도시의 도심 및 부도심에 집중적으로 입지한다.

8. 교통 · 통신의 발달

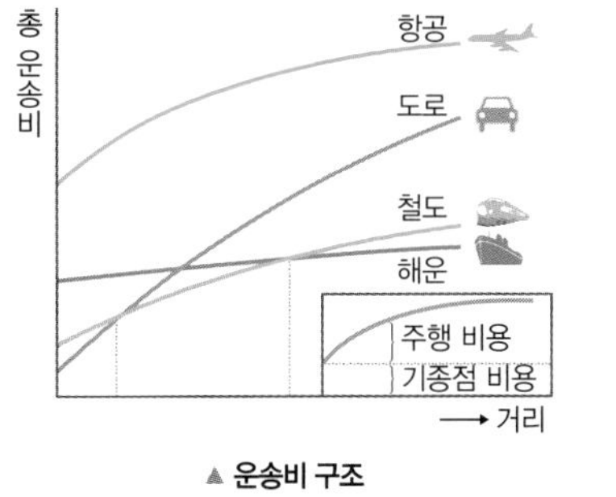
총 운송비
항공
도로
철도
해운
주행 비용
기종점 비용
거리

▲ 운송비 구조

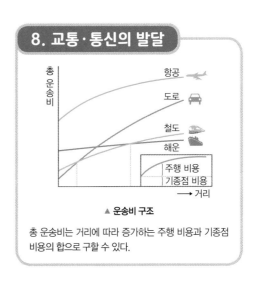

총 운송비는 거리에 따라 증가하는 주행 비용과 기종점 비용의 합으로 구할 수 있다.

빈출 자료 1 도시 재개발의 유형과 특징

(가)는 기존의 건물들은 최대한 보존하는 수준에서 필요한 부분만 수리·개조하는 수복 재개발의 사례이다.

(가) ◇◇시의 대표적인 달동네였던 ○○ 마을은 본래의 마을 모습을 유지한 채 필요한 부분만 수리·개조하는 '마을 미술 프로젝트'를 시행하여 아름다운 벽화 마을로 변화하였다.

(나) □□시의 대표적인 낙후 지역이었던 △△동에서는 뉴타운 개발 사업이 진행되면서 노후화된 주택들이 대단지의 아파트로 변모하였다.

(나)는 기존의 시설을 완전히 철거하고 새로운 시설물로 대체하는 철거 재개발의 사례이다. 원주민의 낮은 재정착률과 자원 낭비 등의 문제가 발생한다.

자료 분석

철거 재개발과 수복 재개발의 상대적 특징은 다음과 같다.

항목	철거 재개발	수복 재개발
투입 자본의 규모	큼	작음
원주민의 이주율	높음	낮음
기존 건물의 활용도	낮음	높음
지역 공동체의 유지 가능성	낮음	높음

각 도시 재개발 방식의 특징을 구분하여 알아두어야 합니다. 도시 재개발 방식의 특징을 비교하는 문제가 자주 출제됩니다.

대표 예제와 기출 선택지

다음 글은 도시 재개발의 사례이다. (가), (나)의 상대적 특성을 나타낸 것으로 옳은 것에 모두 ○표 하시오.

① (가)는 원주민의 재정착률이 높다. ( )
② (가)는 기존 건물의 활용도가 높다. ( )
③ (나)는 건물의 평균 층수가 높다. ( )
④ (나)는 원거주민의 거주 지속성이 높다. ( )
⑤ (가)는 (나)보다 투입 자본의 규모가 크다. ( )

답 ①, ②, ③

빈출 자료 2 우리나라 국토 종합 개발 계획

성정 거점 개발 방식은 잠재력이 큰 지역에 집중 투자하여 경제적 효율성을 추구하는 방식이다.

제3차 국토 종합 개발 계획과 제4차 국토 종합 개발 계획의 개발 방식은 균형 개발 방식으로, 낙후 지역에 우선적으로 투자하여 경제적 형평성을 추구하는 방식이다.

구분	제1차 국토 종합 개발 계획 (1972~1981)	제2차 국토 종합 개발 계획 (1982~1991)	제3차 국토 종합 개발 계획 (1992~1999)	제4차 국토 종합 개발 계획 (2000~2020)
개발 방식	거점 개발	광역 개발	(가)	
기본 목표	사회 간접 자본 확충	인구의 지방 정착 유도	지방 분산형 국토 골격 형성	균형, 녹색, 개방, 통일 국토
개발 전략	(나)	(다)	(라)	개방형 통합 국토축 형성

(나): 공업 기반 구축, 교통, 통신, 수자원, 에너지 공급망 정비 등

(다): 국토의 다핵 구조 형성, 지역 생활권 조성 등

(라): 수도권 집중 억제, 국민 생활·환경 부문 투자 증대 등

시기별 국토 종합 개발 계획의 개발 방식과 주요 내용을 구분해서 알아두어야 해요. 거점 개발 방식과 균형 개발 방식의 특징을 비교하는 문제도 자주 출제됩니다.

대표 예제와 기출 선택지

(가)~(라)에 대한 설명으로 옳은 것에 모두 ○표 하시오.

① (가) – 주로 상향식 개발 방식으로 추진되었다. ( )
② (가) – 경제적 효율성보다 지역 간 형평성을 중시한다. ( )
③ (가) – 투자 효과가 큰 지역을 선정하여 집중 투자하는 방식이다. ( )
④ (나) – 고속 국도, 항만, 다목적 댐 등을 건설하여 산업 기반을 조성하였다. ( )
⑤ (다) – 지방의 주요 도시와 배후 지역을 포함한 지역 생활권을 설정하였다. ( )

답 ①, ②, ④, ⑤

빈출 자료 3 지역별 1차 에너지 공급 구조 특징

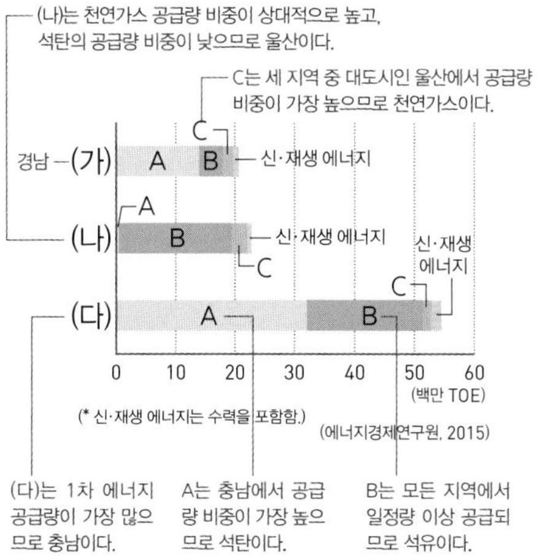
(나)는 천연가스 공급량 비중이 상대적으로 높고, 석탄의 공급량 비중이 낮으므로 울산이다.
C는 세 지역 중 대도시인 울산에서 공급량 비중이 가장 높으므로 천연가스이다.
경남 –(가)
A
B
C
신·재생 에너지
(나)
A
B
신·재생 에너지
C
(다)
A
B
C
신·재생 에너지
0 10 20 30 40 50 60
(백만 TOE)
(* 신·재생 에너지는 수력을 포함함.)
(에너지경제연구원, 2015)
(다)는 1차 에너지 공급량이 가장 많으므로 충남이다.
A는 충남에서 공급량 비중이 가장 높으므로 석탄이다.
B는 모든 지역에서 일정량 이상 공급되므로 석유이다.

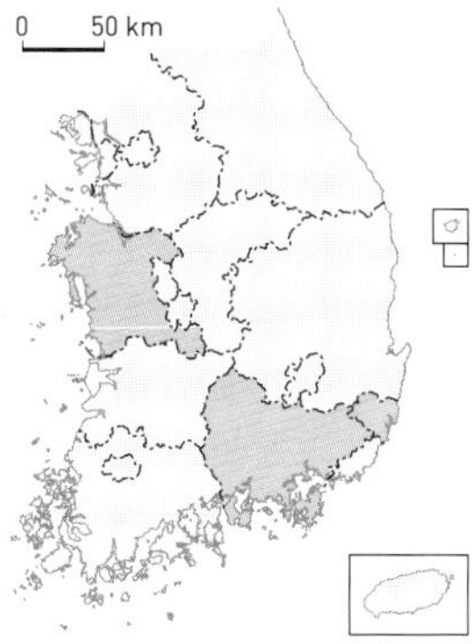
0 50 km

자료 분석

충남은 대규모 화력 발전소와 제철소, 석유 화학 단지가 있어 1차 에너지 공급량이 매우 많으며, 발전소와 제철소의 연료로 이용되는 석탄의 공급량 비중이 높다. 우리나라에서 천연가스는 울산에서 소량 생산되고 있다. 화석 연료 중에서 주로 석탄은 산업용, 석유는 수송용, 천연가스는 가정·상업용으로 이용된다.

지역별 1차 에너지 공급 구조의 특징을 잘 알아두어야 합니다. 지역별 1차 에너지 공급 구조를 보고 1차 에너지의 종류와 지역을 유추하는 문제가 자주 출제됩니다.

대표 예제와 기출 선택지

자료에 대한 설명으로 옳은 것에 모두 ○ 표 하시오. (단, A~C는 석탄, 석유, 천연가스 중 하나임.)

① 경남은 충남보다 1차 에너지원별 공급량에서 석탄이 차지하는 지역 내 비중이 작다. ( )

② A는 제철 공업의 주요 연료로 이용된다. ( )

③ B는 울산의 1차 에너지원별 공급량에서 가장 큰 비중을 차지한다. ( )

④ B는 C보다 가정용으로 이용되는 비중이 크다. ( )

⑤ 발전에 이용되는 1차 에너지의 비중은 A>C>B 순이다. ( )

답 ②, ③, ⑤

빈출 자료 4 도별 농업 특성

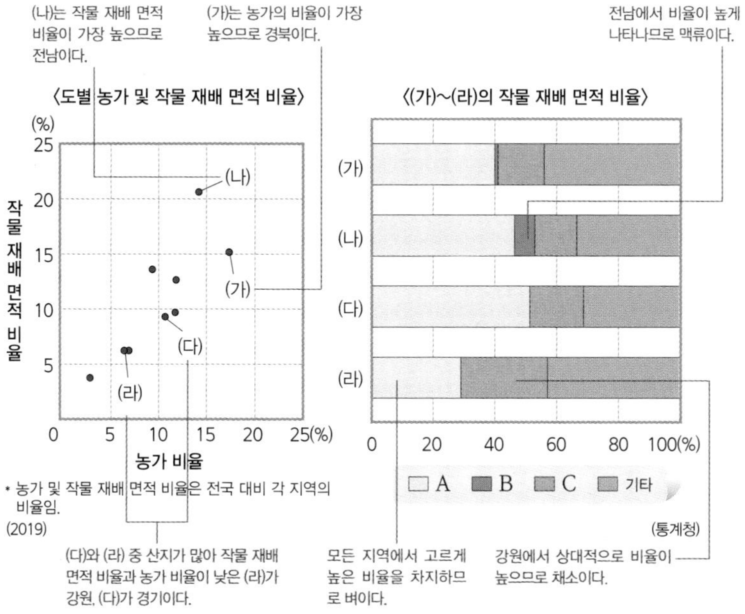
(나)는 작물 재배 면적 비율이 가장 높으므로 전남이다.
(가)는 농가의 비율이 가장 높으므로 경북이다.
전남에서 비율이 높게 나타나므로 맥류이다.
〈도별 농가 및 작물 재배 면적 비율〉
(%)
25
20
15
10
5
0 5 10 15 20 25(%)
작물 재배 면적 비율
농가 비율
(나)
(가)
(다)
(라)
• 농가 및 작물 재배 면적 비율은 전국 대비 각 지역의 비율임.
(2019)
〈(가)~(라)의 작물 재배 면적 비율〉
(가)
(나)
(다)
(라)
0 20 40 60 80 100(%)
A B C 기타
(통계청)
(다)와 (라) 중 산지가 많아 작물 재배 면적 비율과 농가 비율이 낮은 (라)가 강원, (다)가 경기이다.
모든 지역에서 고르게 높은 비율을 차지하므로 벼이다.
강원에서 상대적으로 비율이 높으므로 채소이다.

도별 농업 특성을 비교하는 문제가 자주 출제됩니다. 또 작물 재배 면적과 작물 재배 면적 비율을 헷갈리지 않아야 해요.

대표 예제와 기출 선택지

자료에 대한 설명으로 옳은 것에 모두 ○ 표 하시오. (단, (가)~(라)는 각각 강원, 경기, 경북, 전남 중 하나이며, A~C는 각각 맥류, 벼, 채소 중 하나임.)

① (가)는 전남, (다)는 경기이다. ( )

② 강원은 경기보다 벼 재배 면적이 좁다. ( )

③ A는 식생활 변화로 1인당 소비량이 감소하는 추세이다. ( )

④ 지역 내 벼 재배 면적은 경북이 경기보다 넓다. ( )

⑤ B는 C의 그루갈이 작물로 주로 재배된다. ( )

답 ②, ③

3주

빈출 자료 5 우리나라 공업의 특징

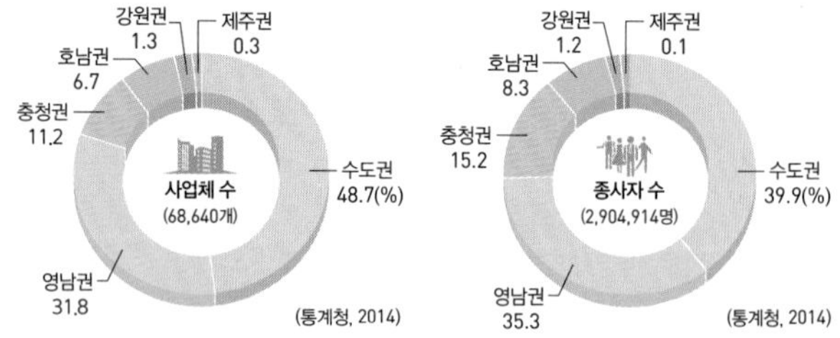
강원권 1.3
제주권 0.3
호남권 6.7
충청권 11.2
사업체 수 (68,640개)
수도권 48.7(%)
영남권 31.8
(통계청, 2014)
강원권 1.2
제주권 0.1
호남권 8.3
충청권 15.2
종사자 수 (2,904,914명)
수도권 39.9(%)
영남권 35.3
(통계청, 2014)

▲ 공업의 지역별 비중

우리나라는 투자의 효율성이 크고, 산업 기반 시설이 확충되어 있는 수도권과 영남권에 사업체와 종사자의 약 70% 이상이 집중해 있어 공업이 지역별로 불균등하게 발달하였다.

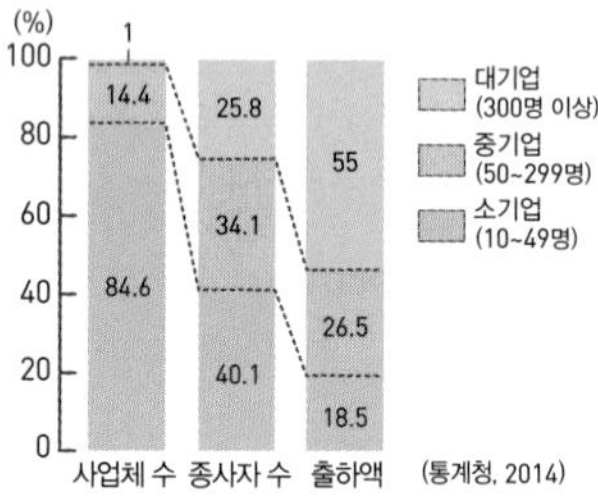
(%)
100
80
60
40
20
0
1
14.4
84.6
25.8
34.1
40.1
55
26.5
18.5
사업체 수
종사자 수
출하액
대기업 (300명 이상)
중기업 (50~299명)
소기업 (10~49명)
(통계청, 2014)

▲ 기업 규모별 공업 구조

정부는 초기 공업화 과정에서 대기업 중심의 수출 정책을 추진하였다. 이 때문에 대기업의 사업체 수 비중은 약 1%에 불과하지만 출하액의 절반 이상을 차지하는 공업의 이중 구조가 나타난다.

우리나라 공업의 지역별 비중과 기업 규모별 공업 구조를 기억해야 해요. 우리나라 공업의 문제점과 해결 방안을 묻는 문제가 자주 출제됩니다.

대표 예제와 기출 선택지

그래프를 통해 알 수 있는 우리나라 공업의 특징으로 옳은 것에 모두 ○표 하시오.

① 공업의 이중 구조가 나타난다. ( )

② 사업체 수 비중은 대기업이 높다. ( )

③ 지역별로 공업이 고르게 발달하였다. ( )

④ 소수의 대기업이 출하액의 절반 이상을 차지하고 있다. ( )

⑤ 대기업과 중소기업 간의 생산성 격차가 크지 않다. ( )

답 ①, ④

빈출 자료 6 우리나라 주요 공업 지역

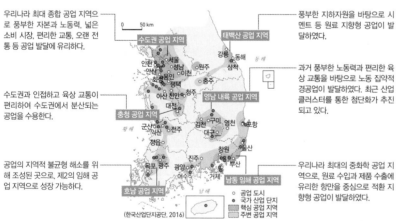

우리나라 최대 종합 공업 지역으로 풍부한 자본과 노동력, 넓은 소비 시장, 편리한 교통, 오랜 전통 등 공업 발달에 유리하다.

수도권과 인접하고 육상 교통이 편리하여 수도권에서 분산되는 공업을 수용한다.

공업의 지역적 불균형 해소를 위해 조성된 곳으로, 제2의 임해 공업 지역으로 성장 가능하다.

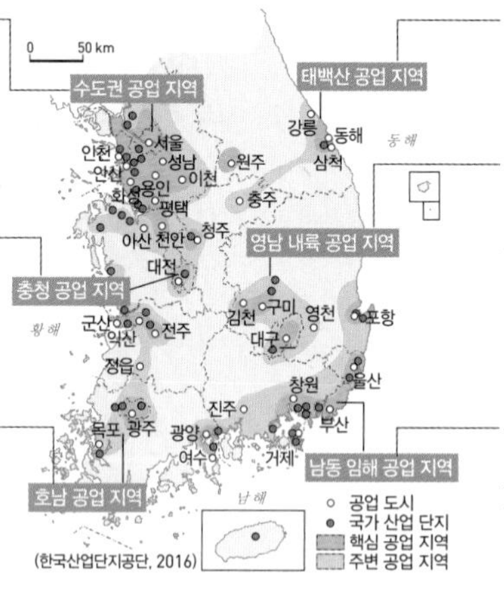
0 50 km
수도권 공업 지역
태백산 공업 지역
인천
서울
안산
성남
용인
이천
화성
평택
원주
충주
강릉
동해
삼척
동해
아산
천안
청주
영남 내륙 공업 지역
대전
충청 공업 지역
황해
군산
익산
전주
김천
구미
영천
포항
대구
정읍
창원
울산
진주
목포
광주
광양
여수
부산
거제
남동 임해 공업 지역
호남 공업 지역
남해
공업 도시
국가 산업 단지
핵심 공업 지역
주변 공업 지역
(한국산업단지공단, 2016)

풍부한 지하자원을 바탕으로 시멘트 등 원료 지향형 공업이 발달하였다.

과거 풍부한 노동력과 편리한 육상 교통을 바탕으로 노동 집약적 경공업이 발달하였다. 최근 산업 클러스터를 통한 첨단화가 추진되고 있다.

우리나라 최대의 중화학 공업 지역으로, 원료 수입과 제품 수출에 유리한 항만을 중심으로 적환 지향형 공업이 발달하였다.

자료 분석

1960년대 공업 발달 초기에는 수도권 공업 지역과 영남 내륙 공업 지역을 중심으로 경공업이 발달하였다. 1970~1980년대에는 남동 임해 지역을 중심으로 중화학 공업이 발달하였으며, 1990년대 이후에는 지역적 불균형 해소를 위해 충청 공업 지역과 호남 공업 지역의 해안을 중심으로 새로운 공업 단지가 조성되었다.

우리나라 주요 공업 지역의 특징과 각 지역에서 발달한 공업 유형을 묻는 문제가 자주 출제됩니다.

대표 예제와 기출 선택지

우리나라 주요 공업 지역에 관한 설명으로 옳은 것에 모두 ○표 하시오.

① 호남 공업 지역은 우리나라 최대의 공업 지역이다. ( )

② 1960년대 공업 발달 초기에는 경공업이 주로 발달하였다. ( )

③ 남동 임해 공업 지역은 우리나라 최대의 중화학 공업 지역이다. ( )

④ 호남 공업 지역은 공업의 지역적 불균형 해소를 위해 조성된 지역이다. ( )

⑤ 태백산 공업 지역에서는 최근 클러스터를 통한 첨단화가 추진되고 있다. ( )

답 ②, ③, ④

빈출 자료 7 서비스 산업의 분포

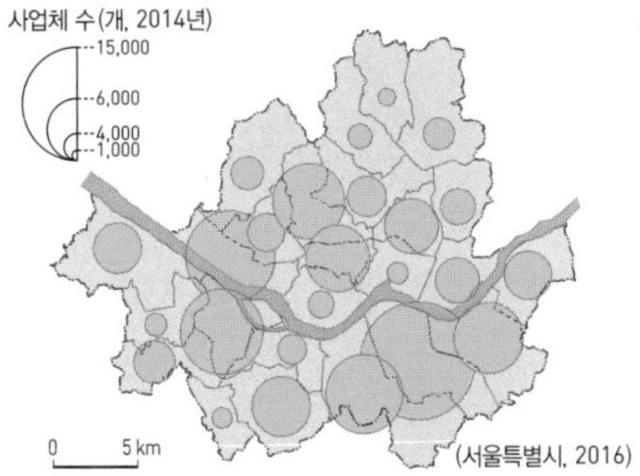
사업체 수(개, 2014년)
15,000
6,000
4,000
1,000
0 5 km
(서울특별시, 2016)

▲ 소비자 서비스업의 분포

소비자 서비스업은 개인 소비자가 이용하는 서비스업으로, 도·소매업, 음식업, 숙박업 등이 해당된다.

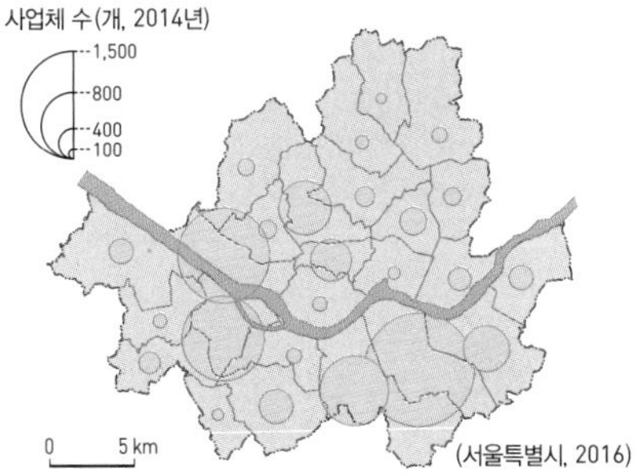
사업체 수(개, 2014년)
1,500
800
400
100
0 5 km
(서울특별시, 2016)

▲ 생산자 서비스업의 분포

생산자 서비스업은 기업의 생산 활동을 지원하는 서비스업으로, 금융업·보험업·광고업·법률 서비스업 등이 해당된다.

자료 분석

서비스 산업은 수요자의 유형에 따라 소비자 서비스업과 생산자 서비스업으로 구분된다. 소비자 서비스업은 인구 분포에 따라 분산 입지하며, 생산자 서비스업은 기업과의 접근성이 우수하고 정보 획득에 유리한 대도시의 도심 및 부도심과 같은 핵심 지역에 집중적으로 입지한다.

서비스 산업의 유형을 잘 알아두어야 합니다. 소비자 서비스업과 생산자 서비스업의 분포 특징을 묻는 문제도 자주 출제됩니다.

대표 예제와 기출 선택지

우리나라 서비스 산업에 관한 설명으로 옳은 것에 모두 ○표 하시오.

① 보험업, 광고업 등은 소비자 서비스업에 해당한다. ( )

② 생산자 서비스업은 개인 소비자가 이용하는 서비스업이다. ( )

③ 소비자 서비스업 사업체는 인구 분포에 따라 분산하여 입지한다. ( )

④ 수도권 및 대도시는 다른 지역에 비해 생산자 서비스업 종사자 수가 많다. ( )

⑤ 서비스 산업은 생산자의 유형에 따라 소비자 서비스업과 생산자 서비스업으로 구분된다. ( )

답 ③, ④

빈출 자료 8 교통수단별 특징

도로	지형적 제약이 적고, 기동성·문전 연결성이 높다. 기종점 비용은 가장 낮지만, 주행 비용 증가율이 높아 단거리 수송에 적합하다.
철도	지형적 제약이 많고, 정시성·안전성이 높다. 기종점 비용과 주행 비용이 도로와 해운의 중간으로, 중거리 수송에 적합하다.
해운	기상 조건의 제약이 많고, 기종점 비용이 높으며, 주행 비용 증가율이 낮아 대량 화물의 장거리 수송에 적합하다.
항공	기상 조건의 제약이 많고, 신속성이 높다. 기종점 비용, 주행 비용이 모두 높아 장거리 여객 수송에 적합하다.

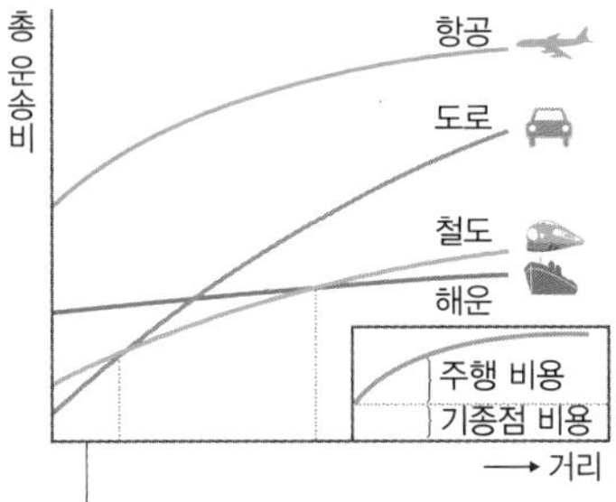
총 운송비
항공
도로
철도
해운
주행 비용
기종점 비용
거리

• 총 운송비 = 주행 비용 + 기종점 비용
• 주행 비용: 거리에 따라 증가하는 운송 비용으로 그래프의 기울기에 해당
• 기종점 비용: 창고비, 하역비, 보험료 등 운송 업무에 관련된 모든 비용으로 그래프의 y절편에 해당

자료 분석

교통수단별로 기종점 비용과 주행 비용이 다르기 때문에 구간별로 운송비가 달라진다. 기종점 비용은 항공, 해운, 철도, 도로 순으로 높게 나타나며, 주행 비용의 증가율은 도로가 가장 높고, 선박이 가장 낮다.

도로, 철도, 해운, 항공 등 각 교통수단별 특징을 기억해야 해요. 각 교통수단의 특징과 장단점을 묻는 문제가 출제됩니다.

대표 예제와 기출 선택지

교통수단별 특징에 관한 설명으로 옳은 것에 모두 ○표 하시오.

① 철도는 지형적 제약이 많고, 정시성과 안전성이 높다. ( )

② 도로는 지형적 제약이 적고, 기동성과 문전 연결성이 높다. ( )

③ 주행 비용의 증가율은 선박이 가장 높고, 도로가 가장 낮다. ( )

④ 항공은 기상 조건의 제약이 상대적으로 적은 교통수단이다. ( )

⑤ 기종점 비용은 도로, 해운, 철도, 항공 순으로 높게 나타난다. ( )

답 ①, ②

3주

Week

4

4주에는 무엇을 공부할까? ①

엄마! 텔레비전에 각 지역 사람들이 자기 고향에 대해 소개하고 있어요.
재밌겠다! 한번 볼까?
제 고향은 정치·경제·문화의 중심지로 인구와 기능이 집중되어 있어요. 연극과 전시회 등 문화생활을 즐기기에 용이하죠.
수도권
영화관
강원 지방
제 고향은 영동 지방에 위치해 바다와 접해 있어서 관광객이 많이 오고 해물 요리가 유명해요.
제 고향은 수도권과 호남 지방을 잇는 교통의 요충지예요. 그래서 오늘 서울까지 지하철을 타고 왔어요!
충청 지방
천안역
호남 지방
welcome
제 고향은 넓은 평야가 펼쳐져 있고 날씨가 온화해요. 요즘은 간척 사업을 진행 중이죠.

전체 내용 파악하기

제 고향은 수도권 다음으로 산업이 발달하였고, 우리나라 최대의 중화학 공업 지역이랍니다!
영남 지방
제주도
제 고향은 독특한 화산 지형으로 이루어져 있으며, 세계 자연 유산으로 등재되어 있어요. 그래서 관광 산업이 매우 발달했죠.
와! 각 지역마다 특색이 있네요.
그러게. 정말 유익한 프로그램이구나.
10분 뒤에는 북한 지역의 환경에 관한 다큐멘터리가 방영되네요!
내용이 궁금한걸? 함께 보자꾸나.

[관련 단원] Ⅵ. 인구 변화와 다문화 공간 ~ Ⅶ. 우리나라의 지역 이해

배울 내용

1일 | 인구 분포와 인구 구조의 변화 _136
2일 | 북한 지역의 특성 _142
3일 | 수도권과 강원 지방 _148
4일 | 충청 지방과 호남 지방 _154
5일 | 영남 지방과 제주도 _160

Week 4

4주에는 무엇을 공부할까? ②

수능 한국지리 빈출 키워드#

1일

키워드 #31 인구 문제와 인구 부양비

키워드 #32 외국인 이주

공부할 내용 추측해 보기 관련 페이지 136쪽

다음 그래프를 참고하여 우리나라의 인구 문제가 무엇인지 생각해 보고, 인구 부양비의 의미를 아는 대로 적어 보자.

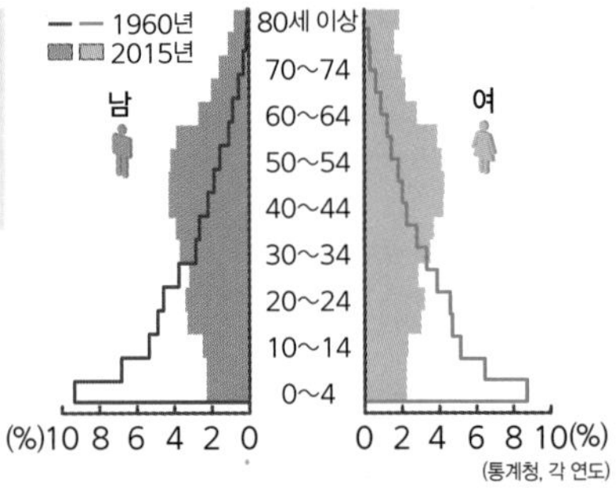

1960년
2015년
남
여
80세 이상
70~74
60~64
50~54
40~44
30~34
20~24
10~14
0~4
(%)10 8 6 4 2 0
0 2 4 6 8 10(%)
(통계청, 각 연도)

▲ 우리나라 인구 피라미드 변화

2일

키워드 #33 북한의 자연환경

키워드 #34 북한의 인문 환경

공부할 내용 추측해 보기 관련 페이지 142쪽

다음 그림을 참고하여 북한의 기후에 대해 적어 보자.

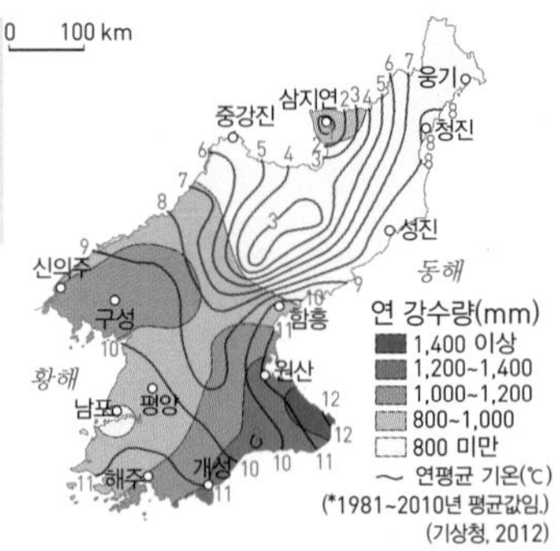

0 100 km
중강진
삼지연
웅기
청진
성진
동해
신의주
구성
함흥
황해
원산
남포
평양
해주
개성
연 강수량(mm)
1,400 이상
1,200~1,400
1,000~1,200
800~1,000
800 미만
연평균 기온(℃)
(*1981~2010년 평균값임.)
(기상청, 2012)

▲ 북한의 연평균 기온과 연 강수량 분포

3일

키워드 #35 수도권
키워드 #36 강원 지방

공부할 내용 추측해 보기 관련 페이지 148, 150쪽

수도권과 강원 지방의 지역적 특성에 대해 아는 대로 적어 보자.

____

4일

키워드 #37 충청 지방
키워드 #38 호남 지방

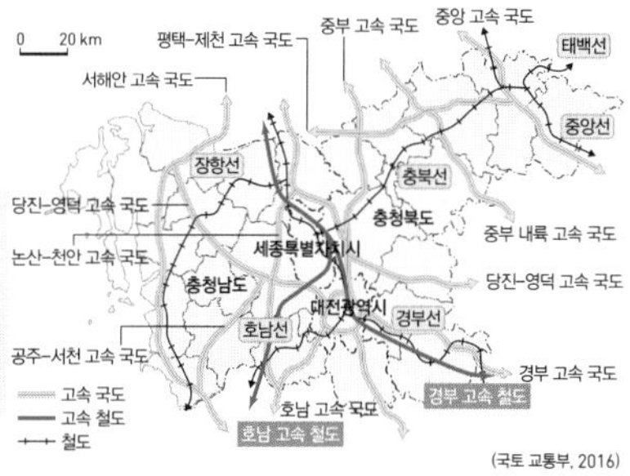
0 20 km
평택-제천 고속 국도
중부 고속 국도
중앙 고속 국도
태백선
서해안 고속 국도
중앙선
장항선
충북선
당진-영덕 고속 국도
충청북도
중부 내륙 고속 국도
논산-천안 고속 국도
세종특별자치시
당진-영덕 고속 국도
충청남도
대전광역시
경부선
호남선
공주-서천 고속 국도
경부 고속 국도
고속 국도
고속 철도
철도
호남 고속 국도
경부 고속 철도
호남 고속 철도
(국토 교통부, 2016)

충청 지방 교통망 ▶

공부할 내용 추측해 보기 관련 페이지 154, 156쪽

충청 지방과 호남 지방의 지역적 특성에 대해 아는 대로 적어 보자.

____

제19회
순천만
갈대축제
2017.11.3~11.5

보성다향
대축제

호남 지방 지역 축제 ▶

5일

키워드 #39 영남 지방
키워드 #40 제주도

공부할 내용 추측해 보기 관련 페이지 160, 162쪽

영남 지방과 제주도의 지역적 특성에 대해 아는 대로 적어 보자.

____

1일 인구 분포와 인구 구조의 변화

키워드 #31 인구 문제와 인구 부양비

- 인구 부양비란 청장년 인구(15~64세)에 대한 유소년 인구(0~14세)와 노년 인구(65세 이상)의 합의 비율을 의미합니다. 즉 생산 가능 인구 100명이 부양해야 할 유소년 및 노년 인구를 의미합니다.

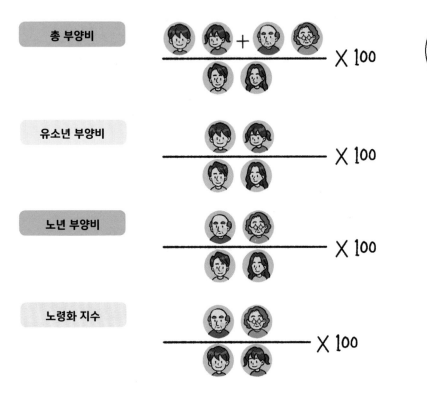

총 부양비

+
X 100

유소년 부양비

X 100

노년 부양비

X 100

노령화 지수

X 100

고령화가 진행되고 저출산 현상이 지속될수록 노년 부양비는 유소년 부양비보다 높아지고, 노령화 지수, 중위 연령도 높아져.
중위 연령은 총인구를 연령순으로 나열할 때 정중앙에 위치한 연령을 의미해.

1 인구 문제와 인구 부양비

저출산 현상	현황	2015년 기준 합계 출산율❶ 1.24명의 세계 최저 수준으로 초저출산 국가로 분류됨.
	원인	• 결혼 및 자녀에 대한 가치관 변화 (만혼, 미혼, 무자녀 부부 증가) • 출산과 육아 비용 증가, 교육비 부담 증가 등
	영향	• 단기적으로 □□□ 부양비 감소로 경제 발전에 도움 • 장기적으로 생산·소비 인구 감소로 노동력 부족, 경기 침체
고령화 현상	현황	• 출산율이 감소하는 반면, 노년층은 빠르게 증가 • 2015년 노년층 비율은 13%로 고령 사회❷ 진입
	원인	• 출산율 감소 (유소년층 비율은 감소하고, 상대적으로 노년층 비율은 증가) • 의학 기술의 발달과 생활 수준의 향상으로 기대 수명 연장 및 사망률 감소
	영향	• □□ 부양비 증가로 청장년층 부담 가중 • 사회 복지 비용 증가로 국가 재정 부담 • 생산 가능 인구 감소로 노동력 부족 및 노동 생산성 저하

답 유소년, 노년

❶ 합계 출산율
여성 1명이 가임 기간(15세~49세) 동안 낳을 것으로 예상되는 평균 출생아 수를 의미한다.

❷ 고령 사회 구분

구분	65세 이상 인구 비율
고령화 사회	7~14%
고령 사회	14~20%
초고령 사회	20% 이상

개념 확인

1 빈칸에 들어갈 말을 〈보기〉에서 골라 쓰시오.

보기

인구 부양비, 중위 연령, 노령화 지수, 고령화

(1) (   )은/는 청장년층 인구에 대한 유소년 인구와 노년 인구 합의 비율을 의미한다.

(2) 노년 부양비는 인구가 유출되어 (   )이/가 빠르게 진행되는 촌락 지역에서 높게 나타난다.

2 다음은 지역별 인구 부양비 지도이다. 괄호 안의 내용 중 옳은 것에 ○표 하시오.

노년 부양비 혹은 유소년 부양비가 높은 대표적인 지역들과 그 특징을 알아 두자.

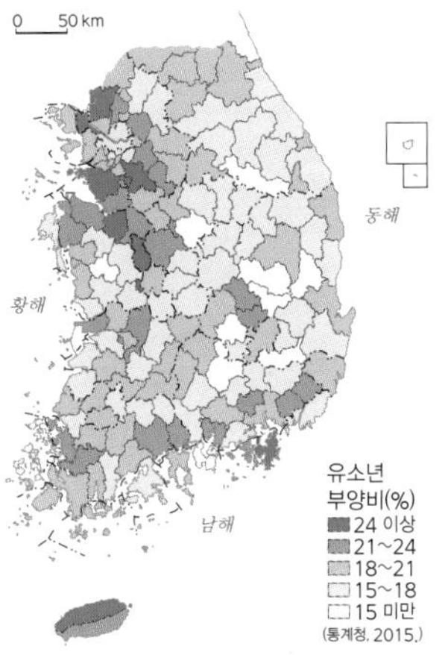

0 50 km
동해
황해
남해
유소년
부양비(%)
24 이상
21~24
18~21
15~18
15 미만
(통계청, 2015.)

▲ 유소년 부양비

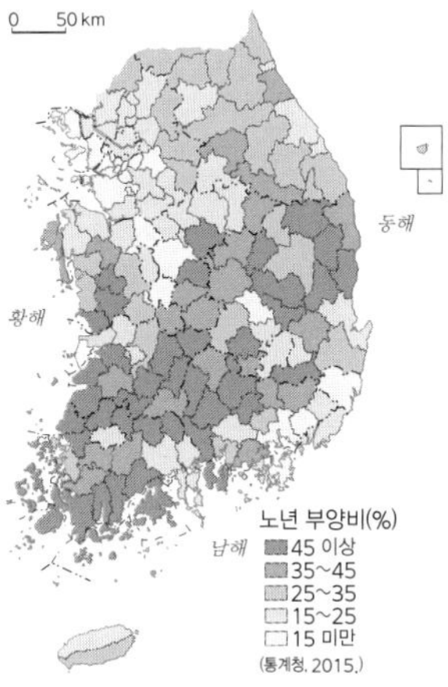

0 50 km
동해
황해
남해
노년 부양비(%)
45 이상
35~45
25~35
15~25
15 미만
(통계청, 2015.)

▲ 노년 부양비

• 유소년 부양비는 수도권과 충남 북부, 세종 등 주로 인구가 (1) (유입 / 유출)되어 청장년층 비중이 (2) (낮은 / 높은) 지역에서 높게 나타난다.
• 노년 부양비는 주로 인구가 (3) (유입 / 유출)되어 고령화가 빠르게 진행되는 (4) (도시 / 촌락) 지역에서 높게 나타난다.

3 다음 그래프를 보고, □ 안에 들어갈 알맞은 말을 쓰시오.

인구 부양비 그래프를 제시하고 그래프를 해석하도록 하는 문제가 자주 출제되고 있어.

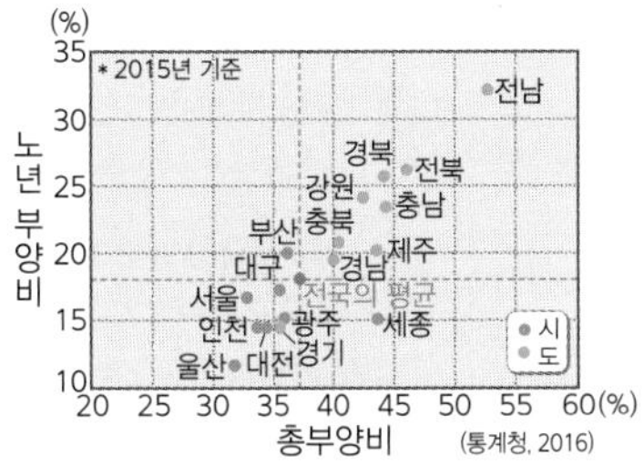

(%)
35
30
25
20
15
10
노년 부양비
* 2015년 기준
전남
경북
전북
강원
충남
충북
부산
제주
대구
경남
서울
전국의 평균
인천
광주
세종
울산
대전
경기
시
도
20 25 30 35 40 45 50 55 60(%)
총부양비
(통계청, 2016)

▲ 각 시도별 인구 부양비

인구 부양비가 가장 낮은 지역은 공업이 발달하여 상대적으로 청장년층 비중이 높은 (1) □□ 이야.
인구 부양비가 가장 높은 지역은 이촌 향도에 따른 인구 유출로 상대적으로 청장년층 비중이 낮고, 노년층 비중이 높은 (2) □□ 이야.

답 1. (1) 인구 부양비 (2) 고령화 2. (1) 유입 (2) 높은 (3) 유출 (4) 촌락 3. (1) 울산 (2) 전남

1일 인구 분포와 인구 구조의 변화

키워드 #32 외국인 이주

수도권은 산업이 발달해서 일자리가 많아요! 우리는 주로 내국인들이 기피하는 3D 업종이나 단순 서비스업에 종사한답니다.
촌락 지역에는 결혼 적령기 연령대의 여성 인구는 적은 반면, 남성 인구는 많아서 성비 불균형 현상이 발생해요. 저는 한국인 남성과 결혼하기 위해 이주해 온 결혼 이주자예요.
영남권은 공업이 발달해서 남성 외국인 근로자가 많아 외국인 근로자의 성비가 높답니다.

1 국내 체류 외국인의 유형과 국적

① 유형: 외국인 근로자, 결혼 이민자, 유학생 등

② 국적

- 2015년 기준 중국인이 절반가량 차지
- 베트남, 미국, 필리핀 등의 순으로 외국인 비중이 높음.

2 외국인 이주자 증가

외국인 근로자의 유입	배경	국내 생산직 근로자의 임금 상승, 3D 업종❶ 기피 현상 → 외국인 근로자에 대한 수요 증가
	분포	• 산업이 발달해 일자리가 풍부한 □□□과 공업이 발달한 영남권에 주로 분포 → 공업 지역의 외국인 근로자 성비❷는 높음. • 최근 충남, 전북, 전남 일부 지역에서 증가
국제결혼의 증가	배경	농·어촌 지역의 결혼 적령기 □□□□□❸ 심화, 국제결혼에 대한 가치관 변화 등
	분포	이촌 향도 현상에 따라 촌락 지역의 결혼 적령기 인구의 성비 불균형 현상 발생 → 촌락 지역에서 비중이 높게 나타남. — 촌락 지역의 결혼 이민자 성비는 낮음.

❶ 3D 업종
어렵고(Difficult), 더럽고(Dirty), 위험한(Dangerous) 분야의 산업을 일컫는 말이다.

❷ 성비
여성 인구 100명당 남성 인구의 수이다. 성비가 100보다 높으면 남초, 100보다 낮으면 여초라고 한다.

❸ 촌락 지역의 성비 불균형
1980년대 말부터 이촌 향도 현상으로 촌락 지역의 인구, 특히 젊은 여성들이 도시로 이주함에 따라 결혼 적령기 인구의 성비 불균형 현상이 뚜렷하게 나타난다.

답 수도권, 성비 불균형

개념 확인

1 **괄호 안의 내용 중 옳은 것에 ○표 하시오.**

(1) 촌락 지역의 결혼 이민자 성비는 (낮다 , 높다).

(2) 외국인 근로자는 주로 (촌락 , 영남권)에 분포한다.

2 **□ 안에 들어갈 알맞은 말을 쓰시오.**

외국인 이주자의 체류 유형 및 국적을 묻는 문제가 종종 출제되고 있어.

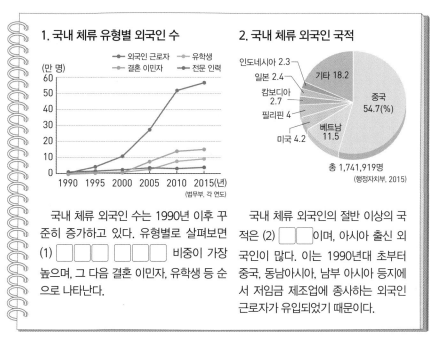

1. 국내 체류 유형별 외국인 수

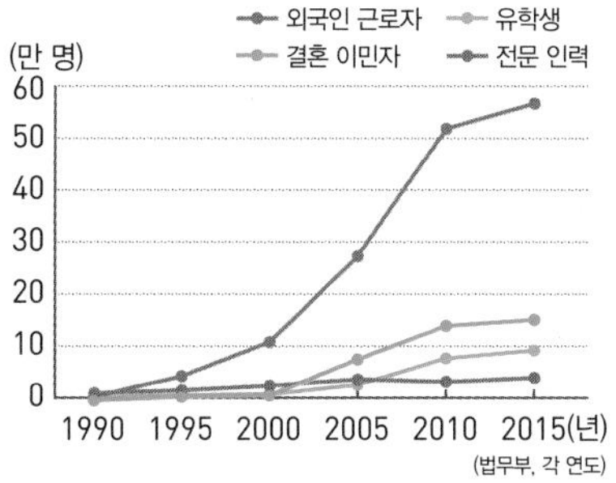

외국인 근로자
유학생
결혼 이민자
전문 인력
(만 명)
60
50
40
30
20
10
0
1990 1995 2000 2005 2010 2015(년)

(법무부, 각 연도)

국내 체류 외국인 수는 1990년 이후 꾸준히 증가하고 있다. 유형별로 살펴보면 (1) □□□ □□□ 비중이 가장 높으며, 그 다음 결혼 이민자, 유학생 등 순으로 나타난다.

2. 국내 체류 외국인 국적

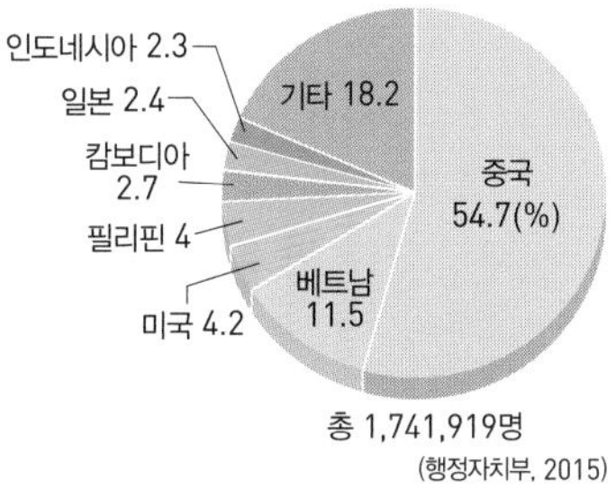

인도네시아 2.3
일본 2.4
캄보디아 2.7
필리핀 4
미국 4.2
베트남 11.5
기타 18.2
중국 54.7(%)
총 1,741,919명

(행정자치부, 2015)

국내 체류 외국인의 절반 이상의 국적은 (2) □□이며, 아시아 출신 외국인이 많다. 이는 1990년대 초부터 중국, 동남아시아, 남부 아시아 등지에서 저임금 제조업에 종사하는 외국인 근로자가 유입되었기 때문이다.

3 **(가), (나) 지도에서 나타내는 인구 통계 지표로 옳은 것을 고르시오. (단, (가), (나)는 결혼 이민자, 외국인 근로자, 외국인 유학생 중 하나임.)**

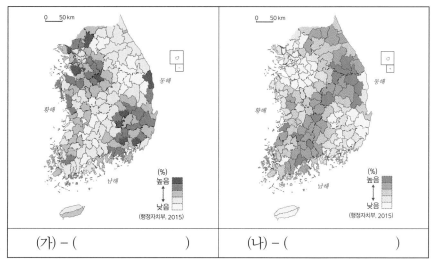

외국인 이주자들의 유형별 분포를 묻는 문제가 자주 나오고 있어. 그중 국제결혼 비중은 촌락이 높지만, 건수는 도시 지역이 높다는 것도 알아 두자.

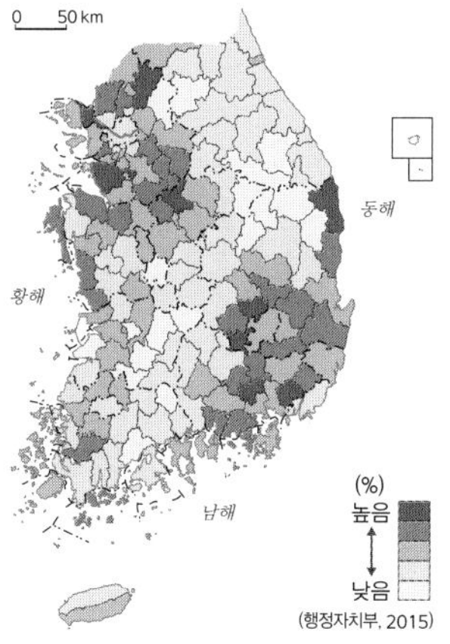

0 50 km
동해
황해
남해
(%)
높음
낮음

(행정자치부, 2015)

(가) – (   )

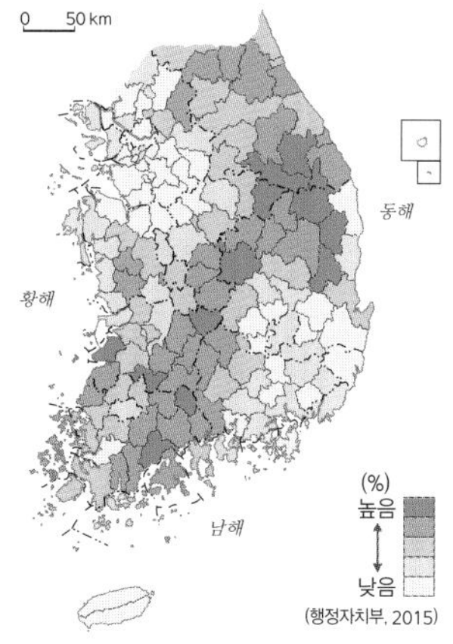

0 50 km
동해
황해
남해
(%)
높음
낮음

(행정자치부, 2015)

(나) – (   )

답 1. (1) 낮다 (2) 영남권 2. (1) 외국인 근로자 (2) 중국 3. (가)-외국인 근로자, (나)-결혼 이민자

4주 1일

1일 인구 분포와 인구 구조의 변화

| 모평 기출 |

1 (가)~(라)에 대한 옳은 설명을 〈보기〉에서 고른 것은? (단, (가)~(라)는 경기, 울산, 전남, 충북 중 하나임.)

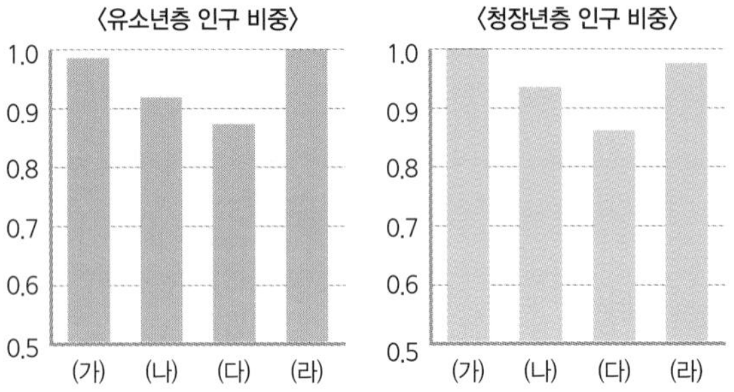
〈유소년층 인구 비중〉
〈청장년층 인구 비중〉
1.0
0.9
0.8
0.7
0.6
0.5
(가) (나) (다) (라)
(통계청, 2015)

* 수치는 가장 높은 지역의 값을 1로 했을 때의 상대값임.

보기

ㄱ. (가)는 울산, (나)는 충북이다.
ㄴ. 총부양비는 (다)가 가장 높다.
ㄷ. (가)는 (라)보다 유소년 부양비가 높다.
ㄹ. (다)는 (라)보다 노령화 지수가 낮다.

① ㄱ, ㄴ ② ㄱ, ㄷ ③ ㄴ, ㄷ
④ ㄴ, ㄹ ⑤ ㄷ, ㄹ

| 수능 응용 |

2 그래프는 (가), (나) 지역의 인구 피라미드를 나타낸 것이다. 이에 대한 옳은 설명을 〈보기〉에서 고른 것은? (단, (가), (나)는 광주, 전남 중 하나임.)

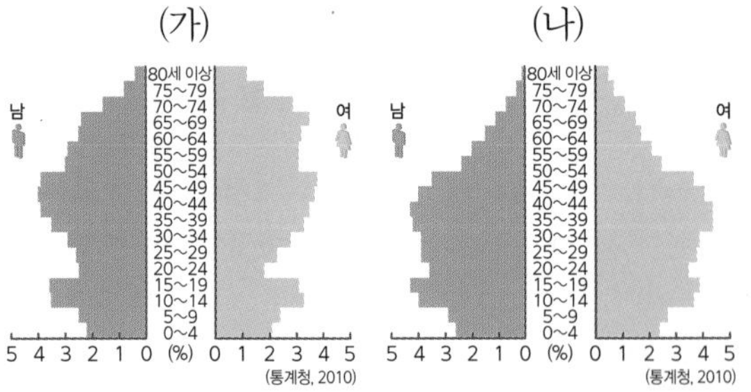
(가)
(나)
남
여
80세 이상
75~79
70~74
65~69
60~64
55~59
50~54
45~49
40~44
35~39
30~34
25~29
20~24
15~19
10~14
5~9
0~4
5 4 3 2 1 0 (%) 0 1 2 3 4 5
(통계청, 2010)

보기

ㄱ. (가)는 노령화 지수가 100보다 크다.
ㄴ. (나)는 유소년층 성비가 노년층 성비보다 높다.
ㄷ. (가)는 (나)보다 중위 연령이 낮다.
ㄹ. (나)는 (가)보다 1차 산업 종사자 비중이 높다.

① ㄱ, ㄴ ② ㄱ, ㄷ ③ ㄴ, ㄷ
④ ㄴ, ㄹ ⑤ ㄷ, ㄹ

| 학평 기출 |

3 그래프는 우리나라의 전체 읍·면·동별 인구 특성이다. 이에 대한 설명으로 옳지 않은 것은?

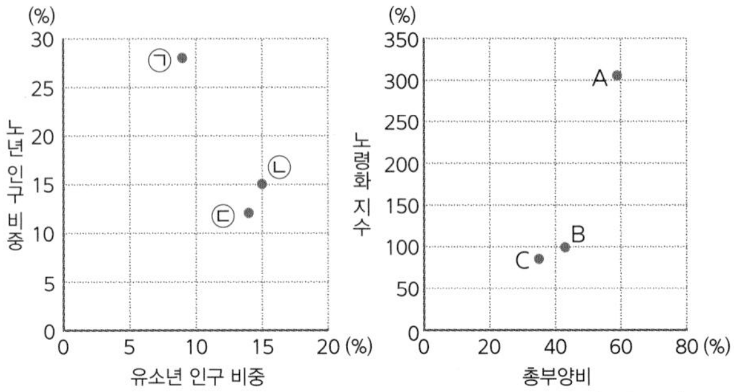
(%)
30
25
20
15
10
5
0
노년 인구 비중
㉠
㉡
㉢
0 5 10 15 20 (%)
유소년 인구 비중
(%)
350
300
250
200
150
100
50
0
노령화 지수
A
B
C
0 20 40 60 80 (%)
총부양비
(통계청, 2016)

① 도시화 과정에서 C는 인구 유입이 활발하였다.
② 우리나라 총인구에서 차지하는 비중은 C가 A보다 높다.
③ ㉠은 유소년 부양비보다 노년 부양비가 2배 이상 높다.
④ ㉠은 ㉡보다 군청 소재지가 많이 분포한다.
⑤ ㉡과 B는 읍·면·동 중에서 읍에 속한다.

| 수능 응용 |

4 (가), (나)에 해당하는 인구 부양비로 옳은 것은?

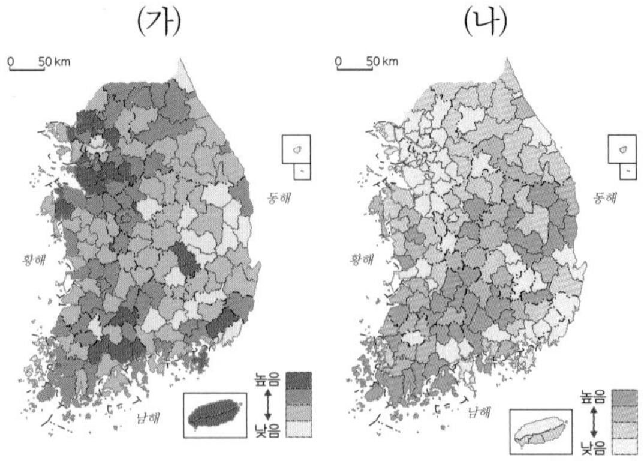
(가)
(나)
0 50 km
동해
황해
남해
높음
낮음
(통계청, 2010)

	(가)	(나)
①	총 부양비	노년 부양비
②	노년 부양비	유소년 부양비
③	노년 부양비	총 부양비
④	유소년 부양비	총 부양비
⑤	유소년 부양비	노년 부양비

정답과 해설 18쪽

| 학평 응용 |

5 그래프는 두 지역의 인구 구조를 나타낸 것이다. (가), (나)에 대한 옳은 설명을 〈보기〉에서 고른 것은? (단, (가), (나)는 시, 군 중 하나임.)

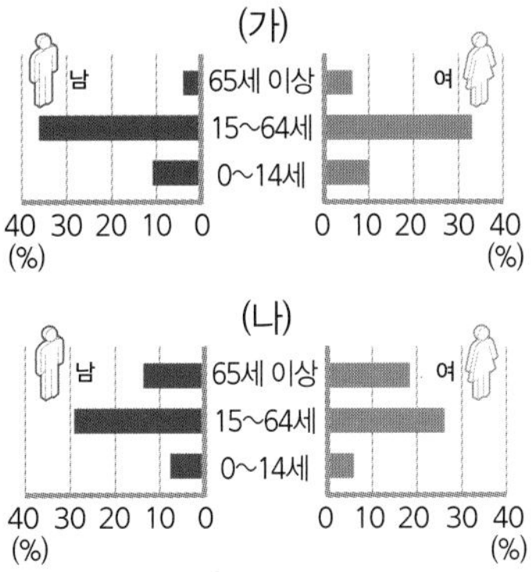
(가)
남
여
65세 이상
15~64세
0~14세
40 30 20 10 0
0 10 20 30 40
(%)
(나)
남
여
65세 이상
15~64세
0~14세
40 30 20 10 0
0 10 20 30 40
(%)

보기

ㄱ. (가)는 총 부양비가 100 이상이다.
ㄴ. (나)는 노령화 지수가 100 이상이다.
ㄷ. (가)는 (나)보다 1차 산업 종사자 비율이 높다.
ㄹ. (가), (나)는 청장년층 성비가 노년층 성비보다 높다.

① ㄱ, ㄴ　② ㄱ, ㄷ　③ ㄴ, ㄷ
④ ㄴ, ㄹ　⑤ ㄷ, ㄹ

| 모평 응용 |

6 그래프는 A, B 지역의 인구 특성을 나타낸 것이다. A, B의 상대적 특성을 비교할 때, 그림의 (가), (나)에 들어갈 지표로 옳은 것은?

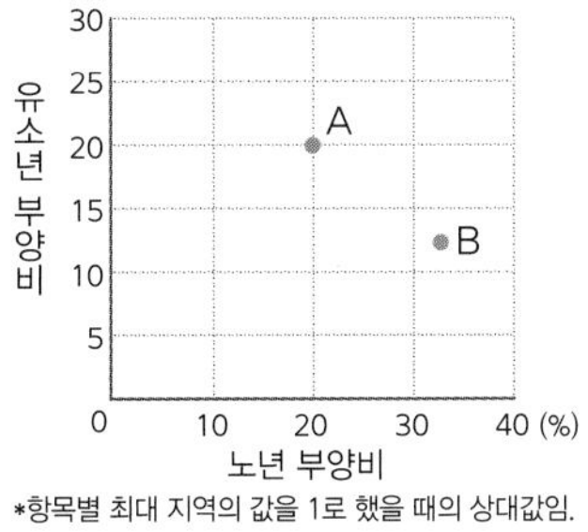
(%)
30
25
20
15
10
5
0
유소년 부양비
A
B
10 20 30 40 (%)
노년 부양비

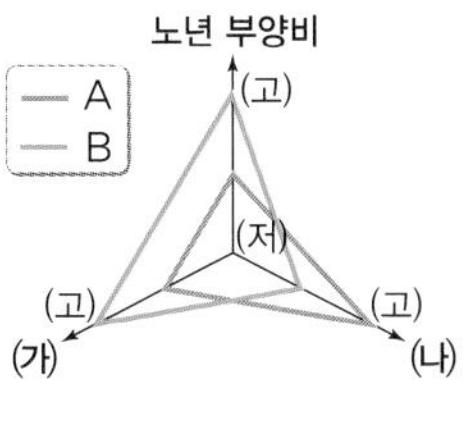
노년 부양비
A
B
(고)
(저)
(고)
(고)
(가)
(나)

*항목별 최대 지역의 값을 1로 했을 때의 상대값임.

	(가)	(나)
①	총 부양비	노령화 지수
②	노령화 지수	청장년층 인구 비중
③	유소년 부양비	총 부양비
④	유소년 부양비	청장년층 인구 비중
⑤	청장년층 인구 비중	총 부양비

| 학평 응용 |

7 지도는 시·도별 외국인 근로자 수를 나타낸 것이다. 이에 대한 옳은 분석을 〈보기〉에서 고른 것은?

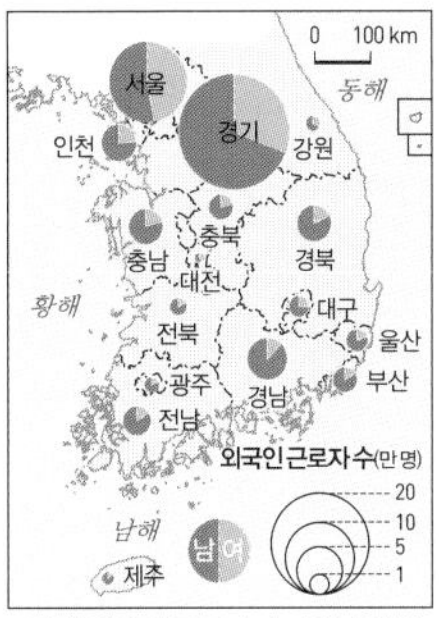
0 100 km
동해
황해
남해
서울
인천
경기
강원
충북
충남
대전
경북
전북
대구
울산
광주
경남
부산
전남
제주
외국인 근로자 수(만 명)
20
10
5
1
남 여

* 전체 외국인 근로자 수: 588,944명
(행정안전부, 2012)

보기

ㄱ. 충남은 경남보다 남성 외국인 근로자 수가 많다.
ㄴ. 수도권 외국인 근로자 수는 전국의 절반 이상이다.
ㄷ. 외국인 근로자의 성별 비율 차이가 가장 작은 지역은 서울이다.
ㄹ. 광역시의 경우 항구 도시들보다 내륙 도시들의 외국인 근로자 수가 많다.

① ㄱ, ㄴ　② ㄱ, ㄷ　③ ㄴ, ㄷ
④ ㄴ, ㄹ　⑤ ㄷ, ㄹ

| 수능 기출 |

8 지도에 나타난 현상의 원인으로 가장 적절한 것은?

〈국제결혼율〉

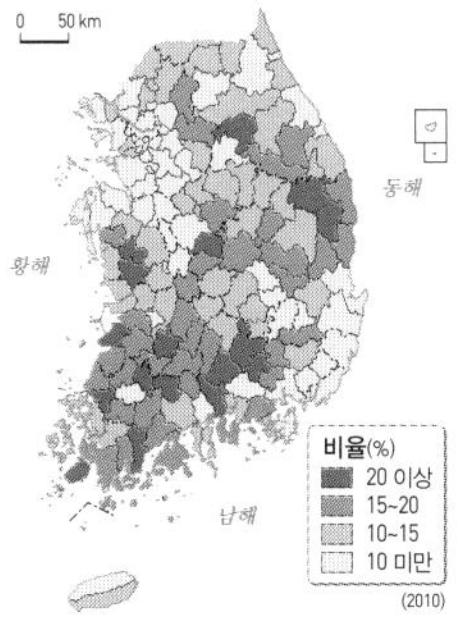
0 50 km
동해
황해
남해
비율(%)
20 이상
15~20
10~15
10 미만
(2010)

① 은퇴한 베이비 붐 세대의 귀농 증가
② 유아 사망률 감소와 평균 수명 증가
③ 촌락 지역의 청장년층 성비 불균형
④ 균형 발전을 위한 공공 기관의 지방 이전
⑤ 다국적 기업의 국내 진출에 의한 외국 고급 인력 유입

4주 1일

2일 북한 지역의 특성

키워드 #33 북한의 자연환경

지형

북한 관북 지방에는 높고 험준한 산지가 많이 발달해 있어.

기후

북한은 연교차가 큰 대륙성 기후야. 북부 내륙으로 갈수록 기온의 연교차가 커.
지형과 수심의 영향으로 겨울 기온은 동해안이 서해안보다 높아.

이곳 관서 지방에는 넓은 평야가 펼쳐져 있지.
북한은 남한과 마찬가지로 경동 지형이어서 대부분의 하천이 황해로 흐르고 있어.

주민 생활

산지가 많고, 겨울이 길고 추워서 밭농사가 발달했어. 콩, 감자, 옥수수 등 밭작물을 이용한 음식이 발달했지.

1 북한의 지형과 기후

지형	산지와 고원	• 산지와 고원이 많으며, 해발 고도 2,000m 이상의 높고 험준한 산지 발달 • 함경산맥, 낭림산맥, 마천령산맥, 백두산, 개마고원 분포
	하천과 평야	• 대하천은 대부분 서쪽으로 흐름, 동해로 흐르는 하천은 두만강 제외하고 대부분 유로가 짧고, 경사가 급함. • 큰 평야는 주로 서해안에 발달
기후	기온	• □□□ 기후 → 북부 내륙으로 갈수록 연교차 큼. • 지형과 바다의 영향으로 동해안이 서해안보다 겨울 기온 높음.
	강수	• 대체로 남한보다 연 강수량 적고, 지역에 따라 차이가 큼. • 다우지: 청천강 중·상류, 강원도 원산 이남의 동해안 지역 등 • 소우지: 대동강 하류, 개마고원, 관북 해안 지역 등

2 북한의 주민 생활과 자원

자연환경과 주민 생활	• 산지가 많고 겨울이 길고 추우며 무상 기간 짧음. → 밭농사 발달 • 겨울철 기온이 낮은 관북 지역은 폐쇄적인 가옥 구조❶가 발달함.
지하자원과 전력 생산❷	• 여러 시대의 지질 구조가 분포하여 다양한 종류의 지하자원 매장 • □□ 발전과 화력 발전 중심

- 밭농사: 북한은 남한보다 경지 면적이 넓으나, 논의 면적은 좁다.
- 무상 기간: 늦봄 마지막 서리 때부터 초가을 첫 서리 때까지의 기간

❶ 북한의 폐쇄적인 가옥 구조
겨울철 기온이 낮은 관북 지역은 겹집 구조 및 정주간이 발달했다. 정주간은 부엌과 안방 사이의 공간으로 부뚜막이 있어 난방이 되는 실내 공간으로 겨울을 대비한 공간이다.

❷ 북한의 전력 생산
북한 지역은 높은 산지가 발달하여 낙차가 큰 곳이 많아 수력 발전에 유리하다. 대표적으로 압록강, 장진강, 부전강 등에 수력 발전소가 건설되어 있다. 북한의 화력 발전은 전력 수요가 많은 평양 주변에 주로 분포한다.

답 대륙성, 수력

개념 확인

1 괄호 안의 내용 중 옳은 것에 ○표 하시오.

(1) 북한은 남한보다 산지가 (적다 , 많다).

(2) 북한의 큰 평야는 주로 (동해안 , 서해안)에 발달하였다.

(3) 북한의 개마고원의 강수량은 청천강 중·상류의 강수량보다 (적다 , 많다).

2 다음은 북한의 자연환경을 설명한 것이다. □ 안에 들어갈 알맞은 말을 쓰시오.

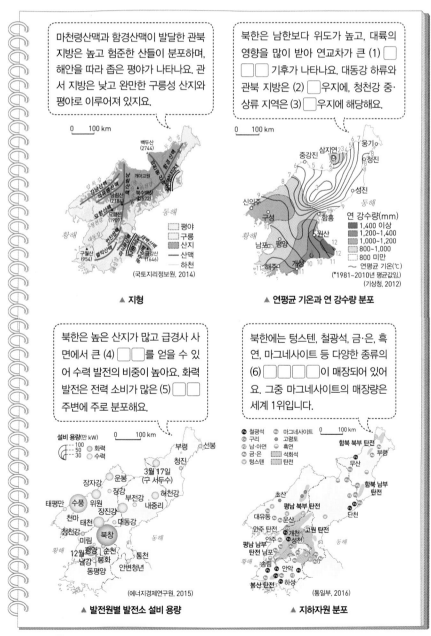

마천령산맥과 함경산맥이 발달한 관북 지방은 높고 험준한 산들이 분포하며, 해안을 따라 좁은 평야가 나타나요. 관서 지방은 낮고 완만한 구릉성 산지와 평야로 이루어져 있지요.

0 100 km
백두산 (2744)
개마고원
북수백산 (2522)
낭림산 (2184)
묘향산 (1909)
구월산 (954)
금강산 (1646)
동해
황해
평야
구릉
산지
산맥
하천
(국토지리정보원, 2014)

▲ 지형

북한은 남한보다 위도가 높고, 대륙의 영향을 많이 받아 연교차가 큰 (1) □□□ 기후가 나타나요. 대동강 하류와 관북 지방은 (2) □우지에, 청천강 중·상류 지역은 (3) □우지에 해당해요.

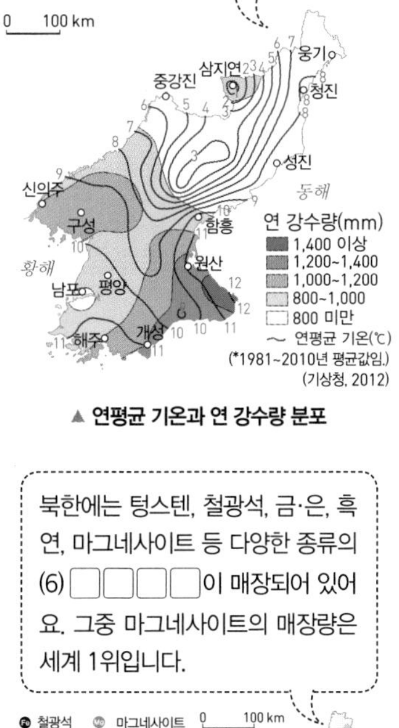

0 100 km
중강진
삼지연
웅기
청진
성진
신의주
구성
함흥
원산
남포
평양
해주
개성
동해
황해
연 강수량(mm)
1,400 이상
1,200~1,400
1,000~1,200
800~1,000
800 미만
연평균 기온(℃)
(*1981~2010년 평균값임.)
(기상청, 2012)

▲ 연평균 기온과 연 강수량 분포

북한은 높은 산지가 많고 급경사 사면에서 큰 (4) □□를 얻을 수 있어 수력 발전의 비중이 높아요. 화력 발전은 전력 소비가 많은 (5) □□ 주변에 주로 분포해요.

설비 용량(만 kW)
100
50
30
화력
수력
0 100 km
선봉
부령
청진
3월 17일 (구 서두수)
장자강
운봉
장강
부전강
허천강
내중리
태평만
수풍
위원
장진강
천마
태천
대동강
청천강
북창
미림
12월
평양
순천
남강
봉화
동평양
안변청년
통천
동해
황해
(에너지경제연구원, 2015)

▲ 발전원별 발전소 설비 용량

북한에는 텅스텐, 철광석, 금·은, 흑연, 마그네사이트 등 다양한 종류의 (6) □□□□이 매장되어 있어요. 그중 마그네사이트의 매장량은 세계 1위입니다.

철광석
구리
납·아연
금·은
텅스텐
마그네사이트
고령토
흑연
석회석
탄전
0 100 km
함북 북부 탄전
부령
무산
함북 남부 탄전
단천
초산
평남 북부 탄전
대유동
운산
안주 탄전
개천
고원 탄전
안주
성천
평남 남부 탄전
남포
송림
안악
봉산 탄전
하성
동해
황해
(통일부, 2016)

▲ 지하자원 분포

북한의 자연환경을 묻는 문제에서는 지형과 기후를 함께 물어보는 문제가 종종 출제되고 있어. 그리고 북한의 지형과 전력 발전을 연관 지은 문제, 남북한의 전력 생산을 비교하는 문제가 출제되기도 해.

남북한 1차 에너지 공급량 변화

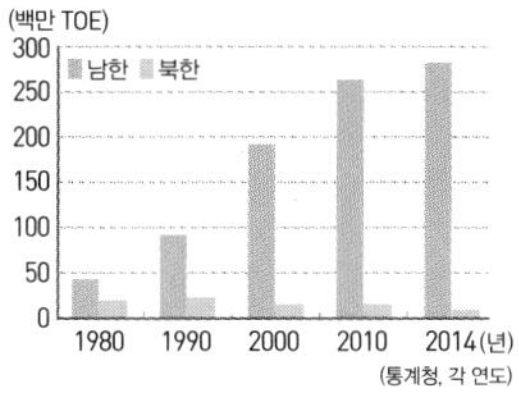

(백만 TOE)
300
250
200
150
100
50
0
남한
북한
1980
1990
2000
2010
2014(년)
(통계청, 각 연도)

북한의 전력 생산량은 일정하지 않은 강수량과 경제난, 시설 노후화 등으로 남한 전력 생산량의 약 4%에 머물고 있다.

4주 2일

답 1. (1) 많다 (2) 서해안 (3) 적다 2. (1) 대륙성 (2) 소 (3) 다 (4) 낙차 (5) 평양 (6) 지하자원

2일 북한 지역의 특성

키워드 #34 북한의 인문 환경

도시

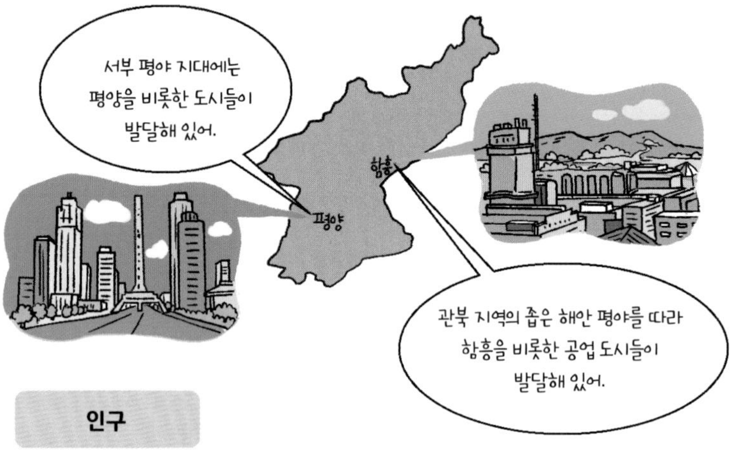

서부 평야 지대에는 평양을 비롯한 도시들이 발달해 있어.
함흥
평양
관북 지역의 좁은 해안 평야를 따라 함흥을 비롯한 공업 도시들이 발달해 있어.

산업

북한은 중공업 우선 정책을 추진하고 있고, 1차 산업 비중이 남한에 비해 높지. 반면 실제 서비스업의 발달은 미약해.

인구

인구 밀집 지역

관서 평야 지대에 인구가 밀집되어 있어.

인구 희박 지역

북동부 내륙은 산지가 많고 추워서 인구가 희박해.

1 북한의 인구

(남한 인구의 절반 수준)

인구 밀집 지역	• ☐☐ 평야 지대 → 넓은 평야와 온화한 기후를 바탕으로 농업과 공업 발달하여 인구의 약 40% 이상 거주 • 평양, 평안도에 밀집
인구 희박 지역	관북 내륙 지방 → 산지가 발달하고 기후가 한랭하여 인구의 약 10% 미만 거주

2 북한의 도시와 산업

도시	• 서부 평야 지대와 관북 지역의 좁은 해안 평야를 따라 발달 • 평양: 북한 최대의 도시로 정치·경제·사회·문화의 중심지, 평양 중심으로 남포(평양의 외항으로 서해 갑문 설치 이후 기능 강화), 평성, 송림 등 위성 도시 발달 → 대도시권 형성 • 관북 해안 지역: 함흥, 청진, 원산 등 일제 강점기에 공업 도시로 성장 • 1990년대 초 대외 무역 및 국제 경제 협력의 필요성을 인식하고, 개방 정책을 추진하여 개방 지역❶ 선정
산업	• 1·2차 산업 중심의 산업 구조가 나타나며, 최근 3차 산업의 비중 증가 • 군수 공업 중심의 ☐☐☐ 우선 정책 추진 → 농업, 경공업 생산성 악화

3 북한의 교통

- 서·동해안의 평야 지역을 따라 발달했고, 지형의 영향으로 동서 간 연결 미약
- 철도 중심의 교통 체계: 여객 수송의 약 60%, 화물 수송의 약 90% 담당

❶ 북한의 개방 지역

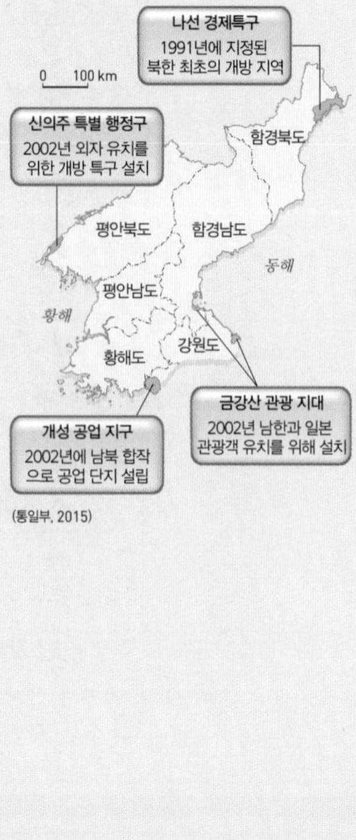

나선 경제특구
1991년에 지정된 북한 최초의 개방 지역
0 100 km
신의주 특별 행정구
2002년 외자 유치를 위한 개방 특구 설치
함경북도
평안북도
함경남도
동해
평안남도
황해
황해도
강원도
금강산 관광 지대
2002년 남한과 일본 관광객 유치를 위해 설치
개성 공업 지구
2002년에 남북 합작으로 공업 단지 설립

(통일부, 2015)

답 관서, 중공업

1 괄호 안의 내용 중 옳은 것에 ○표 하시오.

(1) 북한은 (도로 , 철도) 중심의 교통 체계를 이루고 있다.

(2) 북한의 (남포 , 함흥)은/는 평양의 외항이다.

(3) 북한 관북 (내륙 , 해안) 지방은 기후가 한랭하여 인구가 희박한 지역이다.

2 다음은 북한의 인문 환경을 설명한 것이다. ▢ 안에 들어갈 알맞은 말을 쓰시오.

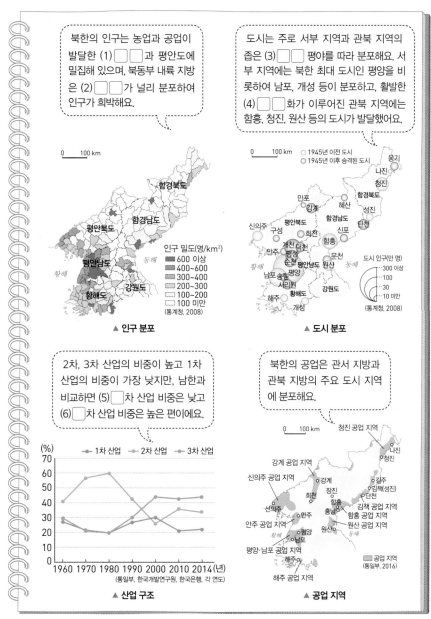

북한의 인구는 농업과 공업이 발달한 (1)▢▢과 평안도에 밀집해 있으며, 북동부 내륙 지방은 (2)▢▢가 널리 분포하여 인구가 희박해요.

도시는 주로 서부 지역과 관북 지역의 좁은 (3)▢▢ 평야를 따라 분포해요. 서부 지역에는 북한 최대 도시인 평양을 비롯하여 남포, 개성 등이 분포하고, 활발한 (4)▢▢화가 이루어진 관북 지역에는 함흥, 청진, 원산 등의 도시가 발달했어요.

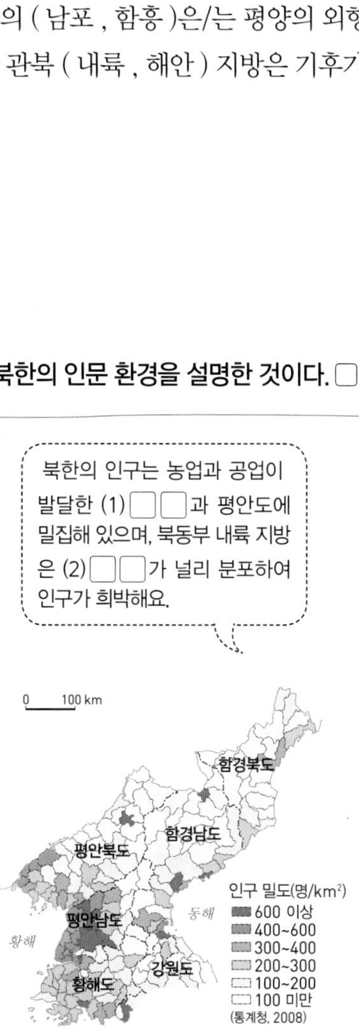
0 100 km
함경북도
함경남도
평안북도
평안남도
황해도
강원도
황해
동해
인구 밀도(명/km²)
600 이상
400~600
300~400
200~300
100~200
100 미만
(통계청, 2008)

▲ 인구 분포

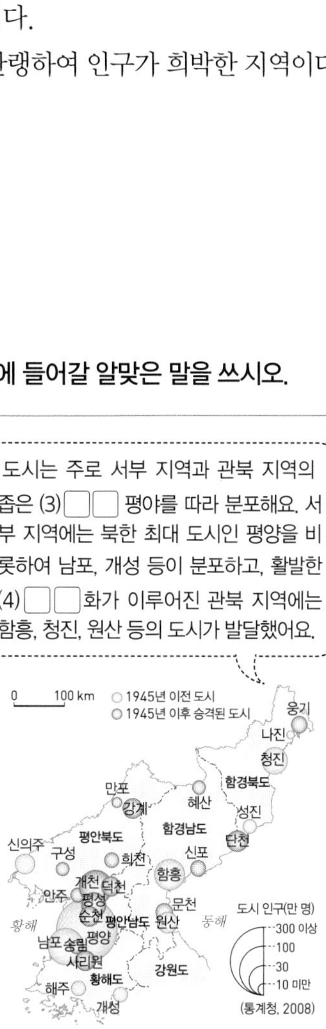
0 100 km
1945년 이전 도시
1945년 이후 승격된 도시
웅기
나진
청진
함경북도
만포
강계
혜산
성진
평안북도
함경남도
단천
신의주
구성
희천
신포
함흥
개천
덕천
안주
평성
순천
문천
평안남도
원산
남포
송림
평양
사리원
황해도
강원도
해주
개성
황해
동해
도시 인구(만 명)
300 이상
100
30
10 미만
(통계청, 2008)

▲ 도시 분포

2차, 3차 산업의 비중이 높고 1차 산업의 비중이 가장 낮지만, 남한과 비교하면 (5)▢차 산업 비중은 낮고 (6)▢차 산업 비중은 높은 편이에요.

북한의 공업은 관서 지방과 관북 지방의 주요 도시 지역에 분포해요.

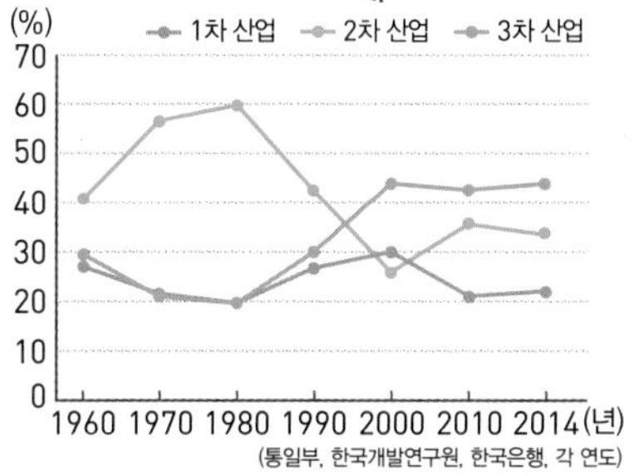
(%)
1차 산업
2차 산업
3차 산업
70
60
50
40
30
20
10
0
1960 1970 1980 1990 2000 2010 2014(년)
(통일부, 한국개발연구원, 한국은행, 각 연도)

▲ 산업 구조

0 100 km
청진 공업 지역
나진
청진
강계 공업 지역
신의주 공업 지역
강계
길주
김책(성진)
희천
장진
단천
함흥
신의주
흥남
김책 공업 지역
안주
함흥 공업 지역
안주 공업 지역
평양
원산
원산 공업 지역
황해
남포
동해
평양·남포 공업 지역
해주
공업 지역
(통일부, 2016)
해주 공업 지역

▲ 공업 지역

답 1. (1) 철도 (2) 남포 (3) 내륙 2. (1) 평양 (2) 산지 (3) 해안 (4) 공업 (5) 3 (6) 1

북한의 인구와 도시 분포를 함께 물어보는 문제와 북한의 산업 구조와 남한의 산업 구조를 비교하는 문제가 종종 출제되고 있어.

북한의 교통망

0 100 km
온성
무산
웅기
나진
중강진
삼지연
청진
만포
강계
신의주
희천
함흥
성진
원산
동해
황해
평양
사리원
개성
해주
고속 국도
도로
철도
항로
(통일부, 2014)

북한은 철도 교통이 발달하였으며, 고속 국도는 평양을 중심으로 방사상으로 뻗어 있다.

2일 북한 지역의 특성

| 모평 응용 |

1 그래프는 남·북한 산업 구조 및 인구 구조 변화에 대한 것이다. 이에 대한 설명으로 옳은 것은? (단, A, B는 남한 또는 북한임.)

〈남·북한의 산업 구조 변화〉 〈남·북한의 인구 구조 변화〉

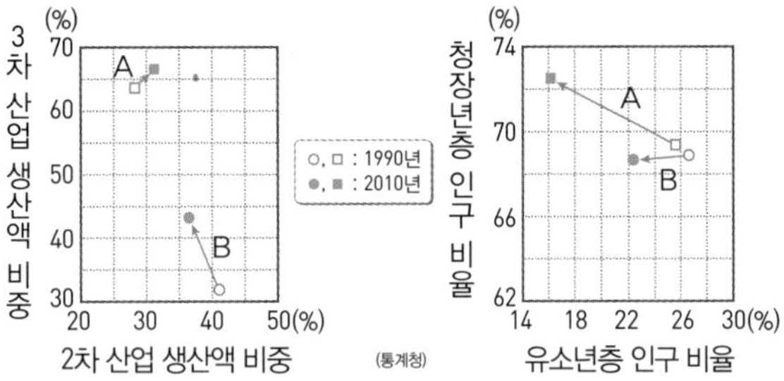

3차 산업 생산액 비중 (%)
70
60
50
40
30
20 30 40 50(%)
2차 산업 생산액 비중
A
B
○, □ : 1990년
●, ■ : 2010년
청장년층 인구 비율 (%)
74
70
66
62
14 18 22 26 30(%)
유소년층 인구 비율
(통계청)

① 1990년 2차 산업 생산액 비중은 북한이 더 작다.
② 2010년 1차 산업 생산액 비중은 남한이 더 크다.
③ 1990년 대비 2010년 남·북한 모두 1차 산업 생산액 비중은 감소하였다.
④ 2010년 총부양비는 북한이 남한보다 낮다.
⑤ 2010년 노령화 지수는 북한이 남한보다 높다.

| 학평 기출 |

2 그래프는 남북한의 주요 지표를 상대적으로 나타낸 것이다. 이를 토대로 북한에 대해 옳게 설명한 내용만을 〈보기〉에서 있는 대로 고른 것은?

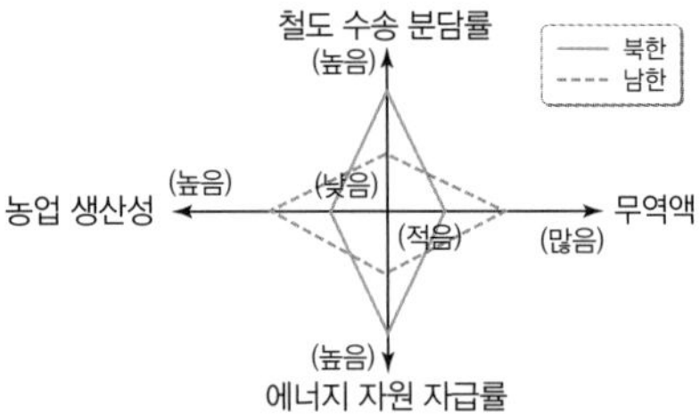

철도 수송 분담률 (높음)
북한
남한
농업 생산성 (높음)
(낮음)
(적음)
무역액 (많음)
(높음)
에너지 자원 자급률

보기

ㄱ. 도로의 발달이 미약하여 철도 수송 분담률이 높다.
ㄴ. 무역 상대국이 적고 산업 구조가 고도화되지 않아서 무역액이 적다.
ㄷ. 원자력과 천연가스의 생산량이 많아서 에너지 자원의 자급률이 높다.
ㄹ. 농업 기술 수준이 낮고 농업 기반 시설이 부족하여 농업 생산성이 낮다.

① ㄱ, ㄷ ② ㄱ, ㄹ ③ ㄴ, ㄷ
④ ㄱ, ㄴ, ㄹ ⑤ ㄴ, ㄷ, ㄹ

| 학평 기출 |

3 그래프는 세 지역의 기후 특성을 나타낸 것이다. (가)~(다)에 해당하는 지역을 지도의 A~C에서 고른 것은?

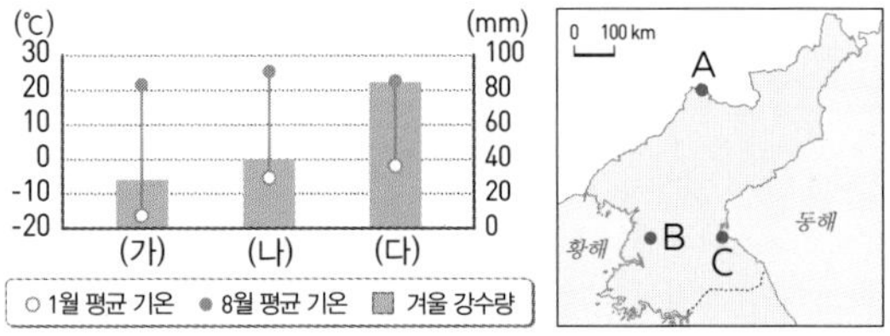

(℃)
30
20
10
0
-10
-20
(mm)
100
80
60
40
20
0
(가) (나) (다)
○ 1월 평균 기온 ● 8월 평균 기온 ■ 겨울 강수량
0 100 km
A
B
C
황해
동해

	(가)	(나)	(다)		(가)	(나)	(다)
①	A	B	C	②	A	C	B
③	B	A	C	④	C	A	B
⑤	C	B	A				

| 모평 기출 |

4 다음 자료에 대한 옳은 설명만을 〈보기〉에서 있는 대로 고른 것은?

〈북한의 주요 발전 설비 용량〉

설비 용량(만 kW)
100
50
30
0 100 km
부령
선봉
청진
3월 17일 (구 서두수)
운봉
장자강
장강
허천강
부전강
내중리
태평만
수풍
위원
장진강
천마
태천
대동강
청천강
북창
미림
12월
평양
순천
남강
봉화
통천
동평양
안변청년
황해
동해
(가)
(나)
(에너지경제연구원, 2015)

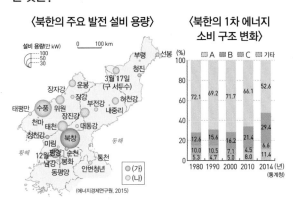

〈북한의 1차 에너지 소비 구조 변화〉

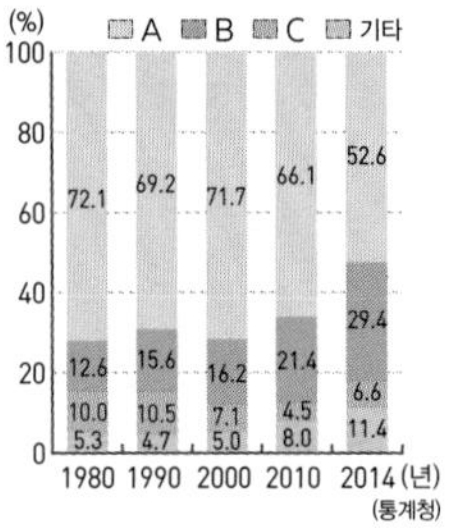

(%)
100
80
60
40
20
0
A B C 기타
72.1
69.2
71.7
66.1
52.6
12.6
15.6
16.2
21.4
29.4
10.0
10.5
7.1
4.5
6.6
5.3
4.7
5.0
8.0
11.4
1980 1990 2000 2010 2014(년)
(통계청)

보기

ㄱ. (가)는 A를 연료로 한다.
ㄴ. (나)는 B를 이용한다.
ㄷ. (가)는 (나)보다 대기 오염 물질 배출량이 많다.
ㄹ. 남한에서 A는 C보다 해외 의존도가 높다.

① ㄱ, ㄴ ② ㄱ, ㄷ ③ ㄴ, ㄷ
④ ㄱ, ㄴ, ㄷ ⑤ ㄱ, ㄷ, ㄹ

정답과 해설 19쪽

| 학평 기출 |

5 그래프는 남북한의 농업 특징을 비교한 것이다. 이에 대한 옳은 설명을 〈보기〉에서 고른 것은?

〈논밭 면적〉

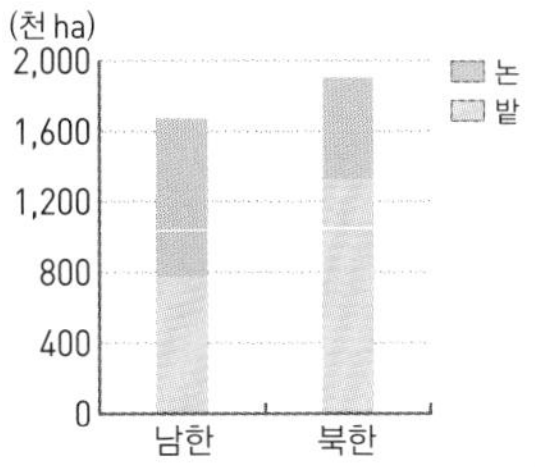
(천 ha)
2,000
1,600
1,200
800
400
0
논
밭
남한
북한

〈식량 작물 총생산량〉

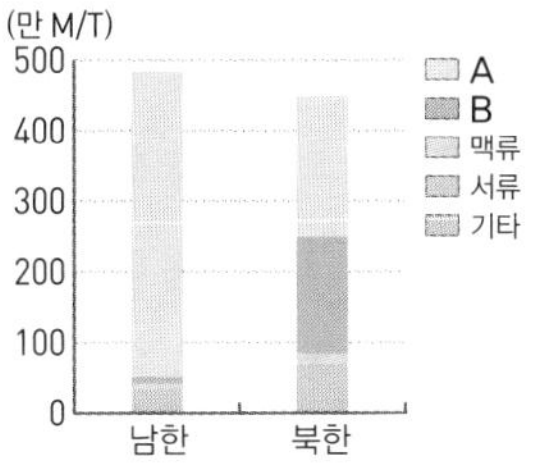
(만 M/T)
500
400
300
200
100
0
A
B
맥류
서류
기타
남한
북한

보기

ㄱ. A는 쌀, B는 옥수수이다.
ㄴ. 남한이 북한보다 토지 생산성이 높다.
ㄷ. 남한에서 A는 식량 작물 중 자급률이 가장 낮다.
ㄹ. 남한이 북한보다 논 면적 대비 밭 면적의 비율이 높다.

① ㄱ, ㄴ ② ㄱ, ㄷ ③ ㄴ, ㄷ
④ ㄴ, ㄹ ⑤ ㄷ, ㄹ

| 수능 기출 |

6 (가)~(다)에서 설명하는 지역을 지도의 A~E에서 고른 것은?

(가)	(나)	(다)
화산 활동으로 형성된 산지이며, 정상부에는 칼데라호가 있음.	경원선의 종착지로 일제 강점기부터 공업 도시로 성장함.	2002년에 외자 유치 및 교역 확대를 위해 특별행정구로 지칭함.

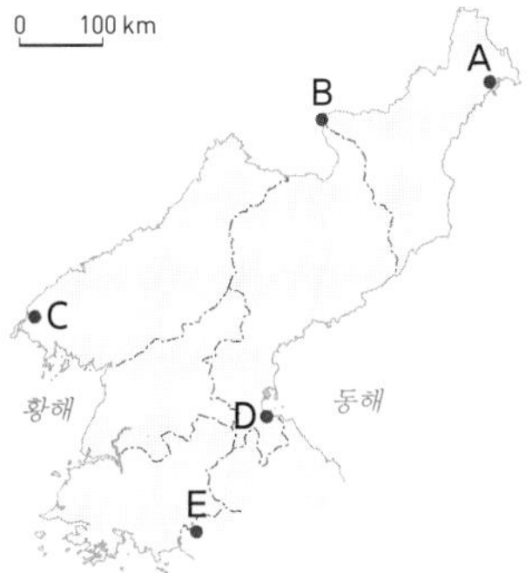
0 100 km
A
B
C
D
E
황해
동해

	(가)	(나)	(다)
①	B	A	C
②	B	D	C
③	B	D	E
④	C	D	E
⑤	C	E	A

| 학평 기출 |

7 그래프는 남·북한의 에너지 자원 현황을 나타낸 것이다. 이에 대한 설명으로 옳은 것은? (단, A~C는 석유, 석탄, 천연가스 중 하나이며, (가)~(다)는 수력, 원자력, 화력 중 하나임.)

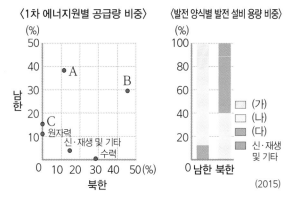

〈1차 에너지원별 공급량 비중〉

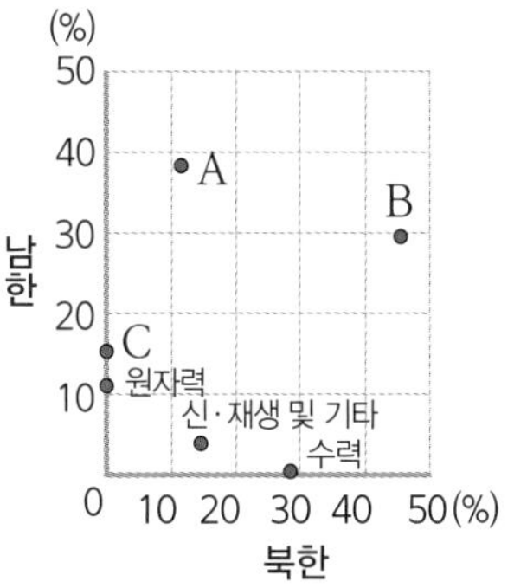
(%)
50
40
30
20
10
0
남한
A
B
C
원자력
신·재생 및 기타
수력
10 20 30 40 50(%)
북한

〈발전 양식별 발전 설비 용량 비중〉

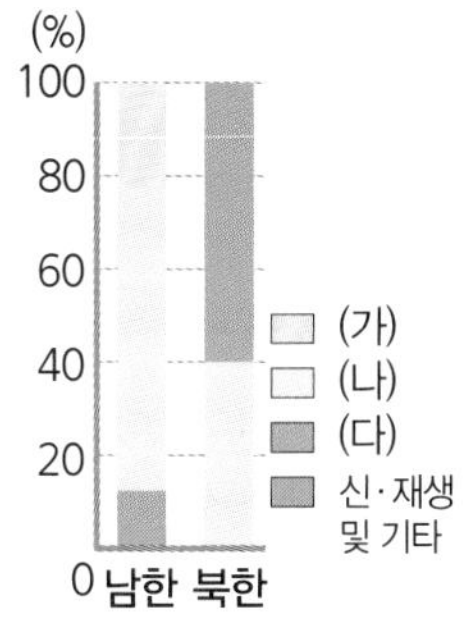
(%)
100
80
60
40
20
0
남한
북한
(가)
(나)
(다)
신·재생 및 기타

(2015)

① A는 B보다 수송용으로 사용되는 비중이 작다.
② B는 C보다 연소 시 대기 오염 물질 배출량이 적다.
③ (가) 발전소는 주로 내륙에 위치한다.
④ (나)는 A를 이용한 발전 비중이 가장 크다.
⑤ (다)는 (나)에 비해 기후의 제약을 많이 받는다.

| 학평 응용 |

8 다음 자료의 ㉠~㉢에 대한 설명으로 옳은 것은?

> **남(南) 열차 북녘 철도 따라 2,600km 이동**
>
> 남북 공동 조사단은 ㉠ 경의선의 개성~신의주 구간 약 400km와 ㉡ 동해선의 금강산~두만강 구간 약 800km를 이동하며 철로 레일과 침목 상태 등 ㉢ 북한의 철도 교통 상황을 전반적으로 점검한다. 남북 공동 조사단의 북한 철도 이동 거리는 총 2,600km에 이른다.

① ㉠에는 북한 최초로 지정된 경제특구가 있다.
② ㉡에는 남북 합작으로 설립된 공업 단지가 있다.
③ ㉢은 도로 교통보다 여객과 화물 수송 분담률이 높다.
④ ㉠보다 ㉡ 구간에 위치한 도시의 총 인구가 많다.
⑤ ㉠은 러시아, ㉡은 중국의 철도와 직접 연결된다.

4주 2일

3일 수도권과 강원 지방

키워드 #35 수도권

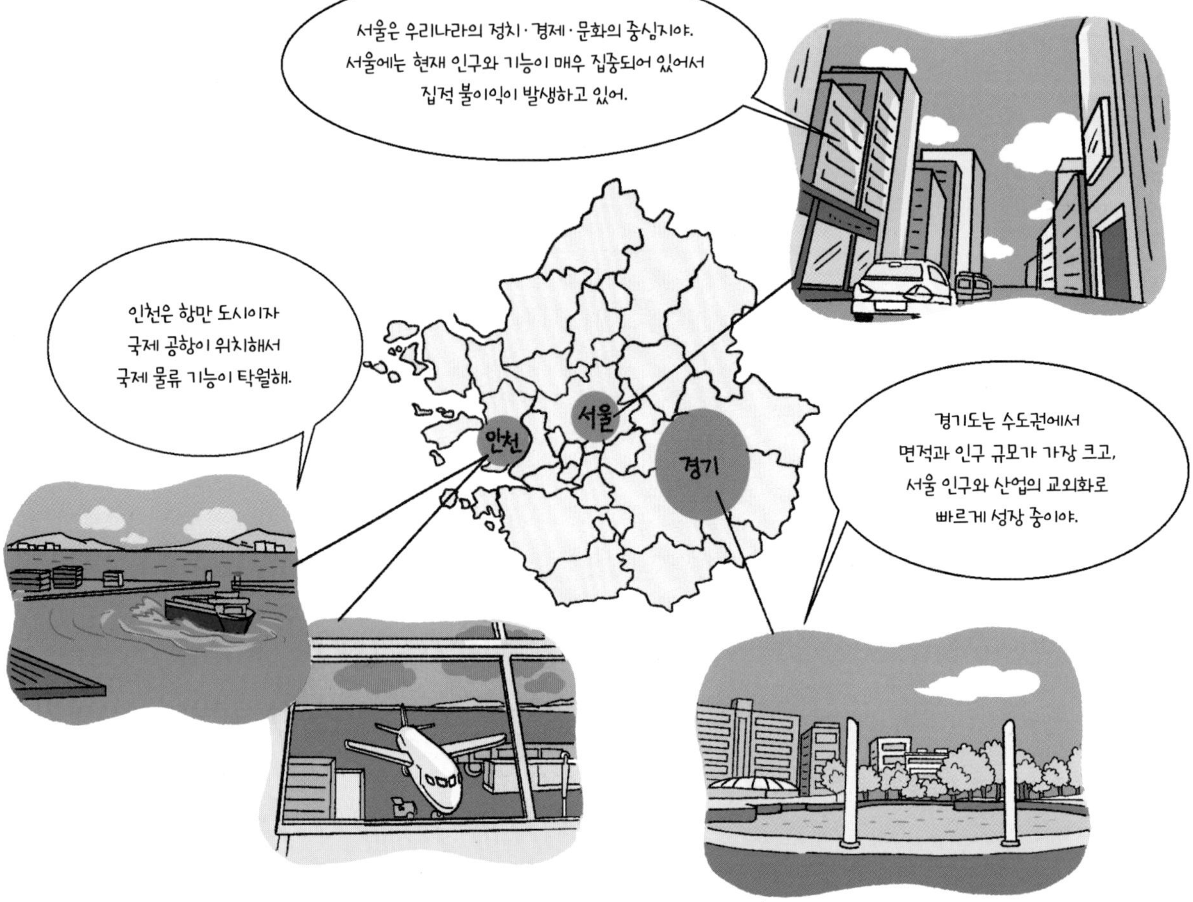

서울은 우리나라의 정치·경제·문화의 중심지야. 서울에는 현재 인구와 기능이 매우 집중되어 있어서 집적 불이익이 발생하고 있어.
인천은 항만 도시이자 국제 공항이 위치해서 국제 물류 기능이 탁월해.
경기도는 수도권에서 면적과 인구 규모가 가장 크고, 서울 인구와 산업의 교외화로 빠르게 성장 중이야.
서울
인천
경기

1 수도권의 공간 범위

- 서울특별시: 인구와 경제 활동의 중심지
- 경기도: 수도권에서 면적과 인구 규모 가장 큼, 인구·산업 □□□로 성장
- 인천광역시: 인천항, 인천 국제 공항 입지 → 국제 □□의 중심지

2 수도권의 기능 집중

공간적 집중❶	① 인구 집중: 우리나라 전체 면적의 약 12%에 불과하지만, 인구는 전체 인구의 절반 정도를 차지 ② 기능 집중: 중앙 정부 기관, 대기업 본사, 언론사, 금융 기관 본점, 각종 문화 시설 집중. 서비스업, 제조업의 집중으로 국내 총생산의 절반 정도를 차지 ③ 교통망 집중: 교통망이 서울 등 수도권을 중심으로 연결 → 다른 지역으로의 접근성이 뛰어남.
문제점	• 수도권의 집적 불이익❷ 발생: 인구와 기능의 지나친 집중 — 생활 기반 시설 부족, 교통 혼잡, 환경 오염 등의 문제 발생 • 수도권과 비수도권 간의 격차 심화: 국토 공간의 불균형
해결 방안	• 신도시와 위성 도시 건설 등으로 수도권의 공간 구조 정비 • 기업 도시, 혁신 도시, 특별자치시 지정 등 균형 발전 도모

3 수도권의 공간 구조 변화

- 서울: 지식 기반 서비스업과 생산자 서비스업 발달
- 경기: 지식 기반 제조업 발달

❶ 수도권 집중도
수도권에는 다양한 분야에서 집중도가 높게 나타나는데 항목에 따라 지역별로 차이가 나타난다. 서울은 금융 및 보험업, 사업 지원 서비스업과 같은 생산자 서비스 비중이 높은 반면, 제조업 종사자 비중은 낮다.

❷ 집적 불이익
한 지역에 과도하게 집적하여 발생하는 불이익을 의미한다. 반면, 집적 이익은 연관 업체들끼리 가까이 입지하여 얻는 이익을 의미한다.

답 교외화, 물류

1 빈칸에 들어갈 말을 〈보기〉에서 골라 쓰시오.

보기
탈공업화, 공간적 집중, 제조업, 서비스업, 집적 불이익

(1) 우리나라는 인구, 기능, 교통망 등이 수도권에 모여 있는 (　　　　　) 현상이 두드러진다.

(2) 수도권의 (　　　　　)(으)로 수도권 공간 구조의 변화가 발생하였다.

(3) 서울에는 지식 기반 (　　　　　)이, 경기에는 지식 기반 (　　　　　)이 발달하였다.

2 다음 수도권의 지역별 특징을 적은 지도를 참고하여, ☐ 안에 알맞은 말을 쓰시오.

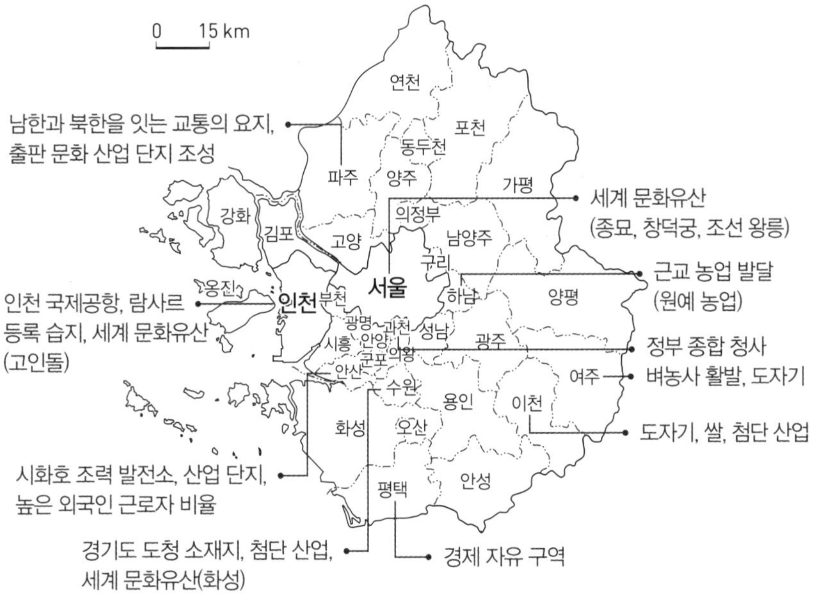
0 15 km
연천
포천
동두천
파주
양주
가평
의정부
강화
김포
고양
남양주
구리
옹진
인천
부천
서울
하남
양평
광명
과천
성남
시흥
안양
광주
군포
의왕
안산
수원
여주
용인
이천
화성
오산
평택
안성
남한과 북한을 잇는 교통의 요지, 출판 문화 산업 단지 조성
세계 문화유산 (종묘, 창덕궁, 조선 왕릉)
근교 농업 발달 (원예 농업)
인천 국제공항, 람사르 등록 습지, 세계 문화유산 (고인돌)
정부 종합 청사
벼농사 활발, 도자기
도자기, 쌀, 첨단 산업
시화호 조력 발전소, 산업 단지, 높은 외국인 근로자 비율
경기도 도청 소재지, 첨단 산업, 세계 문화유산(화성)
경제 자유 구역

(1) ☐☐에는 정부 종합 청사가 위치해 있어.
이천과 여주는 공통적으로 쌀과 (2) ☐☐☐로 유명해.
(3) ☐☐는 남한과 북한을 잇는 교통의 요지이고, 출판 문화 산업 단지가 조성되어 있어.
(4) ☐☐에는 시화호 조력 발전소가 위치해 있고, 외국인 근로자 비율이 높아.

우리나라의 특정 지역의 위치와 그 지역의 특성을 묻는 문제가 자주 출제되고 있어.

지식 기반 산업 종사자 수

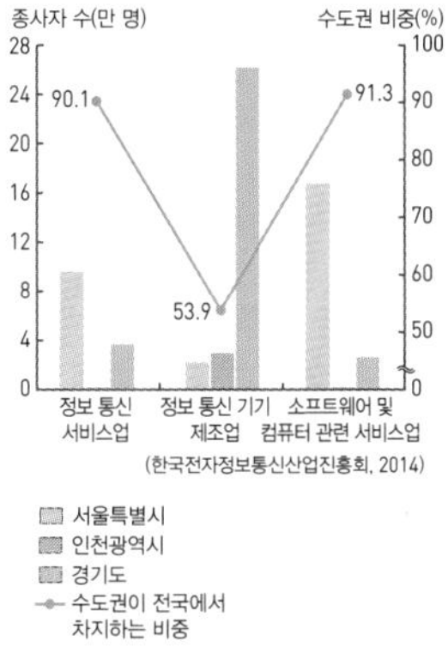
종사자 수(만 명)
수도권 비중(%)
28
24
20
16
12
8
4
0
100
90
80
70
60
50
0
90.1
53.9
91.3
정보 통신 서비스업
정보 통신 기기 제조업
소프트웨어 및 컴퓨터 관련 서비스업
서울특별시
인천광역시
경기도
수도권이 전국에서 차지하는 비중

(한국전자정보통신산업진흥회, 2014)

상대적으로 넓은 부지를 필요로 하는 지식 기반 제조업은 경기에, 고급 인력과 최신 정보 확보 및 관련 업체와의 협력을 필요로 하는 지식 기반 서비스업은 서울에 주로 분포한다.

답 1. (1) 공간적 집중 (2) 탈공업화 (3) 서비스업, 제조업 2. (1) 과천 (2) 도자기 (3) 파주 (4) 안산

3일 수도권과 강원 지방

키워드 #36 강원 지방

영서 지방은 내륙에 위치해서 영동 지방보다 기온의 연교차가 크고, 여름철 남서 기류가 발생할 때 태백산맥의 바람받이에 위치해서 여름철 강수량이 많아.
영서지방
태백산맥
동해
영동 지방
영동 지방은 동해에 접해 있고, 태백산맥이 북서풍을 막아 주어서 겨울철 기온이 영서 지방보다 온화해. 그리고 겨울철 북동 기류가 발생할 때 태백산맥의 바람받이에 위치해서 겨울철 강수량이 많아.

강원도에서는 최근 관광 산업과 지식 기반 산업이 부상하고 있어.
관광 산업
지식 기반 산업

1 강원 지방의 지역 특성

• 구분: □□□□을 기준으로 영동·영서 지방으로 나뉨.

영동 지방	지형	• 동서 폭이 좁고 급경사를 이룸. ➡ 해안을 따라 소규모 평야가 남북으로 발달 • 하천 유로가 짧고 경사가 급함.
	기후❶	• 영서 지방보다 겨울철 기온이 온화함. • 겨울철 북동 기류의 영향 ➡ 눈이 많이 내림.
영서 지방	지형	• 완경사를 이루는 산지와 고원, 침식 분지 발달 • 하천 중·상류에 하안 단구, 감입 곡류 하천 등 발달
	기후	• 영동 지방보다 기온의 연교차가 큼. • 여름철 남서 기류의 영향으로 강수량이 많음.

2 강원 지방의 산업 발달

• 과거: 국내 최대의 광업 지역 ➡ 석탄 산업 합리화 정책으로 쇠퇴 ─ 가정용 연료가 무연탄에서 석유, 천연가스로 변화함.

• □□ 산업 특화: 폐광 지역의 산업 유산을 관광 자원으로 활용(정선 레일 바이크, 태백 석탄 박물관 등), 자연환경을 이용한 생태 및 휴양 관광

• 지식 기반 산업 육성: 춘천(바이오 산업), 강릉(신소재·바이오 산업), 원주(의료 기기 클러스터❷) 등

답 태백산맥, 관광

❶ 영동 지방과 영서 지방의 기후

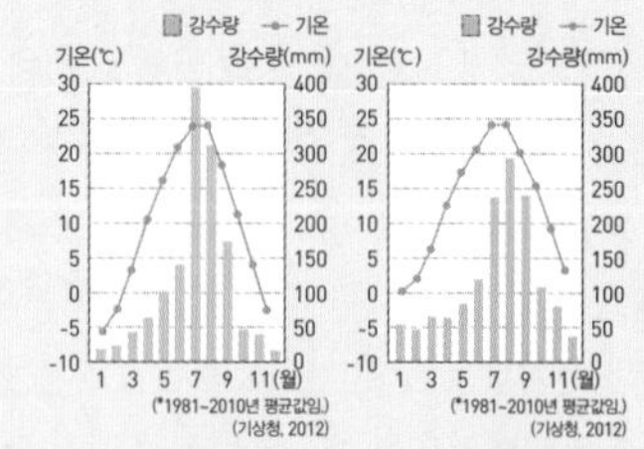

강수량
기온
기온(℃)
강수량(mm)
(월)
(*1981~2010년 평균값임.)
(기상청, 2012)

▲ 홍천 (영서 지방) ▲ 강릉 (영동 지방)

❷ 클러스터

클러스터는 유사 업종에서 다른 기능을 수행하는 기업, 대학, 연구소 등이 한 곳에 모여 입지하고 있는 것을 의미한다.

개념 확인

1 빈칸에 들어갈 말을 〈보기〉에서 골라 쓰시오.

> **보기**
> 공업, 원주, 관광 산업, 춘천, 북동 기류, 남서 기류

(1) 강원 지방은 광산들이 폐광되고 (   ) 중심의 산업 구조로 변화하였다.

(2) 영동 지방은 겨울철 (   )의 영향으로 눈이 많이 내린다.

(3) (   )에서는 의료 기기 클러스터가 발달하였다.

2 다음 강원 지방의 지역별 특징을 적은 지도를 참고하여, □ 안에 알맞은 말을 쓰시오.

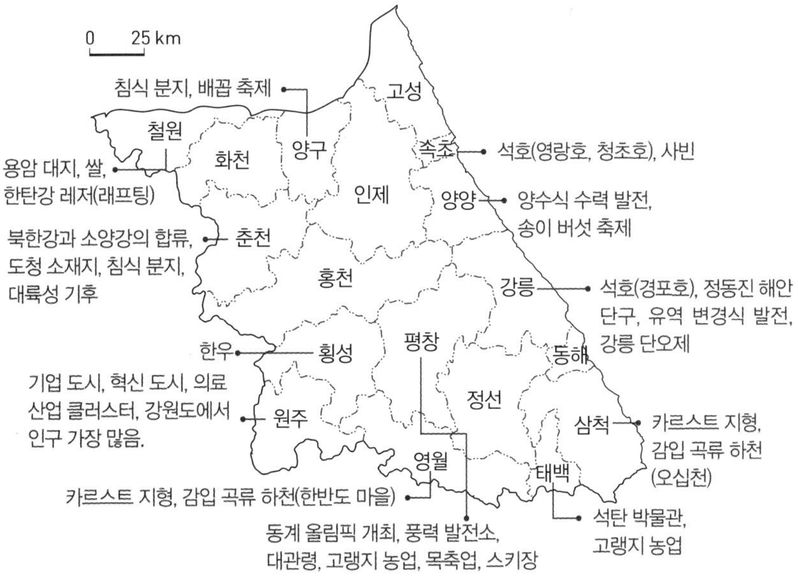

0 25 km
침식 분지, 배꼽 축제
고성
철원
화천
양구
속초
석호(영랑호, 청초호), 사빈
용암 대지, 쌀,
한탄강 레저(래프팅)
인제
양양
양수식 수력 발전,
송이 버섯 축제
북한강과 소양강의 합류,
도청 소재지, 침식 분지,
대륙성 기후
춘천
홍천
강릉
석호(경포호), 정동진 해안
단구, 유역 변경식 발전,
강릉 단오제
한우
횡성
평창
동해
기업 도시, 혁신 도시, 의료
산업 클러스터, 강원도에서
인구 가장 많음.
원주
정선
삼척
카르스트 지형,
감입 곡류 하천
(오십천)
영월
태백
카르스트 지형, 감입 곡류 하천(한반도 마을)
동계 올림픽 개최, 풍력 발전소,
대관령, 고랭지 농업, 목축업, 스키장
석탄 박물관,
고랭지 농업

(1) □□에는 석호와 해안 단구가 위치해 있어.
(2) □□에는 대관령이 위치해 있어. 그리고 동계 올림픽이 개최되었던 지역이지.
(3) □□은 강원도청의 소재지이고, 북한강과 소양강의 합류로 침식 분지가 위치해 있어.
(4) □□는 기업 도시와 혁신 도시가 조성되어 있고, 강원도에서 인구가 가장 많은 지역이야.

우리나라의 특정 지역의 위치와 그 지역의 특성을 묻는 문제가 자주 출제되고 있어.

강원 지방 산업별 취업자 수 변화

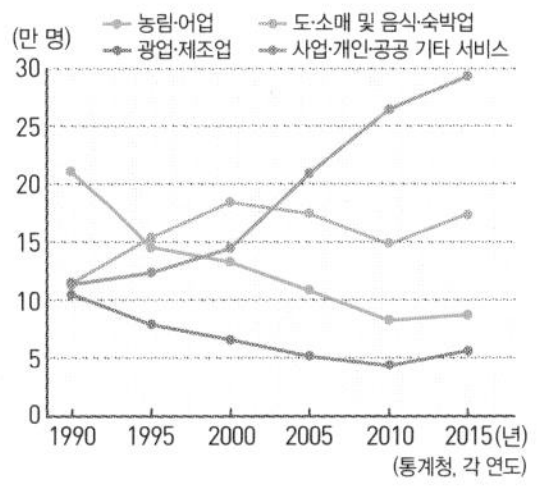

(만 명)
농림·어업
도·소매 및 음식·숙박업
광업·제조업
사업·개인·공공 기타 서비스
30
25
20
15
10
5
0
1990 1995 2000 2005 2010 2015(년)
(통계청, 각 연도)

강원 지방은 석탄 산업 합리화 정책 이후 광업·제조업 종사자 수가 감소하는 반면, 서비스업 종사자는 증가하고 있다.

답 1. (1) 관광 산업 (2) 북동 기류 (3) 원주 2. (1) 강릉 (2) 평창 (3) 춘천 (4) 원주

3일 수도권과 강원 지방

| 수능 기출 |

1 다음 그래프의 (가)~(다) 지역을 지도의 A~C에서 고른 것은?

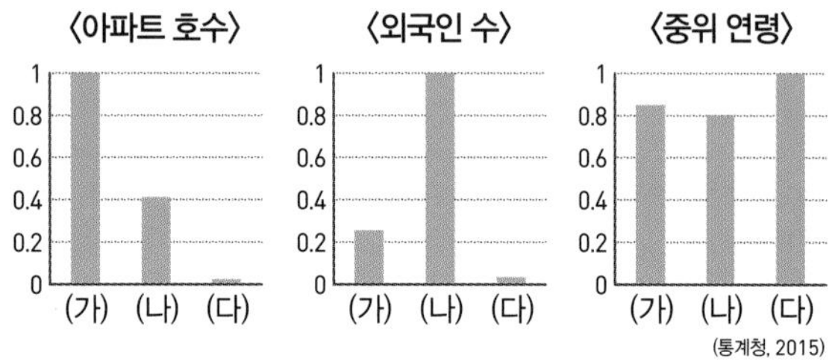
〈아파트 호수〉
〈외국인 수〉
〈중위 연령〉
1
0.8
0.6
0.4
0.2
0
(가) (나) (다)
(통계청, 2015)

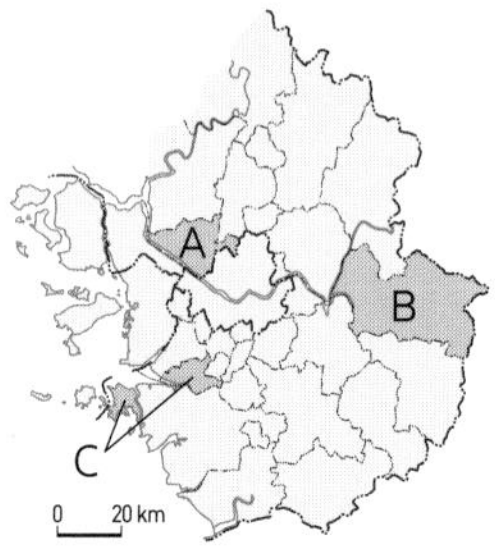
A
B
C
0 20 km

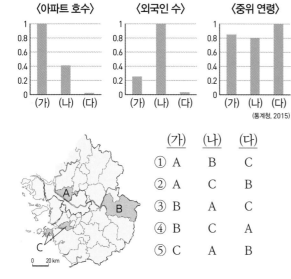

	(가)	(나)	(다)
①	A	B	C
②	A	C	B
③	B	A	C
④	B	C	A
⑤	C	A	B

| 모평 응용 |

2 수도권의 각 지역에 대한 설명으로 옳은 것은? (단, (가)~(다), A~C는 서울, 인천, 경기 중 하나임.)

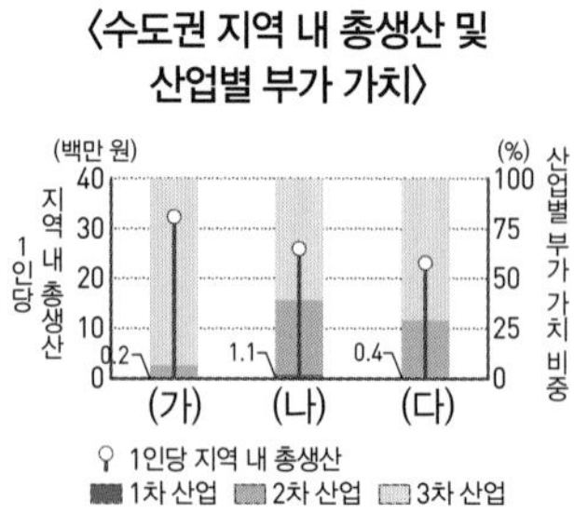
〈수도권 지역 내 총생산 및 산업별 부가 가치〉
(백만 원)
1인당 지역 내 총생산
40
30
20
10
0
(%)
산업별 부가 가치 비중
100
75
50
25
0
0.2
1.1
0.4
(가) (나) (다)
1인당 지역 내 총생산
1차 산업 2차 산업 3차 산업

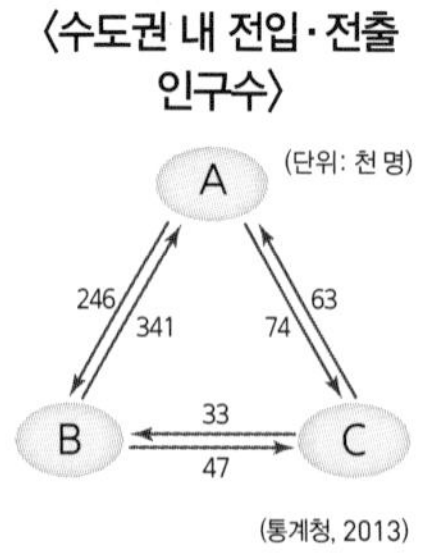
〈수도권 내 전입·전출 인구수〉
(단위: 천 명)
A
B
C
246
341
74
63
33
47
(통계청, 2013)

① (가)는 A보다 인구 순 이동이 많다.
② (나)는 C보다 1인당 지역 내 총생산액이 많다.
③ (다)는 (나)보다 전입 인구가 많다.
④ B는 A보다 1차 산업 부가 가치 비중이 높다.
⑤ C는 (가)보다 백화점 수가 많다.

| 모평 기출 |

3 그래프는 수도권에 속한 시·도의 산업 구조 변화를 나타낸 것이다. 이에 대한 설명으로 옳지 않은 것은?

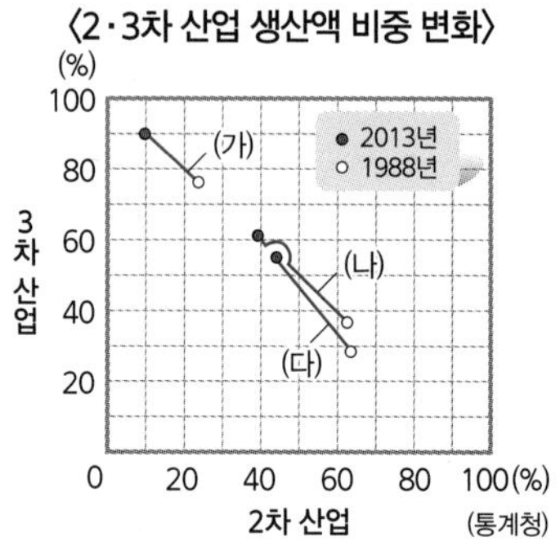
〈2·3차 산업 생산액 비중 변화〉
(%)
100
80
60
40
20
0
3차 산업
20 40 60 80 100(%)
2차 산업
(가)
(나)
(다)
● 2013년
○ 1988년
(통계청)

① (가)는 서울에 해당한다.
② (나)는 세 지역 중 2차 산업 비중이 가장 많이 감소하였다.
③ (다)는 (가)보다 3차 산업 비중의 증가 폭이 작다.
④ (가)는 (나), (다)보다 3차 산업 비중이 높다.
⑤ 수도권에서는 탈공업화 현상이 진행되고 있다.

| 모평 응용 |

4 지도의 A~E 지역에 대한 설명으로 옳지 않은 것은?

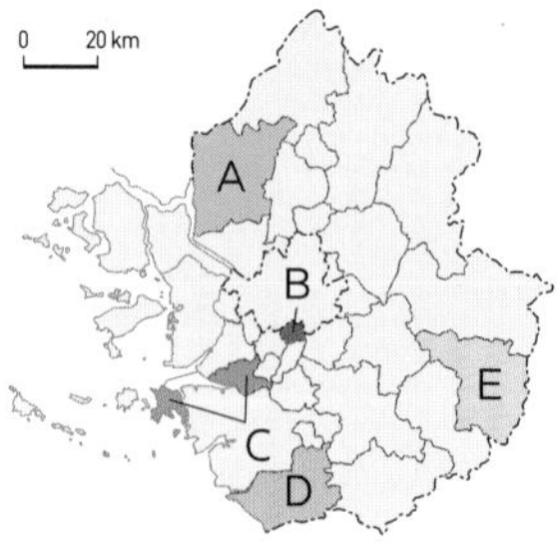
0 20 km
A
B
C
D
E

① A는 대북 접경 지역이며, 최근 신도시 개발이 이루어지고 있다.
② B는 서울의 위성 도시로 개발되었고, 대규모 산업 단지가 조성되어 제조업 종사자의 비중이 높다.
③ C에는 외국인 근로자의 유입으로 '국경 없는 마을'이 형성되었다.
④ D에는 경제 자유 구역으로 지정된 곳이 있다.
⑤ E는 도자기 축제가 열리는 곳이다.

정답과 해설 20쪽

| 모평 기출 |

5 자료의 (가)~(다) 지역을 지도의 A~E에서 고른 것은?

지역	DMZ 인근 시·군 소개
(가)	• LCD 산업 클러스터 입지 • 남북 정상 회담이 열린 판문점
(나)	• 한탄강을 따라 펼쳐진 용암 대지 • 지리적 표시제에 등록된 쌀
(다)	• 람사르 습지로 등록된 대암산 용늪 • 내린천의 급류를 활용한 래프팅

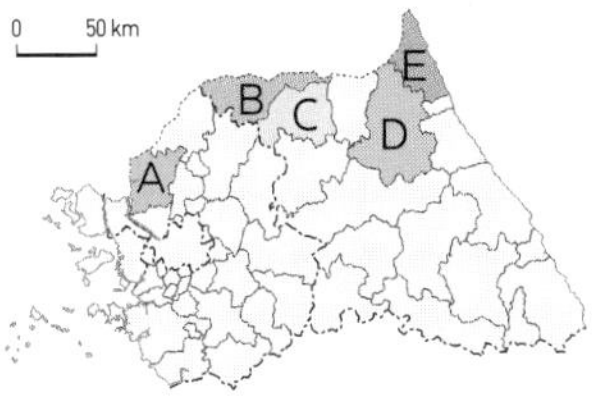
0 50 km
A
B
C
D
E

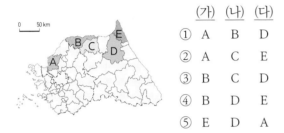

	(가)	(나)	(다)
①	A	B	D
②	A	C	E
③	B	C	D
④	B	D	E
⑤	E	D	A

| 모평 응용 |

6 그래프는 강원 지방 (가)~(다) 산업 종사자 수의 시·군별 비중을 순위별로 나타낸 것이다. 이에 해당하는 산업으로 옳은 것은?

(가)
(단위: %)
원주시
강릉시
춘천시
횡성군
동해시
홍천군
영월군
속초시
삼척시
철원군
양양군
태백시
평창군
고성군
정선군
인제군
화천군
양구군
40
30
20
10

(나)
(단위: %)
원주시
춘천시
강릉시
속초시
평창군
홍천군
동해시
삼척시
정선군
양양군
횡성군
태백시
인제군
고성군
철원군
영월군
화천군
양구군
20
15
10
5

	(가)	(나)
①	제조업	숙박 및 음식점업
②	제조업	공공 및 기타 행정
③	숙박 및 음식점업	공공 및 기타 행정
④	공공 및 기타 행정	제조업
⑤	공공 및 기타 행정	숙박 및 음식점업

| 수능 응용 |

7 A~E 지역 특성을 활용한 탐구 주제로 적절하지 않은 것은?

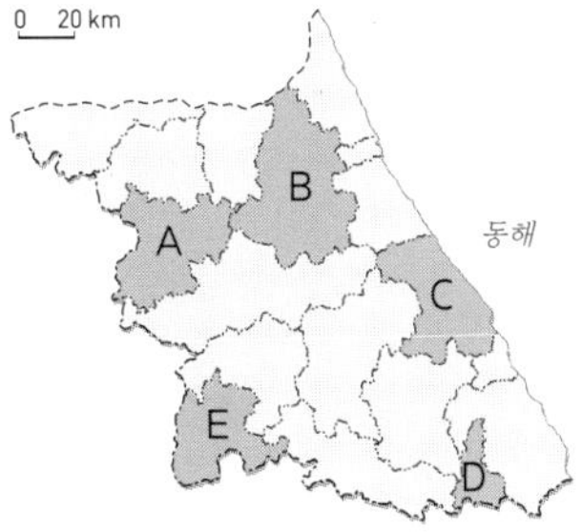
0 20 km
A
B
C
D
E
동해

① A - 수도권과의 전철 연결에 따른 도시 상권의 변화
② B - 겨울철 빙어 축제를 통한 지역 이미지 홍보
③ C - 석호와 해안 단구를 활용한 관광 자원 개발
④ D - 석탄 산업 합리화 정책 이후 서비스업 중심의 산업 구조 개선 방안
⑤ E - 국토 정중앙 테마 공원 조성을 통한 관광객 유치 방안

| 모평 기출 |

8 다음 글에서 설명하는 지역을 지도의 A~E에서 고른 것은?

> 이 지역의 고위 평탄면은 연평균 기온이 낮고 연강수량은 많은 편이다. 이러한 지형 및 기후 환경을 바탕으로 목축업과 고랭지 농업이 발달하였다. 또한 이 지역은 적설량이 많고 적설 기간이 긴 기후 특성을 활용하여 동계 스포츠의 중심지로 성장해 왔으며, 2018년에는 동계 올림픽이 개최되기도 하였다.

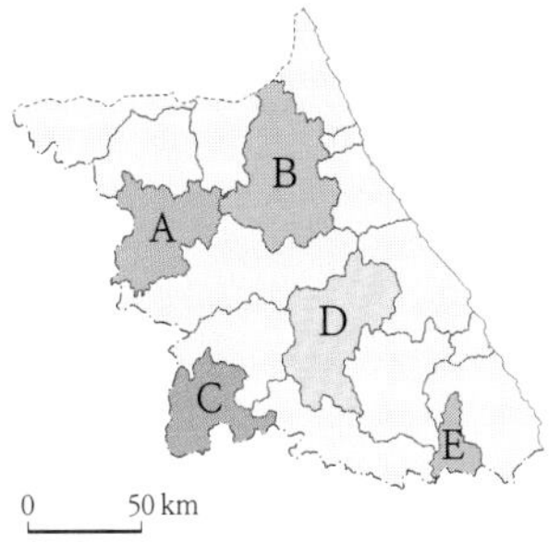
A
B
C
D
E
0 50 km

① A
② B
③ C
④ D
⑤ E

4 주 3일

4일 충청 지방과 호남 지방

키워드 #37 충청 지방

○ 충청 지방은 대전광역시, 세종특별자치시, 충청북도, 충청남도를 포함하는 지역으로 최근 빠르게 성장하고 있는 지역입니다.

충청 지방은 수도권과 남부 지방을 잇는 요충지에 위치해 있고, 주요 고속 국도, 고속 철도, 수도권 전철 등 다양한 교통로가 집중되어 있는 교통의 요충지야!
교통 발달
충청 지방은 수도권의 공업 기능이 이전해 오면서 중화학 공업과 첨단 산업이 발달하고 있어.
산업 발달
충청 지방에는 우리나라의 주요 행정 기능을 담당하는 세종특별자치시, 혁신도시, 기업 도시, 내포 신도시가 조성되어 도시들의 발전이 이루어지고 있어.
도시 성장

1 충청 지방의 □□ 발달

- 육상 교통의 중심지: 경부 축과 호남 축 교통로 교차 → 우수한 접근성
- 수도권의 배후지 역할 강화: 고속 철도 개통, 수도권 전철 연장
- 수도권 과밀화에 따른 분산 정책 시행으로 수도권의 기능 이전

2 충청 지방의 산업 발달 ❶ — 편리한 교통, 수도권 공장 총량제에 따른 공업 기능의 이전 등으로 발달

중화학 공업	• 서해안 지역 • 서산(석유 화학 공업), 당진(제철 공업), 아산(자동차 공업)
첨단 산업	• 내륙 지역 • 청주(오송 생명 과학 단지, 오창 과학 산업 단지), 대전(대덕 연구 개발 특구), 충북 경제 자유 구역(충주, 청주 일대 첨단 산업 집적)

3 충청 지방의 도시 성장

□□□□□□□□	중앙 행정 기능 분담과 국토 균형 발전을 위해 출범
내포 신도시	• 충청남도 균형 발전 위해 상대적으로 낙후된 서북부 내륙 지역(홍성군, 예산군 일대)에 조성 • 충청남도청, 도의회, 교육청 등 충청남도의 행정 기능 이전
기업 도시	충주(지식 기반형 산업), 태안(관광 레저형 산업)
혁신 도시	충청북도 진천·음성 → 오창 과학 산업 단지와 함께 정보 통신 기술(IT), 생명 공학 기술(BT) 중심 도시로 조성

❶ 산업 발달과 인구 증가

0 20 km
제천시
충주시
단양군
음성군
당진시
진천군
태안군
서산시
아산시
천안시
증평군
괴산군
예산군
청주시
홍성군
세종특별자치시
공주시
보은군
청양군
대전광역시
보령시
옥천군
계룡시
부여군
논산시
서천군
금산군
영동군
인구 증감률(%)
100 이상
50~100
20~50
0~20
감소
(통계청, 각 연도)

(* 2000년 청원군 인구는 청주시에 포함하여 계산함. / * 세종특별자치시는 2000년 연기군 대비 인구 증감을 계산함.)

▲ 충청 지방의 인구 증감(2000~2015년)

충청 지방은 수도권 인구와 기능의 이전으로 수도권과 인접한 충청 지방 북부 지역의 성장이 두드러지고 있다. 주요 교통로가 지나가는 천안, 아산, 세종과 제조업이 발달한 당진, 서산, 아산 등에서 인구 증가가 두드러진다.

답 교통, 세종특별자치시

1 빈칸에 들어갈 말을 〈보기〉에서 골라 쓰시오.

보기
내포 신도시, 첨단 산업, 혁신 도시, 중화학 공업

(1) 충청남도의 균형 발전을 위해 서북부 내륙 지역에 조성된 도시를 (   ) (이)라고 한다.

(2) 충청 지방에서 (   )은/는 주로 서산, 당진, 아산에서 이루어진다.

2 다음 충청 지방의 지역별 특징을 적은 지도를 참고하여, ▢ 안에 알맞은 말을 쓰시오.

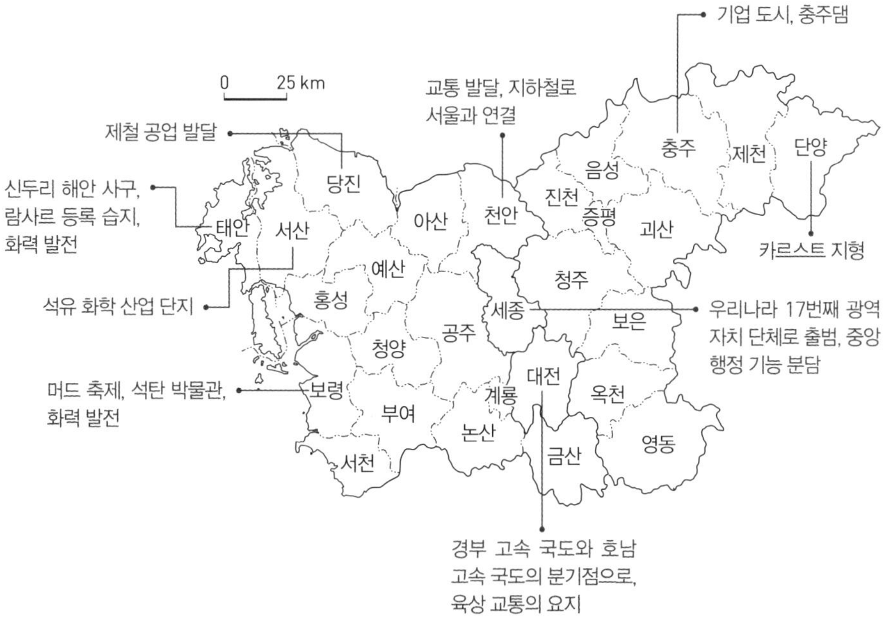
기업 도시, 충주댐
0 25 km
교통 발달, 지하철로 서울과 연결
제철 공업 발달
신두리 해안 사구, 람사르 등록 습지, 화력 발전
석유 화학 산업 단지
머드 축제, 석탄 박물관, 화력 발전
카르스트 지형
우리나라 17번째 광역 자치 단체로 출범, 중앙 행정 기능 분담
경부 고속 국도와 호남 고속 국도의 분기점으로, 육상 교통의 요지
당진
태안
서산
아산
천안
진천
음성
충주
제천
단양
증평
괴산
예산
청주
홍성
세종
보은
공주
청양
대전
보령
계룡
옥천
부여
논산
금산
영동
서천

(1) ▢▢에는 석유 화학 산업 단지가 조성되어 있어요.
보령은 머드 축제와 (2) ▢▢ 박물관으로 유명해요.
(3) ▢▢에는 기업 도시가 조성되어 있어요.
(4) ▢▢은 해안 사구와 람사르 등록 습지로 유명해요.

우리나라의 특정 지역의 위치와 그 지역의 특성을 묻는 문제가 자주 출제되고 있어.

충청 지방의 교통망

충청 지방은 주요 고속 국도가 지나며, 고속 철도와 수도권 전철 등 다양한 교통로가 집중되는 육상 교통의 요충지로 전국 각지로의 접근성이 우수하다.

답 1. (1) 내포 신도시 (2) 중화학 공업 2. (1) 서산 (2) 석탄 (3) 충주 (4) 태안

4일 충청 지방과 호남 지방

키워드 #38 호남 지방

호남 지방은 광주광역시와 전라북도, 전라남도를 포함합니다. 호남 지방은 넓은 평야와 바다, 온화한 기후 등의 자연환경을 바탕으로 다양한 예술, 문화, 음식이 발달했고, 최근 공업과 관광 산업도 성장하고 있습니다.

공업

석유 화학
제철

관광 산업

순천만 갈대축제
2017.11.3~11.5
보성다향 대축제

간척 사업

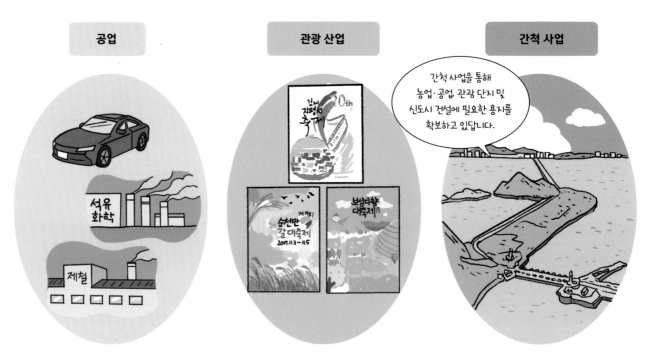

간척 사업을 통해 농업·공업, 관광 단지 및 신도시 건설에 필요한 용지를 확보하고 있답니다.

1 호남 지방의 자연환경

평야	호남평야(김제·만경 평야), 나주평야 → 우리나라 최대의 곡창 지대 (호남평야: 우리나라에서 유일하게 지평선을 볼 수 있는 곳)
산지	노령산맥과 소백산맥의 산지 발달 → 임업, 목축업, 고랭지 농업 (고랭지 농업: 진안고원 일대)
해안	• 갯벌과 리아스 해안 발달 → 연안 어업, 양식업 발달 • 크고 작은 섬이 많아 다도해 해상 국립 공원을 이룸. → 관광 산업 발달

2 호남 지방의 산업

농업	• 1차 산업 비중이 높음. → 농업, 어업, 양식업 발달 • 평야와 바다, 온화한 기후 특성 → 우리나라 최대의 곡창 지대 • ☐☐ 사업: 계화도, 새만금 지구 등 → 농업 용지, 산업 용지, 신도시 건설 용지 확보
공업	• 산업 단지 등의 조성으로 공업 성장 • 광주(자동차), 군산(자동차), 여수(석유 화학), ☐☐(제철)
관광 산업	• 자연환경 활용: 슬로 시티❶(완도군 청산면, 담양군 창평면, 전주 한옥 마을) • 문화 자원 활용: 판소리, 대사습놀이, 지역 축제 등의 관광 산업 육성

3 호남 지방의 발전 방향

- 신산업 육성: 광주(광산업), 새만금 일대(신·재생 에너지 산업)
- 전북 혁신 도시(전주), 광주·전남 공동 혁신 도시(나주)

❶ **슬로 시티**
지역 공동체를 중심으로 지역 고유의 자연환경과 먹을거리, 전통문화를 보전하며서 느림의 미학을 기반으로 지속 가능한 발전을 추구하는 도시를 의미한다.

답 간척, 광양

1 빈칸에 들어갈 말을 〈보기〉에서 골라 쓰시오.

> **보기**
> 슬로 시티, 새만금, 여수, 광양, 혁신 도시

(1) 담양군 창평면은 (   )(으)로 선정되었다.

(2) 호남 지방의 (   ) 일대에서 대규모의 간척 사업이 진행되고 있다.

(3) (   )에서는 석유 화학 공업이 발달하였다.

2 다음 호남 지방의 지역별 특징을 적은 지도를 참고하여, ☐ 안에 알맞은 말을 쓰시오.

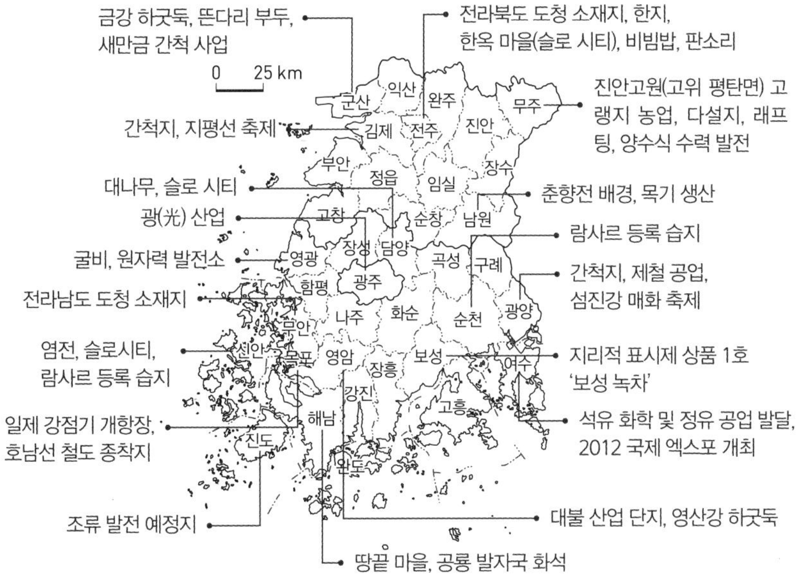

금강 하굿둑, 뜬다리 부두, 새만금 간척 사업
0 25 km
간척지, 지평선 축제
대나무, 슬로 시티
광(光) 산업
굴비, 원자력 발전소
전라남도 도청 소재지
염전, 슬로시티, 람사르 등록 습지
일제 강점기 개항장, 호남선 철도 종착지
조류 발전 예정지
전라북도 도청 소재지, 한지, 한옥 마을(슬로 시티), 비빔밥, 판소리
진안고원(고위 평탄면) 고랭지 농업, 다설지, 래프팅, 양수식 수력 발전
춘향전 배경, 목기 생산
람사르 등록 습지
간척지, 제철 공업, 섬진강 매화 축제
지리적 표시제 상품 1호 '보성 녹차'
석유 화학 및 정유 공업 발달, 2012 국제 엑스포 개최
대불 산업 단지, 영산강 하굿둑
땅끝 마을, 공룡 발자국 화석
군산
익산
완주
무주
김제
전주
진안
부안
정읍
임실
장수
고창
순창
남원
영광
장성
담양
곡성
구례
함평
광주
무안
나주
화순
순천
광양
신안
목포
영암
보성
여수
장흥
강진
고흥
해남
진도
완도

보성은 지리적 표시제 1호 상품인 (1)☐☐로 유명해요.
무주에는 (2)☐☐☐☐이 위치하여 고랭지 농업이 발달했어요.
(3)☐☐에는 원자력 발전소가 위치해 있고, 굴비로 유명해요.
(4)☐☐는 전라북도 도청 소재지이고, 한옥 마을로 유명해요.

우리나라의 특정 지역의 위치와 그 지역의 특성을 묻는 문제가 자주 출제되고 있어.

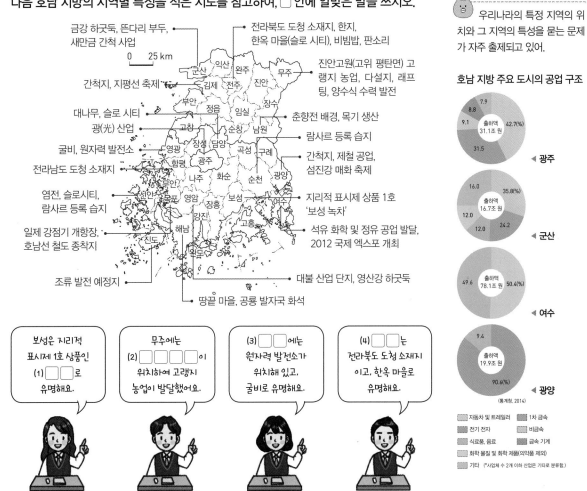

호남 지방 주요 도시의 공업 구조

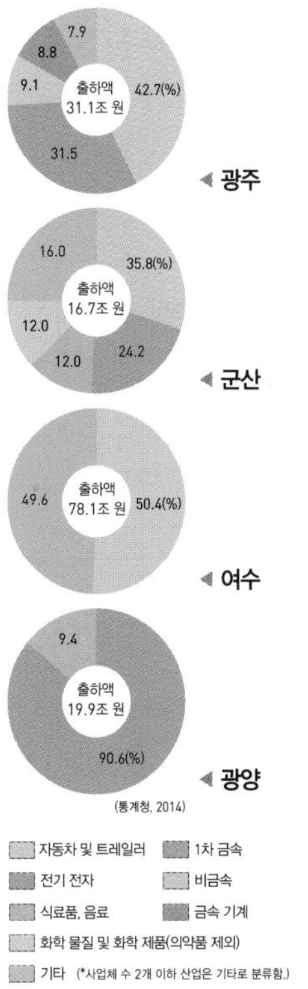

7.9
8.8
9.1
출하액 31.1조 원
42.7(%)
31.5
광주
16.0
35.8(%)
출하액 16.7조 원
12.0
12.0
24.2
군산
49.6
출하액 78.1조 원
50.4(%)
여수
9.4
출하액 19.9조 원
90.6(%)
광양
(통계청, 2014)
자동차 및 트레일러
1차 금속
전기 전자
비금속
식료품, 음료
금속 기계
화학 물질 및 화학 제품(의약품 제외)
기타 (*사업체 수 2개 이하 산업은 기타로 분류함.)

답 1. (1) 슬로 시티 (2) 새만금 (3) 여수 2. (1) 녹차 (2) 진안고원 (3) 영광 (4) 전주

4일 충청 지방과 호남 지방

| 모평 기출 |

1 A~C 지역에 대한 설명으로 옳은 것은?

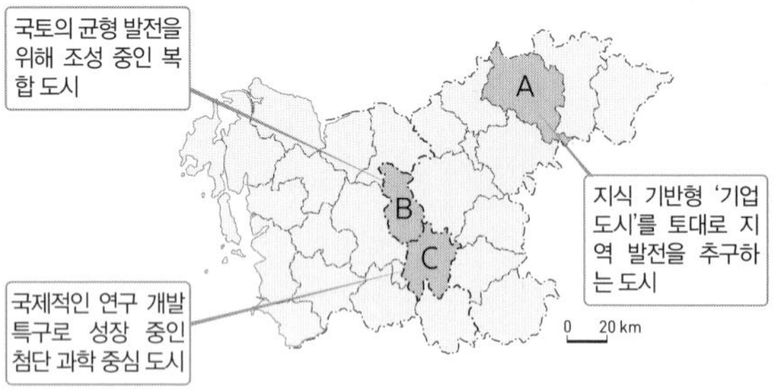
국토의 균형 발전을 위해 조성 중인 복합 도시
A
B
C
지식 기반형 '기업 도시'를 토대로 지역 발전을 추구하는 도시
국제적인 연구 개발 특구로 성장 중인 첨단 과학 중심 도시
0 20 km

① A는 수도권 전철 노선이 연결된 곳이다.
② B는 충청남도의 도청 소재지이다.
③ C는 생명 과학 단지와 국제공항이 있다.
④ A는 C보다 총인구가 많다.
⑤ B는 A보다 행정 및 공공 기관 종사자 수가 많다.

| 수능 기출 |

2 다음 자료에 대한 옳은 설명을 〈보기〉에서 고른 것은? (단, (가)~(다)와 A~C는 대전, 세종, 충북·충남 중 하나임.)

〈연령별 인구 비중〉

연령 \ 지역	(가)	(나)	(다)
15세 미만	19.8	14.3	14.6
15~64세	69.7	70.1	74.6
65세 이상	10.5	15.6	10.8

〈산업별 종사자 비중〉

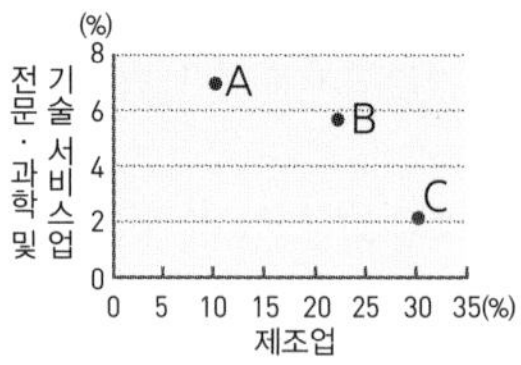
(%)
기술·서비스 전문·과학 및
A
B
C
0 5 10 15 20 25 30 35(%)
제조업

(* 그래프의 값은 해당 지역의 전체 종사자에서 산업별 종사자가 차지하는 비중임.) (통계청)

보기
ㄱ. (가)는 충북·충남, (나)는 세종이다.
ㄴ. 대전은 세종보다 유소년 부양비가 낮다.
ㄷ. 세종은 충북·충남보다 노령화 지수가 낮다.
ㄹ. 충북·충남은 대전보다 제조업 종사자 비중이 낮다.

① ㄱ, ㄴ ② ㄱ, ㄷ ③ ㄴ, ㄷ
④ ㄴ, ㄹ ⑤ ㄷ, ㄹ

| 모평 기출 |

3 (가)~(다)는 심벌마크에 반영된 지역 특성을 나타낸 것이다. 이에 해당하는 지역을 지도의 A~D에서 고른 것은?

(가)	(나)	(다)

넓은 평야와 발달한 농업을 벼와 지평선으로 표현함.	옛 읍성의 성곽 형태와 갯벌을 형상화하여 표현함.	지리적 표시제 1호로 등록된 차의 잎을 형상화하여 표현함.

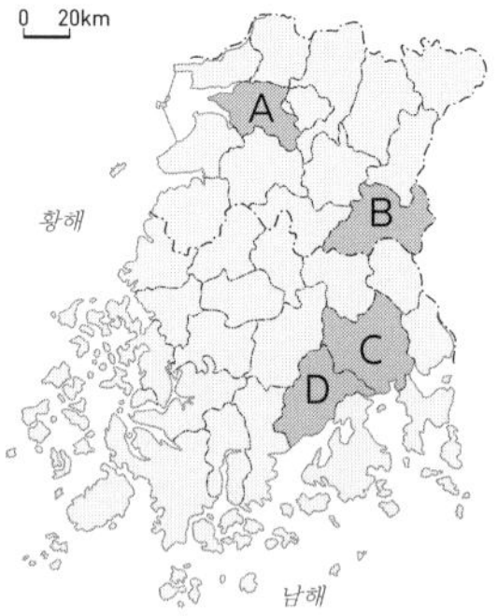
0 20km
황해
A
B
C
D
남해

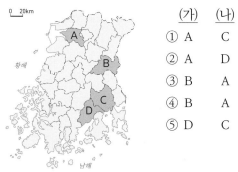

	(가)	(나)	(다)
①	A	C	D
②	A	D	C
③	B	A	C
④	B	A	D
⑤	D	C	B

| 수능 응용 |

4 A~E 지역에서 열리는 축제로 옳지 않은 것은?

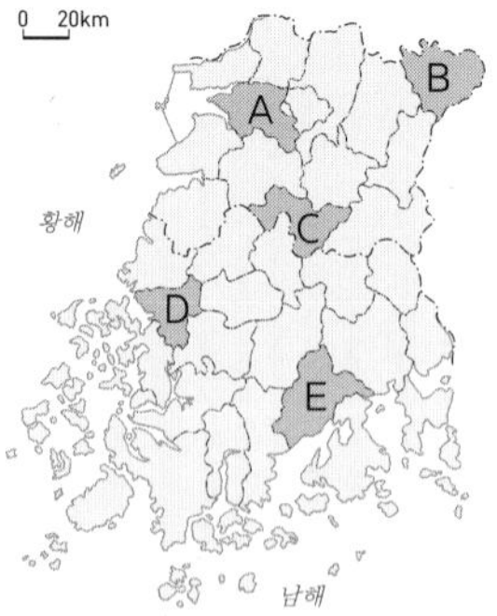
0 20km
황해
A
B
C
D
E
남해

① A – 황금빛 들판과 지평선을 보며 즐기는 전통 농경 문화 축제
② B – 여름철 고원에서 밤하늘을 수놓은 반딧불 축제
③ C – 다양한 고추장을 맛볼 수 있는 장류 축제
④ D – 나비와 꽃이 어우러진 생태 관광 축제
⑤ E – 수많은 꽃으로 장식된 국가 정원과 갯벌이 함께 어우러진 축제

| 모평 응용 |

5 다음 글의 (가), (나) 지역을 지도의 A~D에서 고른 것은?

> (가) 도청 소재지로서 국제공항이 위치하고 고속 철도 노선의 분기점으로 교통 기능이 강화되고 있다. 생명 과학 단지가 입지하여 산업체, 연구소 및 국책 기관이 집적하고 있다.
> (나) 천연기념물로 지정된 해안 사구가 위치한 지역이며, 해안 지형과 생태계 보호를 위해 해안 국립공원으로 지정되었다.

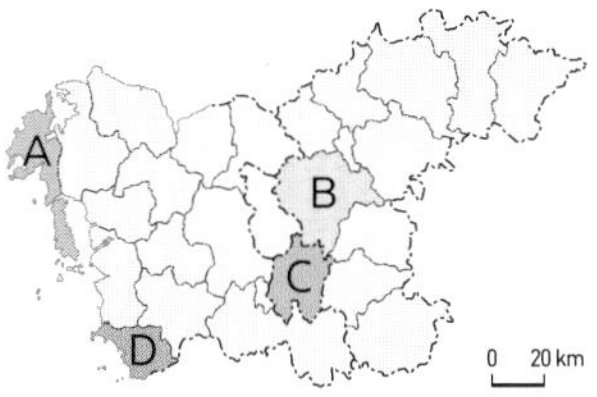
A
B
C
D
0 20 km

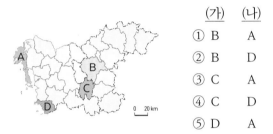

	(가)	(나)
①	B	A
②	B	D
③	C	A
④	C	D
⑤	D	A

| 수능 응용 |

6 다음 자료는 학생이 작성한 체험 학습 보고서의 일부이다. (가)~(다)에 해당하는 지역을 지도의 A~C에서 고른 것은?

지역	(가)	(나)	(다)
보고서 내용	삼한 시대에 축조된 벽골제가 있는 이 지역의 지평선 축제에 참가해 농촌 체험을 하였다.	지리산 북서쪽에 위치하고 목기(木器)로 유명한 이 지역에서 열리는 축제에 참가하였다.	지리적 표시제 제1호로 등록된 녹차 관련 축제에서 다향 백일장, 사생 대회에 참여하였다.

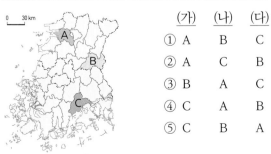

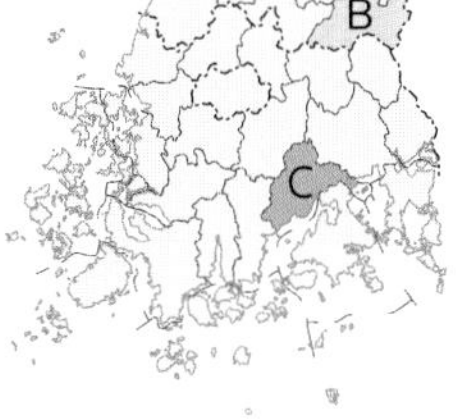
0 30 km
A
B
C

	(가)	(나)	(다)
①	A	B	C
②	A	C	B
③	B	A	C
④	C	A	B
⑤	C	B	A

| 학평 기출 |

7 지도에 표시된 A~E 지역의 특성을 고려한 탐구 학습 주제로 가장 적절한 것은?

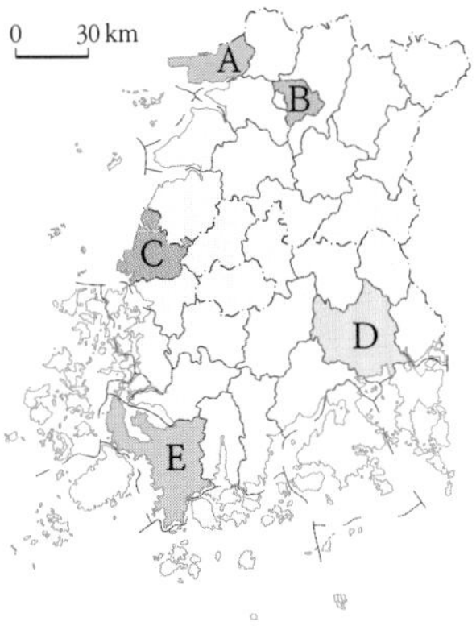
0 30 km
A
B
C
D
E

① A – 세계 문화유산 등재에 따른 관광 산업의 변화
② B – 한옥 마을을 활용한 장소 마케팅 전략
③ C – 지리적 표시제 등록에 따른 녹차 생산량 변화
④ D – 하굿둑 건설이 주변 생태계에 끼친 영향
⑤ E – 원자력 발전소 입지가 지역 경제에 끼친 영향

| 수능 기출 |

8 다음 글의 (가), (나) 지역을 지도의 A~D에서 고른 것은?

> • (가)는 과거 석탄 산업이 발달했던 지역이었으나, 최근에는 관광 중심지로 바뀌었다. 매년 여름에 많은 관광객이 찾는 머드 축제 개최지로 잘 알려져 있다.
> • (나)는 풍부한 석회암을 바탕으로 시멘트 공업이 발달한 지역이다. 카르스트 지형을 이용한 관광지가 조성되어 있고, 특산물인 마늘을 소재로 한 지역 축제가 열린다.

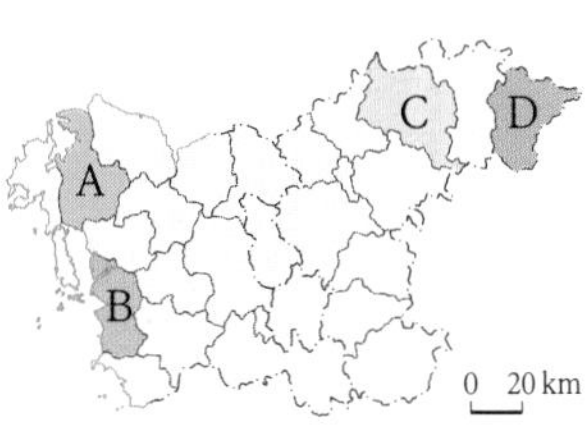
A
B
C
D
0 20 km

	(가)	(나)
①	A	B
②	A	C
③	A	D
④	B	C
⑤	B	D

5일 영남 지방과 제주도

키워드 #39 영남 지방

◎ 영남 지방은 부산광역시, 대구광역시, 울산광역시, 경상북도와 경상남도를 포함하는 지역입니다. 영남 지방은 조차가 작고 수심이 깊은 해안을 끼고 있어 항만 발달에 유리하고, 이를 바탕으로 수도권과 함께 우리나라의 산업화를 주도해 왔습니다.

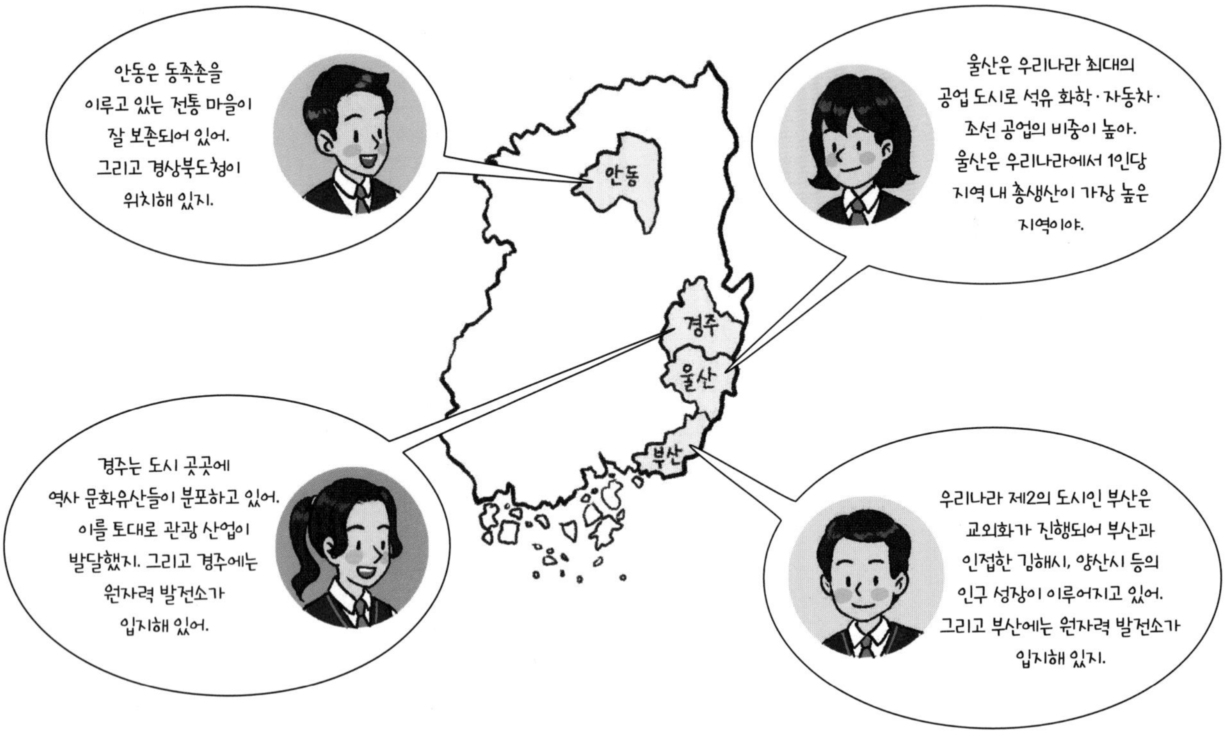

안동은 동족촌을 이루고 있는 전통 마을이 잘 보존되어 있어. 그리고 경상북도청이 위치해 있지.
울산은 우리나라 최대의 공업 도시로 석유 화학·자동차·조선 공업의 비중이 높아. 울산은 우리나라에서 1인당 지역 내 총생산이 가장 높은 지역이야.
안동
경주
울산
부산
경주는 도시 곳곳에 역사 문화유산들이 분포하고 있어. 이를 토대로 관광 산업이 발달했지. 그리고 경주에는 원자력 발전소가 입지해 있어.
우리나라 제2의 도시인 부산은 교외화가 진행되어 부산과 인접한 김해시, 양산시 등의 인구 성장이 이루어지고 있어. 그리고 부산에는 원자력 발전소가 입지해 있지.

1 영남 지방의 인구 분포

— 교외화 현상으로 대도시와 인접한 김해, 양산 및 경산의 인구 증가

- 대도시인 부산, 대구와 공업 도시로 성장한 구미, 포항, 울산, 창원 등에 밀집
- 경상북도 북부, 경상남도 서부 지역은 이촌 향도와 고령화 현상

2 영남 지방의 공업 발달 ❶ ❷

— 영남 지방은 우리나라에서 공업 생산액이 가장 많으며, 수도권보다 1인당 출하액이 많음.

영남 내륙 공업 지역	• 입지 요인: 풍부한 노동력 + 편리한 육상 교통 → 경공업 발달 • 대표 도시: 대구(섬유, 기계), 구미(전자)
남동 임해 공업 지역	• 입지 요인: 항만 건설에 유리한 입지 + 정부 정책 → 우리나라 최대의 중화학 공업 지역 • 대표 도시: 울산(조선, 자동차, 석유 화학), 거제(조선), 포항(제철), 창원(기계)

3 영남 지방의 주요 도시

부산	항만과 도시 기반 시설을 바탕으로 국제 물류 도시 기능 강화
대구	섬유 산업의 첨단화 도모 → 국제 섬유 박람회 등 개최
□□	자동차·조선·석유 화학 공업을 기반으로 한 첨단 산업 육성
창원	2010년 마산, 진해와 통합 → 기계 산업의 첨단화 도모, 해양 물류 산업 육성
안동	2006년 경상북도청 이전, 잘 보존된 전통 마을을 바탕으로 관광 산업 육성
□□	세계 문화유산으로 등재된 문화재를 바탕으로 관광 산업 발달

❶ 영남 지방의 산업 단지 분포

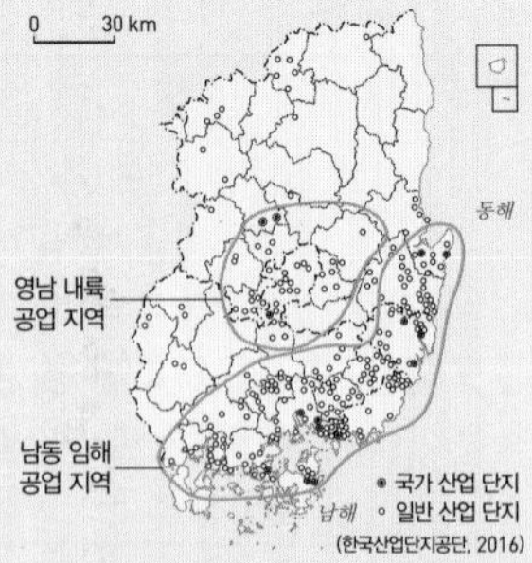

0 30 km
동해
영남 내륙 공업 지역
남동 임해 공업 지역
남해
• 국가 산업 단지
◦ 일반 산업 단지
(한국산업단지공단, 2016)

❷ 우리나라의 지역별 공업 비중

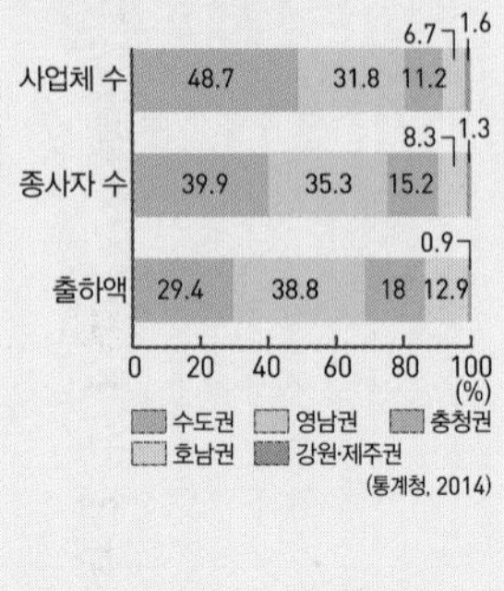

사업체 수 48.7 31.8 11.2 6.7 1.6
종사자 수 39.9 35.3 15.2 8.3 1.3
출하액 29.4 38.8 18 12.9 0.9
0 20 40 60 80 100 (%)
수도권 영남권 충청권
호남권 강원·제주권
(통계청, 2014)

답 울산, 경주

개념 확인

1 ▢ 안에 알맞은 말을 쓰시오.

(1) 영남 내륙 공업 지역은 풍부한 노동력과 편리한 교통을 바탕으로 ▢▢▢ 이/가 발달하였다.

(2) 2006년 경상북도청이 ▢▢(으)로 이전하였다.

(3) 영남 지방의 거제시는 ▢▢ ▢▢ 공업 지역에 위치해 있으며, ▢▢ 공업이 발달하였다.

2 다음 영남 지방 지역별 특징을 적은 지도를 참고하여, ▢ 안에 알맞은 말을 쓰시오.

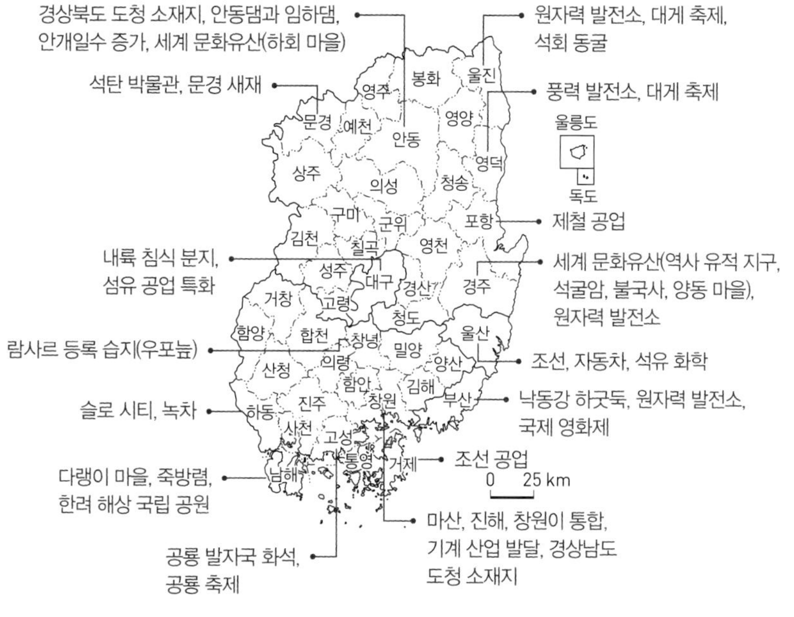

경상북도 도청 소재지, 안동댐과 임하댐, 안개일수 증가, 세계 문화유산(하회 마을)
원자력 발전소, 대게 축제, 석회 동굴
석탄 박물관, 문경 새재
풍력 발전소, 대게 축제
울릉도
독도
제철 공업
내륙 침식 분지, 섬유 공업 특화
세계 문화유산(역사 유적 지구, 석굴암, 불국사, 양동 마을), 원자력 발전소
람사르 등록 습지(우포늪)
조선, 자동차, 석유 화학
슬로 시티, 녹차
낙동강 하굿둑, 원자력 발전소, 국제 영화제
다랭이 마을, 죽방렴, 한려 해상 국립 공원
조선 공업
0 25 km
마산, 진해, 창원이 통합, 기계 산업 발달, 경상남도 도청 소재지
공룡 발자국 화석, 공룡 축제
영주
봉화
울진
문경
예천
안동
영양
상주
영덕
의성
청송
구미
군위
포항
김천
칠곡
영천
성주
대구
경산
경주
거창
고령
청도
함양
합천
창녕
밀양
울산
산청
의령
양산
함안
김해
하동
진주
창원
부산
사천
고성
통영
거제
남해

고성에서는 (1)▢▢ 축제가 열려.
(2)▢▢에는 람사르 등록 습지인 우포늪이 위치해 있어.
(3)▢▢은 경상북도 도청 소재지이고, 세계 문화유산에 등재된 하회 마을이 위치해 있어.
영남 지방에서 원자력 발전소는 (4)▢▢, 경주, 부산에 입지해 있어.

우리나라의 특정 지역의 위치와 그 지역의 특성을 묻는 문제가 자주 출제되고 있어.

영남 지방 인구 규모 변화

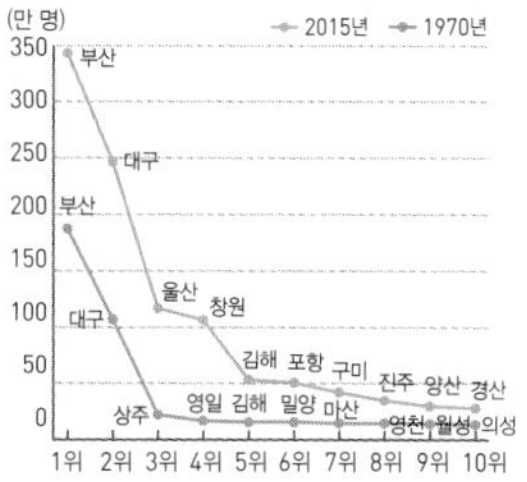

(만 명)
2015년
1970년
350
300
250
200
150
100
50
0
부산
대구
울산
창원
김해
포항
구미
진주
양산
경산
상주
영일
밀양
마산
영천
월성
의성
1위 2위 3위 4위 5위 6위 7위 8위 9위 10위

영남 지방의 인구는 전통적 대도시인 부산과 대구가 가장 많고, 공업 도시로 성장한 울산, 창원, 포항, 구미 등지도 많다. 안동과 최근 부산의 교외화로 성장한 김해와 양산, 대구의 교외화로 성장한 경산도 비교적 인구 규모가 큰 도시들이다.

답 1. (1) 경공업 (2) 안동 (3) 남동 임해, 조선 2. (1) 공룡 (2) 창녕 (3) 안동 (4) 울진

5일 영남 지방과 제주도

키워드 #40 제주도

◎ 제주도는 남해상에 위치하고 있는 우리나라에서 가장 큰 섬입니다. 제주도는 육지와 멀리 떨어져 있어 독특한 자연환경과 문화가 발달하였습니다. 제주도의 산업은 1차 산업과 관광 산업 위주의 3차 산업을 중심으로 발달하였으며, 2002년에 국제 자유 도시로 지정되었고, 2006년에는 제주특별자치도로 새롭게 출범하여 광범위한 분야에 걸쳐 자치권을 확보하였습니다.

제주도는 신생대 화산 활동으로 형성된 화산섬이야. 독특한 화산 지형들이 분포하지.

제주도는 아름다운 자연 경관을 이용한 관광 산업이 발달했어.

제주도에서는 독특한 풍속들이 발달해 있어. 그중 해녀 문화는 유네스코 인류 무형 문화유산에 등재되어 있어.

제주도는 기반암이 현무암이라 지표수가 부족해서 밭농사와 과수 농업이 발달했어.

1 제주도의 자연환경

기후	난류의 영향으로 연교차가 작고 겨울이 온화한 해양성 기후
지형	• 신생대 화산 활동으로 형성된 ☐☐섬 → 기생 화산(오름), 용암 동굴, 주상 절리 등 독특한 화산 지형 분포 • 한라산: 전체적으로 순상 화산, 정상부는 종상 화산, 정상에는 화구호인 백록담이 있음.
식생	• 겨울철에도 따뜻하여 난대성 식물 서식 ┌ 저지대에서 동백나무, 감귤나무 등이 자람. • 수직적 식생 분포: 해발 고도가 높아질수록 기온이 낮아져 온대림, 냉대림 등 분포

2 제주도의 인문 환경

주민 생활	• 취락 입지: 지표가 현무암으로 덮여 있어 하천 발달 미약 → 해안가 용천대❶에 취락 발달 • 현무암의 영향으로 지표수 부족 → ☐농사, 과수 농업 발달 • 전통 가옥: 강한 바람에 대비하기 위에 지붕을 줄로 엮고 돌담을 쌓음.
발전	• 국제 자유 도시❷ 지정(2002년): 외국 자본 유치, 기업 활동 편의 보장 • 제주특별자치도 지정(2006년): 경제, 교육, 문화 등의 분야에서 자치권 확보 • 관광 산업 육성: 자연환경을 토대로 관광 산업 중심의 3차 산업 발달

답 화산, 밭

❶ 용천대
지하수가 자연 상태에서 지표로 분출하는 것을 용천이라고 한다. 제주도의 기반암인 현무암은 절리가 발달하여 빗물이 지하로 스며들었다가 해안의 용천대에서 솟아난다.

❷ 국제 자유 도시
사람, 상품 자본의 국제적 이동과 기업 활동 편의가 최대한 보장되도록 규제를 완화하고 국제적 기준이 적용되는 지역이다.

개념 확인

1 빈칸에 들어갈 말을 〈보기〉에서 골라 쓰시오.

> 보기
> 용천대, 현무암, 화강암, 제주특별자치도, 세계 자연 유산

(1) 제주도는 지표가 (　　　　　　)(으)로 덮여 있어 해안가 (　　　　　　)에 취락이 발달하였다.

(2) 제주도는 2006년 (　　　　　　)(으)로 지정되었다.

2 □ 안에 들어갈 알맞은 말을 쓰시오.

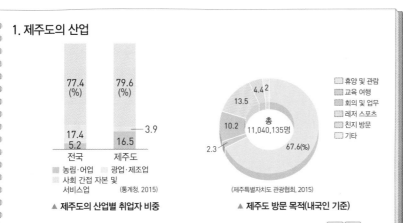

제주도의 자연환경과 산업을 종합적으로 물어보는 문제가 출제되고 있어.

제주도의 전통 가옥은 제주도의 자연환경을 반영한다. 강한 비바람에 대비하기 위해 지붕을 유선형으로 만들고 줄로 엮어 고정했고, 풍채를 설치하여 비바람이 집안으로 들이치는 것을 막았다. 한편 겨울철 온화한 해양성 기후로 인해 아궁이를 외벽 쪽으로 설치하여 취사와 난방을 분리했다.

1. 제주도의 산업

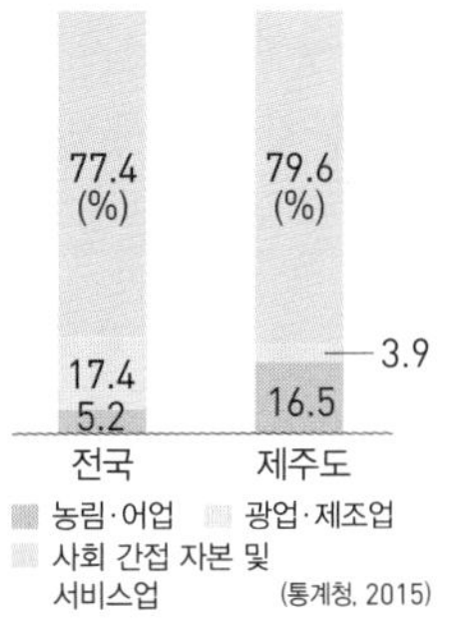

77.4 (%)
79.6 (%)
17.4
5.2
16.5
3.9
전국
제주도
농림·어업
광업·제조업
사회 간접 자본 및 서비스업
(통계청, 2015)

▲ 제주도의 산업별 취업자 비중

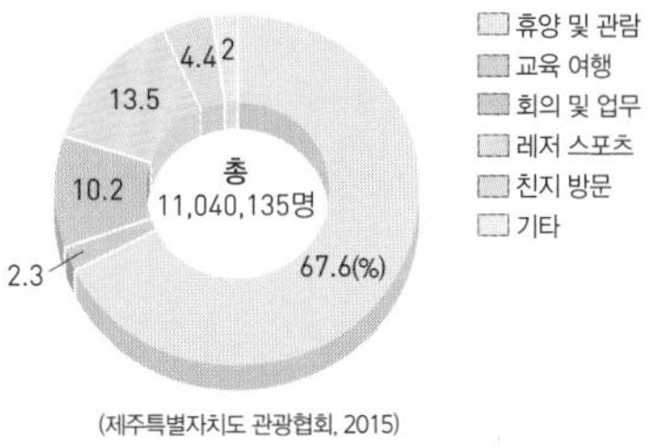

4.4
2
13.5
10.2
2.3
총 11,040,135명
67.6(%)
휴양 및 관람
교육 여행
회의 및 업무
레저 스포츠
친지 방문
기타
(제주특별자치도 관광협회, 2015)

▲ 제주도 방문 목적(내국인 기준)

제주도는 아름다운 자연환경, 독특한 섬 문화를 바탕으로 농업과 (1) □□ 산업이 발전하였다. 특히 항공 교통의 발달과 유네스코 세계 자연 유산 등재 등에 따른 인지도 상승으로 관광객이 꾸준히 증가하고 있다. 최근에는 마이스 산업, 레저 스포츠 관광 산업 등 고부가 가치를 창출하는 관광 산업으로의 변화를 추구하고 있다.

2. 제주도의 전통 가옥

제주도는 연중 강한 (2) □□에 대비하기 위해 그물 모양으로 지붕을 엮고 돌담을 쌓아 가옥을 완성한다.

줄로 엮은 지붕 ▶
▼ 아궁이
풍채 ▶

답 1. (1) 현무암, 용천대 (2) 제주특별자치도 2. (1) 관광 (2) 바람

5일 영남 지방과 제주도

| 모평 기출 |

1 A~E 지역의 특성을 고려한 탐구 학습 주제로 적절하지 않은 것은?

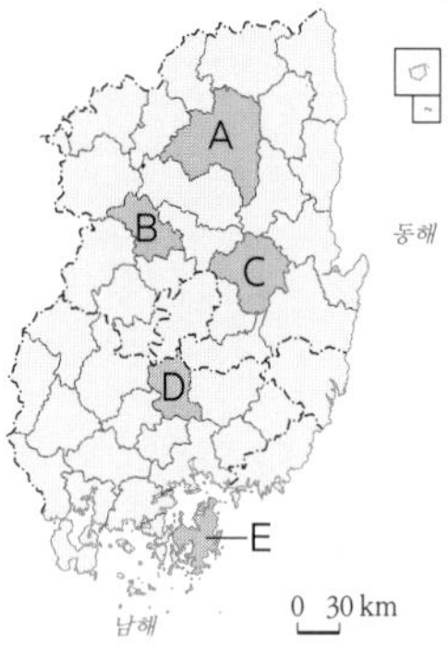
A
B
C
D
E
동해
남해
0 30 km

① A – 국제 탈춤 페스티벌 개최와 지역 경제 활성화
② B – 정보 통신 산업 중심으로의 산업 구조 고도화
③ C – 유네스코 세계 문화유산으로 지정된 마을의 취락 특성
④ D – 국제 협약에 의해 보존 중인 내륙 습지의 생태계 다양성
⑤ E – 광역시와의 연륙교 건설에 따른 지역 변화

| 모평 응용 |

2 다음은 영남 지방 어느 지역에 대한 설명이다. (가) 지역을 지도의 A~E에서 고른 것은?

(가) 시의 특징	(가) 시의 변화
• 대도시의 교외 지역이며, 인구 100만 명 이상의 대도시들과 접해 있음. • 원예 농업 발달	• 2015년 약 55만 명으로 크게 증가 • 인근 대도시로부터 제조업 이전에 따른 산업 단지 면적 증가

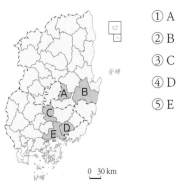

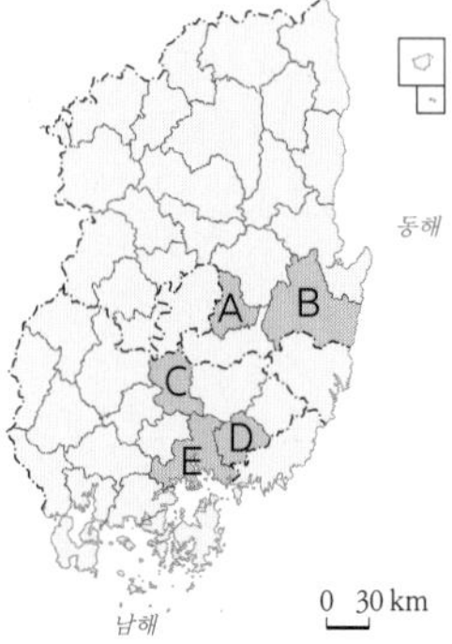
A
B
C
D
E
동해
남해
0 30 km

① A
② B
③ C
④ D
⑤ E

| 모평 기출 |

3 지도의 A~E 지역 특성을 고려한 탐구 학습 주제로 가장 적절한 것은?

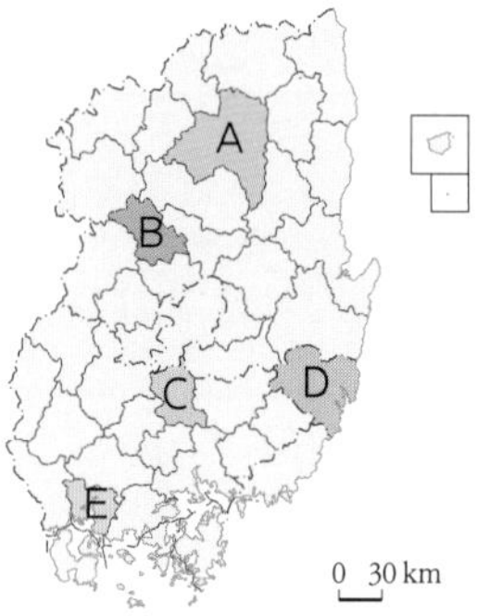
A
B
C
D
E
0 30 km

① A – 원자력 발전소 입지에 따른 환경 변화
② B – 세계 문화유산 등재에 따른 외국인 관광객 유치 실태
③ C – 람사르 협약에 등록된 습지의 생태적 의의
④ D – 대규모 제철소 건설에 따른 토지 이용 변화
⑤ E – 낙동강 삼각주의 시설·원예 농업 실태

| 수능 기출 |

4 지도의 A~E 지역에 대한 탐구 학습 주제로 가장 적절한 것은?

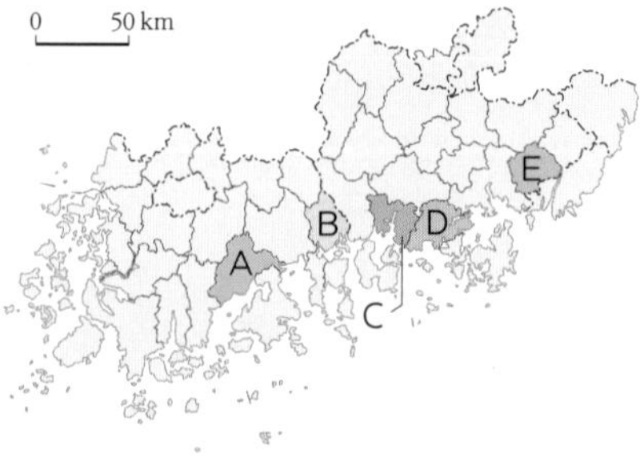
0 50 km
A
B
C
D
E

① A – 대규모 제철소 입지에 따른 토지 이용 변화
② B – 람사르 협약에 등록된 연안 습지의 보존 방안
③ C – 하굿둑 건설이 주변 환경에 미치는 영향
④ D – 공룡 발자국 화석을 활용한 장소 마케팅 전략
⑤ E – 혁신 도시 조성에 따른 공공 기관의 이전 현황

정답과 해설 22쪽

| 학평 기출 |

5 그래프는 세 지역의 주요 제조업 출하액을 나타낸 것이다. (가)~(다) 지역을 지도의 A~C에서 고른 것은?

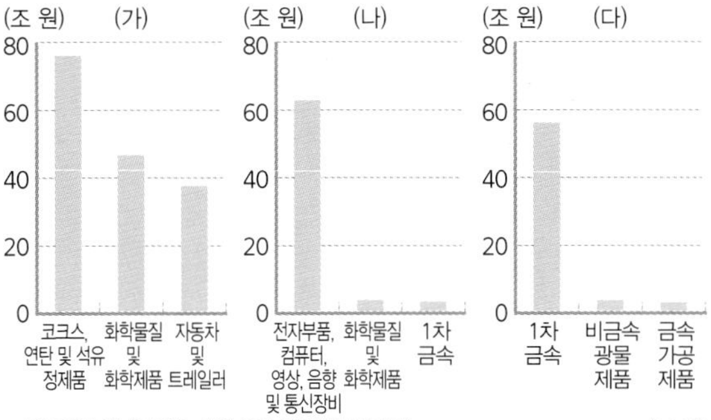
(조 원) (가)
80
60
40
20
0
코크스, 연탄 및 석유 정제품
화학물질 및 화학제품
자동차 및 트레일러
(조 원) (나)
전자부품, 컴퓨터, 영상, 음향 및 통신장비
화학물질 및 화학제품
1차 금속
(조 원) (다)
1차 금속
비금속 광물 제품
금속 가공 제품

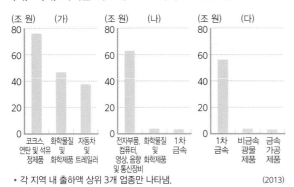

* 각 지역 내 출하액 상위 3개 업종만 나타냄. (2013)

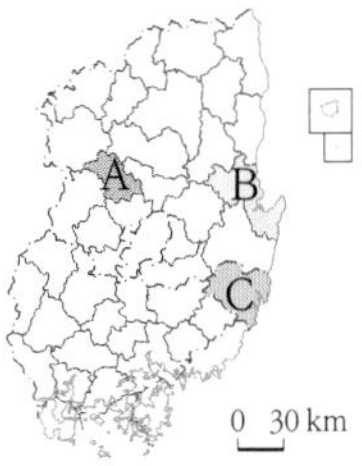
A
B
C
0 30 km

	(가)	(나)	(다)
①	A	C	B
②	B	A	C
③	B	C	A
④	C	A	B
⑤	C	B	A

| 학평 응용 |

6 다음과 같은 현장 체험 학습을 할 수 있는 지역을 지도의 A~E에서 고른 것은?

- 과거 석탄을 수송하던 철로를 이용한 레일 바이크 체험
- 세계 문화유산으로 등재된 전통 마을에서 탈춤 공연 관람
- 해안에 위치한 원자력 발전소 사진 촬영
- 대규모 제철 공장에서 철강 제품 생산 과정 견학

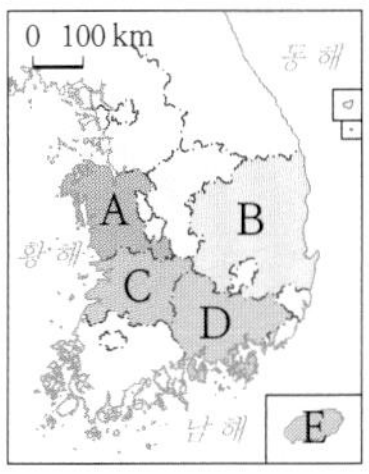
0 100 km
동해
황해
남해
A
B
C
D
E

① A
② B
③ C
④ D
⑤ E

| 학평 기출 |

7 그래프는 지도에 표시된 네 지역의 전력 소비 구조를 나타낸 것이다. (가)~(라)에 해당하는 지역으로 옳은 것은?

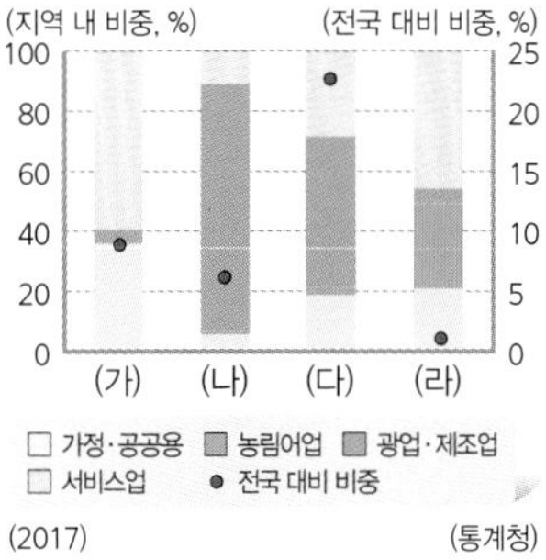
(지역 내 비중, %)
(전국 대비 비중, %)
(가) (나) (다) (라)
□ 가정·공공용 ■ 농림어업 ■ 광업·제조업
□ 서비스업 ● 전국 대비 비중
(2017)
(통계청)

0 100 km
동해
황해
남해

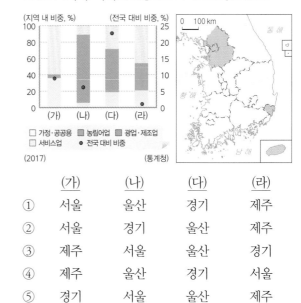

	(가)	(나)	(다)	(라)
①	서울	울산	경기	제주
②	서울	경기	울산	제주
③	제주	서울	울산	경기
④	제주	울산	경기	서울
⑤	경기	서울	울산	제주

| 수능 기출 |

8 다음 대화가 이루어지는 지역의 특색으로 알맞지 않은 것은?

안내인: 여기는 ○○ 민속 마을입니다. 전통 가옥들이 잘 보존되어 있지요.
관광객: 지붕을 밧줄로 묶어 놓은 이유가 있나요?
안내인: 태풍과 같은 강한 바람이 불기 때문입니다.
관광객: 이 항아리는 무엇인가요?
안내인: 빗물을 받아 저장해 놓는 항아리입니다.

① 흑갈색의 간대토양이 넓게 분포한다.
② 해안의 주상 절리를 관광 자원으로 활용하고 있다.
③ 화산 쇄설물로 이루어진 오름을 흔하게 볼 수 있다.
④ 중산간 지대의 초지에서는 목축이 행해진다.
⑤ 연중 따뜻하고 다습하여 대규모 벼농사가 이루어진다.

4주 5일

누구나 100점 테스트

1 그래프는 시·도별 인구 부양비를 나타낸 것이다. 이에 대한 옳은 해석을 〈보기〉에서 고른 것은?

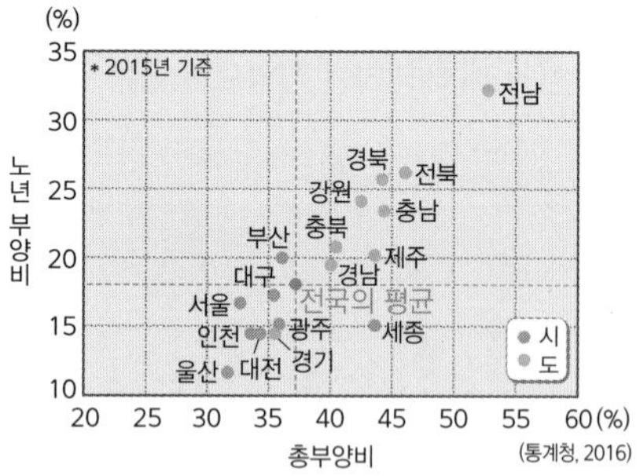
(%)
* 2015년 기준
노년 부양비
전남
경북
전북
강원
충남
부산
충북
제주
대구
경남
서울
전국의 평균
인천
광주
세종
울산
대전
경기
시
도
총부양비
60(%)
(통계청, 2016)

보기
ㄱ. 부산은 광주보다 노령화 지수가 높다.
ㄴ. 제주는 노년 인구가 유소년 인구보다 많다.
ㄷ. 전남은 청장년 인구 비중이 50% 이상이다.
ㄹ. 수도권은 영남권보다 노년 부양비가 높다.

① ㄱ, ㄴ ② ㄱ, ㄷ ③ ㄴ, ㄷ
④ ㄴ, ㄹ ⑤ ㄷ, ㄹ

2 그래프는 서로 다른 두 지역의 외국인 인구 구조이다. (가), (나) 지역에 대한 옳은 추론을 〈보기〉에서 고른 것은? (단, 두 지역은 시(市), 군(郡) 중 하나임.)

(가)

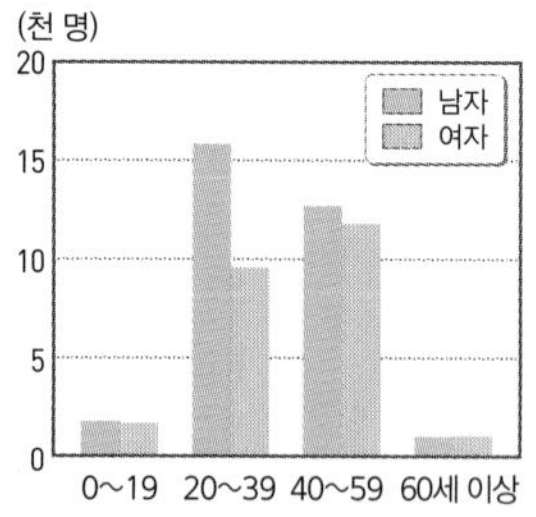
(천 명)
남자
여자
0~19
20~39
40~59
60세 이상

(나)

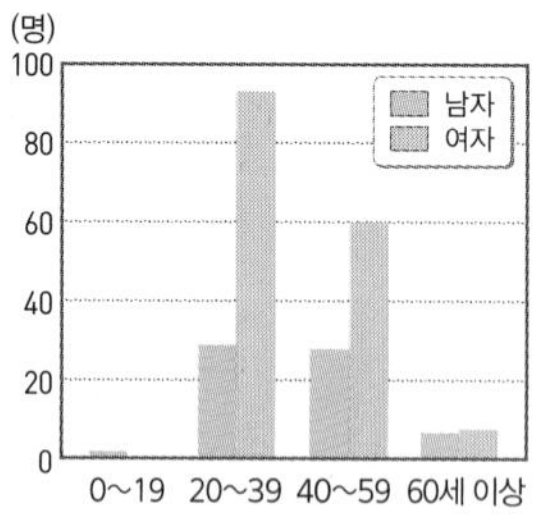
(명)
남자
여자
0~19
20~39
40~59
60세 이상

보기
ㄱ. (가)는 군(郡), (나)는 시(市)일 것이다.
ㄴ. (가)는 (나)보다 제조업이 발달하였을 것이다.
ㄷ. (가)는 (나)보다 외국인 인구의 성비가 낮을 것이다.
ㄹ. (나)는 (가)보다 결혼 이민자 비율이 높을 것이다.

① ㄱ, ㄴ ② ㄱ, ㄷ ③ ㄴ, ㄷ
④ ㄴ, ㄹ ⑤ ㄷ, ㄹ

3 지도는 북한의 발전 설비 용량을 나타낸 것이다. (가), (나) 발전 양식에 대한 설명으로 옳지 않은 것은?

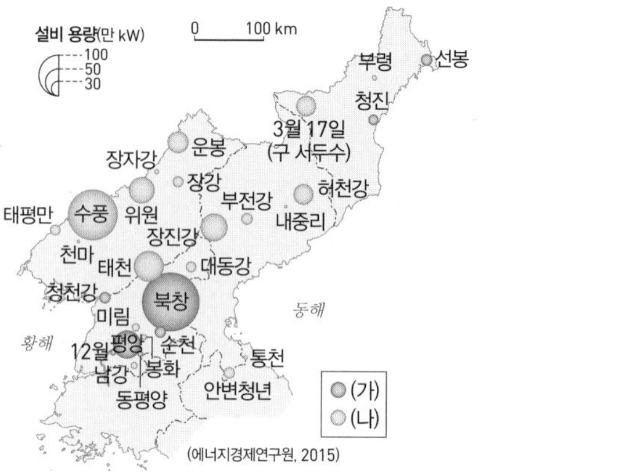
설비 용량(만 kW)
100
50
30
0 100 km
부령
선봉
청진
3월 17일 (구 서두수)
장자강
운봉
장강
허천강
부전강
태평만
수풍
위원
내중리
장진강
천마
태천
대동강
청천강
북창
동해
미림
황해
12월 평양
순천
남강
봉화
통천
동평양
안변청년
(가)
(나)
(에너지경제연구원, 2015)

① (가)는 주로 전력의 대소비지에 가까이 입지한다.
② (나)는 화석 연료를 1차 에너지원으로 이용한다.
③ (가)는 (나)보다 발전소 입지에 지형적 제약이 적다.
④ (가)는 (나)보다 공급량 비중이 더 크다.
⑤ (나)는 (가)보다 발전소 가동에 기후적 제약이 크다.

4 (가), (나) 기후 특성이 나타나는 지역을 지도의 A~D에서 고른 것은?

(가)

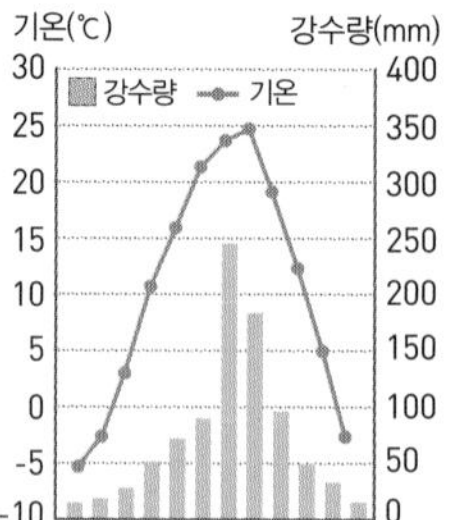
기온(℃)
강수량(mm)
강수량
기온
(월)

(나)

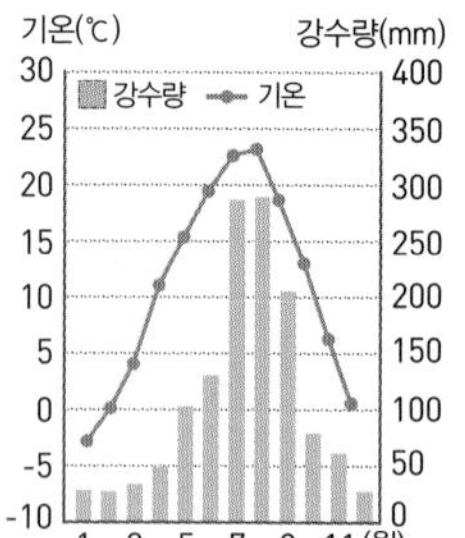
기온(℃)
강수량(mm)
강수량
기온
(월)

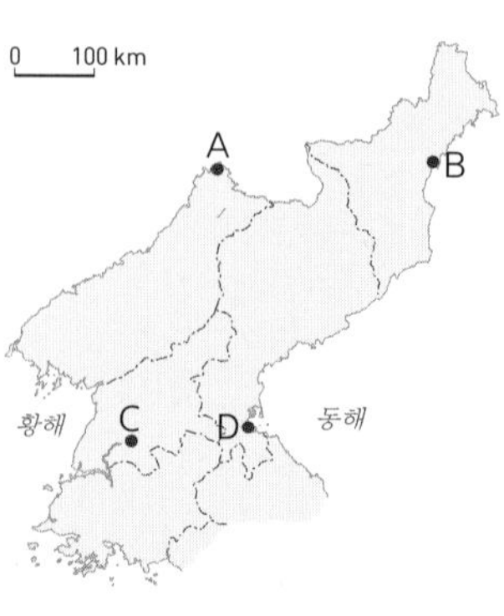
0 100 km
A
B
C
D
황해
동해

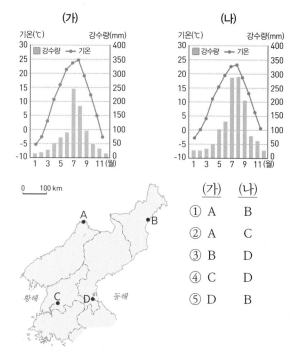

(가)	(나)
① A	B
② A	C
③ B	D
④ C	D
⑤ D	B

정답과 해설 23쪽

5 (가)~(다)는 강원도 어느 지역의 홍보 문구이다. (가)~(다)에 해당하는 지역을 지도의 A~E에서 고른 것은?

> (가) 2018 동계 올림픽을 개최한 스포츠 관광 도시로 놀러 오세요!
> (나) 석탄 산업의 역사 학습과 탄광 체험을 해요!
> (다) 한우가 사람보다 많은 ○○으로 명품 한우를 맛보러 오세요!

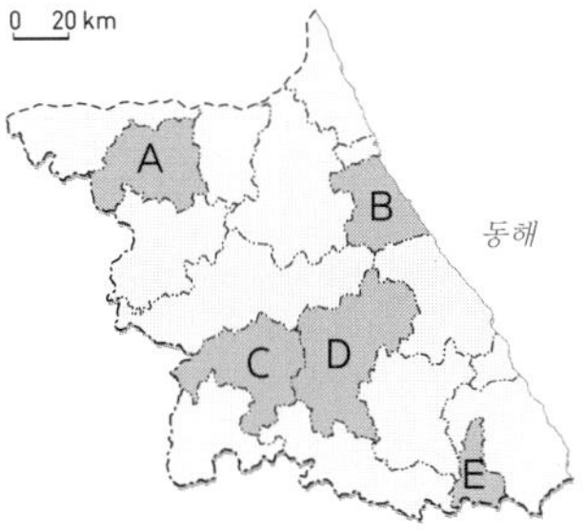
0 20 km
A
B
동해
C
D
E

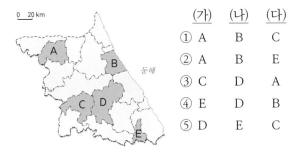

	(가)	(나)	(다)
①	A	B	C
②	A	B	E
③	C	D	A
④	E	D	B
⑤	D	E	C

6 지도의 A~D 지역에 대해 옳은 설명을 한 학생을 모두 고른 것은?

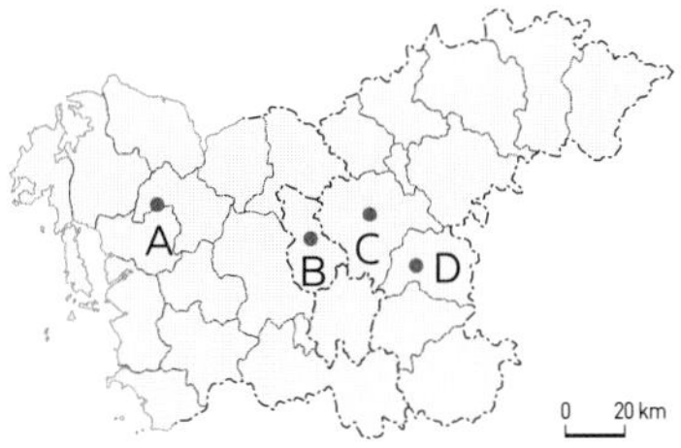
A
B
C
D
0 20 km

갑
A는 충청남도의 지방 행정 기능이 이전된 곳이야.
을
B는 중앙 행정 기능 분담과 국토 균형 발전을 위해 출범되었어.
병
C는 지식 기반 형 산업이 성장하는 기업 도시야.
정
D는 대규모 석유 화학 단지가 있어 제조업 출하액이 많아.

① 갑, 을 ② 갑, 병 ③ 을, 병
④ 을, 정 ⑤ 병, 정

7 지도의 A~E 지역에 대한 탐구 학습 주제로 가장 적절한 것은?

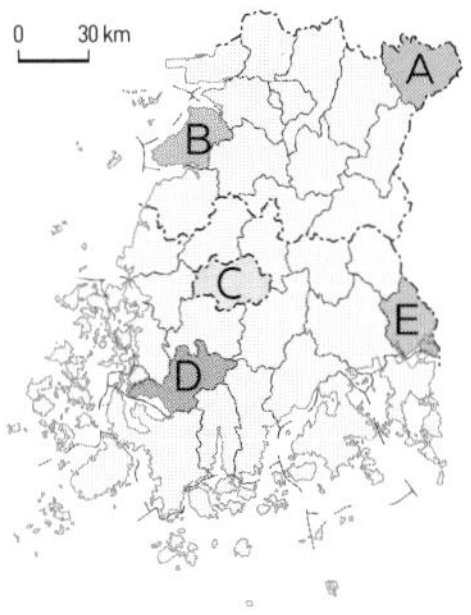
0 30 km
A
B
C
D
E

① A – 고랭지 농업 확대가 고원 지형에 미치는 영향
② B – 대규모 제철소 입지에 따른 지역 산업 구조의 변화
③ C – 한옥 마을, 판소리 등의 문화적 자원과 장소 마케팅
④ D – 녹차의 지리적 표시제 등록을 통한 브랜드 가치 창출
⑤ E – 하굿둑 건설이 하천 환경에 미치는 영향

8 지도의 A~E 지역에 대한 설명으로 옳지 <u>않은</u> 것은?

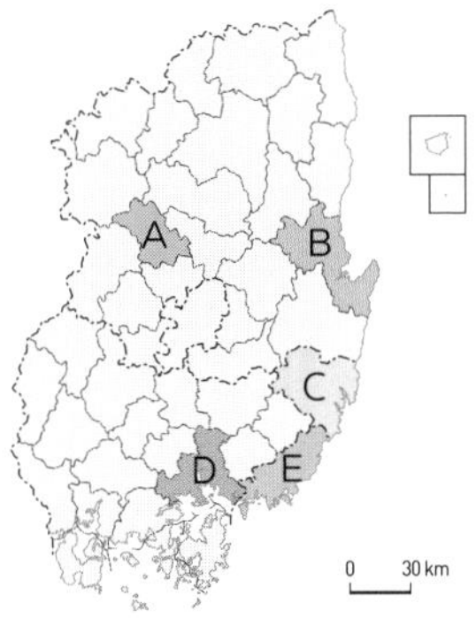
A
B
C
D
E
0 30 km

① A – 전자 조립, 정보 통신 산업 등이 발달하였다.
② B – 세계 문화유산으로 등재된 전통 마을이 있고, 해마다 국제 탈춤 페스티벌이 열린다.
③ C – 조선, 자동차, 석유 화학 공업의 비중이 높다.
④ D – 2010년에 마산, 창원, 진해가 통합되었다.
⑤ E – 1990년대 이후 교외화가 나타나 주변 위성 도시의 인구가 증가하였다.

4 주

특강 창의·융합·코딩

1. 인구 문제와 인구 부양비

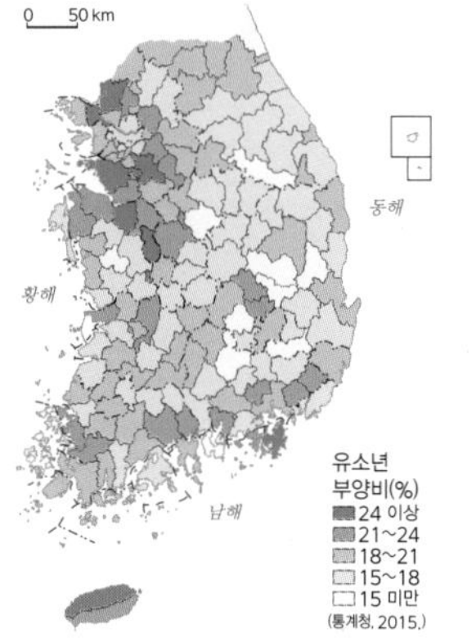

0 50 km
동해
황해
남해
유소년
부양비(%)
24 이상
21~24
18~21
15~18
15 미만
(통계청, 2015.)

▲ 노년 부양비

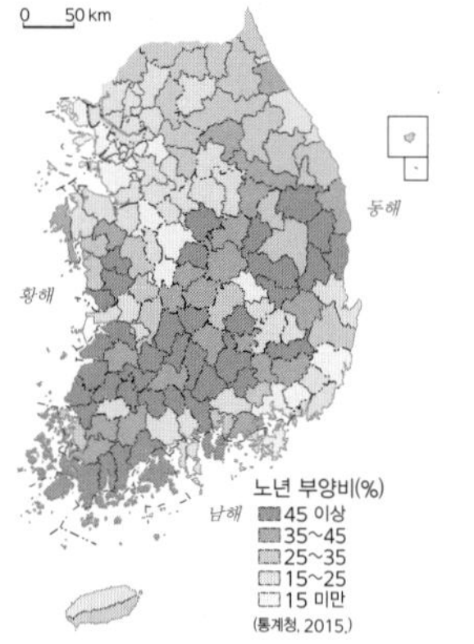

0 50 km
동해
황해
남해
노년 부양비(%)
45 이상
35~45
25~35
15~25
15 미만
(통계청, 2015.)

▲ 유소년 부양비

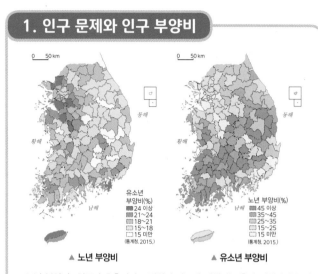

- **노년 부양비**: 인구가 유출되어 고령화가 빠르게 진행되는 촌락 지역에서 높게 나타난다.
- **유소년 부양비**: 인구가 유입되어 청장년층 비중이 높은 수도권, 충남 북부, 세종 등의 지역에서 높게 나타난다.

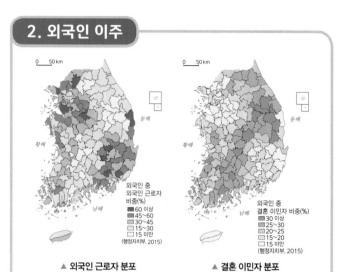

2. 외국인 이주

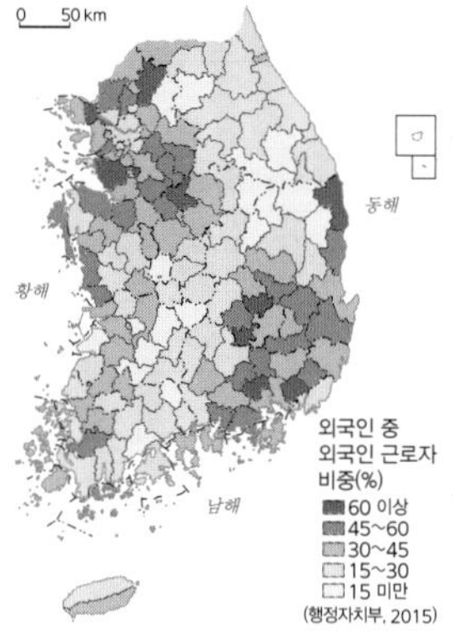

0 50 km
동해
황해
남해
외국인 중
외국인 근로자
비중(%)
60 이상
45~60
30~45
15~30
15 미만
(행정자치부, 2015)

▲ 외국인 근로자 분포

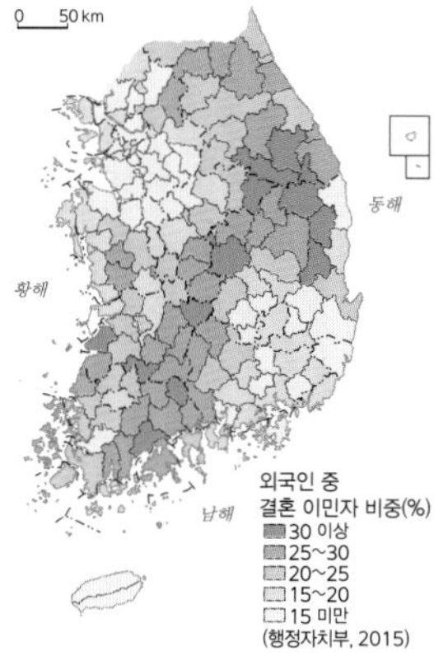

0 50 km
동해
황해
남해
외국인 중
결혼 이민자 비중(%)
30 이상
25~30
20~25
15~20
15 미만
(행정자치부, 2015)

▲ 결혼 이민자 분포

국내 체류 외국인 근로자는 산업이 발달하여 일자리가 풍부한 수도권과 영남권에 주로 분포한다. 결혼 이민자 비중은 이촌 향도 현상에 따라 결혼 적령기 인구의 성비 불균형 현상으로 인해 촌락 지역에서 높게 나타난다.

3. 북한의 자연환경과 인문 환경

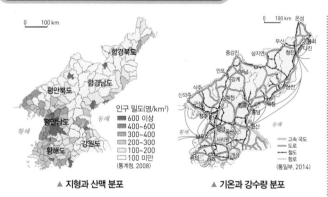

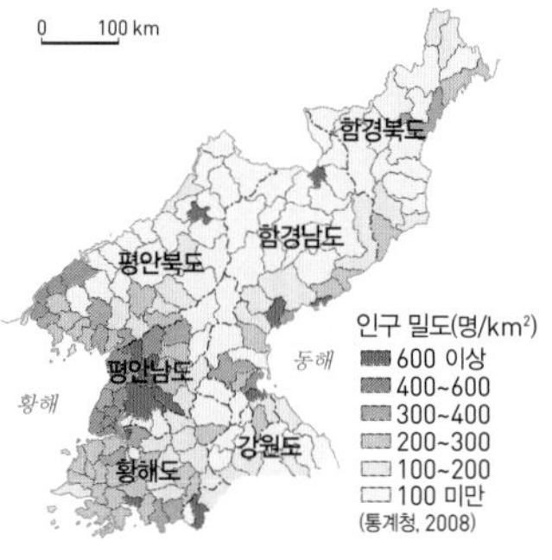

0 100 km
함경북도
함경남도
평안북도
평안남도
황해도
강원도
동해
황해
인구 밀도(명/km²)
600 이상
400~600
300~400
200~300
100~200
100 미만
(통계청, 2008)

▲ 지형과 산맥 분포

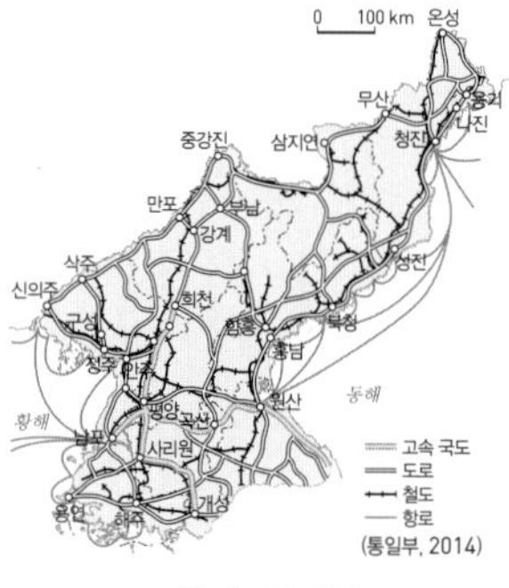

0 100 km
온성
무산
나진
중강진
삼지연
청진
만포
강계
김책
신의주
단천
회천
함흥
원산
평양
사리원
개성
동해
황해
고속 국도
도로
철도
항로
(통일부, 2014)

▲ 기온과 강수량 분포

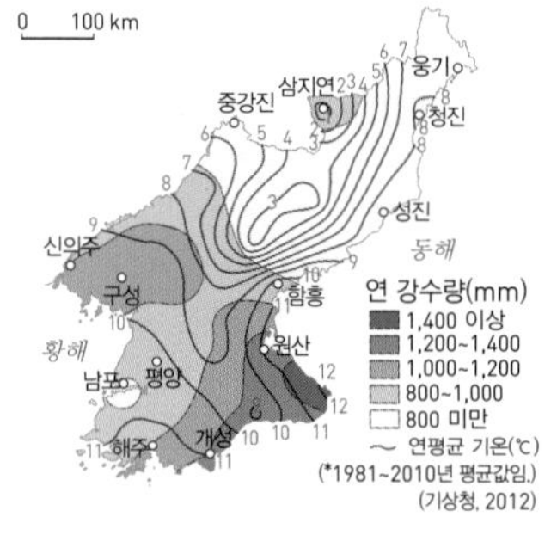

0 100 km
중강진
삼지연
웅기
청진
성진
신의주
구성
함흥
원산
남포
평양
해주
개성
동해
황해
연 강수량(mm)
1,400 이상
1,200~1,400
1,000~1,200
800~1,000
800 미만
연평균 기온(℃)
(*1981~2010년 평균값임.)
(기상청, 2012)

▲ 인구 분포

0 100 km
백두산
(2744)
동해
황해
평야
구릉
산지
산맥
하천
(국토지리정보원, 2014)

▲ 교통망

- **북한의 자연환경**: 산지와 고원이 많으며, 연교차가 큰 대륙성 기후가 뚜렷하게 나타나고, 연 강수량은 남한보다 적은 편이다. 수력 발전과 화력 발전 중심으로 전력 생산이 이루어지고 있으며, 철광석, 마그네사이트 등 풍부한 지하자원이 매장되어져 있다.
- **북한의 인문 환경**: 북한의 도시는 평양, 남포 등 서부 평야 지대와 함흥, 원산 등 관북 해안 지역에 발달했으며, 산업은 중공업 중심으로 이루어지고 있다. 철도 교통 중심의 교통 체계를 갖추었으며, 지형의 영향으로 동서 간 연계가 미약하다.

그림으로 한눈에 정리

4. 수도권과 강원 지방

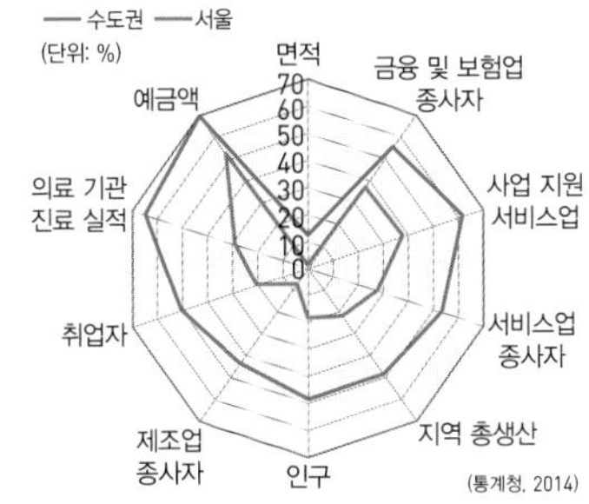

수도권 서울
(단위: %)
면적
금융 및 보험업 종사자
사업 지원 서비스업
서비스업 종사자
지역 총생산
인구
제조업 종사자
취업자
의료 기관 진료 실적
예금액
70 60 50 40 30 20 10 0
(통계청, 2014)

▲ 수도권 집중도

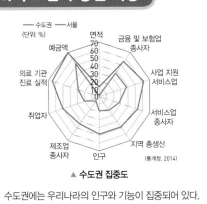

수도권에는 우리나라의 인구와 기능이 집중되어 있다.

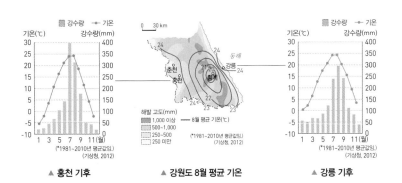

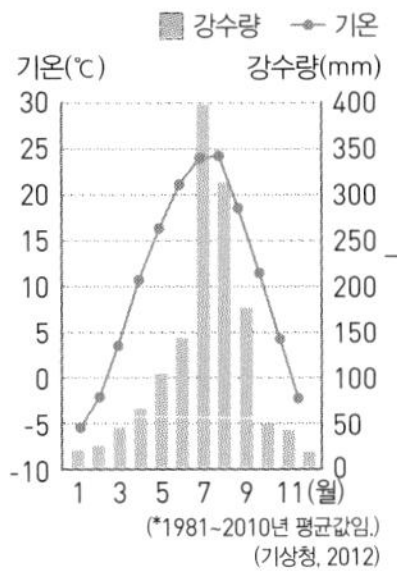

강수량 기온
기온(℃) 강수량(mm)
30 25 20 15 10 5 0 -5 -10
400 350 300 250 200 150 100 50 0
1 3 5 7 9 11(월)
(*1981~2010년 평균값임.)
(기상청, 2012)

▲ 홍천 기후

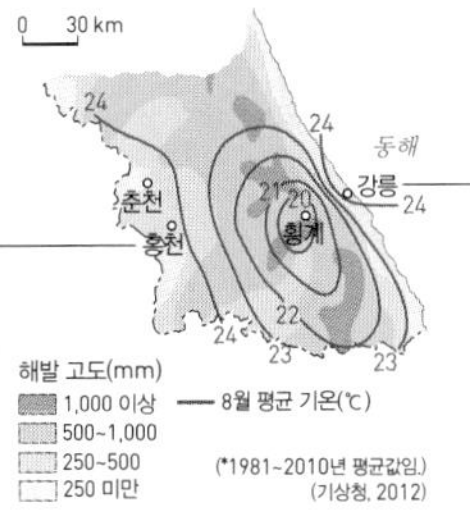

0 30 km
동해
춘천
홍천
횡계
강릉
24 21 20 22 23
해발 고도(m)
1,000 이상
500~1,000
250~500
250 미만
8월 평균 기온(℃)
(*1981~2010년 평균값임.)
(기상청, 2012)

▲ 강원도 8월 평균 기온

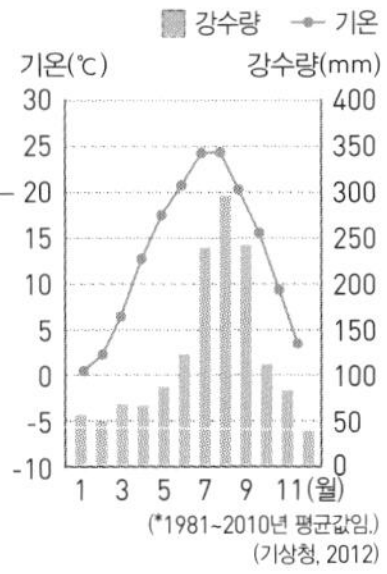

강수량 기온
기온(℃) 강수량(mm)
30 25 20 15 10 5 0 -5 -10
400 350 300 250 200 150 100 50 0
1 3 5 7 9 11(월)
(*1981~2010년 평균값임.)
(기상청, 2012)

▲ 강릉 기후

태백산맥을 경계로 영동 지방과 영서 지방으로 구분되며 기후, 음식, 방언 등의 차이로 나타난다.

5. 충청 지방과 호남 지방

0 20 km
평택~제천 고속 국도
중부 고속 국도
중앙 고속 국도
태백선
서해안 고속 국도
중앙선
장항선
충북선
당진~영덕 고속 국도
충청북도
중부 내륙 고속 국도
논산~천안 고속 국도
세종특별자치시
당진~영덕 고속 국도
충청남도
대전광역시
경부선
호남선
공주~서천 고속 국도
경부 고속 국도
고속 국도
고속 철도
철도
호남 고속 국도
경부 고속 철도
호남 고속 철도
(국토 교통부, 2016)

▲ 충청 지방 교통망

충청 지방은 경부 축과 호남 축의 교통로가 교차하여 접근성이 우수하다.

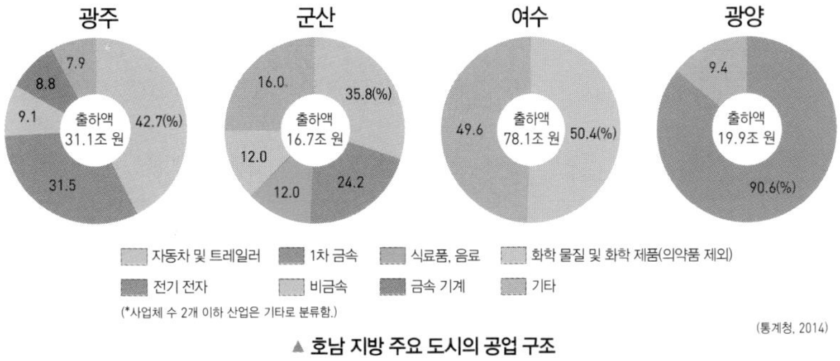

광주
출하액 31.1조 원
42.7(%) 31.5 9.1 8.8 7.9
군산
출하액 16.7조 원
35.8(%) 24.2 12.0 12.0 16.0
여수
출하액 78.1조 원
50.4(%) 49.6
광양
출하액 19.9조 원
90.6(%) 9.4
자동차 및 트레일러
1차 금속
식료품, 음료
화학 물질 및 화학 제품(의약품 제외)
전기 전자
비금속
금속 기계
기타
(*사업체 수 2개 이하 산업은 기타로 분류함.)
(통계청, 2014)

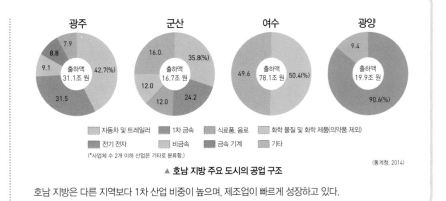

▲ 호남 지방 주요 도시의 공업 구조

호남 지방은 다른 지역보다 1차 산업 비중이 높으며, 제조업이 빠르게 성장하고 있다.

6. 영남 지방과 제주도

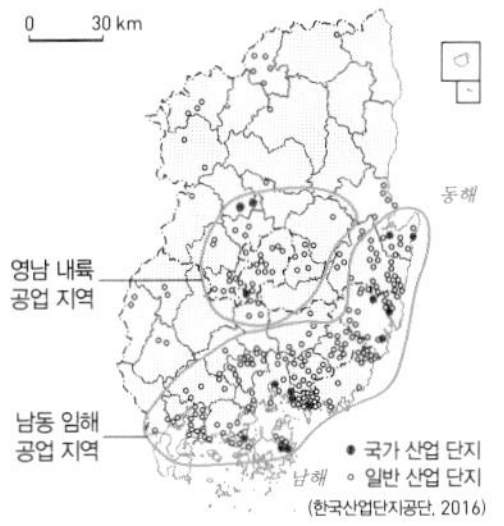

0 30 km
동해
영남 내륙 공업 지역
남동 임해 공업 지역
남해
국가 산업 단지
일반 산업 단지
(한국산업단지공단, 2016)

영남 지방은 공업 지역을 중심으로 성장하였다.

◀ 영남 지방의 산업 단지 분포

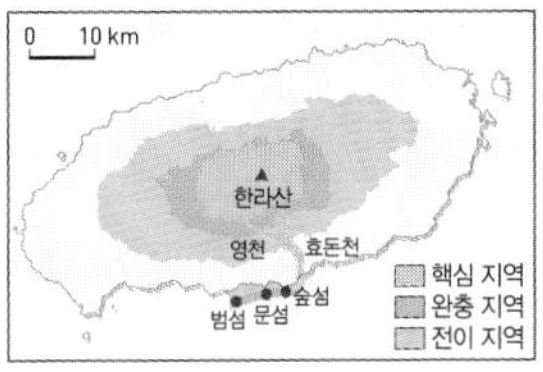

0 10 km
한라산
영천
효돈천
범섬
문섬
숲섬
핵심 지역
완충 지역
전이 지역

▲ 생물권 보전 지역

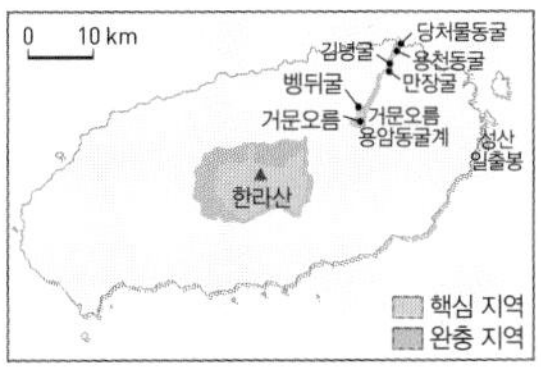

0 10 km
김녕굴
당처물동굴
용천동굴
벵뒤굴
만장굴
거문오름
성산 일출봉
한라산
핵심 지역
완충 지역

▲ 세계 자연 유산

제주도는 유네스코 생물권 보존 지역, 세계 자연유산, 세계 지질 공원 등으로 지정됐다.

4 주

빈출 자료 1 연령별 인구 구성비 변화

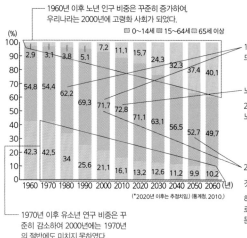

1960년 이후 노년 인구 비중은 꾸준히 증가하여, 우리나라는 2000년에 고령화 사회가 되었다.

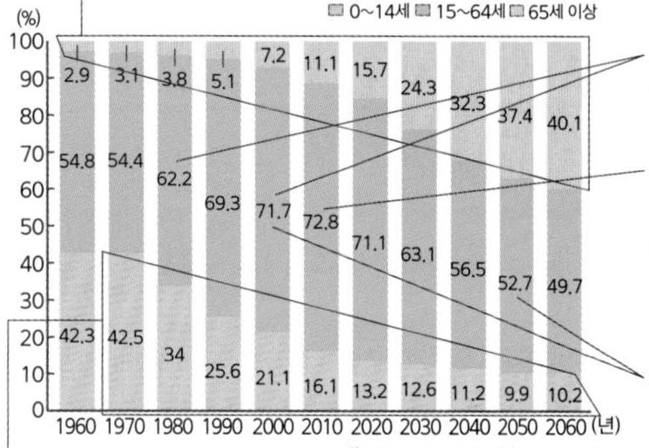
(%)
0~14세 15~64세 65세 이상
2.9 3.1 3.8 5.1 7.2 11.1 15.7 24.3 32.3 37.4 40.1
54.8 54.4 62.2 69.3 71.7 72.8 71.1 63.1 56.5 52.7 49.7
42.3 42.5 34 25.6 21.1 16.1 13.2 12.6 11.2 9.9 10.2
1960 1970 1980 1990 2000 2010 2020 2030 2040 2050 2060 (년)

(*2020년 이후는 추정치임) (통계청, 2010)

1980년에 비해 2000년의 청장년 인구 비중이 높으므로, 총부양비는 감소하였다.

노령화 지수는 $\frac{\text{노년인구}}{\text{유소년인구}}$×100으로 계산하며, 2010년의 노년 인구는 유소년 인구보다 적으므로 노령화 지수는 100 미만이다.

2050년의 노년 부양비는 2000년의 5배 이상이 될 것이다. 노년 부양비는 $\frac{\text{노년인구}}{\text{청장년인구}}$×100으로 계산하며, 해당 기간 동안 노년 인구 비중은 5배 이상으로 증가한 반면 청장년 인구는 오히려 감소하였기 때문이다.

1970년 이후 유소년 연구 비중은 꾸준히 감소하여 2000년에는 1970년의 절반에도 미치지 못하였다.

연령별 인구 구성비의 변화로 인구 구조의 변화를 알 수 있으며, 이는 인구 문제와 관련하여 자주 출제됩니다.

대표 예제와 기출 선택지

우리나라의 연도별 인구 구조에 대한 설명으로 옳은 것에 모두 ○표 하시오.

① 2010년에는 노령화 지수가 100 이상이다. ( )

② 1970년 이후 유소년 인구 비중은 꾸준히 감소하고 있다. ( )

③ 우리나라는 2000년에 고령화 사회가 되었다. ( )

④ 1980년에 비해 2000년에 총부양비는 감소하였다. ( )

⑤ 2050년의 노년 부양비는 2000년의 5배 이상이 될 것이다. ( )

답 ②, ③, ④, ⑤

빈출 자료 2 시·도별 인구 부양비

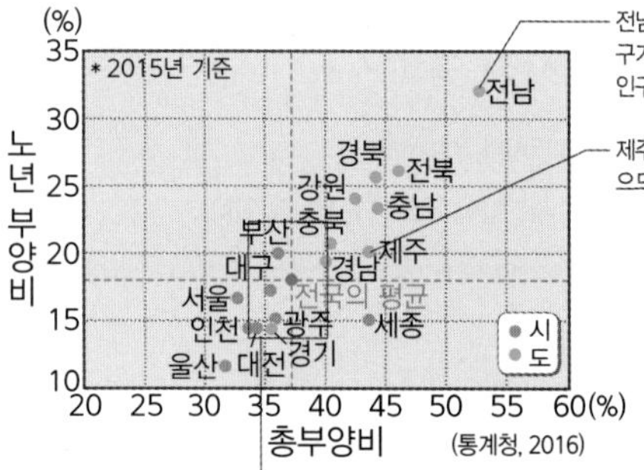
(%)
노년부양비
*2015년 기준
전남
경북 전북
강원 충남
부산 충북
제주
대구 경남
서울 전국의 평균
인천 광주 세종
울산 대전 경기
시 도
20 25 30 35 40 45 50 55 60(%)
총부양비

(통계청, 2016)

전남의 총부양비는 100% 미만이므로, 전남은 청장년 인구가 유소년 인구와 노년 인구의 합보다 크다. 즉, 청장년 인구가 전체 인구의 절반 이상을 차지한다.

제주의 노년 부양비는 약 20%이고, 총부양비는 40%가 넘으므로, 유소년 인구가 노년 인구보다 많다.

부산과 광주의 총부양비는 비슷하므로 두 도시는 노년 인구와 유소년 인구의 합이 전체 인구에서 차지하는 비중이 비슷하다. 한편, 노년 부양비는 부산이 더 높으므로 부산의 노년 인구 비중이 광주보다 높고, 노령화 지수 또한 더 높다.

자료 분석

2015년 기준 인구 부양비가 가장 낮은 지역은 울산으로 공업이 발달하여 상대적으로 청장년 인구 비중이 높은 지역이다. 인구 부양비가 가장 높은 지역은 전남으로 이촌 향도에 따른 인구 유출로 상대적으로 청장년 인구 비중이 낮으며, 특히 노년 인구 비중이 높아 인구 부양비가 높게 나타난다.

총부양비, 노년 부양비, 유소년 부양비, 노령화 지수를 구할 때 분모와 분자에 들어가는 항목이 무엇인지 정확히 알아 두어야 합니다. 인구 관련 지표를 묻는 문항은 대부분 약간의 계산력을 요구하는 형태로 자주 출제됩니다.

대표 예제와 기출 선택지

시도별 인구 부양비를 나타낸 그래프를 보고 옳은 것에 모두 ○표 하시오.

① 제주는 노년 인구가 유소년 인구보다 적다. ( )

② 수도권은 영남권보다 노년 부양비가 높다. ( )

③ 인구 부양비가 가장 낮은 지역은 울산이다. ( )

④ 부산은 광주보다 노령화 지수가 높다. ( )

⑤ 전남은 청장년 인구 비중이 50% 이상이다. ( )

답 ①, ③, ④, ⑤

빈출 자료 3 국제결혼 추이

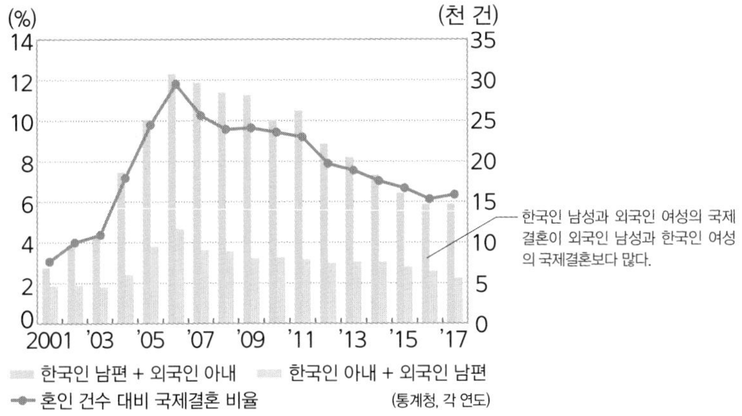
(%)
(천 건)
14 12 10 8 6 4 2 0
35 30 25 20 15 10 5 0
2001 '03 '05 '07 '09 '11 '13 '15 '17
한국인 남성과 외국인 여성의 국제결혼이 외국인 남성과 한국인 여성의 국제결혼보다 많다.
한국인 남편 + 외국인 아내
한국인 아내 + 외국인 남편
혼인 건수 대비 국제결혼 비율
(통계청, 각 연도)

자료 분석

세계화에 따라 외국인에 대한 거부감이 감소하고 가치관이 변화하면서 국제결혼이 증가하였다. 한국인 남성과 외국인 여성의 국제결혼이 한국인 여성과 외국인 남성의 국제결혼보다 많이 이루어지고 있다. 2000년대 중반까지 국제결혼이 급격히 증가하였으나 이후 다소 감소하고 있다. 총 국제결혼 건수는 도시 지역이 많지만, 국제결혼 비중은 촌락 지역이 높다.

외국인 이주자와 관련된 문항은 외국인 이주자 증가의 배경과 국내 체류 외국인의 유형, 국적, 지역별 분포를 묻는 문제가 주로 출제됩니다.

대표 예제와 기출 선택지

자료에 대한 설명으로 옳은 것에 모두 ○ 표 하시오.

① 결혼 이민자 수는 촌락이 많지만, 결혼 이민자 비율은 도시가 높다. ( )

② 외국인 남편보다 외국인 아내가 많은 것은 촌락의 결혼 적령기 성비 불균형 현상과 관련이 있다. ( )

③ 외국인 아내와 한국인 남편 간의 연령 차이보다 외국인 남편과 한국인 아내 간의 연령 차이가 크다. ( )

④ 결혼 이민자가 증가한 것은 외국인에 대한 거부감이 감소한 것과 관련이 있다. ( )

⑤ 한국인 남성과 외국인 여성의 국제결혼이 한국인 여성과 외국인 남성의 국제결혼보다 많이 이루어지고 있다. ( )

답 ②, ④, ⑤

빈출 자료 4 남·북한의 농업 특징

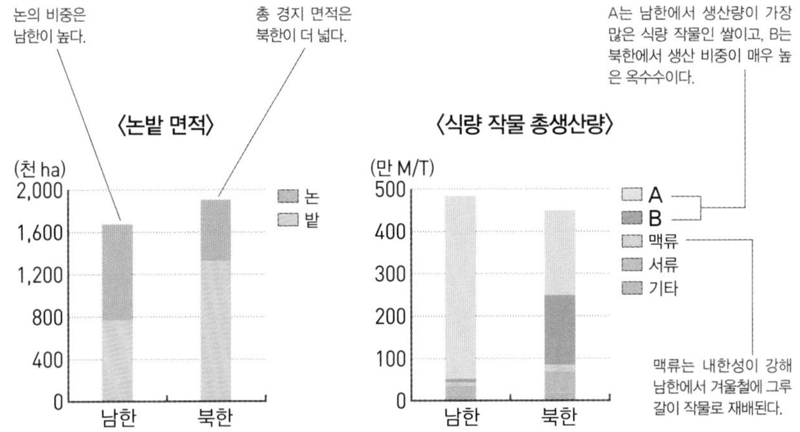
논의 비중은 남한이 높다.
총 경지 면적은 북한이 더 넓다.
A는 남한에서 생산량이 가장 많은 식량 작물인 쌀이고, B는 북한에서 생산 비중이 매우 높은 옥수수이다.
〈논밭 면적〉
(천 ha)
2,000 1,600 1,200 800 400 0
남한 북한
논
밭
〈식량 작물 총생산량〉
(만 M/T)
500 400 300 200 100 0
남한 북한
A
B
맥류
서류
기타
맥류는 내한성이 강해 남한에서 겨울철에 그루갈이 작물로 재배된다.

남한은 총 경지 면적 중 논의 비율이 50% 이상인 반면, 북한은 밭의 비율이 50% 이상이다. 남한은 북한보다 기후가 온화하고 산지가 적어 논농사에 유리하다.

토지 생산성은 단위 면적당 생산량을 의미하며 (총생산량÷총 경지 면적)으로 계산할 수 있다. 남한은 북한에 비해 총 경지 면적은 좁지만, 총생산량은 많으므로 토지 생산성이 더 높다.

남한은 북한에 비해 경지 면적은 좁지만 생산량은 많다는 것을 기억해야 해요. 남한과 북한의 농업 특징을 비교하는 문제가 자주 출제됩니다.

대표 예제와 기출 선택지

자료에 대한 설명으로 옳은 것에 모두 ○ 표 하시오.

① A는 쌀, B는 옥수수다. ( )

② A는 밭, B는 논에서 주로 재배된다. ( )

③ 북한이 남한보다 토지 생산성이 높다. ( )

④ A는 관북 지방보다 관서 지방에서 생산량이 많다. ( )

⑤ 남한이 북한보다 밭 면적 대비 논 면적의 비율이 높다. ( )

답 ①, ④, ⑤

4 주

특강 창의·융합·코딩

빈출 자료 5 북한의 주요 지역별 기후 특징

(가)는 중강진(A), (나)는 평양(B), (다)는 원산(C)이다.

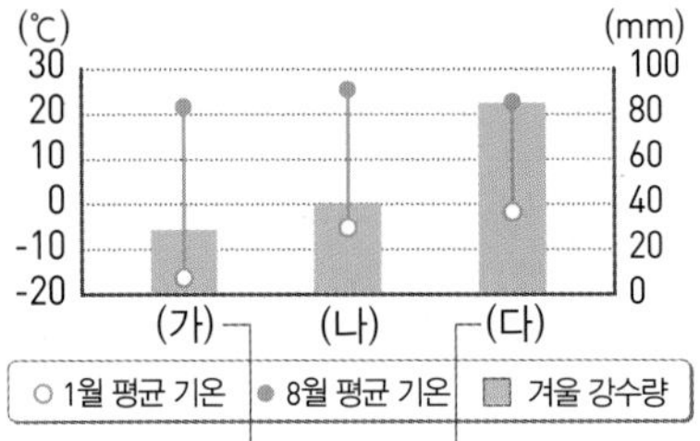

(℃)
30
20
10
0
-10
-20
(mm)
100
80
60
40
20
0
(가)
(나)
(다)
○ 1월 평균 기온
● 8월 평균 기온
겨울 강수량

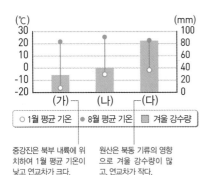

중강진은 북부 내륙에 위치하여 1월 평균 기온이 낮고 연교차가 크다.

원산은 북동 기류의 영향으로 겨울 강수량이 많고, 연교차가 작다.

중강진은 관북 내륙 지역에 위치하여 대륙성 기후의 특징이 강하게 나타난다. 대륙은 해양에 비해 비열이 작기 때문에 대륙의 영향을 많이 받는 대륙성 기후는 기온의 연교차가 크다.

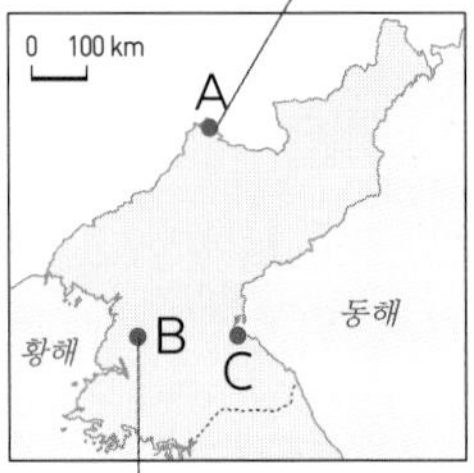

0 100 km
A
B
C
황해
동해

평양은 지형이 평탄하여 겨울 강수량뿐 아니라 연 강수량이 적은 소우지이다.

자료 분석

그래프에서 기온의 연교차는 (가)>(나)>(다) 순으로 크고, 1월 평균 기온은 (다)>(나)>(가) 순으로 높다. 겨울 강수량은 (다)>(나)>(가) 순으로 많은데, (다)가 (가)와 (나)보다 월등히 많다.

북한의 지역별 연교차와 강수량을 비교하는 문제가 자주 출제됩니다.

대표 예제와 기출 선택지

A~C 지역의 기후에 대한 설명으로 옳은 것에 모두 ○표 하시오.

① A는 중강진이다. ( )
② 연교차가 가장 큰 곳은 B이다. ( )
③ C는 북동 기류의 영향으로 겨울 강수량이 많다. ( )
④ 1월 평균 기온이 가장 높은 곳은 C이다. ( )
⑤ 겨울 강수량이 가장 많은 곳은 (다)이다. ( )

답 ①, ③, ④, ⑤

빈출 자료 6 북한의 전력 생산과 에너지 자원

〈북한의 주요 발전 설비 용량〉

설비 용량(만 kW)
100
50
30
0 100 km
부령
선봉
청진
3월 17일 (구 서두수)
운봉
장자강
장강
부전강
허천강
태평만
수풍
위원
내중리
장진강
천마
태천
대동강
청천강
북창
미림
동해
황해
12월 평양
순천
통천
남강
봉화
동평양
안변청년
(가)
(나)

(에너지경제연구원, 2015)

전력 소비가 많은 평양과 그 주변에 주로 분포하는 (가)는 화력 발전소에 해당한다. 높고 험준한 산지가 많은 평안북도, 함경북도, 함경남도 등의 주요 하천 중·상류에 주로 분포하는 (나)는 수력 발전소에 해당한다.

〈북한의 1차 에너지 소비 구조 변화〉

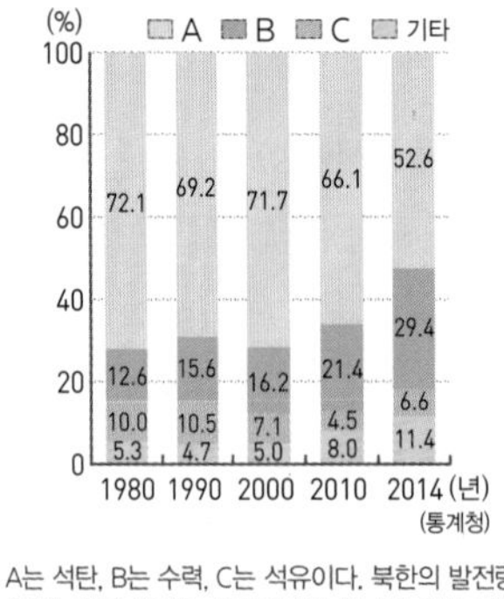

(%)
A
B
C
기타
100
80
60
40
20
0
72.1
69.2
71.7
66.1
52.6
12.6
15.6
16.2
21.4
29.4
10.0
10.5
7.1
4.5
6.6
5.3
4.7
5.0
8.0
11.4
1980 1990 2000 2010 2014(년)
(통계청)

A는 석탄, B는 수력, C는 석유이다. 북한의 발전량은 수력>화력 순이며, 북한의 1차 에너지 소비 비중은 석탄>수력>석유 순이다.

자료 분석

남한의 발전량은 화력>원자력>수력 순인 반면 북한은 수력>화력 순이다.

에너지 자원과 관련된 순위를 알아 두는 것이 좋아요. 에너지 소비와 관련된 문제가 출제됩니다.

대표 예제와 기출 선택지

자료에 대한 설명으로 옳은 것에 모두 ○표 하시오.

① (가)는 A를 연료로 한다. ( )
② (나)는 C를 연료로 한다. ( )
③ (가)는 (나)보다 대기 오염 물질 배출량이 많다. ( )
④ 평양 주변 지역에는 주로 수력 발전소가 분포한다. ( )
⑤ 북한에서 1차 에너지 소비 비중이 높은 순은 석유>수력>석탄이다. ( )

답 ①, ③

빈출 자료 7 수도권의 인구 및 산업 특성

〈지역 간 인구 순 이동〉

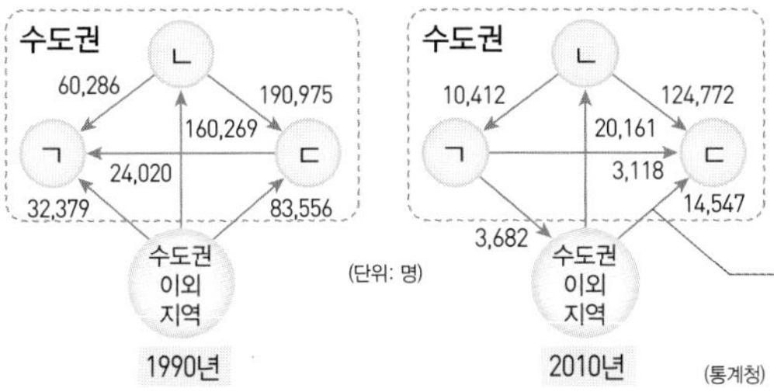

수도권
ㄴ
ㄱ
ㄷ
60,286
190,975
160,269
24,020
32,379
83,556
수도권 이외 지역
1990년
(단위: 명)
수도권
10,412
124,772
20,161
3,118
14,547
3,682
수도권 이외 지역
2010년
(통계청)

* 인구 순 이동 = 전입 인구 − 전출 인구

수도권에서는 1990년대부터 거주지의 교외화 현상이 꾸준히 진행되고 있다. 서울특별시는 전입보다 전출이 많으며, 인천광역시와 경기도는 전출보다 전입이 많다. 특히 경기도는 인구 증가가 더 뚜렷하다. 따라서 ㄱ은 인천광역시, ㄴ은 서울특별시, ㄷ은 경기도이다.

〈수도권의 부문별 IT 사업체 수〉

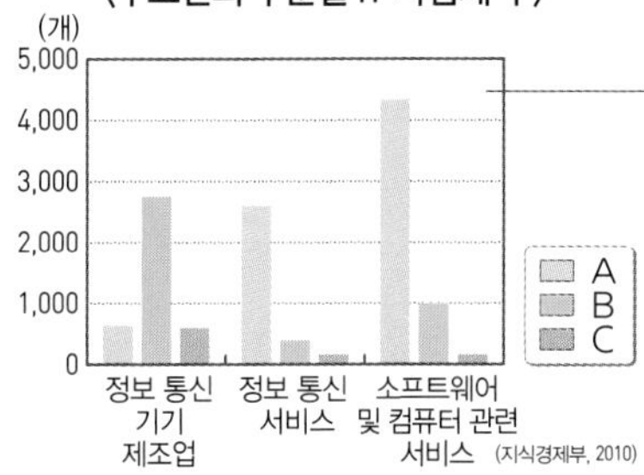

(개)
5,000
4,000
3,000
2,000
1,000
0
A
B
C
정보 통신 기기 제조업
정보 통신 서비스
소프트웨어 및 컴퓨터 관련 서비스
(지식경제부, 2010)

서울특별시는 IT 서비스업, 경기도는 IT 제조업이 발달하였으며, 인천광역시는 두 지역에 비해 IT의 비중이 낮다. 따라서 A는 서울특별시, B는 경기도, C는 인천광역시이다.

수도권 지역의 인구 이동과 발달 산업에 관련된 문제가 자주 출제됩니다.

대표 예제와 기출 선택지

2010년 ㄱ~ㄷ, A~C의 지역에 대한 설명으로 옳은 것에 모두 ○표 하시오.

① ㄱ 지역은 전출보다 전입이 많다. ( )

② ㄴ 지역은 교외화 현상으로 전입 인구가 꾸준히 증가하고 있다. ( )

③ ㄷ 지역은 인구가 꾸준히 늘어나고 있다. ( )

④ A 지역은 IT 서비스업보다 IT 제조업이 더 발달하였다. ( )

⑤ B 지역은 IT 서비스업보다 IT 제조업이 더 발달하였다. ( )

답 ①, ③, ⑤

4 주

빈출 자료 8 충청 지방의 지역별 특징

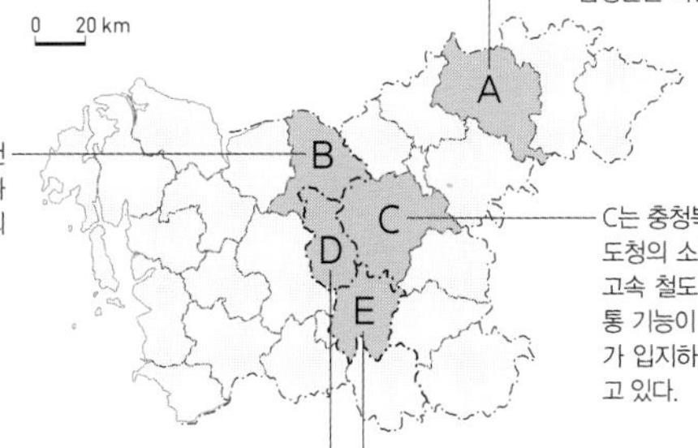

0 20 km
A
B
C
D
E

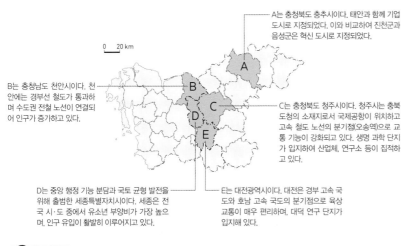

A는 충청북도 충주시이다. 태안과 함께 기업 도시로 지정되었다. 이와 비교하여 진천군과 음성군은 혁신 도시로 지정되었다.

B는 충청남도 천안시이다. 천안에는 경부선 철도가 통과하며 수도권 전철 노선이 연결되어 인구가 증가하고 있다.

C는 충청북도 청주시이다. 청주시는 충북 도청의 소재지로서 국제공항이 위치하고 고속 철도 노선의 분기점(오송역)으로 교통 기능이 강화되고 있다. 생명 과학 단지가 입지하여 산업체, 연구소 등이 집적하고 있다.

D는 중앙 행정 기능 분담과 국토 균형 발전을 위해 출범한 세종특별자치시이다. 세종은 전국 시·도 중에서 유소년 부양비가 가장 높으며, 인구 유입이 활발히 이루어지고 있다.

E는 대전광역시이다. 대전은 경부 고속 국도와 호남 고속 국도의 분기점으로 육상 교통이 매우 편리하며, 대덕 연구 단지가 입지해 있다.

자료 분석

충청 지역은 경부 축과 호남 축의 교통로가 교차하여 전국 각 지역과의 접근성이 우수하다. 이러한 편리한 교통과 수도권 공장 총량 제도로 인하여 공업이 발달하였다. 중앙 행정 기능 분담과 국토 균형 발전을 위해 출범한 세종특별자치시와 더불어 기업 도시, 혁신 도시가 지정되어 관련 산업이 발달하고 있다.

충청 지역은 시·군의 위치와 특징을 묻는 문제가 자주 출제됩니다.

대표 예제와 기출 선택지

A~E의 지역에 대한 설명으로 옳은 것에 모두 ○표 하시오.

① A는 기업 도시로 지정되었다. ( )

② A에는 수도권 전철 노선이 지나간다. ( )

③ B에는 경부선 철도가 지나간다. ( )

④ C는 고속 철도 노선의 분기점으로 교통이 발달하였다. ( )

⑤ D는 국토의 균형 발전을 위해 세워진 계획 도시이다. ( )

답 ①, ③, ④, ⑤

Memo

Memo

Memo

앞선 생각으로
더 큰 미래를 제시하는 기업

서책형 교과서에서 디지털 교과서,
참고서를 넘어 빅데이터와 AI학습에 이르기까지
끝없는 변화와 혁신으로
대한민국 교육을 선도해 나갑니다.

FOLLOW
milk T
닥터매쓰
geniA.

천재교육

시작은

하루 수능

정답과 해설

사탐영역

한국지리 기초

천재교육

정답과 해설
포인트 3가지

- 혼자서도 이해할 수 있는 친절한 '해설'
- 오답을 피할 수 있는 꼼꼼한 '선택지 풀이'
- 핵심 개념을 한 번 더 확인하는 '더 알아보기'

1주 Ⅰ.국토 인식과 지리 정보~ Ⅱ.지형 환경과 인간 생활

1일 국토 인식

기초 유형 연습 14~15쪽

1 ⑤ 2 ④ 3 ④ 4 ① 5 ④ 6 ②
7 ⑤ 8 ③

1 (가)는 백령도, (나)는 강원도 양구, (다)는 마라도, (라)는 독도이다. 마라도와 독도는 모두 영해 설정에 통상 기선을 적용하고 있다.

선택지 풀이 ① 백령도는 남한의 최서단이며, 우리나라 영토의 최서단은 평안북도 용천군 마안도이다. ③ 종합 해양 과학 기지가 건설된 곳은 이어도이다. ④ 일출과 일몰은 동쪽에 위치할수록 이르다.

2 A에 적용된 기선은 직선 기선이다. 직선 기선은 해안선이 복잡하고 섬이 많은 서해와 남해에 주로 적용되며, 해안의 끝이나 최외곽 섬을 연결한 직선이다. B에 적용된 기선은 통상 기선이다. 통상 기선은 해안선이 단조로운 동해(울산만, 영일만 제외)에 주로 적용되며, 썰물 때의 해안선인 최저 조위선을 기준으로 한다. C는 대한해협의 일부로 C에 적용된 기선은 직선 기선이다. 대한해협은 일본과의 거리가 매우 가까워 직선 기선에서 3해리까지만 영해로 설정하고, 그 사이는 공해로 남겨 두어 외국 선박의 자유로운 통행을 보장한다.

선택지 풀이 ㄱ. A에서는 직선 기선이, 울릉도와 독도에서는 통상 기선이 적용된다. ㄷ. 우리나라와 일본이 인접한 C에서는 직선 기선에서 3해리까지가 우리나라의 영해이다.

3 「대동여지도」에서 하천은 곡선, 도로는 직선으로 표현되어 있으며, 도로에는 10리마다 방점이 찍혀 있다.

선택지 풀이 ㄱ. A는 단선으로 표현되어 있으므로 항해가 불가능한 하천이다. ㄷ. C부터 B까지의 거리는 20리 이상이다.

4 ㄱ. 우리나라는 한반도와 유인도와 무인도를 포함한 약 22.3만 km^2의 영토를 가지고 있다. ㄴ. 대한 해협은 일본의 대마도와 거리가 가까워 직선 기선으로부터 3해리를 적용하여 영해를 설정하고 있다.

선택지 풀이 ㄷ. 직선 기선에서 12해리가 적용되는 동해안 일부 지역은 영일만과 울산만이다. ㄹ. 우리나라의 배타적 경제 수역은 중국, 일본과 거리가 가까워 중첩되는 수역이 많다.

5 배타적 경제 수역(A)은 영해 기선으로부터 200해리까지의 바다에서 영해를 제외한 수역이다. ㄴ. 배타적 경제 수역은 영역에 포함되지 않기 때문에 모든 나라는 다른 나라의 배타적 경제 수역에서 항행, 상공 비행 등을 할 수 있다. ㄹ. 배타적 경제 수역은 연안국에게 천연자원에 대한 주권적 권리가 보장되는 수역이기 때문에 다른 나라에서 허가 없이 해저 자원을 조사할 수 없다.

더 알아보기 배타적 경제 수역 내 연안국의 권리

- 해수면과 해저의 천연자원 탐사 및 개발·보존
- 인공 섬과 시설물 설치 및 사용에 대한 권리
- 해양 과학 조사, 해양 환경의 보호와 보전에 대한 권리
- 해수, 해류 및 해풍을 이용한 에너지 생산에 대한 권리
- 항행, 상공 비행, 해저 전선 부설 등의 활동은 타국도 가능함.

6 (가)에는 저자 개인의 지리적 견해가 표현되어 있다. 따라서 (가)는 조선 후기에 이중환이 저술한 『택리지』이다. (나)는 지리적 사실이 백과사전식으로 나열되어 있다. 따라서 (나)는 조선 전기에 국가가 편찬한 『신증동국여지승람』이다.

선택지 풀이 ㄴ. 실학은 조선 후기에 등장하므로 조선 전기에 쓰여진 관찬 지리지에 영향을 줄 수 없다. ㄹ. 『신증동국여지승람』은 『택리지』보다 먼저 편찬된 지리지이다.

7 (가)는 조선 전기에 국가가 주도하여 제작한 『신증동국여지승람』이고, (나)는 조선 후기에 이중환이 지은 『택리지』이다. ⑤ 『택리지』의 복거총론에서는 사람이 살만한 곳인 가거지의 조건을 서술하고 있다. 가거지의 조건에는 풍수지리상의 명당을 의미하는 지리(地理), 경제적 기반이 유리한 곳인 생리(生利), 사람들의 인심이 좋은 곳인 인심(人心), 아름다운 경치를 의미하는 산수(山水)가 있다. 따라서 ㉠은 가거지의 조건 중 '생리(生利)'와 관련 있다.

8 예안-안동 간 최단 거리 도로로, 10리마다 방점이 찍혀 있으므로 30리 이상임을 알 수 있다. 예안에서 안동으로 가는 가장 짧은 도로를 따라가다 보면 두 개 이상의 고개를 지나게 된다. 또한 낙동강이 쌍선으로 표시되어 있으므로 해당 하천이 가항 하천임을 알 수 있다. 예안-안동 사이에는 두 곳의 역참이 있다는 것을 지도 기호를 통해 알 수 있다.

더 알아보기 「대동여지도」 분석

분첩 절첩식	남북을 22단으로 나누고(분첩), 동서를 19면으로 접을 수 있게(절첩) 함. → 휴대 및 열람에 유리
축척 개념 도입	10리마다 방점으로 찍어 실제 거리를 나타냄.
목판본	필요시 대량으로 인쇄가 가능함.
산줄기 표현	• 산의 크기를 선의 굵기로 표현하였으나 해발 고도는 알 수 없음. • 산지를 이어진 산줄기 형태로 표현하여 분수계 파악에 유리함.
하천 표현	배가 다닐 수 있는 하천(쌍선)과 다닐 수 없는 하천(단선)을 구분해서 표현함.

2일 한반도의 형성

기초 유형 연습 20~21쪽

1 ② 2 ④ 3 ③ 4 ③ 5 ⑤ 6 ⑤
7 ① 8 ②

1 (가)는 삼엽충 화석이 주로 발견되는 고생대의 조선 누층군이고, (나)는 공룡 발자국 화석이 주로 발견되는 중생대의 경상 누층군이다. 지도의 A는 조선 누층군, B는 평안 누층군, C는 화강암, D는 경상 누층군이다.

2 그래프에 표시된 ㉠은 후빙기이고, ㉡은 빙기에 해당한다. 후빙기에 비해 한랭 건조한 빙기에는 식생의 밀도가 낮은 편이고 수분의 동결과 융해 작용으로 인하여 암석의 물리적 풍화 작용이 활발했다.

선택지 풀이 ㄱ. 평균 기온이 낮다. ㄷ. 빙기에는 해수면이 하강하기 때문에 지리산의 해발 고도는 후빙기 때보다 높았다.

3 ㉠ 인왕산의 기반암은 중생대에 관입한 화강암, ㉡ 다랑쉬 오름의 기반암은 신생대 화산 활동에 의해 형성된 현무암으로 주로 구성된다. 따라서 ㉠은 B에, ㉡은 A에 속한다.

4 ③ 침식 분지의 바닥은 화강암으로 이루어져 있으며, 주변 산지는 변성암으로 이루어져 있다. 화강암은 변성암에 비해 침식에 더 약하여 화강암이 더 많이 침식되어 침식 분지가 형성되었다.

선택지 풀이 ④ 불국사 변동의 영향으로 불국사 화강암이 관입되며, 동고서저 지형은 신생대 경동성 요곡 운동의 영향으로 형성된 것이다. ⑤ 갈탄은 신생대에 형성된 지층인 두만 지괴, 길주 명천 지괴에 주로 매장되어 있다.

5 (가)는 변성암류로 흙산의 기반암을 이룬다. (나)는 조선 누층군, (다)는 평안 누층군, (라)는 경상 누층군이다. (마)는 신생대 제3기 경동성 요곡 운동이다. 경동성 요곡 운동으로 인해 동고서저 지형이 형성되었으며, 그 결과 태백산맥, 함경산맥, 마천령산맥 등 높고 험준한 산지들이 생겨났다. 경동성 요곡 운동으로 한국 방향의 지질 구조선 및 동고서저의 경동 지형이 형성되었다. 중국(북동-남서) 방향의 지질 구조선은 중생대 쥐라기 대보 조산 운동의 결과로 형성된 것이다.

6 ㉠은 경상 누층군이고, ㉡은 조선 누층군이다. 해성층인 조선 누층군은 고생대 초기에, 경상 누층군은 중생대에 형성된 지층으로 ㉡ 조선 누층군의 형성 시기가 ㉠ 경상 누층군의 형성 시기보다 이르다.

선택지 풀이 ② 용식 작용으로 형성된 동굴인 석회 동굴이 많은 곳은 조선 누층군이다. ④ 주상절리는 신생대 화산 활동에 의해 형성되었다.

7 ① 태백산맥, 낭림산맥 등 1차 산맥은 신생대 경동성 요곡 운동의 영향을 받아 형성되었다. 그러나 강남산맥, 멸악산맥 등 2차 산맥은 1차 산맥이 형성된 후 구조선을 따라 차별적인 풍화와 침식을 받아 형성되었다.

8 ② 경상계층은 수평 누층으로 거대한 호수였던 곳에 두꺼운 퇴적물이 쌓여 형성된 육성층이며, 공룡 발자국 화석이 분포한다.

3일 산지 지형~하천 지형

기초 유형 연습 26~27쪽

1 ② 2 ⑤ 3 ① 4 ⑤ 5 ② 6 ④
7 ④ 8 ④

1 그림에서는 A는 1차 산맥, B는 2차 산맥이다. 1차 산맥은 신생대 제3기 경동성 요곡 운동의 영향을 받아 지반이 융기되어 형성된 것으로, 해발 고도가 높고 연속성이 뚜렷하다. 함경산맥, 낭림산맥, 태백산맥 등이 이에 속한다.

선택지 풀이 ㄴ. 1차 산맥으로는 함경산맥, 태백산맥 등이 있고, 2차 산맥으로는 강남산맥, 묘향산맥 등이 있다. ㄹ. 산지의 연속성은 1차 산맥이 더 뚜렷하다.

2 (가)는 돌산인 북한산, (나)는 흙산인 덕유산, (다)는 화산인 한라산이다. ⑤ 북한산의 주요 기반암은 중생대에 형성된 화강암이고, 덕유산의 주요 기반암은 시·원생대에 형성된 변성암이다.

선택지 풀이 ② 흙산이 돌산보다 산 정상부의 식생 밀도가 높다. ③ 한라산의 해발고도는 1,947m, 덕유산의 해발 고도는 1,614m이다. ④ 백록담은 화구호이다.

3 북한산, 도봉산, 설악산 등은 화강암으로 이루어진 돌산이다. 따라서 (가)는 화강암이다. 화강암은 지하에서 마그마가 관입한 후 굳어져 형성되었다. (나) 주상 절리를 구성하는 암석은 현무암이며, 신생대 화산 활동에 의해 형성되었다.

선택지 풀이 ⑤ 침식 분지의 주변 산지는 주로 편마암으로 이루어졌다.

4 (가)는 백두산, (나)는 함경산맥, (다)는 낭림산맥, (라)는 금강산이다. 함경산맥과 낭림산맥은 신생대 지각 운동으로 형성된 1차 산맥으로 해발 고도가 높고, 연속성이 뚜렷하다. 한국 방향의 산맥은 산맥 방향이 남북으로 뻗은 산맥으로 마천령산맥, 낭림산맥, 태백산맥 등이 이에 속한다. 금강산은 중생대에 관입한 마그마가 지하 깊은 곳에서 굳어 형성된 화강암이 오랜 기간 풍화와 침식에 의해 노출되면서 형성된 돌산이다.

선택지 풀이 ㄱ. 백두산은 신생대 화산 활동으로 형성되었으며, 산지를 구성하는 암석은 현무암 등 화산암이다.

더 알아보기 1차 산맥과 2차 산맥

구분	1차 산맥	2차 산맥
형성 과정	경동성 요곡 운동으로 융기한 산지	중생대 지각 운동 이후의 차별 침식으로 형성된 산지
특징	해발 고도가 높고 연속성이 강함.	오랜 침식으로 해발 고도가 낮고 연속성이 약함.
분포	함경·낭림·태백산맥 등	묘향·차령·노령산맥 등

5 자료는 침식 분지의 형성 과정을 보여 준다. A는 시·원생대에 형성된 변성암, B는 중생대에 관입한 화강암, C는 충적층 분포 지역이다. ㄷ. 침식 분지는 화강암이 변성암보다 풍화와 침식에 대한 저항력이 약해 차별 침식을 받아 형성된다.

선택지 풀이 ㄴ. B는 침식 분지 내부 지역으로 기반암이 화강암인 지역이다. ㄹ. B에는 충적층이 발달하지 않았으며, 주로 밭농사가 이루어진다.

6 (가)는 화강암, (나)는 편마암이다. 화강암은 주로 돌산을 이루고, 편마암은 주로 흙산을 이룬다. 화강암과 편마암으로 이루어진 침식 분지에서 편마암이 화강암보다 침식에 강해 주로 배후 산지를 이룬다.

선택지 풀이 ① 시·원생대에 변성 작용을 받은 암석은 편마암이며, 화강암은 중생대 마그마의 관입으로 형성되었다. ② 마그마의 냉각으로 주상 절리가 형성되어 있는 암석으로는 현무암을 들 수 있다. ③ 편마암은 평북·개마 지괴, 경기 지괴, 영남 지괴 등에 다수 분포한다. 경상 분지 지역에 널리 분포하는 암석은 중생대의 퇴적암이다. ⑤ 조선 누층군의 대부분을 차지하는 암석은 석회암이다.

7 지도에 나타난 (가) 하천은 산지 사이의 골짜기를 따라 구불구불하게 흐르고 있으므로 감입 곡류 하천이다. 감입 곡류 하천은 신생대 지각 운동으로 인해 지반의 융기량이 많았던 대하천 중·상류의 산지 지역에서 주로 발달한다. 지도의 A 지점은 공격 사면, B는 습지, C는 과거 (가) 하천의 유로였지만 지반의 융기 이후에 현재의 하천보다 높은 위치에 남게 되어 더 이상 물이 흐르지 않는 구하도, D는 하안 단구에 해당한다. ④ 하안 단구는 습지보다 고도가 높은 곳에 위치하여 침수 가능성이 낮다.

8 ㉠은 하천 주변의 등고선 간격이 조밀하기 때문에 하천 중·상류에 위치하는 감입 곡류 하천임을 알 수 있다. ㉡은 하천의 유로 변동 과정에서 형성되며, 시간이 지나면 하천의 주 흐름은 ㉡이 될 가능성이 높다. A는 공격 사면, B는 하안 단구이다. ㄴ. 하상은 하천의 바닥을 의미한다. ㉡의 물길에 폭포가 위치한다는 점을 보아 ㉡ 유로가 ㉠ 유로보다 급하다는 것을 알 수 있다.

선택지 풀이 ㄱ. 조류에 의해 하천 수위가 주기적으로 변하는 현상은 조차가 큰 서해안 또는 남해안으로 흘러드는 하천의 하류에서 나타나는 현상이다. ㉠은 하천 중·상류에 발달하는 감입 곡류 하천이므로 해당하지 않는다. ㄷ. 공격 사면에서는 퇴적보다 침식이 우세하다.

4일 하천 지형~해안 지형

기초 유형 연습 32~33쪽

1 ⑤ 2 ⑤ 3 ④ 4 ⑤ 5 ③ 6 ④
7 ③ 8 ③

1 왼쪽 지도는 하천 상류에서 볼 수 있는 지형이고, 오른쪽 지도는 하천 하류에서 볼 수 있는 지형이다. ㄷ. C는 E 하천이 직선화됨에 따라 따로 떨어져 나간 호수이다. ㄹ. B는 감입 곡류 하천이 쌓아 놓은 퇴적물로 주로 모래의 비율이 높고, D는 점토질이 쌓여 형성된 배후 습지이므로, B가 D보다 퇴적물의 평균 입자 크기가 더 크다.

더 알아보기 하천 상류와 하류의 특징

구분	상류	하류
하천 수	많음	적음
유역 분지 면적	좁음	넓음
하천 경사	급함	완만함
평균 유량	적음	많음
퇴적물 크기	큼	작음
퇴적물의 원마도	낮음	높음

2 (가)는 상류, (나)는 하류 지역이다. A는 구하도, B는 하안 단구, D는 자연 제방, E는 배후 습지이다. ⑤ 자연 제방은 주로 조립질, 배후 습지는 주로 미립질로 이루어져 있어 자연 제방의 토양이 배후 습지의 토양보다 배수가 유리하다. 또한 지형도에서 자연 제방이 밭으로 이용되는 것을 통해 자연 제방의 배수가 양호하다는 것을 알 수 있다.

선택지 풀이 ① 하천의 하방 침식은 상류에서 활발하다. ③ 하안 단구는 지반 융기의 영향을 받아 형성되었기 때문에 하천 퇴적 지형인 C보다 고도가 높다. ④ C는 상류, 배후 습지는 하류에 위치하기 때문에 C가 배후 습지보다 퇴적물의 평균 입자 크기가 크다.

3 ㉠은 감입 곡류 하천, ㉡은 하안 단구, ㉢은 자유 곡류 하천, ㉣은 범람원, ㉤은 삼각주이다. ㄱ. 감입 곡류 하천은 과거 곡류 하천이 신생대 제3기 경동성 요곡 운동에 의해 융기함에 따라 하방 침식이 활발해지면서 하곡이 깊게 파이게 된 하천이다. ㄹ. 퇴적물의 입자 크기는 하류로 갈수록 작아진다. 따라서 하

천 중·상류 지역에서 발달하는 하안 단구의 퇴적물 입자 크기가 하천 중·하류 지역에서 발달하는 범람원의 퇴적물 입자 크기에 비해 크다.

선택지 풀이 ㄴ. 삼각주는 퇴적물의 공급량이 많은 대하천 하류에서 발달하는데, 조차가 큰 해안에서는 조류에 의해 퇴적물이 침식되기 때문에 삼각주 발달에 불리하다.

4 A는 범람원의 배후 습지, B는 부채 모양의 퇴적 지형인 선상지의 일부이다. B는 과수원으로 이용되고 있는 것을 통해 선앙임을 알 수 있다. ㄷ. 범람원의 배후 습지는 고도가 낮고 점토질 토양의 비율이 높아 배수가 불량하여 침수 가능성이 높다. ㄹ. 범람원의 배후 습지와 선상지 모두 하천에 의해 운반된 물질이 퇴적되어 형성된 충적 평야로 하천 퇴적 지형에 해당한다.

선택지 풀이 ㄱ. 지형도 상에서 A는 등고선이 지나지 않는 평지, B는 해발 고도 약 80~110m 부근에 위치하고 있다. 따라서 선상지보다 범람원의 배후 습지가 고도가 더 낮음을 알 수 있다. ㄴ. 선상지의 선앙은 주로 모래, 자갈 등으로 이루어져 있고, 범람원의 배후 습지는 점토질로 이루어져 있다. 따라서 선상지 선앙이 범람원의 배후 습지에 비해 배수가 양호하다.

5 (가)는 하천 상류, (나)는 하천 하류이다. A는 감입 곡류 하천 주변의 충적 평야, B는 하안 단구, C는 범람원의 배후 습지, D는 범람원의 자연 제방이다. ③ 하안 단구는 하천의 바닥 또는 퇴적 지형이 지반의 융기로 인해 해발 고도가 높아진 지형이다. 즉 과거 하천의 바닥이었던 지역이므로 현재 하안 단구에서는 둥근 자갈을 발견할 수 있다.

선택지 풀이 ① 하류 하천에는 여러 개의 상류 지류들이 모여들기 때문에 상류 하천에 비해 유량이 많다. ④ 하안 단구는 충적지에 비해 해발 고도가 높아 침수 가능성이 낮다. ⑤ 배후 습지의 토양은 점토질, 자연 제방의 토양은 조립질로 이루어져 있어 배후 습지의 배수가 더 불량하다.

6 (가)는 삼각주, (나)는 범람원, (다)는 선상지이다. ④ 하천 하류(하구)에 형성되는 삼각주는 하천 상류에 형성되는 선상지보다 퇴적물의 평균 입자 크기가 작다.

선택지 풀이 ③ 선상지는 상부부터 선정, 선앙, 선단으로 구성되어 있는데 중앙부인 선앙은 하천의 복류로 인해 지표수가 부족해서 밭과 과수원으로 이용된다. ⑤ 우리나라에는 오랜 침식으로 인해 고도가 낮은 산지가 많아 경사가 급변하는 부분이 적어서 선상지 발달이 미약하다. 삼각주는 하천과 바다가 만나는 대하천 하구에서 형성된다. 우리나라 황·남해로 유입되는 대하천은 토사 공급량은 많지만 조류에 의해 퇴적물들이 제거되기 때문에 삼각주의 발달이 미약하다.

7 (가) 서해안은 해안선과 산맥의 방향이 교차하여 해안선이 복잡하고 섬이 많다. (나) 동해안은 해안선과 산맥의 방향이 일치하여 상대적으로 해안선이 단조롭다. ③ 서해안은 동해안에 비해 조차가 크고 조류의 작용이 활발하다.

선택지 풀이 ① 석호는 동해안에 많이 발달해 있다. 대표적인 석호로 경포호, 청초호, 영랑호 등이 있다. ④ 신생대의 지반 융기는 주로 동쪽에 많은 영향을 주었다. ⑤ 동해안은 하천으로부터 모래가 많이 공급되어 모래 해안이 발달한 반면, 서해안은 미립질의 점토가 퇴적되어 갯벌이 곳곳에 분포한다. 따라서 해안 퇴적물의 평균 입자 크기는 서해안보다 동해안이 더 크다.

8 ㄷ. 바다가 육지 쪽으로 들어간 만에서는 파랑 에너지가 분산되어 퇴적 작용이 활발하다. 만에서는 파랑과 연안류에 의해 모래가 퇴적되면서 사빈, 사주 등이 형성되는 사빈 해안이 발달한다. ㄹ. 사빈 해안의 퇴적물은 주로 모래질이고, 갯벌의 퇴적물은 주로 점토질이다. 따라서 사빈 해안의 퇴적물이 갯벌의 퇴적물보다 더 크다.

선택지 풀이 ㄱ. 동해안에 비교적 단조로운 해안선이 나타나는 이유는 산맥과 해안선의 방향이 평행하기 때문이다. ㄴ. 암석 해안에서는 파랑 에너지가 집중되어 침식 작용이 활발하게 일어난다.

5일 해안 지형

기초 유형 연습 38~39쪽

1 ⑤	2 ⑤	3 ①	4 ①	5 ⑤	6 ⑤
7 ④	8 ①				

1 A는 사빈, B는 암석 해안, C는 갯벌, D는 석호, E는 사주이다. ㄴ. 석호는 육지의 하천으로부터 담수가 유입되기 때문에 바다보다 염도가 낮다. ㄷ. 사주에는 바다 쪽에는 백사장, 석호 쪽에는 방풍림이 조성되어 있다. ㄹ. 사빈은 주로 모래질로 이루어져 있고, 갯벌은 주로 점토질로 이루어져 있다. 따라서 사빈 퇴적물의 평균 입자 크기가 갯벌 퇴적물의 평균 입자 크기보다 크다.

선택지 풀이 ㄱ. 곶에는 파랑 에너지가 집중된다.

2 A는 지반 융기로 형성된 해안 단구의 단구면, B는 시 스택, C는 갯벌, D는 사빈, E는 해안 사구이다. ⑤ 사구는 사빈의 모래 중 상대적으로 가벼운 입자가 바람에 날려 형성된 지형이다. 따라서 사구 퇴적물의 입자 크기가 사빈 퇴적물의 입자 크기보다 작다.

선택지 풀이 ① 해안 단구면은 과거의 파식대나 해안 퇴적 지형이 지반의 융기나 해수면 변동에 의해 해수면보다 높은 곳에 위치하게 된 지형을 말한다. ② 시 스택은 해식애가 후퇴하면서 육지에서 분리된 지형으로 원래 육지의 일부였다.

3 ㉠은 해안 사구, ㉡은 사빈, ㉢은 해안 단구, ㉣은 파식대, ㉤은 해식애이다. ① 해안 사구는 지하에 담수를 저장하고 있다.

선택지 풀이 ③ 해안 단구와 해식애는 주로 파랑 에너지가 집중되는 곳에 발달한다. ④ 해식애가 후퇴할수록 파식대의 면적은 점점 넓어진다. ⑤ 모래 포집기는 해안 사구와 사빈의 침식을 막기 위해 설치된다.

4 A는 갯벌, B는 암석 해안, C는 석호, D는 석호를 형성한 사주에 형성된 사빈이다. 사주는 파랑과 연안류의 퇴적 작용으로 형성되며, 사빈과 해안 사구로 구성된다. ㄱ. 갯벌은 다양한 해양 생물이 서식하는 곳으로, 생태적 가치가 높다. ㄴ. 암석 해안이 발달하는 지역은 파랑 에너지가 집중하는 곳이다.

선택지 풀이 ㄷ. 석호는 인근 하천에서 유입하는 퇴적물로 인해 면적이 줄어들고 있으며, 석호의 물은 염분을 포함하고 있어 농업용수로 이용하기에 적합하지 않다. ㄹ. 조류의 퇴적 작용으로 형성된 지형은 갯벌이다. 동해안은 조차가 작아 조류의 작용이 미미하여 갯벌이 발달하기 불리하다.

5 자료에 갯벌이 분포하는 것을 통해 지도가 황해와 서해안을 나타내고 있음을 알 수 있다. A는 사빈, B는 과거에 섬이었지만 육계사주에 의해 육지와 연결된 섬인 육계도, C와 D는 과거 육지였으나 후빙기 해수면 상승으로 인해 일부가 침수된 섬, E는 갯벌이다.

선택지 풀이 ② 육계도는 과거에 섬이었을 것으로 추정된다. 섬과 육지 사이에 파랑과 연안류에 의해 모래가 쌓이면서 섬이 육지와 연결되었다. 이때 섬을 육계도, 섬을 이은 긴 모랫둑을 육계사주라고 한다. ③ 최후 빙기에는 해수면이 약 100m 가량 하강하여 대부분이 육지로 드러나 있었으며, 황해는 육지였다. 후빙기 이후 해수면이 다시 상승하면서 고도가 상승한 해수면에 비해 낮은 일부 육지들은 아예 침수되거나 일부가 침수되어 섬으로 남게 되었다. 따라서 C가 최후 빙기에 육지의 일부분이었음을 알 수 있다. ④ D 섬의 서쪽에는 암석 해안 표시가 있다. 암석 해안은 파랑 에너지가 집중되어 침식이 활발하게 일어나 형성되는 지형이다. 따라서 D 섬의 동쪽보다 서쪽에서 파랑의 침식 작용이 활발했음을 알 수 있다.

6 A는 해식애, B는 파식대, C는 시 스택, D는 사주, E는 석호이다. ㄱ. 해식애는 파랑의 침식 작용을 받아 점차 육지 쪽으로 후퇴한다. 해식애가 후퇴함에 따라 그 앞의 파식대의 면적은 점차 확대된다. ㄹ. 석호는 사주가 성장하여 만의 입구를 막은 후 바다와 분리되면서 형성된 지형이다.

선택지 풀이 ㄴ. 파식대는 파랑의 침식 작용으로 형성된 지형이다. 연안류의 퇴적 작용으로 형성되는 지형에는 사빈, 사주 등이 있다.

7 A는 해안에서 멀리 떨어진 곳에 점이 찍혀 있는 것으로 보아 해안 사구, B는 바다에 점이 찍혀 있는 것으로 보아 갯벌, C는 해안에 점이 찍혀 있는 것으로 보아 사빈임을 알 수 있다. D는 암석 해안이다. ④ 암석 해안은 파랑에 의한 침식 작용으로 형성되었다.

선택지 풀이 ① 해안 사구는 주로 사빈의 모래가 바람에 의해 운반 및 퇴적되어 형성된다. ② 갯벌에는 다양한 미생물과 동식물들이 서식하여 오염 물질을 정화하는 기능이 있다. ⑤ 갯벌은 점토질로 이루어지고, 사빈은 모래질로 이루어진다. 따라서 갯벌 퇴적물의 평균 입자는 사빈 퇴적물의 평균 입자보다 작다.

8 A는 암석 해안, B는 갯벌, C는 사빈, 사빈의 배후에 위치한 D는 해안 사구이다. ㄱ. 암석 해안은 주로 파랑의 침식 작용으로 형성되며, 파랑의 영향을 직접 받는 외해 또는 곶에 위치한다. ㄴ. 갯벌은 하루에 두 번씩 밀물 때 바닷물에 잠기는 곳이다. 갯벌은 조류의 퇴적 작용으로 형성되는데, 조류는 밀물과 썰물을 의미한다.

선택지 풀이 ㄹ. 해안 사구는 사빈의 퇴적 물질 중 상대적으로 가벼운 물질이 바람에 날려 그 배후에 쌓인 지형이다. 따라서 해안 사구는 사빈보다 퇴적물의 평균 입자 크기가 작다.

1주 누구나 100점 테스트 40~41쪽

1 ②	2 ④	3 ②	4 ②	5 ⑤	6 ③
7 ②	8 ③				

1 (가)는 울릉도, (나)는 독도이다. 두 섬은 모두 우리나라 고유의 영토로 동해상에 위치하며, 독도는 우리나라의 동쪽 끝을 확정한다. ② 동도와 서도 2개의 큰 섬과 89개의 부속 도서로 이루어져 있는 곳은 독도(나)이다.

선택지 풀이 ④ 독도에서 가장 가까운 유인도는 울릉도로, 맑은 날에는 울릉도에서 육안으로 독도를 볼 수 있어 예부터 독도가 울릉도 주민들의 일상생활 범위에 포함되었다.

2 (가)는 변성암 복합체, (나)는 조선 누층군, (다)는 평안 누층군, (라)는 경상 누층군, (마)는 경동성 요곡 운동이다. ④ 경상 누층군은 거대한 호수에 퇴적 물질이 쌓여 형성된 육성층으로, 심한 지각 변동을 겪지 않아 공룡 발자국 화석이 발견된다.

선택지 풀이 ① 북한산, 설악산은 돌산으로 돌산의 주요 기반암은 화강암이다. ② 조선 누층군에는 석회석이 다량으로 매장되어 있으며, 평안 누층군에는 무연탄이 다량으로 매장되어 있다. ③ 평안 누층군은 고생대 말기~중생대 초기에 해안 습지에 식물 등이 퇴적되어 형성되었다. 조선 누층군은 고생대 초기에 해침을 받아 형성되었다. ⑤ 중국 방향의 지질 구조선은 중생대 중기에 발생한 대보 조산 운동의 영향으로 형성되었다.

3 A는 두만 지괴와 길주·명천 지괴, B는 평북·개마 지괴, C는 평남 분지, D는 경기 지괴, E는 옥천 습곡대, F는 영남 지괴, G는 경상 분지이다. (가)는 신생대에 해침을 받아 형성된 두만 지괴와 길주·명천 지괴, (나)는 중생대에 경상도를 중심으로 형성된 경상 분지에 대한 설명이다.

4 (가)는 감입 곡류 하천, (나)는 자유 곡류 하천이다. ② 자유 곡류 하천은 측방 침식이 활발하여 유로가 자주 변경된다.

선택지 풀이 ① 감입 곡류 하천은 하천 중·상류에서 발달한다. ③ 감입 곡류 하천은 하천 중·상류에서, 자유 곡류 하천은 하천 중·하류에서 발달한다. 따라서 하천의 경사는 감입 곡류 하천이 더 급하다. ④ 하천 주변 퇴적물의 입자는 상류에서 하류로 갈수록 작아진다. 따라서 감입 곡류 하천보다 자유 곡류 하천 주변 퇴적물의 평균 입자 크기가 더 크다. ⑤ 감입 곡류 하천이 자유 곡류 하천에 비해 지반 융기의 영향을 더 크게 받았다.

5 춘천 지역의 경우 시·원생대에 형성된 편마암이 기반암을 이루는 곳에 중생대에 화강암이 관입하였다. 이때 화강암이 주변부의 편마암보다 풍화와 침식에 대한 저항력이 약해 빠르게 침식을 받아 춘천 분지가 형성되었다. 침식 분지의 주변 산지를 이루는 (가) 암석은 변성암, 침식 분지의 바닥을 이루는 (나) 암석은 화강암이다. ⑤ 화강암은 변성암보다 풍화와 침식에 대한 저항력이 약하여 분지 바닥으로 남게 된 것이다.

더 알아보기+ 침식 분지

의미	높은 산지로 둘러싸인 비교적 경사가 완만한 평지 지형
형성	차별적인 풍화·침식이나 하천의 침식으로 형성
특징	주거 및 농경 중심지로 발달 → 춘천, 양구, 충주 등

6 (가)는 해식애, (나)는 파식대, (다)는 시 스택으로 모두 파랑의 힘이 집중되는 곳에 발달하는 해안 침식 지형이다. 따라서 세 지형의 공통점은 ③ 주로 파랑의 힘이 집중되는 곳에 발달한다는 것이다.

7 (가)는 후빙기, (나)는 빙기이다. ② 기후 환경이 온난 습윤한 후빙기에는 화학적 풍화 작용이, 한랭 건조한 빙기에는 물리적 풍화 작용이 활발하다.

선택지 풀이 ③ 빙기에는 기후가 한랭하여 하천 상류에서는 주변 산지의 식생이 빈약하였으며 운반 물질의 양에 비해 하천 유량이 감소하였기 때문에 퇴적 작용이 더 활발했다. 후빙기에는 상대적으로 기후가 온난해져 하천 상류에서는 식생이 번성하였으며 운반 물질의 양에 비해 하천의 유량이 증가하여 침식 작용이 활발하였다. ④ 빙기 때 하천 하류에서는 해수면 하강으로 침식 기준면이 낮아졌기 때문에 침식 작용이 더 활발하였다. 후빙기 때 하천 하류에서는 해수면의 상승으로 퇴적 작용이 더 활발하였다. ⑤ 빙기 때는 해수면 하강으로 하안 단구가 발달하였고, 후빙기에는 해수면 상승으로 충적 평야 및 석호가 발달하였다.

8 (가)는 육지가 바다 쪽으로 돌출한 곳이고, (나)는 바다가 육지 쪽으로 들어간 만이다. 시간이 지나면 곶은 점차 깎여서 육지 쪽으로 후퇴하게 되고, 만에는 퇴적물이 계속 쌓이게 되므로 해안선은 점차 단조롭게 변화한다.

2주 Ⅱ.지형 환경과 인간 생활~ Ⅳ.거주 공간의 변화와 지역 개발

1일 화산 지형 ~ 카르스트 지형

기초 유형 연습 56~57쪽

1 ① 2 ⑤ 3 ② 4 ⑤ 5 ① 6 ④
7 ④ 8 ④

1 (가)는 철원 일대, (나)는 백두산 일대, (다)는 제주도, (라)는 울릉도이다. (가) 철원 일대에는 용암 대지가 있고, (나) 백두산 정상부에는 칼데라호인 천지가 있다.

선택지 풀이 (다) 중앙 화구구인 '알봉'은 울릉도에서 나타나는 지형이다. (라) 울릉도는 점성이 큰 용암이 분출한 종상 화산체이다.

2 지도의 A는 용암 대지 주변의 배후 산지 지역, B는 용암 대지, C는 제주도의 기생 화산, D는 제주도의 산록부이다. ⑤ 용암 대지 주변 배후 산지의 기반암은 시·원생대에 형성된 변성암 혹은 중생대에 관입한 화강암이다. 따라서 A의 기반암은 B의 기반암보다 형성 시기가 이르다.

선택지 풀이 ① A는 용암 대지의 주변 산지일 뿐 화산 지형이 아니다. ①번은 화산 지형과 관련된 설명이다. ② 종유석과 석순이 발달한 동굴은 석회 동굴이다. B의 용암 대지는 기반암이 현무암이므로 석회 동굴이 형성되지 않는다. ③ 화구의 함몰로 형성된 칼데라는 백두산 천지와 울릉도 나리분지에 해당된다. ④ 석회암이 풍화된 붉은색의 토양은 석회암 풍화토로 카르스트 지형에 분포한다.

3 지도에 표시된 A는 석회암의 용식 작용으로 형성된 석회동굴이고, B는 화산 활동에 의해 용암이 흐르는 과정에서 형성된 용암동굴이다. 석회동굴에는 종유석, 석순 등이 발달해 있다.

선택지 풀이 ㄴ. 지하수의 용식 작용을 받아 형성된 동굴은 석회동굴이다. ㄹ. 석회동굴과 용암동굴이 분포하는 지역 모두 밭농사가 활발하게 이루어진다.

4 A는 돌리네, C는 기생 화산이다. ⑤ 기반암이 석회암인 지역(B)과 기반암이 현무암인 지역(D)은 배수가 양호하여 농경지가 주로 밭으로 이용된다.

선택지 풀이 ① 현무암질 용암이 흘러서 형성된 곳은 D이다. ② 석회암이 풍화된 붉은 색의 토양은 B에서 나타난다. D에는 현무암이 풍화된 흑갈색의 토양이 분포한다. ③ A의 기반암은 고생대에 형성된 석회암, C의 기반암은 신생대에 형성된 현무암이다. ④ 기반암이 용식되어 형성된 동굴은 석회동굴로 B 주변에 분포한다.

5 (가)는 기생 화산, (나)는 돌리네이다. 따라서 (가)는 제주도, (나)는 카르스트 지형으로 두 지역 모두 절리가 발달하기 때문

에 하천은 주로 건천이다.

선택지 풀이 ② 기반암이 용식되어 형성된 동굴은 석회동굴로 카르스트 지형에 발달한다. ③ 분화구에 물이 고여 형성된 호수는 화구호로 화산 지형에 발달하는 지형이다. ④ 화산 지형에는 기반암이 풍화되어 주로 검은색 토양이 나타나며, 카르스트 지형에는 기반암이 풍화되어 주로 붉은색 토양이 나타난다. ⑤ 화산 활동은 해발 고도를 높이지만, 카르스트 지형은 용식 작용으로 인해 해발 고도가 낮아진다.

더 알아보기+ 제주도와 카르스트 지형 분포 지역의 공통점

- 물이 지하로 잘 스며들어 배수 양호 → 밭농사 발달
- 기반암의 영향을 받아 형성된 간대토양 분포
- 용암동굴, 석회동굴 등 자연 동굴 분포
- 지형도에 저하 등고선으로 표현되는 와지 분포
  (제주도의 저하 등고선은 기생 화산의 분화구, 카르스트 지형의 저하 등고선은 돌리네임.)

6 ④ 열하 분출은 용암이 폭발하여 분출하지 않고, 지각의 벌어진 틈으로 분출하는 형태를 의미한다. 우리나라 화산 지형 중 열하 분출로 형성된 화산 지형은 철원·평강 일대의 용암 대지이다.

선택지 풀이 ① 제주도의 기반암은 현무암으로 현무암에는 절리가 잘 발달하여 절리 틈 사이로 지표수가 스며들어 하천 위로 물이 흐르지 않는 건천이 나타난다. ③ 기생 화산은 대체로 제주도의 화산 활동 말기에 소규모 용암 분출이나 화산 쇄설물의 퇴적에 의해 형성된 작은 화산체이다. ⑤ 용암 동굴은 점성이 작은 용암이 흘러내릴 때 표층부가 하층부보다 빨리 냉각되어 형성된다. 따라서 기반암이 주로 점성이 작은 현무암질 용암이 굳어서 형성된 제주도가 점성이 큰 조면암질 용암이 굳어 형성된 울릉도보다 용암 동굴이 잘 발달해 있다.

7 지형도의 A 주변에 저하 등고선이 표시된 것으로 보아 해당 지역에는 주변 지역보다 고도가 낮은 와지가 분포하고 있음을 알 수 있다. 즉 석회암이 용식 작용을 받아 형성된 돌리네가 나타나는 카르스트 지형이다.

선택지 풀이 ㄱ. 카르스트 지형은 석회암이 지하수의 용식 작용을 받아 형성된 지역이다. 따라서 주로 암석의 화학적 풍화 작용으로 형성된 지형이다. ㄷ. 감조 하천은 밀물과 썰물의 영향으로 하천 수위가 주기적으로 오르내리는 하천으로, 황·남해로 흐르는 하천의 하구에서 잘 나타난다. 카르스트 지형은 절리가 발달하여 하천이 건천을 이루는 경우가 많고, 해당 지역은 해발 고도가 1,000m에 달하는 하천 중·상류 지역에 해당하여 바닷물의 영향을 받지 않는다.

8 (가)는 침식 분지를 포함한 북한강 상류 지역, (나)는 울릉도 성인봉과 칼데라 분지인 나리 분지를 포함한 지역이다. A는 침식 분지를 포함한 북한강 상류 지역, B는 침식 분지 내부 평지의 화강암, C는 중앙 화구구인 알봉, D는 칼데라 분지인 나리 분지이다. ④ A의 기반암은 시·원생대에 형성된 변성암, B의 기반암은 중생대에 관입한 화강암, D의 기반암은 신생대 화산 활동에 의해 형성된 화산암이다.

선택지 풀이 ① 붉은색의 석회암 풍화토는 카르스트 지형이 발달한 곳에서 나타난다. ② 화구의 함몰로 칼데라 분지인 나리 분지가 형성된 후 그 내부에서 소규모로 화산이 폭발하여 중앙 화구구인 알봉이 형성되었다. ③ 현무암질 용암이 골짜기를 메워 형성된 지형은 용암 대지이다. ⑤ 칼데라 분지는 화구의 함몰로 인해 형성되었다.

2일 우리나라 기후 특성 ❶

기초 유형 연습 62~63쪽

1 ⑤	2 ④	3 ①	4 ④	5 ③	6 ④
7 ②	8 ⑤				

1 지도에 표시된 A는 인천, B는 강릉, C는 서귀포이다. 세 지역 중 가장 남쪽에 위치한 서귀포는 기온의 연교차가 가장 작고, 동해안에 위치한 강릉은 서해안에 위치한 인천보다 기온의 연교차가 작다. 따라서 그래프의 (가)는 서귀포, (나)는 강릉, (다)는 인천에 해당한다.

2 지도에 표시된 A는 중강진, B는 춘천, C는 서귀포에 해당한다. ㄴ. 연 강수량은 내륙에 위치한 춘천이 바다의 영향을 받는 제주도에 비해 작다. ㄹ. 최한월 평균 기온은 세 지역 중 가장 저위도에 위치하며, 바다의 영향을 받는 제주도가 가장 높다.

선택지 풀이 ㄱ. 우리나라의 최난월 평균 기온은 전국적으로 큰 차이가 나지 않기 때문에 우리나라는 겨울 기온이 낮은 지역일수록 연교차가 크다. 따라서 세 지역 중 가장 고위도에 위치하고, 내륙에 위치하여 최한월 평균 기온이 가장 낮은 중강진이 춘천보다 연교차가 크다. ㄷ. 저위도에서 고위도로 갈수록 기온이 낮아지기 때문에 서귀포가 중강진보다 최난월 평균 기온이 높다.

3 지도의 A는 군산, B는 구미, C는 포항이다. 세 지역 중에서 연 강수량은 겨울철 황해를 지나오는 북서풍으로 인해 군산이 가장 많고, 기온의 연교차는 내륙에 위치한 구미가 가장 크며, 연 평균 기온은 수심이 깊은 동해안 부근에 위치한 포항이 가장 높다.

4 제시된 자료에서 기후 값의 차이는 울릉도보다 값이 크면 음(−)의 값을 갖는다. A는 대관령, B는 안동, C는 포항, D는 서귀포이다. 대관령은 지형성 강수로 인해 연 강수량이 많고, 해발 고도가 높아 울릉도보다 최한월 평균 기온이 낮다. 안동은 내륙에 위치하여 울릉도보다 연 강수량이 적다. 포항은 울릉도보다 위도가 낮아 최한월 평균 기온이 높다. 서귀포는 다우지이며, 저위도에 위치하여 울릉도보다 최한월 평균 기온이 높다.

5 지도에서 A는 대관령, B는 강릉, C는 울릉도, D는 대구, E는 제주이다. A~E 중에서 대관령은 연 강수량이 뚜렷하게 많은

곳, 강릉은 여름 강수 집중률이 낮고 겨울철 눈이 많이 내리는 곳, 울릉도는 여름철 강수 집중률이 낮은 곳이고, 대구는 연 강수량이 가장 적은 곳, 제주는 남쪽에 위치하여 기온의 연교차가 가장 작고, 연평균 기온은 가장 높은 곳이다.

그래프의 (가)는 여름 강수 집중률이 가장 낮으므로 울릉도(C)이다. (나)는 울릉도 다음으로 여름 강수 집중률이 낮고, 기온의 연교차가 비교적 큰 것으로 보아 강릉(B)이다. (다)는 연평균 기온이 가장 높고, 기온의 연교차가 가장 작으므로 제주(E)이다. (라)는 연 강수량이 가장 적으므로 대구(D)이다. (마)는 연평균 기온이 가장 낮으므로 대관령(A)이다.

6 지도의 A는 서울, B는 대전, C는 대구, D는 목포이다. 서울, 대전, 대구, 목포 중에서 서울은 고위도 내륙에 위치하기 때문에 기온의 연교차가 가장 크다. 따라서 (다)는 서울이다. 대구는 연 강수량이 가장 적기 때문에 (가)는 대구이다. 대전과 목포 중에서 목포가 저위도 해안에 위치하기 때문에 기온의 연교차가 더 작으므로 (나)는 목포이다. (다)는 대전이다. 목포는 지형적 장애가 없어 호남 지방에서는 연 강수량이 적은 편에 속한다.

7 자료의 '이 바람'은 높새바람이다. 높새바람은 오호츠크해 기단이 세력을 확장하는 늦봄부터 초여름 사이에 영서 지방과 경기 지방으로 불어오는 고온 건조한 북동풍이다. ② 태백산맥을 넘으면서 푄 현상으로 인해 고온 건조해진 높새바람은 영서 지방과 경기 지방에 가뭄 피해를 발생시킨다.

선택지 풀이 ①은 여름철 북태평양 기단의 영향으로 부는 여름 계절풍, ③은 해륙풍, ④는 겨울철 시베리아 기단의 영향으로 부는 겨울 계절풍에 대한 설명이다. ⑤ 높새바람은 영서와 경기 지방에 이상 고온 현상이나 가뭄 피해를, 영동 지방에는 냉해 피해를 유발한다.

8 (가)는 서해안이 남해안보다 대체적으로 강수량이 많으므로 겨울의 강수 분포, (나)는 남해안 지역의 강수량이 많으므로 여름의 강수 분포를 나타낸 것이다. ⑤ 겨울은 대륙성 기단인 시베리아 기단, 여름은 해양성 기단인 북태평양 기단의 영향을 주로 받는다.

선택지 풀이 ① 소나기는 지면이 가열되면 대류 현상에 의해 강한 상승 기류가 형성되어 나타나는 대류성 강수로 여름철에 자주 내린다. ③ 우리나라는 장마 전선과 태풍의 영향을 받는 여름철의 평균 강수량이 겨울철의 평균 강수량보다 많다. ④ 태풍은 주로 7~9월에 발생한다.

더 알아보기 우리나라 기후에 영향을 주는 기단

구분	시기	성질	영향
시베리아 기단	겨울	한랭 건조	한파, 삼한 사온, 꽃샘추위
오호츠크해 기단	늦봄 ~ 초여름	냉량 습윤	높새바람, 냉해, 장마 전선
북태평양 기단	여름	고온 다습	무더위, 열대야, 장마 전선
적도 기단	여름	고온 다습	태풍

3일 우리나라 기후 특성 ❷

기초 유형 연습 68~69쪽

1 ⑤ 2 ⑤ 3 ① 4 ④ 5 ⑤ 6 ③
7 ② 8 ④

1 자료에 제시된 축제들은 봄철과 관련된 축제이다. 봄철엔 이동성 고기압과 저기압이 교차하면서 심한 날씨 변화가 나타난다.

선택지 풀이 ①은 늦가을에 대한 설명이다. ②는 여름철에 대한 설명이다. ③ 삼한 사온 현상은 시베리아 기단의 주기적인 발달과 쇠퇴로 기온의 하강과 상승이 반복적으로 나타나는 겨울에 일어나는 현상이다. ④ 열대야 현상은 야간의 최저 기온이 25℃ 이상으로 나타나는 현상으로 여름철에 발생한다.

2 ㄷ. 높새바람은 영서와 경기 지방에 이상 고온 현상이나 가뭄 피해를, 영동 지방에는 냉해 피해를 유발한다. ㄹ. 태풍은 필리핀 동부 해상에서 발생하여 느리게 북서쪽으로 올라오다가 북위 30° 부근에서 편서풍의 영향으로 북동쪽으로 진로를 바꾸어 빠른 속도로 이동하여 우리나라에 영향을 준다.

선택지 풀이 ㄴ. 태풍은 저기압성 강수를 동반하며, 대류성 강수의 대표적인 예는 한여름에 발생하는 소나기이다.

3 (가)는 폭염, (나)는 태풍, (다)는 지진, (라)는 한파이다. ① 폭염은 주로 여름철에 발생한다.

선택지 풀이 ② 태풍은 적도 부근에서 발생하고, 바다의 수증기를 에너지원으로 하여 북상하다가 대륙을 지나게 되면 에너지원을 잃어 세력이 약화된다. 따라서 태풍의 피해 건수는 남부 지방이 더 많다. ③ 지진은 기후적 요인이 아닌 지형적 요인에 의한 자연재해이다. ④ 열대 해상에서 발생해 우리나라로 이동하는 것은 태풍이다.

4 (가)는 남부 지방인 호남권과 영남권에서 피해액이 높은 것을 통해 태풍임을 알 수 있다. (나)는 중부 지방인 강원권과 수도권에서 피해액이 높은 것을 통해 호우임을 알 수 있다. (다)는 충청권, 호남권, 강원권에서 피해액이 높은 것을 통해 대설임을 알 수 있다. 충청권과 호남권은 겨울철 북서풍의 영향을 직접적으로 받는 해안 지역에 위치하고, 강원권은 북동 기류의 바람받이 지역에 해당하여 겨울철 눈이 많이 내린다. ㄷ. 대설은 겨울철 찬 공기가 바다를 지나면서 수증기를 공급받아 형성된 눈구름에 의해 발생한다.

선택지 풀이 ㄹ. 우리나라는 강수가 여름철에 집중되어 있기 때문에 우리나라 연 강수량에서 차지하는 비중은 호우가 대설보다 높다.

5 신문 기사의 (가)는 황사 현상이다. 황사가 발생하면 미세한 모래 먼지의 증가로 인해 호흡기 질환과 안과 질환 발생이 증가하며, 정밀 기계 고장의 원인이 되기도 한다.

6 (가)는 대설, (나)는 황사, (다)는 지진에 대한 설명이다. ③ 주로 열대 해상에서 발생하여 우리나라로 이동해 오는 것은 태풍이다.

선택지 풀이 ① 대설에 대비한 전통 가옥 시설에는 우데기가 있다. 우데기는 눈이나 비바람 등을 막기 위해 투막집 주위에 기둥을 세우고 억새나 수숫대 등을 엮어 네모지게 둘러친 외벽으로, 전국에서 유일하게 울릉도에서만 볼 수 있다. 이는 겨울에 눈이 많이 내리는 울릉도의 독특한 기후 조건 때문이다. 대설로 눈이 쌓이면 밖으로 나가지 못하고 고립되기 쉬운데, 우데기 안쪽에 공간을 확보하여 이동과 활동이 이루어질 수 있도록 하였다. ② 황사의 발생은 편서풍과 관계가 깊다. ④ (가)는 기상에 의해 발생하는 자연재해인 기상 재해, (나)는 지형 변화로 발생하는 지형 재해이다.

7 우리나라는 여름보다 겨울에 기온의 지역 차이가 크다. 부산, 인천, 제주 중에서 겨울 기온이 가장 높은 (다)는 제주, 겨울 기온이 가장 낮은 (나)는 인천, (가)는 부산이다. ㄷ. 겨울 기온은 인천>부산>제주 순으로 크게 상승하였다. 위도는 인천>부산>제주 순으로 높고, 위도가 높을수록 겨울 기온 상승 폭이 크다.

선택지 풀이 ㄴ. 고위도에 위치하여 겨울에 추운 인천은 저위도에 위치하고 바다의 영향을 받아 겨울에 따뜻한 제주보다 무상 일수가 적다. ㄹ. 인천은 겨울 기온, 제주는 봄 기온이 가장 크게 상승하였다.

8 그래프에서 A는 여름에 특보 발령 횟수가 가장 많은 호우, B는 겨울에 집중되는 대설, C는 여름~초가을에 주로 집중되는 태풍이다. (가)는 (나)보다 호우 특보 발령 횟수의 시기별 차이가 작으며, 태풍 특보 발령 횟수가 더 많은 것을 통해 제주도임을 알 수 있다. (나)는 여름철 호우 특보 발령 횟수의 집중도가 높으며, 대설 특보 발령 횟수가 (가)보다 많은 것으로 보아 강원도임을 알 수 있다. ㄷ. 태풍은 적도 해상에서 발생하여 중위도 지역으로 북상해 올라온다. 따라서 제주도는 태풍의 영향을 가장 먼저 받는다.

선택지 풀이 ㄴ. 우리나라 연평균 피해액 규모는 태풍>호우>대설 순이다.

4일 촌락의 변화와 도시 발달

기초 유형 연습 74~75쪽

1 ③ 2 ⑤ 3 ④ 4 ⑤ 5 ② 6 ③
7 ① 8 ③

1 제주도는 기반암에 절리가 발달하였기 때문에 강수량은 많지만 쉽게 지하로 스며들어 지표수가 부족하다. 그래서 내륙 지역은 촌락이 발달하기 어려웠고, 해안의 용천대에서는 물을 구할 수 있어 해안 지역에서 취락이 발달하였다.

2 ㉠은 산촌, ㉡은 집촌이다. ⑤ 산촌은 집촌보다 가옥과 경지 간 평균 거리가 가까워 경지를 효율적으로 관리할 수 있다.

선택지 풀이 ② 산촌은 제주도의 과수원 지대에서 나타난다. ③ 집촌은 산촌보다 가옥의 밀집도가 높다. ④ 집촌은 주민들의 협동 노동에 유리하다.

3 촌락은 가옥의 밀집도에 따라 집촌, 산촌으로 구분되며, 기능에 따라 농촌, 어촌, 산지촌으로 구분된다. ④ 집촌은 가옥과 가옥의 결합도는 높지만, 경지와의 거리가 멀어 가옥과 경지와의 결합도는 산촌보다 낮다.

선택지 풀이 ① 우리나라 전통 촌락은 오랜 시간에 걸쳐 자연 발생적으로 형성되었기 때문에 촌락의 형태가 불규칙적인 경우가 많다. ③ 벼농사는 모내기, 수확 등 공동 작업의 필요성이 큰 반면 밭농사, 과수원은 개별적으로 경지를 관리하는 경우가 많다.

더 알아보기+ 집촌과 산촌 비교

구분	집촌	산촌
의미	특정 장소에 가옥이 밀집하여 분포하는 형태	가옥이 흩어져 분포하여 가옥의 밀집도가 낮은 촌락
특징	• 가옥과 경지가 멀어 경지 관리가 비효율적임. • 가옥 간의 거리가 가깝고, 협동 노동에 유리함. • 공동체 의식이 강함.	• 경지 가까이에 가옥이 위치하여 경지 관리가 효율적임. • 가옥 간의 거리가 멀고, 공동체 의식이 약함.
분포 지역	벼농사 지역, 동족촌 등	밭농사 지역이나 과수원 분포 지역, 산간 지역 등

4 지도에 표시된 지역은 위부터 의성, 구미, 대구이다. 세 지역 중 인구가 가장 많고, 보유 기능이 다양한 고차 중심지는 대구이고, 인구가 가장 적고, 보유 기능이 적은 저차 중심지는 의성이다. 이를 통해 A~C에 해당하는 지역을 유추할 수 있다. 의료 기관 수가 가장 많은 C가 고차 중심지인 대구, 의료 기관 수가 가장 적은 A가 의성, B가 구미이다. 가장 수가 적은 (가)가 고차 기능인 종합 병원, 가장 수가 많은 (나)가 저차 기능인 의원이다. ⑤ 종합 병원은 의원보다 고차 중심지이므로 최소 요구치가 크다.

선택지 풀이 ③ 대구는 의성보다 고차 중심지이므로 중심지 기능의 수가 많다. ④ 의원은 병원보다 저차 중심지이기 때문에 그 수가 더 많고, 따라서 의료 기관 당 서비스를 제공하는 공간 범위가 좁다.

5 시기별 6대 도시의 인구 규모를 보면 전국 인구에서 차지하는 비중이 1970년 약 30%에서 2015년 약 42%로 증가하였다. 또한 두 시기 모두 인구 1위 도시인 서울이 2위 도시인 부산보다 두 배 이상 인구가 많은 종주 도시화 현상이 나타나고 있다.

선택지 풀이 ㄴ. 6대 도시 중 인천의 인구 증가율이 가장 높다. ㄹ. 시기별 전국 총인구가 크게 증가했고 대구와 광주의 전국 대비 인구 비중도 증가했기 때문에 두 도시의 인구는 증가했다.

6 지도에 표시된 세 지역은 위부터 천안, 청양, 대전이다. 이중 가장 인구가 많은 (나)가 최고차 중심지에 해당하는 대전이며, 인구가 가장 적은 (다)가 저차 중심지인 청양, 인구가 (나)와 (다)의 중간인 (가)가 천안이다. 교육기관은 수가 가장 많은 A

가 초등학교, 가장 적은 C가 고등학교, A와 C의 중간인 B가 중학교이다. ㄴ. 인구 규모가 클수록 중심지 기능은 다양하다. ㄷ. 동일한 범위 내에 초등학교가 중학교보다 그 수가 많다. 따라서 초등학교가 중학교보다 학교 간 평균 거리가 가까울 것이다.

선택지 풀이 ㄱ. 천안과 대전의 면적 차이는 크지 않지만 대전의 인구가 천안보다 약 2.5배 많다. 따라서 천안은 대전보다 인구 밀도가 낮을 것이다. ㄹ. 초등학교는 고등학교에 비해 동일한 범위에 그 수가 많다. 따라서 학생들의 평균 통학 거리는 더 가까울 것이다.

7 100만 명 이상의 도시가 없는 (나)는 충남(B)이다. 경기는 경남보다 50~100만 명의 도시 수와 도시 인구 비중이 높으므로 (가)는 경기(A), (다)는 경남(C)이다.

8 서울과의 배차 간격이 짧고 운행 차종이 다양한 지역일수록 서울과의 상호 작용이 활발한 도시이다. 표에서 목적지인 서울까지의 배차 간격이 짧은 순으로 나열하면 A>C>B>D>E 순이므로 A가 가장 상위 중심지, E가 가장 하위 중심지이다. ㄴ. 상대적으로 C가 D보다 상위 계층 중심지이므로 중심지 기능이 다양할 것이다. ㄷ. 상대적으로 하위 중심지인 D는 상위 중심지인 B보다 도시 규모가 작을 것이다.

5일 도시 구조와 대도시권

기초 유형 연습 80~81쪽

1 ③	2 ④	3 ④	4 ②	5 ⑤	6 ④
7 ②	8 ⑤				

1 (가)는 서울과 인접한 하남시, (나)는 상대적으로 서울과 먼 이천시이다. 서울과 인접한 하남시는 서울에서 먼 이천시보다 상업지 평균 지가와 아파트 거주 비율이 높고 농업 종사자 비율과 경지 면적 비율이 낮다.

2 (가)는 통근·통학 유입 인구보다 통근·통학 유출 인구가 많으므로 주거 기능이 발달한 지역, (나)와 (다)는 통근·통학 유출 인구보다 통근·통학 유입 인구가 매우 많은 지역이므로 상업 및 업무 기능이 발달한 지역이다. 두 지역 중에서는 (나)가 (다)보다 통근·통학 유입 인구와 통근·통학 유출 인구가 모두 많다. A~C 중에서 서울에서 아파트 수가 많다는 것은 주거 기능이 발달했다는 것이고, 생산자 서비스업인 금융업 및 보험업 업체 수가 많다는 것은 도심, 또는 부도심이라는 의미이다. (가)는 주거 기능이 발달한 곳이므로 아파트 수는 많은 반면, 금융업 및 보험업 업체 수는 적은 C이다. (나)는 통근·통학 유출 인구와 통근·통학 유입 인구가 많고 금융업 및 보험업 업체 수가 많으므로 A, (다)는 B이다.

3 (가)는 통근·통학 순 유입 인구가 두 시기 모두 가장 많으므로 도심, (나)는 통근·통학 순 유입 인구가 두 시기 모두 가장 적으므로 주거 기능이 발달한 주변 지역이다. 따라서 주변 지역인 (나)는 도심인 (가)에 비해 주간 인구 지수가 낮고, 인구 증가율이 높으며, 구내 상업 용지의 면적 비율이 낮다.

4 (가)는 서울로의 통근·통학 인구 비율이 높은 것으로 보아 광명시, (나)는 총인구가 많고, 서울로의 통근·통학 비율이 낮은 것으로 보아 화성시, (다)는 총인구가 적고 지역 내 통근·통학 인구 비율이 높은 것으로 보아 가평군이다. (나)는 (가)보다 서울로의 통근·통학 인구 비율이 현저하게 낮으므로 서울의 영향력을 상대적으로 적게 받고, 자족 기능이 더 강한 도시이다.

선택지 풀이 ㄴ. 녹지 비율은 농촌 지역인 가평군이 광명시보다 더 높다. ㄹ. 서울로의 통근·통학 인구 비율이 비슷하지만 총인구가 많은 화성시가 가평군보다 통근·통학 인구수가 더 많다.

5 세 지역 중에서 A는 면적에 비해 상주인구가 적은 편이고, 통근·통학 순 이동이 많으며, 제조업 종사자가 많으므로 공업 지역이다. B는 상주인구가 많고, 통근·통학 인구가 음의 값을 가지며, 제조업·전체 산업 종사자 모두 세 지역 중에서 가장 적으므로 주거 지역이다. C는 면적이 가장 좁은 데다 상주인구가 가장 적고, 통근·통학 인구는 양의 값을 갖는다. 또한 제조업 종사자는 적은 반면, 전체 산업 종사자 수는 많은 편이므로 도심에 해당한다.

선택지 풀이 ① 인구 밀도는 좁은 지역임에도 상주인구가 가장 많은 B가 A보다 높다. ② 초등학교 수는 상주인구와 관계 깊다. C는 도심이고, 상주인구도 적으므로 A보다 초등학교 수가 많지 않다. ③ 상주인구가 많은 B가 도심인 C보다 주거 기능이 우세하다. ④ 주간 인구는 상주인구에서 통근·통학 순 이동 인구를 더해서 비교할 수 있다. 주간 인구는 B>A>C 순으로 많다. ⑤ 생산자 서비스업은 도심에서 발달하므로 생산자 서비스업 종사자 비중은 도심인 C가 가장 높다.

6 ㄴ. 1990년에 대전은 광주보다 인구가 적었지만, 2010년에는 대전이 광주보다 인구가 많았다. 따라서 1990~2010년에 대전의 인구 증가율이 광주의 인구 증가율보다 높다. ㄹ. 1990~2010년에 1위 도시인 서울의 인구는 감소한 반면, 10위 도시인 성남의 인구는 증가하였다. 따라서 1위 도시에 대한 10위 도시의 인구 비율은 증가하였다.

선택지 풀이 ㄱ. 10대 도시 중 수도권 도시 수는 1990년에 5개, 2010년에 4개로 감소하였다. ㄷ. 인구 100만 이상 도시의 수는 6개에서 9개로 1.5배 증가하였다.

7 (가)는 서울의 주변 지역, (나)는 도심에 해당한다. (나) 지역은 주간 인구 지수가 100을 크게 초과하므로 통근·통학 유입 인구가 유출 인구보다 많다.

선택지 풀이 ① (가) 지역은 2005년 대비 2015년 주간 인구 지수의 차이가 거의 없고, 상주인구는 증가하였기 때문에 주간 인구는 증가했다. ③ 업무·상업 기능이 집중된 도심인 (나) 지역이 (가) 지역보다 상업지의 평균 지가가 높다. ④ 인구 공동화 현상은 도심인 (나) 지역에서 뚜렷하게 나타난다. ⑤ 도심인 (나) 지역은 상주인구의 감소로 초등학교 학생 수가 (가)보다 적다.

8 (가)는 가평군, (나)는 구리시이다. 가평군은 구리시에 비해 서울에서 멀고, 20대 연령층의 성비가 매우 높고, 노년층 인구 비중도 높다. 서울과 가까운 구리시는 가평군보다 중위 연령이 낮고, 서울로의 통근자 비율이 높으며 현 거주지에서 출생한 인구 비율이 낮다.

2주 누구나 100점 테스트 82~83쪽

1 ⑤	2 ③	3 ②	4 ④	5 ③	6 ④
7 ②	8 ⑤				

1 (가)는 철원 일대의 용암 대지, (나)는 제주도의 화산 지형이 나타나 있는 지형도이다. ㄷ. 한탄강 주변의 용암 대지는 하천 등에 의해 운반된 물질들이 쌓여 넓은 평야를 이루고 있으며, 주변의 수리 시설을 바탕으로 논농사가 이루어지고 있다. 제주도는 지표수가 부족하여 밭농사가 활발하게 이루어진다.

선택지 풀이 ㄱ. 지형도에서 한탄강의 양안에 등고선이 조밀한 것으로 보아 하상과의 고도 차이가 큰 수직 절벽이 분포한다는 것을 알 수 있다. ㄴ. 오름은 화산의 중턱에서 용암과 화산 쇄설물이 분출하여 형성된 작은 화산을 말한다. 용암의 열하 분출에 의해 형성된 대표적인 화산 지형에는 용암 대지가 있다.

2 (가)는 세 지역 중 최난월 평균 기온이 가장 낮고, 연 강수량이 가장 많으므로 대관령이다. 기온의 연교차가 가장 큰 (나)는 내륙에 위치한 홍천이며, 최한월 평균 기온이 가장 높고, 겨울 강수 집중률이 높은 (다)는 강릉이다. ㄴ. 홍천은 내륙에 위치하여 비열이 작은 대륙의 영향을 많이 받는다. 따라서 여름철 덥고, 겨울철에는 매우 추워 연교차가 크다. 반면, 대관령은 해발 고도가 높은 곳에 위치하여 여름철이 서늘하기 때문에 홍천에 비해 연교차가 크지 않다. ㄷ. 강릉은 홍천에 비해 겨울 강수 집중률이 높다. 강릉은 동해안에 위치하여 겨울철 북동 기류의 영향을 받을 때, 태백산맥의 바람받이에 위치하기 때문에 겨울 강수량이 많아 겨울 강수 집중률이 높다.

선택지 풀이 ㄱ. 대관령은 홍천보다 해발 고도가 높기 때문에 최난월 평균 기온이 낮다. ㄹ. 홍천은 내륙에 위치하고 있기 때문에 해안에 위치한 강릉보다 최한월 평균 기온이 낮다.

더 알아보기 강수 분포의 지역 차

다우지	습윤한 남서 기류의 바람받이 지역, 남해안 일대, 한강 중·상류, 청천강 중·상류
소우지	바람그늘 지역인 개마고원과 영남 내륙, 저평한 대동강 하류
다설지	북서 계절풍의 영향을 받는 울릉도, 충남 및 호남 서해안 지역, 북동 기류의 바람받이 지역인 영동 지방

3 A는 석회암이 용식되어 형성된 우묵한 지형인 돌리네, B는 서로 다른 돌리네가 결합하여 형성된 우발레, C는 동굴 천장에서 자라는 종유석이다. ② 돌리네 내부는 주변에서 모여든 토사가 쌓여 두꺼운 토양층이 형성되고, 배수가 잘되기 때문에 주로 밭으로 이용된다.

선택지 풀이 ① 돌리네는 주로 용식 작용을 받아 형성된다. 이는 카르스트 지형의 기반암인 석회암이 빗물과 지하수에 의해 용식 작용을 받은 결과이다. ⑤ D 부분의 기반암은 석회암으로 이는 고생대 초기에 형성된 해성층인 조선 누층군에 주로 분포한다.

4 (가)는 주로 겨울에 발생하므로 대설, (나)는 주로 장마 전선이 형성되는 7월에 발생하므로 호우, (다)는 주로 8~9월에 발생하므로 태풍이다. ④ 호우는 태풍보다 바람에 의한 피해가 적다.

선택지 풀이 ① 소백산맥의 서사면은 겨울철 북서풍의 바람받이로 많은 눈이 내리므로 대설 피해액이 영남 지방보다 많다. ② 호우로 인한 피해는 주로 하천의 범람으로 발생하므로 하천 주변의 충적지에서 피해가 크다. ③ 태풍이 지나는 길목인 남부 지방은 중부 지방보다 피해액이 많다. ④ 태풍은 강풍과 강수를 동반해 대설에 비해 피해가 크게 나타난다.

5 (가)는 바다에 강력한 고기압이 발달하고 내륙에 저기압이 발달하였으므로 여름, (나)는 내륙에 고기압이 발달하고 등압선 간격이 좁으므로 겨울이다. ③ 대류성 강수는 지면 가열이 원인이 되어 내리는 비이다. 여름이 겨울보다 대류성 강수 빈도가 높다.

선택지 풀이 ④ 상대 습도가 높은 계절은 여름이며, 봄과 겨울은 상대 습도가 상대적으로 낮아 건조하다.

6 ④ 대도시권이 확장되면서 인구 교외화 현상이 활발해지고, 도심의 인구 공동화가 뚜렷해지면서 대도시권에서 중심 도시가 차지하는 인구 비중이 낮아진다. 따라서 중심 도시의 상주인구는 감소하고, 주간에 출근하는 유입 인구가 증가하여 주간 인구 지수가 높아지게 된다.

선택지 풀이 ③ 대도시의 인구 과밀을 해결하기 위해 조성된 신도시는 지역 내 일자리가 적은 경우가 많다. ⑤ 중심 도시와 가까운 교외 지역은 멀리 떨어진 배후 농촌 지역에 비해 공장 용지, 주거 용지 비중이 높아 도시적 경관이 뚜렷하다.

7 시외버스 운행 횟수를 통해 도시 간 계층 구조를 파악할 수 있다. ② 저차 중심지일수록 중심지의 수가 많기 때문에 중심지 간 거리가 가까우며, 고차 중심지일수록 중심지의 수가 적기 때문에 중심지 간 거리가 멀다.

선택지 풀이 ① 시외버스 운행 횟수가 가장 많은 서울은 최고차 중심지이며, 대구, 부산, 대전 등의 지방 대도시들이 고차 중심지에 해당한다.

8 (가)는 집촌, (나)는 산촌이다. ⑤ 산촌은 집촌에 비해 가옥 간의 거리가 멀어 협동 노동에 불리하고 주민 간의 공동체 의식이 약하다.

선택지 풀이 ③, ④ 집촌은 협동 노동을 필요로 하기 때문에 가옥 간의 거리가 가깝지만 가옥과 경지와의 거리는 먼 반면, 산촌은 가옥 간의 거리는 멀지만 가옥과 경지의 거리가 가까워 경지 관리에 유리하다.

3주 IV. 거주 공간의 변화와 지역 개발 ~ V. 생산과 소비의 공간

1일 도시 계획과 재개발

기초 유형 연습 98~99쪽

1 ① 2 ⑤ 3 ⑤ 4 ⑤ 5 ③ 6 ③
7 ① 8 ①

1 제1차 국토 종합 개발 계획에서는 성장 거점 개발 방식을 채택하였고, 제3차 국토 종합 개발 계획에서는 균형 개발 방식을 채택하였다. ㄱ. 제1차 국토 종합 개발 계획의 시행 과정에서는 경부 고속 도로 건설의 영향으로 경부축을 따라 수도권, 남동권이 크게 성장하였다. ㄴ. 제1차 국토 종합 개발 계획에서는 성장 거점 개발 방식을 채택하여 단기간에 큰 효과를 내고자 하는 경제적 효율성에 중점을 두었다.

선택지 풀이 ㄷ. 낙후 지역에 우선적으로 투자하는 균형 개발 방식은 균형 개발이며, 성장 가능성이 큰 지역에 우선적으로 투자하는 성장 거점 개발 방식이 불균형 개발 방식에 해당한다. ㄹ. 제1차 국토 종합 개발 계획은 정부 주도의 하향식 개발, 제3차 국토 종합 개발 계획은 지역 주민 및 지방 자치 단체 주도의 상향식 개발에 해당한다.

2 ㄷ. 균형 개발 방식은 투자의 효율성보다 지역 간 형평성을 강조하여 낙후 지역에 우선적으로 투자하는 방식이다. ㄹ. 혁신 도시는 정부 주도로 공공 기관이 지방으로 이전되어 기업, 학교, 연구소의 협력으로 조성되는 미래형 도시이다.

선택지 풀이 ㄱ. 거점 개발 방식은 정부 주도의 하향식 개발 방식이며, 균형 개발 방식은 지역 주민 및 지방 자치 단체 주도의 상향식 개발 방식이다. ㄴ. 수도권과 비수도권 간의 격차를 완화하기 위한 해결 방안으로 수도권 규제 강화 정책이 있다.

3 (가)는 성장 거점 개발 방식, (나)는 균형 개발 방식이다. ㄷ. 균형 개발 방식은 지역 주민의 의사 결정을 존중한다는 장점이 있지만, 개발 과정에서 지역 이기주의가 나타날 가능성이 높다는 단점이 있다.

선택지 풀이 ㄱ. 성장 거점 개발 방식은 정부 주도의 하향식 의사 결정 방식으로 추진된다. ㄴ. 남동 임해 공업 지역은 성장 거점 개발 방식을 채택한 제1차 국토 종합 개발 계획에 의해 조성된 지역이다.

4 ⑤ 신·재생 에너지 개발은 지속 가능한 발전 방안에 해당한다. 1987년 채택한 도쿄 선언에서 지속 가능한 개발은 '장래의 세대가 스스로의 필요를 충족할 능력을 손상 받음이 없이 현재 세대의 필요를 충족시킬 수 있는 인류 사회의 진보를 위한 대응'이라고 정의하였다.

선택지 풀이 ② 지역 간 격차는 파급 효과보다 역류 효과가 클 때 발생한다. ③ 농공 단지는 도시와 농촌 간의 소득 격차를 완화하기 위한 정책이다. 수도권과 비수도권 간의 불균형 완화 정책으로는 혁신 도시, 기업 도시 등이 있다. ④ 수도권이 전국에서 차지하는 비중은 제조업 부문이 농업 부문보다 높다.

5 제1차 국토 종합 개발 계획은 경제 기반 확충을 위해 공업 기반을 구축하고 사회 간접 자본을 확충하였으며, 제2차 국토 종합 개발 계획은 인구의 지방 분산을 유도하기 위해 대도시와 배후 지역을 포함한 지역 생활권을 설정하는 종합 개발 방법, 즉 광역 개발 정책을 시행하였다.

선택지 풀이 ㄱ. 투자 효과가 큰 지역을 선정하여 집중 투자하는 방식은 성장 거점 개발 방식이다. 제3·4차 국토 종합 개발 계획은 낙후 지역에 우선 투자하는 균형 개발 방식이 채택되었다. ㄹ. 혁신 도시와 기업 도시는 지역의 균형 발전을 목표로 하는 제4차 국토 종합 개발 계획과 관련이 있다.

6 (가)는 제1차 국토 종합 개발 계획, (나)는 제3차 국토 종합 개발 계획에 대한 설명이다. ㄴ. 제3차 국토 종합 개발 계획은 균형 개발 방식으로 이루어졌으며, 수도권 집중을 억제하고, 분산형 국토 골격을 형성하고자 하였다. ㄷ. 제1차 국토 종합 개발 계획은 투자 효과가 큰 지역을 선정하여 집중 투자하는 방식을 채택하여 경제적 효율성을 추구하였다. 반면, 제3차 국토 종합 개발 계획은 낙후 지역에 우선 투자하여 경제적 형평성을 추구하였다.

선택지 풀이 ㄱ. 제1차 국토 종합 개발 계획의 의사 결정 방식은 정부 주도의 하향식으로 이루어진다. ㄹ. 제1차 국토 종합 개발 계획에서는 생산 환경 조성을 우위에 두었지만, 제3차 국토 종합 개발 계획에서는 생활 환경 개선을 우위에 두었다.

7 지도에 제시된 A는 1990년대 서울의 주택 부족을 해결하기 위해 조성된 1기 신도시, B는 2000년대에 수도권으로의 집중을 억제하고 지방의 균형 발전을 위해 공공 기관의 지방 이전을 추진한 혁신 도시, C는 1970년대 공업 단지 조성을 통해 건설된 공업 도시에 해당한다.

선택지 풀이 ㄷ. 공업 도시는 성장 가능성이 큰 지역을 중심으로 정부가 주도적으로 개발을 추진하였다. ㄹ. 도시의 조성 시기는 공업 도시가 신도시보다 이르다.

8 지도는 강원의 원주, 충북의 진천·음성 등에 위치한 혁신 도시의 정책을 나타내고 있다.

선택지 풀이 ㄷ. 혁신 도시 정책은 제4차 국토 종합 개발 계획 기간에 추진된 균형 발전형 도시 육성 정책이다. ㄹ. 혁신 도시는 기업과 대학, 연구소 등 우수한 인력들이 한 곳에 모여 서로 협력하면서 지식 기반 사회를 이끌어 가는 첨단 도시로 구성된다. 2차 산업 육성을 위한 산업 용지 공급을 통해 자족적 복합 기능을 갖춘 도시를 육성하는 것은 기업 도시와 관련이 있다.

더 알아보기+ **혁신 도시**

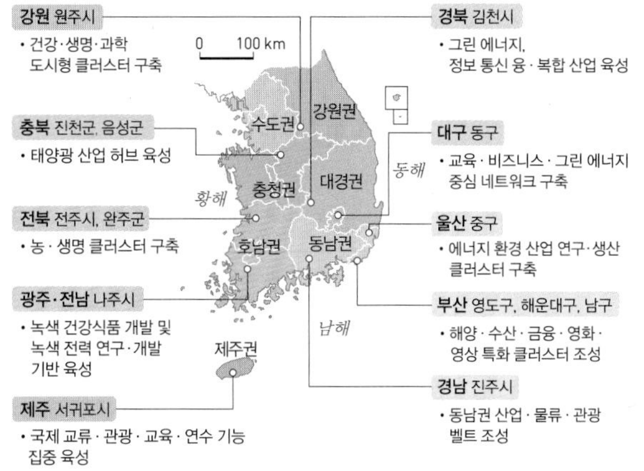
강원 원주시
• 건강·생명·과학 도시형 클러스터 구축
0 100 km
충북 진천군, 음성군
• 태양광 산업 허브 육성
전북 전주시, 완주군
• 농·생명 클러스터 구축
광주·전남 나주시
• 녹색 건강식품 개발 및 녹색 전력 연구·개발 기반 육성
제주 서귀포시
• 국제 교류·관광·교육·연수 기능 집중 육성
수도권
강원권
충청권
대경권
호남권
동남권
제주권
황해
동해
남해
경북 김천시
• 그린 에너지, 정보 통신 융·복합 산업 육성
대구 동구
• 교육·비즈니스·그린 에너지 중심 네트워크 구축
울산 중구
• 에너지 환경 산업 연구·생산 클러스터 구축
부산 영도구, 해운대구, 남구
• 해양·수산·금융·영화·영상 특화 클러스터 조성
경남 진주시
• 동남권 산업·물류·관광 벨트 조성

(국토교통부, 2011)

2일 자원의 의미와 자원 문제

기초 유형 연습 104~105쪽

1 ⑤	2 ④	3 ①	4 ⑤	5 ⑤	6 ③
7 ③	8 ⑤				

1 (가)는 화력 발전소가 다수 입지하고 있는 충남, 경남과 대규모 제철소가 위치한 충남(당진), 경남(포항), 전남(광양)의 공급 비중이 높다. 이를 통해 (가)가 화력 발전과 제철 공업의 주요 연료로 가장 많이 사용되는 석탄임을 알 수 있다. (나)는 정유 및 석유 화학 공업이 발달한 전남(여수), 충남(서산), 울산의 공급 비중이 높음을 통해 석유임을 알 수 있다. (다)는 인구가 많은 수도권(경기, 인천, 서울)의 공급 비중이 높으므로 가정용 연료로 많이 사용되는 천연가스임을 알 수 있다. (라)는 원자력 발전소가 입지해 있는 경북(경주, 울진), 전남(영광), 부산에서만 공급되므로 원자력임을 알 수 있다. 우리나라 발전 양식별 발전량 비중은 화력 > 원자력 > 수력 순으로 많다. 따라서 A는 화력, B는 원자력이다. ㄷ. 화력은 발전 시 석탄 > 천연가스 > 석유 순으로 많이 이용한다. ㄹ. 원자력은 지반이 견고하고, 다량의 냉각수 공급이 가능한 해안 지역에 입지해야 하기 때문에 입지 조건의 제약이 큰 반면, 화력 발전소는 자연적 입지 조건의 제약이 적어 전력 수요가 많은 대소비지 인근에도 입지할 수 있다.

선택지 풀이 ㄱ. 수송용 연료로 이용되는 비중이 높은 에너지 자원은 석유이다. ㄴ. 대기 오염 물질 배출량은 석탄 > 석유 > 천연가스 순으로 많다.

2 네 지역 중 (나)에서만 공급되는 D가 원자력이다. 따라서 (나)는 원자력 발전소가 입지한 전남(영광)이다. 충남에는 대규모의 화력 발전소 및 제철소(당진), 정유 및 석유 화학 공장(서산)이 입지해 있기 때문에 1차 에너지 공급량이 가장 많다. 따라서 (가)는 충남이다. 충남에서 가장 많은 비중을 차지하고 있는 A가 석탄, 그 다음으로 많은 비중을 차지하고 있는 B가 석유이다. D는 천연가스이다. (다)에서는 천연가스의 비중이 높으므로 (다)는 경기이며, (라)는 경남이다.

선택지 풀이 ② 수송용 연료 및 화학 공업 연료로 이용되는 것은 석유이다. 석탄은 주로 산업용 및 발전용으로 이용된다. ③ 고생대 평안계 지층에 주로 매장되어 있는 에너지원은 석탄이다. 석유는 주로 신생대 제3기층에 매장되어 있다. ⑤ 우리나라 1차 에너지 소비 구조에서 차지하는 비중은 석유 > 석탄 > 천연가스 > 원자력 순으로 높다.

3 지도의 세 지역 중에서 1차 에너지원별 공급량이 가장 많은 곳은 화력 발전과 공업이 발달한 충남이므로 (다)는 충남이다. 충남은 석탄과 석유 공급량이 많으므로 A는 석탄, B는 석유, C는 천연가스이다. 따라서 정유 및 석유 화학 공업이 발달하여 석유 공급량이 많은 (나)는 울산, (가)는 경남이다. ① 그래프를 통해 석탄이 차지하는 지역 내 비중이 충남보다 경남에서 더 크다는 것을 알 수 있다. 한편 석탄 공급량은 충남 > 전남 > 경남 순으로 많다.

선택지 풀이 ③ 울산에는 대규모의 석유 화학 공장이 입지해 있기 때문에 석유는 울산의 1차 에너지원별 공급량에서 가장 큰 비중을 차지한다. ⑤ 발전에 이용되는 1차 에너지의 비중은 석탄 > 천연가스 > 석유 순으로 크다.

4 지도의 세 지역 중에서 1차 에너지원별 공급량이 가장 적은 곳은 부산이므로 (나)는 부산이다. 부산에서 공급량이 가장 많은 것은 원자력이므로 C는 원자력이다. 경북과 전남 중에서 석유 공급량은 전남이 더 많으므로 (가)는 전남이며, A는 석유이다. 따라서 (다)는 경북이며, B는 천연가스이다. ⑤ 우리나라의 1차 에너지 소비 구조에서 차지하는 비중은 석유가 가장 높다.

5 우리나라의 1차 에너지 공급은 석유 > 석탄 > 천연가스 > 원자력 등의 순으로 많은데, 이러한 에너지는 대부분 수입된다. ㄷ. 제시된 자료에서 석탄이 1차 에너지에서 차지하는 비중은 28.3%, 전력 생산에서 차지하는 비중은 39.4%임을 확인할 수 있다.

선택지 풀이 ㄱ. 1차 에너지는 가공하여 도시가스, 열에너지, 전력 생산 등에 이용되는데 도시가스는 천연가스에서, 열에너지는 석유, 석탄, 천연가스 등에서, 전력은 석탄, 원자력, 천연가스 등에서 생산된다. 전력은 산업용 > 가정·상업용 > 공공용 등의 순으로 소비량이 많다. ㄴ. 천연가스는 난방용으로 이용되는 비중이 높아 원자력보다 여름과 겨울의 공급량 차이가 크다.

6 우리나라의 1차 에너지 소비 구조는 석유 > 석탄 > 천연가스 > 원자력 > 신·재생 및 기타 순으로 많고, 1차 에너지원별 발전

량 비중은 석탄 > 원자력 > 천연가스 > 신·재생 및 기타 > 석유 순으로 많다. 따라서 (가)는 석유, (나)는 석탄, (다)는 천연가스, (라)는 원자력이다. ③ 천연가스를 이용하는 화력 발전소는 원자력, 수력 등에 비해 입지가 비교적 자유로운 편이다.

선택지 풀이 ② 석탄은 석탄 산업 합리화 정책과 에너지 소비 구조의 변화로 생산량이 감소하였다. ④ 원자력을 이용한 발전소는 호남 지방에서는 영광에, 영남 지방에서는 경주, 울진, 부산에 위치한다. 따라서 호남 지방보다 영남 지방에 더 원자력 발전소가 더 많다. ⑤ 발전량은 석탄 > 원자력 > 천연가스 > 석유 순으로 많다.

7 A는 다른 에너지원에 비해 전국에서 고르게 생산되므로 수력이다. B는 강원권에서 대부분 생산되고 호남권에서 일부 생산되므로 무연탄, C는 영남권과 호남권에서만 생산되고 영남권의 생산량 비중이 높으므로 원자력, D는 영남권(울산)에서만 생산되므로 천연가스이다. ③ 우리나라 1차 에너지 소비 구조에서 차지하는 비중은 수력보다 천연가스가 더 높다. 우리나라의 1차 에너지 소비 비중은 석유 > 석탄 > 천연가스 > 원자력 > 신·재생 에너지 및 기타 > 수력 순으로 많다.

8 우리나라에서 유일하게 천연가스 생산이 이루어지고 있는 지역은 울산이다. 따라서 (가)는 울산이다. 경기도 안산의 시화호 조력 발전소는 우리나라의 유일한 조력 발전소이므로 (나)는 안산이 위치한 경기이다.

더 알아보기+ 신·재생 에너지의 분포

태양광	일조량이 풍부한 지역 ㉠ 신안, 진도
풍력	바람이 많이 부는 해안이나 산지 지역 ㉠ 제주도, 대관령
해양 에너지	• 조력: 조석 간만의 차가 큰 만입부 ㉠ 시화호 • 조류: 바닷물의 흐름이 빠른 해협이나 좁은 수로 ㉠ 울돌목 • 파력: 파도가 센 곳 ㉠ 제주도

3일 농업의 변화와 농촌 문제 ~공업의 발달과 지역 변화

기초 유형 연습 110~111쪽

1 ② 2 ④ 3 ⑤ 4 ③ 5 ③ 6 ⑤
7 ② 8 ④

1 겸업농가 비중은 경기, 전업농가 비중은 경북, 벼와 채소 재배 농가 수는 전남, 과수 재배 농가 수는 경북이 가장 많다는 사실을 통해 (가), (나), (다)를 알 수 있다. 우선 겸업농가 및 전업농가의 비중은 겸업농가와 전업농가의 수를 더해 전체 농가 수를 구한 후 겸업농가 수 및 전업농가 수를 전체 농가 수로 나누면 겸업농가 비중 및 전업농가 비중을 구할 수 있다. 그 결과 겸업농가의 비중이 가장 높은 (가)가 경기, 전업농가의 비중이 가장 높은 (다)가 경북임을 알 수 있다. 또한 (다)는 다른 시·도보다 과수 재배 농가 수가 많다는 것을 통해서도 (다)가 경북이라는 사실을 알 수 있다. (나)는 벼와 채소 재배 농가 수가 다른 시·도보다 많으므로 전남이다.

2 (가)는 전남 > 전북 순으로 재배 면적 비중이 높고, 남부 지방에서 재배되고 있다. 따라서 (가)는 겨울에 온화한 남부 지방을 중심으로 벼의 그루갈이 형태로 재배되는 맥류이다. (나)는 전국에서 고루 재배되고 있으며 전남 > 충남 순으로 재배 면적 비중이 높은 쌀이다. (다)는 경북과 제주에서 재배 비중이 높은 과실이다. ㄴ. 쌀은 식생활 변화로 육류, 밀, 과일, 채소의 소비량이 증가하면서 1인당 소비량이 감소하고 있는 추세이다. ㄹ. 쌀은 과실보다 재배 면적이 5배 정도 넓다.

선택지 풀이 ㄱ. 이천, 여주의 지리적 표시제 상품은 쌀이다. ㄷ. 쌀이 맥류보다 전국 재배 면적이 넓다.

3 (가)는 세 지역 모두에서 고르게 낮은 편이므로 농가 인구 비율, (나)는 경북에서 특히 높으므로 과수 재배 면적 비율, (다)는 경기에서 높으므로 겸업농가 비율이다. 농가 인구는 전국에 비교적 고르게 분포하므로 전국 대비 농가 인구 비율은 특정 지역이 매우 높기 어렵다. 과수 재배 면적 비율은 과수 재배가 활발한 경북, 제주에서 높게 나타난다. 겸업농가 비율은 대도시와 인접한 경기에서 높고, 대도시와 멀리 떨어진 지역에서 낮게 나타난다.

더 알아보기+ 근교 농업 지역과 원교 농업 지역의 특징

구분	근교 농업 지역	원교 농업 지역
분포	대도시 주변의 농촌	대도시와 멀리 떨어진 농촌
토지 이용	시설 재배, 집약적 토지 이용	노지 재배, 조방적 토지 이용
농가 형태	겸업농가의 비중 높음.	전업농가의 비중 높음.
소득	농외 소득 비율 높음.	농업 소득 비율 높음.

4 (가)는 강원에서 재배 면적 비중이 높으므로 채소, (나)는 전북, 전남 등지에서 재배 면적 비중이 높으므로 벼, (다)는 A를 제외한 대부분의 지역에서 재배 면적 비중이 낮으므로 과수이다. A는 벼 재배 면적 비중이 매우 낮고, 과수 재배 면적 비중이 높으므로 제주, B는 제주 다음으로 과수 재배 면적 비중이 높으므로 경북, C는 벼 재배 면적 비중이 높으므로 충남이다.

5 (가)는 생산액 비중이 경기 > 울산 > 충남 순으로 많은 것으로 보아 자동차 제조업이고, (나)는 경기 > 경북 순으로 많은 것

으로 보아 섬유 제조업이며, (다)는 경북(포항) > 충남(당진) > 전남(광양) 순으로 많은 것으로 보아 1차 금속 제조업이다. ③ (가)의 최종 생산품인 자동차는 (나)의 최종 생산품인 섬유 제품들보다 단위당 평균 중량이 크다.

선택지 풀이 ① 1960년대 우리나라 공업화를 주도한 제조업은 섬유 제조업이다. ② 섬유 제조업은 노동 지향형 공업이다. ④ (다)에서 생산된 1차 금속이 (가) 공업에 의해 생산된 자동차의 주요 원료로 이용된다.

6 A는 충남과 구미가 위치한 경북에서 비중이 높은 것으로 보아 전자 부품 · 컴퓨터 · 영상 · 음향 및 통신 장비, B는 전남에서 비중이 높은 것으로 보아 화학 물질 및 화학 제품(의약품 제외), C는 충남(당진), 경북(포항), 전남(광양) 모두에서 어느 정도 비중이 있는 것으로 보아 1차 금속 제조업이라는 것을 알 수 있다. ㄷ. 1차 금속 제조업의 최종 제품은 자동차 공업의 주요 원료로 이용된다.

선택지 풀이 ㄱ. 대량의 원료를 수입하는 적환지 지향형 공업은 1차 금속 제조업이다. ㄴ. 1960년대 우리나라의 수출을 주도한 제조업은 섬유 제조업이다.

7 경남, 울산, 충남 중에서 (가)는 전자 부품 · 컴퓨터 · 영상 · 음향 및 통신 장비와 화학 물질 및 화학 제품의 비중이 높으므로 경기와 인접하고 석유 화학 단지(서산)가 있는 충남(A)이다. (나)는 기타 운송 장비의 비중이 높으므로 조선소(거제)가 있는 경남(C)이다. (다)는 코크스 · 연탄 및 석유 정제품과 자동차 및 트레일러의 비중이 높으므로 울산(B)이다.

8 그래프에서 (가)의 생산액 비중은 경기 > 경북 > 대구 순으로 높으므로 섬유(의복 제외) 제조업이고, (나)는 경기 > 울산 > 충남 순으로 높으므로 자동차 제조업이다. (다)는 전남 > 울산 > 충남 순으로 높으므로 화학 제조업이다.

선택지 풀이 ① 계열화된 조립 공정을 필요로 하는 공업에는 석유 화학 공업이 있다. ③ 생산비에서 노동비가 차지하는 비중이 높은 산업은 섬유 제조업이다. ⑤ 화학 제조업은 섬유 제조업보다 초기 설비 투자 비용이 많이 든다.

4일 서비스업의 변화와 교통·통신 발달 ❶

기초 유형 연습 116~117쪽

1 ① **2** ⑤ **3** ③ **4** ④ **5** ① **6** ③
7 ⑤ **8** ④

1 (가)는 사업체 수, 종사자 수가 가장 적으나, 매출액은 상대적으로 많은 편인 백화점, (나)는 사업체 수 대비 종사자 수가 가장 적은 편의점, (다)는 최근 매출액이 크게 증가한 무점포 소매업이다. ① 백화점은 편의점보다 고차 중심지로 사업체 수가 더 적어 사업체 간 평균 거리가 멀다.

선택지 풀이 ② 백화점은 무점포 소매업보다 매출액 증가율이 낮다. ③ 편의점은 저차 중심지이고, 백화점은 고차 중심지로 백화점이 고가 제품의 판매 비중이 높다. ④ 백화점은 고차 중심지로 전국 대비 특별 · 광역시에 분포하는 비중이 높다. ⑤ 세 유형 중 2014년 종사자당 매출액은 백화점이 가장 많다. 매출액을 종사자 수로 나눈 값으로 이를 파악할 수 있다.

2 (가)는 슈퍼마켓, (나)는 대형 마트에 대한 설명이다. ⑤ 소매업은 도심보다 주거 기능이 발달한 곳을 중심으로 입지하며, 특히 대형 마트는 넓은 주차장을 필요로 하여 상대적으로 지가가 저렴하고, 교통이 편리한 외곽 지역에 입지한다.

3 B는 1회당 구매액이 가장 크고, 비식품의 비중이 높은 백화점이고, C는 1회당 구매액이 가장 작은 편의점, B는 식품의 비중이 높은 대형 마트이다. ㄴ. 대형 마트는 편의점보다 자가용 이용 고객의 비율이 높다. ㄷ. 백화점은 편의점보다 고차 중심지이므로 고가 제품의 판매 비율이 높다.

선택지 풀이 ㄱ. 대형 마트보다 백화점이 대도시의 도심에 입지하는 경향이 높다. ㄹ. 편의점은 대형 마트에 비해 저차 중심지로 상점의 수가 더 많아 상점 간 평균 거리가 가깝다.

더 알아보기 **대형 마트와 편의점 비교**

항목	대형 마트	편의점
최소 요구치	큼	작음
재화의 도달 범위	넓음	좁음
상점 수	적음	많음
상점 간의 거리	멂	가까움
취급 상품의 종류	많음	적음
상점당 매출액	많음	적음
소비자의 이용 빈도	낮음	높음

4 제시된 그래프에서 백화점의 수가 가장 적은 (가)는 인천, 가장 많은 (다)는 서울, (나)는 경기이다. 서울에서 사업체 수의 비율이 높은 B는 경영 컨설팅업이고, A가 편의점이다. 편의점은 개인 소비자가 이용하는 소비자 서비스업, 경영 컨설팅업은 기업의 생산 활동을 지원하는 생산자 서비스업에 속한다. ④ 경영 컨설팅업은 생산자 서비스업으로 편의점보다 수도권의 사업체 수 집중도가 높다.

5 (가)는 편의점, (나)는 대형 마트에 대한 설명이다. 대형 마트는 편의점보다 고차 중심지이므로 최소 요구치가 크고, 상점 간

평균 거리가 멀고, 1인당 평균 구매액은 더 많다. 따라서 편의점과 비교한 대형 마트의 상대적 특성은 그림의 A에 해당한다.

6 (가)는 백화점, (나)는 슈퍼마켓의 광고이다. ㄱ. 백화점은 슈퍼마켓보다 사업체당 매출액이 많다. ㄷ. 슈퍼마켓은 백화점보다 저차 중심지이므로 전체 사업체 수가 더 많다.

7 판매액 지수는 2010년을 100으로 두었을 때의 2016년 판매액을 의미한다. 즉 2010년 대비 2016년의 판매액 증가율을 나타낸다. 따라서 판매액은 가장 적지만, 판매액 지수는 가장 높은 A는 편의점, 판매액은 상대적으로 많지만 판매액 지수는 낮은 편인 B는 대형 마트, 판매액도 적고, 판매액 지수도 낮은 C가 백화점이다.

선택지 풀이 ㄱ. 편의점은 대형 마트에 비해 저차 중심지로 최소 요구치가 더 작다.

8 A는 사업체 수가 가장 적은 것으로 보아 백화점, C는 사업체 수가 가장 많은 것으로 보아 편의점, B는 대형 마트이다. ㄹ. 세 유형 중 재화의 도달 범위가 가장 좁은 것은 최저차 중심지인 편의점이다. 고차 중심지일수록 재화의 도달 범위가 넓다.

선택지 풀이 ㄱ. 백화점은 대형 마트에 비해 고차 중심지로 도심에 입지하는 경향이 강하다. ㄷ. 대형 마트는 도시 외곽의 교통이 편리한 지역에서 재화를 대량으로 판매하기 때문에 자가용 이용 고객의 비율이 편의점보다 높다.

5일 서비스업의 변화와 교통·통신 발달 ❷

기초 유형 연습 122~123쪽

1 ③	2 ⑤	3 ②	4 ③	5 ②	6 ④
7 ③	8 ③				

1 (가)는 수도권의 집중도가 높은 전문 서비스업이고, (나)는 숙박 및 음식점업으로, (가)는 생산자 서비스업, (나)는 소비자 서비스업에 해당한다. 전문 서비스업은 숙박 및 음식점업에 비해 사업체당 종사자 수가 많고, 지식 집약적 성격이 강하며, 대도시에 집중하는 경향이 크다.

선택지 풀이 ① 생산자 서비스업의 비중이 더 많은 B가 서울, 상대적으로 적은 A가 경기이다.

2 1인당 지역 내 총생산이 가장 많은 (가)는 울산, 지역 내 총생산이 경기 다음으로 많은 (라)는 서울이다. 총인구가 적어 지역 내 총생산이 적은 (다)는 제주, (나)는 전남이다. 1차 산업 취업자 수 비중이 거의 없는 A는 서울, 2차 산업 취업자 수 비중이 가장 높은 B가 울산, 1차 산업 취업자 수 비중이 가장 높은 C가 전남, 1차 산업 취업자 수 비중과 3차 산업 취업자 수 비중이 높은 편인 D가 제주이다. ⑤ A는 서울특별시, B는 울산광역시, C는 전라남도이다.

선택지 풀이 ① 대규모 자동차 생산 공장이 위치한 지역은 울산이다. ② 전남은 제주에 비해 인구도 많고, 1차 산업 취업자 수 비중도 더 높다. 따라서 전남이 제주보다 1차 산업 취업자 수가 많다. ④ 서울이 울산보다 고차 중심지이므로 서울은 울산보다 생산자 서비스업의 사업체 수 비중이 높다.

3 (가)는 (나)보다 사업체 수 및 종사자 수가 더 많으므로 소비자 서비스업, (나)는 생산자 서비스업이다. ㄱ. 부산은 인천보다 고차 중심지이다. 따라서 소비자 서비스업의 종사자 수, 사업체 수, 매출액이 더 많은 A가 부산, B가 인천이다. ㄷ. 생산자 서비스업은 다른 재화, 용역의 생산 및 유통 과정에 투입되는 서비스업으로 기업과의 거래 비중이 더 높다.

선택지 풀이 ㄴ. 대전과 광주는 생산자 서비스업 종사자 수는 비슷하지만 매출액은 대전이 2조 원가량 더 높으므로 생산자 서비스업의 종사자 1인당 매출액은 대전이 광주보다 많다. ㄹ. 생산자 서비스업은 소비자 서비스업보다 사업체당 종사자 수가 많다.

4 C는 국내 여객 수송 분담률이 가장 높은 도로, A는 국내 여객 수송 분담률에서 인·km 기준으로 두 번째로 높은 철도, B는 국내 여객 수송 분담률에서 인 기준으로 두 번째로 높은 지하철, D는 국내 여객 수송 분담률이 가장 낮은 해운, E는 항공이다.

선택지 풀이 ① 기종점 비용이 가장 비싼 것은 항공이다. ② 해운은 장거리 대량 화물 수송에 유리하다. ④ 도로가 해운보다 주행 비용 증가율이 높다. ⑤ 우리나라 국제 화물 수송 분담률은 해운이 대부분을 차지하고 있다.

5 국내 화물 수송 분담률은 도로 > 해운 > 철도 > 항공 순으로 높다. 따라서 (가)는 철도, (나)는 도로, (다)는 해운이다. ② A 구간에서는 철도의 총 운송비가 가장 저렴하다.

선택지 풀이 ③ 기종점 비용이 가장 저렴한 교통수단은 도로이다. ④ 도로가 철도보다 국내 여객 수송에서 차지하는 비중이 높다. ⑤ 철도는 교통수단 중 정시성과 안전성이 가장 우수하다.

6 (가)는 해운, (나)는 도로, (다)는 철도이다. 단거리 수송에 유리한 도로는 국내외 여객과 화물 수송에서 가장 큰 비중을 차지한다. 장거리 대량 수송에 유리한 해운은 국제 화물 수송의 비중이 가장 높다. A는 기종점 비용이 가장 낮고, 단위 거리당 주행 비용 증가율은 높은 것으로 보아 도로, B는 기종점 비용과 단위 거리당 주행 비용 증가율이 도로와 해운의 중간인 철도, C는 기종점 비용이 높고, 단위 거리당 주행 비용 증가율이 낮은 해운에 해당한다.

7 여객과 화물의 수송 분담률이 가장 높은 A는 도로, 여객의 수송 분담률은 두 번째로 많지만, 화물 분담률은 세 번째로 많은 B는 철도, C는 해운이다.

선택지 풀이 ① 도로는 기종점 비용이 저렴한 반면 주행 비용 증가율이 높고, 기동성과 문전 연결성이 우수하다. ② 철도는 지형적 제약을 많이 받지만 기상 조건의 영향은 거의 받지 않는다. ⑤ 기동성과 문전 연결성이 우수한 교통수단은 도로이다.

8 A는 거리 증가에 따라 단위 거리당 운송비 감소액이 가장 적으며, 국내 화물 수송 분담률이 가장 높으므로 도로, B는 단위 거리당 운송비 감소액이 중간이고, 국내 화물 수송 분담률이 빠르게 낮아졌으므로 철도이다. C는 거리 증가에 따라 단위 거리당 운송비가 가장 많이 감소하고, 2015년 기준 국내 화물 수송 분담률이 도로에 이어 두 번째로 높으므로 해운이다.

3주 누구나 100점 테스트 124~125쪽

1 ⑤ 2 ② 3 ④ 4 ④ 5 ① 6 ④
7 ① 8 ④

1 (가)는 균형 개발 방식, (나)는 성장 거점 개발 방식이다. ⑤ 성장 거점 개발 방식은 경제적 효율성을 추구하고, 균형 개발 방식은 경제적 형평성을 추구한다. 따라서 (가)가 지역 간 분배의 형평성이 높다.

선택지 풀이 ① 균형 개발 방식은 제3차 국토 종합 개발 계획 이후 채택되었고, 성장 거점 개발 방식은 제1차 국토 종합 개발 계획 때 채택되었다. ②, ③ 성장 거점 개발 방식은 투자의 효율성을 우선시하지만, 역류 효과의 발생 가능성이 높다. ④ 균형 개발 방식은 지역 주민 및 지방 자치 단체의 주도로 이루어지는 상향식 개발로 지역 주민의 참여도가 높다.

2 우리나라는 에너지 자원의 대부분을 수입에 의존하고 있다. 우리나라에는 석탄의 한 종류인 무연탄이 고생대 평안 누층군에 주로 매장되어 있으나 석탄 산업 합리화 정책 이후 대부분 폐광되었으며, 산업용·발전용으로 이용되는 역청탄은 오스트레일리아 등지에서 전량 수입하고 있다. 석유는 우리나라에서 가장 많이 사용되는 에너지원이지만 국내 생산이 미미하여 소비량의 대부분을 서남아시아에서 수입하고 있으며, 천연가스 또한 국내에서 소량 생산되지만 대부분을 동남아시아와 서남아시아에서 수입하고 있다. 따라서 (가)는 석탄, (나)는 석유, (다)는 천연가스이다. ② 석유는 주로 수송용으로 이용되며, 화력 발전의 주요 에너지원은 석탄이다.

선택지 풀이 ③ 천연가스는 1990년대 이후 소비가 급증한 에너지원이다. ④, ⑤ 우리나라는 대부분의 에너지 자원을 수입에 의존하고 있어 불안정성이 높다. 따라서 에너지 자원의 수입국을 다변화하여 불안정성에 대비할 필요가 있다.

3 (가)는 맥류, 쌀, 과수의 생산량 비중이 모두 낮으므로 수도·강원권이며, (나)는 맥류와 과수의 생산량 비중은 낮으나 쌀의 생산량 비중은 (다) 다음으로 많으므로 충청권이다. (다)는 맥류와 쌀의 생산량 비중이 가장 높으므로 호남·제주권이다. (라)는 맥류의 생산량 비중이 호남·제주권 다음으로 높고, 과수의 생산량 비중이 가장 높으므로 영남권이다.

4 (가)는 대구, 경북, 경기 등지에서 종사자 비율이 높은 섬유 공업에 해당한다. 섬유 공업은 시장이 넓고 노동력이 풍부한 곳에 입지한다. (나)는 울산, 경기 화성, 광명, 광주 등지에서 종사자 비율이 높은 자동차 공업에 해당한다. 자동차 공업은 관련 업체들이 밀집한 곳에 입지한다.

5 (가)는 강원에서 생산 비중이 높은 것으로 보아 석탄, (나)는 울산에서 전량 생산되는 천연가스, (다)는 비교적 전국적으로 고르게 생산되고 있는 것으로 보아 수력이다. 국내 에너지 소비에서 차지하는 비중은 석탄>천연가스>수력 순이고, 사용 시 오염 물질의 배출량은 석탄>천연가스>수력 순이다. 따라서 그림에서 (가) 석탄은 A, (나) 천연가스는 E, (다) 수력은 I에 해당한다.

6 운송비 구조에서 (가)는 주행 비용, (나)는 기종점 비용으로, 주행 비용과 기종점 비용을 합한 것이 총 운송비이다. 주행 비용은 주행 거리에 따라 증가하는 비용으로 도로가 주행 비용 증가율이 가장 높고, 그 다음으로는 철도, 해운 순이다. 기종점 비용은 주행 거리와 관계없이 드는 일정한 비용으로 하역비, 보험료, 창고비 등으로 구성된다. 기종점 비용은 항공이 가장 높고, 그 다음으로 해운, 철도, 도로 순이다.

7 경기도는 대도시인 서울과 인접하고 있어 경지의 가격이 높기 때문에 겸업농가 비중이 높다. 반면, 전라북도는 겸업농가에 비해 전업농가의 비중이 높은 편이다. 제주도는 세 지역 중에서 겸업농가 수와 전업농가 수를 합한 총 농가 수가 가장 적다. 따라서 (가)는 경기도(A), (나)는 전라북도(B), (다)는 제주도(C)이다.

8 (가)는 소비자 서비스업으로 인구 분포와 밀접하게 관련되어 있어 생산자 서비스업에 비해 분포가 고른 편이고, 도·소매업, 음식·숙박업, 관광업 등이 대표적이다. (나)는 생산자 서비스업으로 기업이 밀집되어 있는 도심과 부도심에서 밀집도가 높고, 광고업, 회계업, 금융·보험업, 부동산업 등이 대표적이다. ㄷ. 소비자 서비스업은 분산 입지하는 반면 생산자 서비스업은

입지 조건이 소비자 서비스업에 비해 까다로워 지역 간 분포의 편차가 크다. ㄹ. 생산자 서비스업은 고객과의 접근성이 높고, 관련 정보 습득이 용이하고, 관련 산업들이 집적한 지역에 위치하는 경향이 있다. 따라서 소비자 서비스업보다 관련 산업의 집적 이익이 크다.

선택지 풀이 ㄴ. 소비자 서비스업은 생산자 서비스업에 비해 업체 수와 종사자 수가 많지만, 업체당 종사자 수는 적다. 반면, 생산자 서비스업은 업체 수는 적지만 규모가 커 업체당 종사자 수가 많다.

4주 Ⅵ. 인구 변화와 다문화 공간 ~ Ⅶ. 우리나라의 지역 이해

1일 인구 분포와 인구 구조의 변화

기초 유형 연습 140~141쪽

1 ①	2 ①	3 ④	4 ⑤	5 ④	6 ②
7 ③	8 ③				

1 경기는 인구 유입이 활발한 지역으로 청장년층과 유소년층의 인구 비중이 비교적 높은 지역이다. 울산은 제조업이 활발한 지역으로 청장년층 인구 유입이 활발하여 2015년에 우리나라 시·도 중 청장년층 인구 비율이 가장 높다. 전남은 다른 지역들에 비해 촌락이 넓게 분포하는 지역으로 산업화 및 도시화 과정에서 청장년층 중심의 인구 유출이 활발하여 2015년에 우리나라 시·도 중에서 청장년층 인구 비중이 가장 낮고, 노년층 인구 비중은 가장 높다. 충북은 유소년층과 청장년층의 인구 비중이 경기와 울산에 비해 상대적으로 낮다. 이를 토대로 (가)는 울산, (나)는 충북, (다)는 전남, (라)는 경기임을 알 수 있다. ㄴ. 총 부양비는 청장년층 인구 비중이 가장 낮은 전남이 가장 높다. 총 부양비는 '(유소년층+노년층)÷청장년층×100'으로 청장년층 인구 비중이 높을수록 총 부양비는 낮아진다.

선택지 풀이 ㄷ. 유소년 부양비는 '유소년층÷청장년층×100'이다. 울산은 경기보다 유소년층 인구 비중은 낮고, 청장년층 인구 비중은 높으므로 경기보다 유소년 부양비가 낮다. ㄹ. 노령화 지수는 '노년층÷유소년층×100'이다. 전남은 네 지역 중 유소년층 인구 비중과 청장년층 인구 비중이 가장 낮은 지역이다. 따라서 전남은 경기보다 노령화 지수가 높다.

2 (가)는 (나)보다 유소년층 및 청장년층 비중이 낮고, 노년층 비중이 높으므로 전남, (나)는 광주이다. ㄱ. 전남은 노년층 비중이 유소년층 비중보다 높으므로 노령화 지수가 100보다 크다. ㄴ. 광주에서 유소년층의 성비는 100 이상이며, 노년층에서는 여초 현상이 나타나 100 이하이다. 따라서 유소년층 성비가 노년층 성비보다 높다.

선택지 풀이 ㄷ. 전남은 광주보다 유소년층 및 청장년층 비중이 낮고, 노년층 비중이 높으므로 중위 연령이 더 높다. ㄹ. 광주에는 전남보다 청장년층 비중이 더 높고, 노년층 비중이 낮으므로 1차 산업 종사자 비중이 상대적으로 낮다.

3 연령층별 인구 비중 그래프에서 노년 인구 비중이 가장 높고, 유소년 인구 비중은 가장 낮은 ㉠은 면, 그 다음으로 노년 인구 비중이 높은 ㉡은 읍, ㉢은 동이다. 총 부양비와 노령화 지수 그래프에서 A는 노령화 지수가 가장 높으므로 면, B는 읍, C는 총 부양비와 노령화 지수가 가장 낮으므로 동이다. ④ 면은 촌락, 동은 도시이며, 군청 소재지는 대부분 읍에 위치한다.

선택지 풀이 ③ ㉠은 유소년 인구 비중이 약 8%이고, 노년 인구 비중은 약 28%이므로 노년 부양비가 유소년 부양비보다 2배 이상 높다.

4 (가)는 대체로 대도시 주변 지역에서 높으므로 유소년 부양비, (나)는 대체로 촌락 지역에서 높으므로 노년 부양비이다. 유소년 부양비는 유소년 인구 비중이 높은 도시, 특히 대도시 주변 신도시에서 높게 나타나고, 노년 부양비는 청장년층 인구 유출이 활발한 촌락 지역에서 높게 나타난다. 참고로 총 부양비는 상대적으로 청장년층 인구 비중이 높은 도시 지역에서 낮게 나타난다.

5 (가)는 청장년층 비중 및 유소년층 비중이 상대적으로 높고, 노년층 비중이 상대적으로 낮은 시, (나)는 노년층 비중이 상대적으로 높고, 청장년층 남성이 여성보다 더 많은 군이다. ㄴ. (나)는 노년층 인구 비중이 유소년층 인구 비중에 비해 높다. 따라서 (나)는 노령화 지수가 100 이상이다. ㄹ. (가), (나)는 청장년층에서는 여성보다 남성의 인구 비중이 높은 반면, 노년층에서는 남성보다 여성의 인구 비중이 높다. 따라서 (가), (나)는 청장년층 성비가 노년층 성비보다 높다.

선택지 풀이 ㄱ. (가)는 청장년층 인구 비중이 유소년층 인구 비중과 노년층 인구 비중을 합한 것보다 크다. 따라서 (가)의 총 부양비는 100 이하이다. ㄷ. (가)는 청장년층 인구 비중이 높은 시이고, (나)는 노년층 인구 비중이 높은 군이다. 따라서 (나)가 (가)보다 1차 산업 종사자 비율이 높다.

더 알아보기+ 인구 관련 용어

성비	인구 100명당 남성 인구수
인구 성장률	두 연도 간의 인구 변화를 기준 연도의 인구로 나눈 백분율
합계 출산율	여성 한 명이 가임 기간 동안 낳는 평균 자녀의 수
총 인구 부양비	유소년 부양비와 노년 부양비를 합한 값

6 총 부양비는 청장년층 인구 비중에 반비례한다. A는 유소년 부양비와 노년 부양비가 모두 약 20이므로 총 부양비는 약 40이다. B는 유소년 부양비가 약 13, 노년 부양비가 약 32이므로 총 부양비는 약 45이다. (가)에는 B 지역에서 높은 항목인 총 부양비 또는 노령화 지수, (나)에는 A 지역에서 높은 항목인 유소년 부양비, 청장년층 인구 비중이 들어갈 수 있다.

7 ㄴ. 수도권은 서울, 경기, 인천을 일컬으며 수도권의 외국인 근로자 수는 약 35만 명으로 전국의 절반 이상을 차지한다. ㄷ. 서울은 남성 외국인 수와 여성 외국인 수의 비중이 거의 비슷하다. 외국인 근로자의 성별 비율 차이가 가장 작은 지역은 서울이다.

선택지 풀이 ㄱ. 충남은 경남보다 전체 외국인 근로자 수가 적을 뿐만 아니라 남성의 구성비도 낮아 남성 외국인 근로자 수가 적다. ㄹ. 항구 도시인 부산, 인천, 울산에는 공업이 발달하여 내륙의 대구, 광주, 대전보다 외국인 근로자 수가 더 많다.

8 국제결혼율은 농어촌 지역에서 높게 나타난다. 농어촌 지역은 청장년층의 유출이 활발하며, 특히 결혼 적령기의 여성의 유출로 남성의 성비가 높다. 이로 인해 우리나라 농어촌 지역의 남성과 주로 개발 도상국 출신의 외국인 여성이 결혼하는 국제결혼이 증가하였다.

2일 북한 지역의 특성

기초 유형 연습 146~147쪽

1 ③ 2 ④ 3 ① 4 ④ 5 ① 6 ② 7 ⑤ 8 ③

1 1990년, 2010년 모두 3차 산업 생산액 비중이 큰 A가 남한, 3차 산업 비중이 작은 B가 북한이다. ③ 남·북한 모두 2·3차 산업 생산액 비중을 합한 값이 커졌으므로 나머지 부분을 차지하는 1차 산업 생산액 비중은 감소하였다.

선택지 풀이 ① 1990년 2차 산업 생산액 비중은 북한이 약 42%, 남한이 약 28%로 북한이 남한보다 크다. ② 1차 산업 생산액 비중은 100에서 2·3차 산업 생산액 비중을 더한 값을 빼서 구할 수 있다. 2010년 남한의 1차 산업 생산액 비중은 약 2%, 북한의 1차 산업 생산액 비중은 약 20%로 북한이 남한보다 크다. ⑤ 노령화 지수는 노년층 비중에 비례한다. 남한의 노년층 비중은 약 12%, 북한의 노년층 비중은 약 10%이다. 따라서 이 값이 더 큰 남한이 북한보다 노령화 지수가 더 높다.

2 북한은 남한보다 도로 교통의 발달이 부진하여 철도에 대한 의존율이 높으며, 산업 구조가 낙후되어 있어 무역 상대국이 중국 등에 치우쳐 있다. 또한 북한은 농업 기술 수준이 낮고, 기반 시설이 부족하여 농업 생산성이 낮다.

선택지 풀이 ㄷ. 북한은 폐쇄 경제로 인해 에너지 자원을 수입하는 양이 적다. 대신 국내 매장량이 많은 무연탄과 수력에 대한 의존도가 높다.

3 (가)는 1월 평균 기온이 가장 낮으므로 중강진(A)이다. 중강진은 고위도의 내륙에 위치하여 최한월 평균 기온이 가장 낮고, 연교차가 가장 크다. (다)는 세 지역 중 1월 평균 기온이 가장 높으며, 겨울 강수량이 많으므로 원산(C)이다. 원산은 평양(B)과 위도는 비슷하지만 동해안에 위치해 최한월 평균 기온이 더 높다. 또한 원산은 북부 지방 최다우지로 북동 기류에 의해 겨울 강수량이 많다.

4 전력 소비량이 많은 평양 주변에 주로 분포하는 (가)는 화력 발전, 주요 하천의 중·상류에 주로 분포하는 (나)는 수력 발전이다. 북한의 1차 에너지 소비에서 가장 높은 비중을 차지하는 것은 석탄이며, 다음으로는 수력, 석유 순으로 높은 비중을 차지한다. 따라서 A는 석탄, B는 수력, C는 석유이다. ㄱ. 북한의 화력 발전은 석탄을 주 연료로 한다. ㄷ. 대기 오염 물질 배출량은 석탄을 주 연료로 하는 화력 발전이 더 많다.

5 남한의 생산량이 많은 A는 쌀, 북한의 생산량이 많은 B는 옥수수이다. 총 논밭 면적은 남한보다 북한이 더 넓고, 남한은 논의 비중이 높으며, 북한은 산지가 많아 밭의 비중이 높다. ㄴ. 총 논밭 면적은 북한이 남한보다 넓으나 식량 작물 생산량은 남한이 더 많으므로 남한의 토지 생산성이 북한보다 높다.

선택지 풀이 ㄷ. 남한에서 쌀은 식량 작물 중 자급률이 가장 높다. ㄹ. 남한이 북한보다 밭 면적 대비 논 면적의 비율이 높다.

6 (가)는 백두산, (나)는 원산, (다)는 신의주에 대한 설명이다. 원산은 경원선 철도의 종착지이고, 풍부한 수력과 지하자원을 바탕으로 일제 강점기부터 중화학 공업이 발달하였다. 신의주는 중국과의 접경 지역으로 중국과의 교역 통로 역할을 하며, 중국 내 홍콩처럼 개발하기 위해 2002년 특별행정구로 지정하였다. A는 나진, B는 백두산, C는 신의주, D는 원산, E는 개성이다.

더 알아보기+ 북한의 개방 지역

나진·선봉 경제특구	• 중국, 러시아와 인접한 북한 최초의 개방 지역 • 외국 자본 투자가 부진
신의주 특별행정구	• 중국, 홍콩처럼 외자 유치 및 교역 확대 유도 • 중국과의 마찰로 사업 중단
금강산 관광 지구	• 관광객 유치 목적으로 조성 • 2008년 이후 중단 상태
개성 공업 지구	• 남한의 자본과 기술 + 북한의 노동력 → 남북 교류 증대에 큰 역할 • 2016년 이후 정치적 마찰로 중단 상태

7 신·재생 및 기타를 제외하고 1차 에너지원별 공급량 비중에서 남한은 석유>석탄>천연가스>원자력>수력 순으로 크며, 북한은 석탄>수력>석유 순으로 크다. 따라서 A는 석유, B는 석탄, C는 천연가스이다. 발전 양식별 발전 설비 용량 비중은 남한에서는 화력>원자력>수력 순으로 크고, 북한에서는 수력>화력 순으로 크다. 따라서 북한에서 이루어지지 않는 (가)는 원자력이고, (나)는 화력, (다)는 수력이다. ⑤ 수력은 강수량이 많거나 지형적으로 낙차가 큰 곳이 발전에 유리하다. 화력은 입지 조건의 제약이 크지 않으며, 송전비 절감을 위해 대소비지 근처에 입지하는 경향을 보인다. 따라서 수력이 화력에 비해 기후의 제약을 많이 받는다.

선택지 풀이 ④ 화력 발전은 석탄을 이용한 발전 비중이 가장 크다. 남한의 화력 발전에는 석탄>천연가스>석유 순으로 이용된다.

8 ③ 북한은 도로 교통의 수송 기능이 미미하며, 철도 교통이 여객 수송의 60%, 화물 수송의 90%를 담당한다.

선택지 풀이 ① 북한 최초로 지정된 경제특구는 나진·선봉 경제특구로 동해선의 금강산~두만강 구간에 위치한다. ② 남북 합작으로 설립된 공업 단지는 개성이며, 개성은 경의선의 개성~신의주 구간에 위치한다. ④ 동해선의 금강산~두만강 구간보다 경의선의 개성~신의주 구간에 위치한 도시의 총 인구가 많다. ⑤ ㉠은 중국, ㉡은 러시아의 철도와 직접 연결된다.

3일 수도권과 강원 지방

기초 유형 연습 152~153쪽

1 ②	2 ②	3 ③	4 ②	5 ①	6 ①
7 ⑤	8 ④				

1 A는 고양, B는 양평, C는 안산이다. 아파트 호수는 서울의 주거 기능을 분담하기 위해 건설된 신도시인 고양에서 가장 높게 나타나므로 (가)는 고양이다. 외국인 수는 제조업이 발달한 안산이 가장 많으므로 (나)는 안산이다. 중위 연령은 상대적으로 서울과 거리가 멀어 촌락이 많은 양평에서 가장 높게 나타나므로 (다)는 양평이다.

2 서비스업 비중이 가장 높은 (가)는 서울, 농림어업과 제조업의 비중이 높은 (나)는 경기, (다)는 인천이다. 전입·전출 인구 규모가 가장 큰 A는 경기, 가장 작은 C는 인천, B는 서울이다. 경기는 전입이 전출보다 많아 인구가 증가했고, 서울은 전출이 전입보다 많아 인구가 감소하였다. ② 그래프를 통해 경기의 1인당 지역 내 총생산액이 인천의 1인당 지역 내 총생산액보다 많음을 알 수 있다.

선택지 풀이 ① 인구 순 이동은 전입 인구에서 전출 인구를 뺀 값을 의미한다. 서울은 전출 인구가 전입 인구보다 많아 순 이동 인구의 값이 (−)이고, 경기는 전입 인구가 전출 인구보다 많아 순 이동 인구 값이 (+)이다. 따라서 경기보다 서울의 인구 순 이동이 적다.

더 알아보기 **수도권의 공간적 집중**

인구 집중	우리나라 전체 면적의 약 12%에 불과하지만, 전체 인구는 절반 정도를 차지함.
기능 집중	• 중앙 정부 기관, 대기업 본사, 언론사, 금융 기관 본점, 각종 문화 시설 집중 • 서비스업, 제조업의 집중으로 국내 총생산(GDP)의 절반 정도를 차지함.
교통망 집중	교통망이 서울 등 수도권을 중심으로 연결되어 있음.

3 (가)는 두 시기 모두 3차 산업 생산액 비중이 가장 높은 서울, (다)는 두 시기 모두 2차 산업 생산액 비중이 가장 높은 경기, (나)는 인천이다. ③ 경기의 3차 산업 비중의 증가 폭은 약 26%p, 서울의 3차 산업 비중의 증가 폭은 약 15%p로 경기가 서울보다 3차 산업 비중의 증가 폭이 크다.

선택지 풀이 ② (가)의 2차 산업 비중은 약 12%p, (나)의 2차 산업 비중은 약 22%p, (다)의 2차 산업 비중은 약 20%p 감소하였다. 따라서 (나)는 세 지역 중 2차 산업 비중이 가장 많이 감소하였다. ⑤ 탈공업화는 제조업 비중이 감소하고, 서비스업 비중이 증가하는 현상이다. 그래프를 통해 세 지역 모두 1988년에 비해 2013년 제조업의 비중이 감소하고, 서비스업 비중이 증가하였으므로 수도권에서 탈공업화 현상이 진행되고 있음을 알 수 있다.

4 A는 파주, B는 과천, C는 안산, D는 평택, E는 여주이다. ② 과천(B)은 정부 종합 청사가 위치하여 행정 기능을 담당하는 위성 도시이다.

5 A는 파주, B는 철원, C는 화천, D는 인제, E는 고성이다. (가)는 판문점이 있는 경기도 파주, (나)는 한탄강 주변에 용암 대지가 넓게 있는 강원도 철원, (다)는 고산 습지와 감입 곡류 하천이 있는 강원도 인제이다. 강원도 화천은 추운 겨울과 얼음을 이용한 산천어 축제가 유명하며, 강원도 고성은 석호인 송지호와 각종 해수욕장으로 알려져 있다.

더 알아보기 **영동 지방과 영서 지방의 특성**

	영동 지방	영서 지방
지형	• 급경사 사면, 소규모 해안 평야 발달 • 다양한 해안 지형 발달(사빈, 석호, 해안 단구 등)	• 완경사 사면, 고원과 침식 분지 발달 • 하천 중·상류에 감입 곡류 하천과 하안 단구 발달
기후	• 영서 지방보다 겨울철 기온이 온화함. • 겨울철 북동 기류의 영향으로 눈이 많이 내림.	• 영동 지방보다 기온의 연교차가 큼. • 여름철 남서 기류의 영향으로 강수량이 많음.

6 원주시의 비중이 높은 (가)는 제조업, 강원 지방에서 인구가 많은 원주시, 춘천시, 강릉시의 비중이 높은 (나)는 숙박 및 음식점업이다. 숙박 및 음식점업은 소비자 서비스업으로 다른 산업에 비해 인구 규모의 영향을 많이 받고, 지역별로 고르게 분포하는 특징을 지닌다. 참고로 춘천시에는 강원도청이 위치하여 문제의 그래프에서 춘천시의 비중이 가장 높다면 공공 및 기타 행정일 가능성이 높다.

7 A는 춘천, B는 인제, C는 강릉, D는 태백, E는 원주이다. ⑤ 원주는 기업 도시 및 혁신 도시로서 첨단 의료 산업의 성장이 기대되는 도시이다. 국토 정중앙 테마 공원이 조성된 지역은 양구이다.

8 A는 춘천, B는 인제, C는 원주, D는 평창, E는 태백이다. 해당 지역들 중 고위 평탄면이 발달하여 목축업과 고랭지 농업이 이루어지고, 2018년 동계 올림픽이 개최된 지역은 평창(D)이다. 평창군의 대관령 일대는 우리나라에서 울릉도와 함께 대표적인 다설지이다.

4일 충청 지방과 호남 지방

기초 유형 연습 158~159쪽

1 ⑤ **2** ③ **3** ① **4** ⑤ **5** ① **6** ① **7** ② **8** ⑤

1 A는 충주, B는 세종, C는 대전이다. 충주는 기업 도시로 개발되고 있으며, 세종특별자치시는 국토의 균형 발전을 위해 행정 중심 복합 도시로 조성되었다. 따라서 행정 및 공공 기관 종사자 수는 세종이 충주보다 많다.

선택지 풀이 ① 충청 지방에서 수도권 전철이 연결된 곳은 천안, 아산이다. ② 충청남도의 도청 소재지는 내포 신도시(충남 홍성, 예산)이다. ③ 생명 과학 단지와 국제공항이 있는 지역은 청주이다. ④ 충청 지방에서 인구가 가장 많은 지역은 대전이다.

2 (가)는 유소년 인구 비중이 가장 높은 것으로 보아 세종, (나)는 노년 인구 비중이 가장 높은 것으로 보아 충북·충남, (다)는 대전이다. A는 전문·과학 및 기술 서비스업의 비중이 가장 높은 것으로 보아 대전, 제조업 비중이 가장 높은 C는 충북·충남, B는 세종이다. ㄴ. 대전의 유소년 부양비는 19.6, 세종의 유소년 부양비는 28.4이다. 따라서 대전은 세종보다 유소년 부양비가 낮다. ㄷ. 세종의 노령화 지수는 53, 충북·충남의 노령화 지수는 109.1이다. 따라서 세종의 노령화 지수가 더 낮다.

선택지 풀이 ㄹ. 산업별 종사자 비중 그래프에서 충북·충남의 제조업 종사자 비율은 약 30%, 대전의 제조업 종사자 비율은 약 10%이다. 따라서 대전의 제조업 종사자 비중이 더 낮다.

3 (가)는 넓은 평야와 지평선을 나타내고 있으므로 우리나라에서 유일하게 지평선을 볼 수 있는 김제이다. (나)는 갯벌과 옛 읍성(낙안 읍성)을 나타내고 있으므로 순천, (다)는 녹차로 유명한 보성이다. A는 김제, B는 남원, C는 순천, D는 보성이다.

4 A는 김제, B는 무주, C는 순창, D는 함평, E는 보성이다. ⑤ 보성에서는 지리적 표시제 1호로 등록된 녹차를 이용한 축제가 열린다. 수많은 꽃으로 장식된 국가 정원과 갯벌이 함께 어우러진 축제는 순천에서 열린다.

더 알아보기 **호남 지방 주요 관광 자원과 지역 축제**

0 20 km
무주 반딧불 축제
전주 세계 소리 축제
덕유산 국립 공원
김제 지평선 축제
전주 한옥 마을
아리랑 문학관
금산사
변산반도 국립 공원
내장산 국립 공원
광한루원
고창 고인돌군
순창 장류 축제
남원 춘향제
황해
담양 죽물 시장
지리산 국립 공원
광주 비엔날레
광양 매화 문화 축제
함평 나비 대축제
무등산 국립 공원
낙안읍성
순천만 갈대 축제
화순 고인돌군
월출산 국립 공원
보성 다향제
한려 해상 국립 공원
다도해 해상 국립 공원
강진 청자 축제
영암 왕인 문화 축제
여수 거북선 축제
진도 신비의 바닷길 축제
다도해 해상 국립 공원
고흥 나로 우주 센터
완도 장보고 축제
남해
다도해 해상 국립 공원
다도해 해상 국립 공원

(전라남·북도청, 2016)

5 (가)는 도청 소재지이며, 국제공항이 위치해 있다. 충청 지방에서 도청 소재지는 홍성군(충남 도청 소재지)과 청주시(충북 도청 소재지)인데, 국제공항이 입지해 있는 지역은 청주시이다. 청주시에는 충청 지방에서 유일하게 국제공항이 있고, 고속 철도 노선의 분기점인 오송역이 위치하고 있다. (나)는 신두리 해안 사구가 위치해 있으며, 해안 국립공원으로 지정된 태안에 대한 설명이다. 지도의 A는 태안, B는 청주, C는 대전, D는 서천이다. 대전(C)은 대덕 연구 단지를 중심으로 첨단 산업이 발달한 충청 지방의 중심 도시이다. 대전은 경부 고속 국도와 호남 고속 국도의 분기점이다. 서천(D)은 벼농사 중심의 촌락 지역이었으나, 서해안 고속 국도의 개통으로 접근성이 향상되어 관광 산업이 발달하고 있는 지역이다.

6 (가)는 간척지로 넓은 농경지를 확보한 김제, (나)는 춘향전의 배경인 남원, (다)는 녹차로 유명한 보성이다. 지도의 A는 김제, B는 남원, C는 보성이다.

7 지도의 A는 군산, B는 전주, C는 영광, D는 순천, E는 해남이다. ② 전주는 한옥 마을로 유명하여 장소 마케팅 전략을 통한 관광 산업이 발달해 있는 지역이다. 또한 전주는 슬로 시티로

지정되어 있기도 하다.

선택지 풀이 ③ 녹차가 지리적 표시제에 등록된 지역은 전남 보성이다. 영광은 굴비가 유명하며, 원자력 발전소가 위치해 있다. ④ 하굿둑은 금강 하굿둑이 위치해 있는 군산, 영산강 하굿둑이 위치해 있는 목포-영암에서 볼 수 있다. 순천은 순천만과 보성 갯벌, 낙안 읍성 등으로 유명하다. ⑤ 호남 지방에서 원자력 발전소가 위치한 지역은 영광이다. 해남은 공룡 발자국 화석, 땅끝 마을, 겨울 배추 생산 등으로 유명하다.

8 (가)는 과거 석탄 산업이 발달했으나 현재는 머드 축제 개최지로 잘 알려져 있고, 석탄 박물관이 위치하여 최근 관광 산업이 발달하고 있는 보령이며, (나)는 풍부한 석회암을 바탕으로 시멘트 공업이 발달하였으며, 카르스트 지형을 이용하여 관광지가 조성되어 있고, 특산물인 마늘을 소재로 한 지역 축제가 열리는 단양이다. 지도의 A는 서산, B는 보령, C는 충주, D는 단양이다. 서산(A)에는 석유 화학 공업이 발달해 있고, 충주(C)는 기업 도시이다.

5일 영남 지방과 제주도

기초 유형 연습 164~165쪽

1 ③	2 ④	3 ③	4 ④	5 ④	6 ②
7 ①	8 ⑤				

1 지도의 A는 안동, B는 구미, C는 영천, D는 창녕, E는 거제이다. ③ 유네스코 세계 문화유산으로 지정된 마을로는 안동 하회 마을, 경주 양동 마을 등이 있다.

선택지 풀이 ② 구미는 최근 정보 통신 산업 및 IT 산업을 발전시키면서 기존 공업의 고부가가치화를 추진하고 있다. ④ 창녕의 우포늪은 낙동강 지류의 범람원 배후 습지로 보전 가치가 높아 람사르 협약에 등록되어 있다. ⑤ 거제는 부산광역시와 연육교인 거가 대교로 연결되어 있다. 거가 대교의 건설 이후 두 지역 간 이동 시간 및 거리가 단축되면서 지역 간 상호 작용이 더욱 활발해졌다.

2 지도의 A는 경산, B는 경주, C는 창녕, D는 김해, E는 창원이다. (가)시가 대도시의 교외 지역이며, 인구 100만 명 이상인 도시들과 접해 있다는 것을 통해 김해임을 알 수 있다. 김해는 대도시인 부산의 인구와 산업이 분산되는 교외화 현상으로 성장하였으며, 인구 100만 명 이상인 부산, 창원과 접해있다.

3 지도의 A는 안동, B는 구미, C는 창녕, D는 울산, E는 사천이다. ③ 창녕에는 람사르 협약에 등록된 우포늪이 있다. 우포늪은 낙동강 지류의 배후 습지로서 생태적 가치가 큰 곳이다. 창녕에서는 2008년 람사르 총회가 열리기도 하였다.

선택지 풀이 ① 영남 지방에서 원자력 발전소가 입지한 지역은 경주, 부산, 울진이다. 안동은 동족촌인 하회 마을이 위치해 있으며, 하회 마을은 세계 문화유산에도 등재되어 있는 마을이다. 또한 대구에 있던 경상북도 도청이 안동으로 이전하면서 행정 기능이 강화되었다. ② 구미는 영남 내륙 공업 지역의 중심 도시로 IT 공업이 발달한 지역이다. ④ 영남 지방에서 대규모의 제철소가 입지해 있는 지역은 포항이다. ⑤ 낙동강 삼각주의 시설·원예 농업 단지는 부산, 김해 평야 일대에서 볼 수 있다. 사천에서는 우주 항공 산업이 이루어지고 있다.

4 지도의 A는 보성, B는 광양, C는 사천, D는 고성, E는 김해이다. ④ 고성은 중생대 퇴적암이 분포하는 경상 분지에 위치해 있다. 따라서 고성에서는 공룡 발자국 화석이 발견되어 이를 활용한 장소 마케팅 전략을 수립하여 관광 산업을 발전시키고 있다. 고성에서는 공룡 엑스포가 개최되기도 한다.

선택지 풀이 ① 문제의 지도 중 대규모 제철소가 입지해 있는 지역은 전남 광양이다. ③ 문제의 지도 중 하굿둑은 부산(낙동강 하굿둑)에 위치해 있다. ⑤ 문제의 지도 중 혁신 도시가 조성되어 있는 지역은 광주, 나주, 부산, 진주, 울산이다.

5 지도의 A는 구미, B는 포항, C는 울산이다. (가)는 석유 화학 공업과 자동차 공업이 발달한 지역이다. 따라서 영남 지방에서 제조업이 가장 발달해 있으며, 석유 화학 공업, 자동차 공업, 조선 공업 등이 발달해 있는 울산(C)이 (가)에 해당한다. 울산은 우리나라에서 1인당 지역 내 총생산이 가장 많은 지역이다. (나)는 IT 산업이 발달한 도시로 구미(A)에 해당한다. (다)는 제철 공업이 발달한 도시이다. 영남 지방 중 제철 공업이 크게 발달해 있는 포항(B)이 (다)에 해당한다.

더 알아보기 영남 지방 주요 도시의 제조업 특징

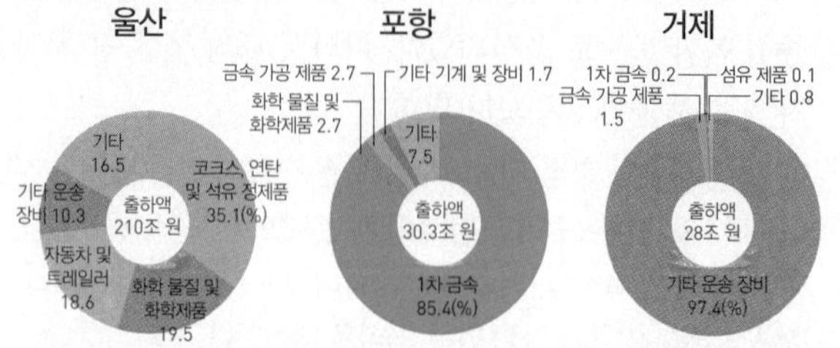
울산
기타 16.5
코크스, 연탄 및 석유 정제품 35.1(%)
기타 운송 장비 10.3
출하액 210조 원
자동차 및 트레일러 18.6
화학 물질 및 화학제품 19.5
포항
금속 가공 제품 2.7
기타 기계 및 장비 1.7
화학 물질 및 화학제품 2.7
기타 7.5
출하액 30.3조 원
1차 금속 85.4(%)
거제
1차 금속 0.2
섬유 제품 0.1
금속 가공 제품 1.5
기타 0.8
출하액 28조 원
기타 운송 장비 97.4(%)

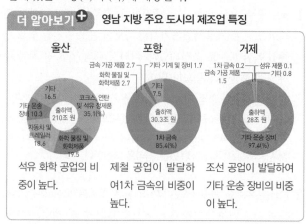

석유 화학 공업의 비중이 높다.	제철 공업이 발달하여1차 금속의 비중이 높다.	조선 공업이 발달하여 기타 운송 장비의 비중이 높다.

6 지도의 A는 충청남도, B는 경상북도, C는 전라북도, D는 경상남도, E는 제주도이다. 석탄 수송 철로를 이용한 레일 바이크는 강원도 정선, 충청남도 보령, 경상북도 문경에 위치해 있다. 세계 문화유산으로 등재된 전통 마을에는 안동 하회 마을과 경주 양동 마을이 있는데, 이 중 탈춤과 관련된 곳은 안동 하회

마을이다. 원자력 발전소는 전라남도 영광과 경상북도 울진, 경주, 부산에 위치한다. 대규모 제철 공장은 인천, 충청남도 당진, 전라남도 광양, 경상북도 포항에 위치한다. 레일 바이크, 세계 문화유산에 등재된 전통 마을, 원자력 발전소, 대규모 제철 공장이 모두 위치해 있는 지역은 경상북도(B)이다.

7 지도에 표시된 지역은 위쪽부터 서울, 경기, 울산, 제주이다. 서울은 인구 밀도가 가장 높고, 서비스업이 고도로 발달해 있다. 경기는 인구가 우리나라에서 가장 많으며, 제조업이 발달해 있고, 울산은 중화학 공업이 발달해 있다. 제주는 밭농사 중심의 농업 및 관광 산업이 발달해 있다. (가)는 네 지역 중 서비스업과 가정·공공용의 지역 내 소비 비중이 가장 높은 서울, (나)는 광업·제조업의 지역 내 전력 소비 비중이 가장 높으므로 울산, (다)는 전국 대비 비중이 가장 높고, 제조업과 서비스업의 지역 내 전력 소비 비중이 가장 높은 것으로 보아 경기, (라)는 농림어업과 서비스업의 지역 내 소비 비중이 높고, 전국 대비 비중이 가장 낮은 것으로 보아 제주이다.

8 다음 대화가 이루어지는 지역은 제주도이다. ⑤ 제주도는 절리가 발달하여 배수가 잘되므로 벼농사보다는 주로 밭농사가 이루어진다.

선택지 풀이 ① 제주도는 현무암을 기반으로 하는 흑갈색의 간대토양이 분포하고 있다. ② 주상 절리는 현무암질 용암의 냉각 과정에서 형성되었으며, 주로 해안이나 하천 양안을 중심으로 잘 발달되어 있다. ③ 한라산의 주변에는 약 360여 개의 기생 화산(오름)이 분포하는데, 대부분의 기생 화산은 화산 쇄설물이 퇴적되어 형성되었다.

4주 누구나 100점 테스트 166~167쪽

1 ②	2 ④	3 ②	4 ④	5 ⑤	6 ①
7 ①	8 ②				

1 유소년 부양비는 청장년 인구(15~64세)에 대한 유소년 인구(0~14세)의 비율로 나타내며, 노년 부양비는 청장년 인구에 대한 노년 인구(65세 이상)의 비율로 나타낸다. 따라서 총부양비는 청장년 인구에 반비례한다. ㄱ. 부산과 광주는 총부양비가 비슷하지만, 부산의 노년 부양비가 더 높으므로 부산이 광주보다 노령화 지수가 더 높다. ㄷ. 전남의 총부양비가 100보다 작으므로 청장년 인구 비중은 50% 이상이다.

선택지 풀이 ㄴ. 제주도는 유소년 부양비가 노년 부양비보다 높으므로 유소년 인구가 노년 인구보다 많다. ㄹ. 수도권은 서울, 경기, 인천을 의미하고, 영남권은 경북, 경남, 울산, 부산, 대구를 의미한다. 그래프를 통해 수도권의 노년 부양비보다 영남권의 노년 부양비가 대체적으로 더 높은 것을 알 수 있다.

2 20~59세 중 (가)는 여성보다 남성 외국인 수가 많고, (나)는 남성보다 여성 외국인 수가 많다. 또한 (가)는 (나)보다 전체 외국인 수가 월등히 많다. 이를 통해 (가)는 제조업이 발달한 시, (나)는 결혼 적령기 연령대의 성비 불균형으로 한국인 남성과 외국인 여성의 결혼 비율이 높은 군이라는 사실을 알 수 있다. 실제로 (가)는 제조업이 발달한 안산시, (나)는 촌락인 구례군이다.

선택지 풀이 ㄷ. (가)는 제조업이 발달한 지역으로 남성 외국인 근로자의 비율이 높다. (나)는 촌락 지역의 결혼 적령기 연령대의 성비 불균형으로 여성 결혼 이주자의 비율이 높다. 따라서 (가)는 (나)보다 외국인 인구의 성비가 높을 것이다.

3 (가)는 화력 발전, (나)는 수력 발전이다. ② 화력 발전은 북한에서 생산되는 석탄을 1차 에너지원으로 이용한다.

선택지 풀이 ①, ③ 화력 발전은 입지가 비교적 자유롭기 때문에 전력 수요가 많은 평양 주변에 주로 분포하며, 발전 과정에서 대기 오염 물질을 많이 배출한다. ④ 북한의 1차 에너지원별 공급량 비중은 석탄>수력>석유 순으로 크다. ⑤ 북한은 높은 산지가 많고 하천의 폭이 좁을 뿐만 아니라 급경사의 사면에서 큰 낙차를 얻을 수 있어 수력 발전에 유리하다. 수력 발전은 발전소 가동에 지형적 제약 및 기후적 제약이 화력 발전보다 훨씬 크다.

4 (가)는 기온의 연교차가 크고 연 강수량이 적은 평양의 기후 그래프이다. (나)는 여름철뿐만 아니라 겨울철에도 비교적 강수량이 많고 겨울철이 온화한 원산의 기후 그래프이다. A는 중강진, B는 청진, C는 평양, D는 원산이다. 중강진은 우리나라에서 기온의 연교차가 가장 크며, 1월 평균 기온이 −15℃ 미만으로 매우 춥다. 원산과 같이 동해안에 위치한 청진은 원산보다 고위도에 위치하여 연평균 기온이 더 낮다.

5 지도의 A는 화천, B는 양양, C는 횡성, D는 평창, E는 태백이다. 2018년 동계 올림픽을 개최한 (가)는 평창, (나)는 과거 석탄 산업이 발달했으나 석탄 산업 합리화 정책으로 대다수의 탄광이 폐광되고, 이를 관광 자원화 하여 현재 석탄 박물관이 있는 태백, (다)는 축산물 지리적 표시제 1호인 '횡성 한우'로 유명한 횡성이다.

6 지도에 표시된 A는 내포 신도시, B는 세종특별자치시, C는 청주, D는 보은에 해당한다. 갑. 내포 신도시는 충청남도의 지방 행정 기능이 이전된 곳으로 충청남도 예산과 홍성이 해당된다. 을. 세종특별자치시는 중앙 행정 기능 분담과 국토 균형 발전을 위해 출범된 도시이다.

선택지 풀이 병. 지식 기반형 산업이 성장하는 기업 도시는 충주이다. 정. 충청 지방에서 대규모 석유 화학 단지가 있어 제조업 출하액이 많은 곳은 대표적으로 서산을 들 수 있다.

더 알아보기+ **충청 지방 산업 단지**

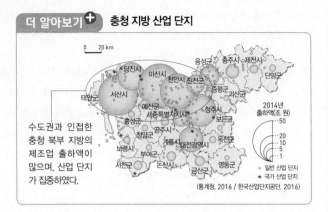

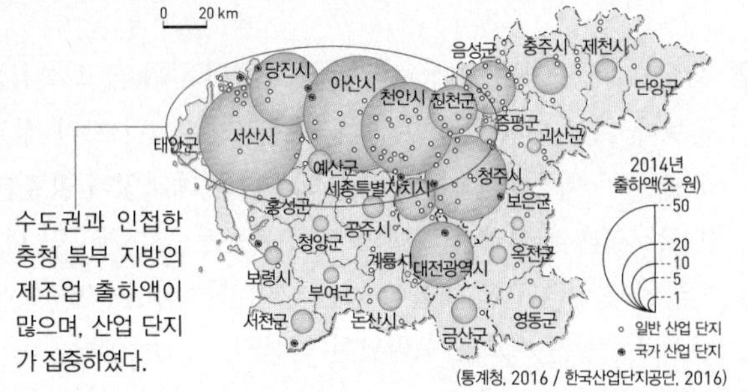
0 20 km
당진시
아산시
천안시
진천군
음성군
충주시
제천시
단양군
증평군
괴산군
태안군
서산시
예산군
세종특별자치시
청주시
보은군
홍성군
공주시
청양군
보령시
계룡시
대전광역시
옥천군
부여군
서천군
논산시
금산군
영동군
2014년 출하액(조 원)
50
20
10
5
1
일반 산업 단지
국가 산업 단지
수도권과 인접한 충청 북부 지방의 제조업 출하액이 많으며, 산업 단지가 집중하였다.
(통계청, 2016 / 한국산업단지공단, 2016)

7 지도의 A는 무주, B는 부안, C는 광주, D는 영암, E는 광양이다. ① 무주는 진안고원에 위치하여 여름철 서늘한 기후를 이용한 고랭지 농업이 이루어진다.

선택지 풀이 ② 호남 지방에서 대규모 제철소가 입지해 있는 지역은 광양이다. ③ 한옥 마을, 판소리 등의 문화적 자원과 장소 마케팅이 이루어지고 있는 지역은 전주이다. ④ 녹차의 지리적 표시제 등록을 통한 브랜드 가치를 창출하고 있는 지역은 보성이다. ⑤ 호남 지방에서 하굿둑이 건설되어 있는 지역은 영암과 군산이다.

8 지도의 A는 구미, B는 포항, C는 울산, D는 창원, E는 부산이다. ② 포항은 1970년대에 정부 주도의 중화학 공업 육성으로 제철소가 입지하면서 빠르게 성장하였다. 세계 문화유산으로 등재된 전통 마을(하회 마을)이 있고, 국제 탈춤 페스티벌이 열리는 곳은 안동이다.

정답은
이안에
있어!

시작은
하루 수능
바탕학습
1654 프로젝트
구문 기초

시작은 하루 수능 영어

- 구문 기초
- 유형 기초
- 어휘·어법

이 교재도 추천해요!

- 철자 이미지 연상 학습 어휘서 **3초 보카 〈수능〉편**

시작은
하루 수능
바탕학습
1654 프로젝트
한국사 기초

시작은 하루 수능 사회

- 한국사 기초
- 생활과 윤리 기초
- 사회·문화 기초
- 한국지리 기초

이 교재도 추천해요!

- 자기주도학습 기본서 **셀파 사회 시리즈**

시작은
하루 수능
바탕학습
1654 프로젝트
물리학Ⅰ 기초

시작은 하루 수능 과학

- 물리학Ⅰ 기초
- 화학Ⅰ 기초
- 생명과학Ⅰ 기초
- 지구과학Ⅰ 기초

이 교재도 추천해요!

- 자기주도학습 기본서 **셀파 과학 시리즈(물·화·생·지Ⅰ)**